Drold Senio, C.P.

WOLFGANG SCHENK

# Der Passionsbericht nach Markus

Untersuchungen zur Überlieferungsgeschichte
der Passionstraditionen

GÜTERSLOHER VERLAGSHAUS GERD MOHN

1. Auflage · ISBN 3-579-04081-2

Lizenzausgabe mit Genehmigung

der Evangelischen Verlagsanstalt Berlin 1974

Printed in the German Democratic Republic

Satz und Druck: VEB Broschurendruck Leipzig

Bindearbeiten: VOB Bucheinband „exquisit", Leipzig

# Inhaltsverzeichnis

# Einleitung

Daß die Frage nach der Heilsbedeutung des Todes Jesu in Theologie und Kirche eine offene Frage ist, die der Antwort dringend bedarf, ist spätestens seit E. Käsemanns Vortrag von 1967, „Die Gegenwart Christi – das Kreuz"[1], und der Diskussion, die dieser Vortrag in breiten Kreisen ausgelöst hat, offenkundig. Die Arbeiten des Theologischen Ausschusses der Evangelischen Kirche der Union zu diesem Thema und deren Veröffentlichung haben dazu beigetragen, daß die Frage zu einem bevorzugten Diskussionsgegenstand der Theologie geworden ist.[2]

Wie wenig das Problem zu Ende gebracht ist, machen die Schlußsätze der Einleitung der abschließenden Stellungnahme des Theologischen Ausschusses unter dem Titel „Zum Verständnis des Todes Jesu" selbst deutlich, die besagen, daß die hier vorgelegten Formulierungen „nicht die begonnene Diskussion abschneiden, sondern zur weiteren Klärung dienen" wollen.[3]

Wir stehen hier also in gewisser Weise, wenn nicht am Anfang, so doch in einer ganz bestimmten Vorläufigkeit der Sachdiskussion. Das wird in dem genannten Dokument besonders daran deutlich, daß es schon einleitend die besonders pointierten Positionen von W. Marxsen[4] und W. Pannenberg[5] in dieser Frage zwar andeutet,[6] sich aber der Auseinandersetzung mit ihnen nicht stellt, sondern sie im Grunde abseits liegen läßt, indem es formuliert: „Ohne bestimmte Wahrheitsmomente in diesen Positionen zu verkennen, die eine Fortführung des Gesprächs erforderlich machen, geht der Ausschuß davon aus, daß das besondere Ereignis der Auferstehung die exklusive Heilsbedeutung des Todes Jesu offenbar macht. Nicht der irdische Jesus oder ein Jesuskerygma als solches, auch nicht die nur im apokalyptischen Horizont verstandene Aufer-

---

1 E. Käsemann 5–18; verkürzter Abdruck: ZdZ 22, 1968, 7–15.

2 Die Vorträge der Ausschußarbeit sind zugänglich in den beiden von F. Viering herausgegebenen Sammelbänden: Zur Bedeutung des Todes Jesu; Das Kreuz Jesu Christi als Grund des Heils; vgl. Rezensionen von T. Holtz, ThLZ 93, 1968, 507–510, und J. Fangmeier, ThLZ 95, 1970, 205–207; vgl. weiter das Arbeitsbuch, das unabhängig von der Ausschußarbeit die Studienarbeit anregen will: B. Klappert (Hrsg.), Diskussion um Kreuz und Auferstehung; Rez. dazu von H. Schultze, ThLZ 94, 1969, 370 f.

3 Zum Verständnis des Todes Jesu. Stellungnahme des Theologischen Ausschusses und Beschluß der Synode der Evangelischen Kirche der Union, hrsg. von F. Viering, 161–167; vgl. weiter F. Viering, Kreuzestod Jesu.

4 W. Marxsen, Erwägungen zum Problem des verkündigten Kreuzes, NTSt 8 1961/62, 204–214; wieder abgedruckt in W. Marxsen, Der Exeget als Theologe 160–170; der Aufsatz wird von W. Kreck in: Das Kreuz, 93 bibliographisch fehlerhaft zitiert.

5 W. Pannenberg 236–288.

6 Stellungnahme 6 f.

weckung Jesu als solche, sondern der in die Lebensgemeinschaft mit Gott auferweckte Gekreuzigte gibt zu erkennen, daß er lebt. Damit gibt er zugleich seinen Tod zu verstehen."[7] Damit werden beunruhigende Grundfragen übergangen, die sich aber sachlich nicht ausklammern lassen. Wenngleich die Erreichung einer gemeinsamen Aussage, wie sie in der Stellungnahme vorliegt, nicht gering veranschlagt werden kann, so ist doch zu fragen, ob es angesichts der dargelegten Situation nicht hilfreicher und der Weiterarbeit förderlicher gewesen wäre, wenn man sich auf die Formulierung von Zwischenergebnissen und Arbeitsprojekten konzentriert hätte.

Von der exegetischen Arbeit her stellen sich u. a. die Fragen: Was bedeutet im Zusammenhang der Problematik die historische Einsicht, daß Jesus selbst seinem Tod keine Heilsbedeutung zugesprochen hat?[8] Welches Gewicht hat innerhalb der Gesamtproblematik die Tatsache, daß in beachtlichen Schichten des Neuen Testaments wie dem Matthäus-Evangelium[9] und dem lukanischen Doppelwerk[10] dem Tode Jesu keine besondere Heilsbedeutung zuerkannt wird? Wie ist endlich das Faktum zu werten, daß auch in erkennbaren Ausprägungen vorsynoptischer Überlieferung, wie z. B. der Spruchquelle, der Tod und das Kreuz Jesu nicht soteriologisch gewertet werden[11] und daß das gleiche auch für bestimmte Typen des vorpaulinischen Kerygmas, z. B. die Sohn-Sendungsformeln,[12] gilt, ja daß sogar die Auferweckung Jesu ohne speziellen Bezug auf den Tod Jesu relevant sein kann, wie die Sohn-Einsetzungsformel Röm 1,3 f. zeigt?

Indem sich die vorliegende Arbeit mit einem historischen Teilproblem dieses umfassenden Fragenkomplexes befaßt, soll versucht werden, die erforderliche Diskussion aufzunehmen und anzuregen sowie sie hinsichtlich des Komplexes der Leidensgeschichte weiterzuführen. Auf diesem Gebiet bearbeitet die Forschung gegenwärtig ein doppeltes Aufgabenfeld. Die erste Frage, deren Klärung hier nötig erscheint, lautet: Welche theologischen Deutungen hat die Leidensgeschichte im Lauf ihrer früheren Überlieferungsgeschichte erfahren? Da alle vier Evangelien des Kanons mit Leidens- und darauffolgenden Auferstehungskapiteln enden, ist hier ein Stück Überlieferungsgeschichte besonders gut greifbar. Um die Herausstellung der zwischen den einzelnen Evangelisten erkennbar werdenden Lehrunterschiede wird man sich auf der Basis der Zwei-Quellen-Theorie unter Aufnahme der bisher auf diesem Felde schon weitgehend geleisteten

7 Ebd. 7.

8 So nach der fast einhelligen und gut fundierten Ansicht der Exegeten, vgl. W. Schrage 51–53; W. G. Kümmel, Theologie 80.

9 K. M. Fischer 109–129, besonders 115 f., gegen N. A. Dahl, Passionsgeschichte bei Matthäus 27.

10 E. Lohse, Märtyrer und Gottesknecht 187 ff.

11 G. Bornkamm, RGG³ II, 759; umfassend dargestellt bei H. E. Tödt 215 ff., besonders 229; W. Schrage 63.

12 W. Kramer 105 ff.

exegetischen Arbeit weiterhin redaktionsgeschichtlich zu bemühen haben. Dieser Bereich soll in der vorliegenden Arbeit nicht im Vordergrund stehen, sondern nur beispielhaft an Hand der Fassungen der Kreuzigungsperikope der vier Evangelien nachgezeichnet werden.

Hinzu kommt zweitens die Aufgabe einer Herausarbeitung der vormarkinischen Ausformungen des Materials der Leidensgeschichte und einer Erfassung der auch da treibenden theologischen Motive. Da uns hier die Zwei-Quellen-Theorie keine methodische Hilfe mehr bieten kann, ist diese Aufgabe viel schwieriger zu bewältigen und der Rekonstruktionsversuch mit literarkritischen und formkritischen Hilfsmitteln allein auszuführen ohne die gewisse Sicherung durch den synoptischen Vergleich. Darum ist es nicht verwunderlich, daß wir hier einen wohl mehrfach durchloteten, aber nichtsdestoweniger weithin unbekannten Bereich vor uns haben. Wer sich heute der exegetischen Arbeit an der Markuspassion zuwendet, wird zunächst finden, daß er dem Urteil zustimmen muß, das S. Schulz zuletzt in die Worte faßte: „Die mannigfachen Schichtanalysen des Passionsberichtes sind bis heute noch nicht zu eindeutigen und allseits überzeugenden Ergebnissen gekommen."[13] Dennoch kann das Problem nicht als unlösbar angesehen werden und muß schon um der klaren Erfassung des Anteils der markinischen Redaktion willen heute neu gestellt werden. Der Ansatz und Ausgangspunkt für den hier vorgelegten Versuch war dadurch gegeben, daß zwei verschiedene Forscher an zwei verschiedenen Texten unabhängig voneinander je zwei vormarkinische Vorlagen herausgearbeitet haben, wobei jeweils eins der zugrunde liegenden Quellenstücke stark apokalyptisch geprägt erscheint. Es handelt sich um die 1952 von K. G. Kuhn gegebene Analyse des Gethsemaneberichtes[14] und um die 1959 von J. Schreiber vorgelegte Analyse der markinischen Kreuzigungsperikope.[15] Die hier an beiden Stellen sichtbar werdende apokalyptisch gestaltete Tradition führt zu der Frage, ob zwischen diesen Texten nicht ein Zusammenhang besteht und ob sich in anderen Perikopen der Leidensgeschichte ähnliche Züge erkennen lassen, so daß man einen ganzen zusammenhängenden vormarkinischen Traditionsstrang eigenständiger Prägung herausarbeiten könnte. Diese Frage ist um so mehr berechtigt, als schon seit M. Dibelius' Analyse der Leidensgeschichte die von ihm auf Grund verschiedener Beobachtungen ausgesprochene Vermutung im Raume steht, daß in einem bestimmten frühen, vormarkinischen Stadium die Leidensgeschichte als „Anfang des eschatologischen Geschehens" und als „Beginn der Endzeit" verstanden wurde.[16] Diese Hypothese ist unter den Formgeschichtlern

13 S. Schulz, Stunde 119.

14 K. G. Kuhn 260–285.

15 J. Schreiber, Der Kreuzigungsbericht des Markusevangeliums. Eine traditionsgeschichtliche Untersuchung von Mark. 15,20b–41, Dissertation, Bonn (Maschinenschrift) 1959; ders., Christologie 154–183, 157 A. 5; ders., Theologie 22–82.

16 M. Dibelius, Formgeschichte 179, 185.

vor allem von H. W. Bartsch weiterverfolgt worden, ohne daß sie sich freilich in greifbaren Analysen niedergeschlagen hätte,[17] wenigstens soweit es die Gesamtheit der Leidensgeschichte betrifft; dagegen hat H. W. Bartsch seine Gesamtsicht an einer Einzelperikope, der Verfluchung des Feigenbaums, bewährt, und auch hier wieder stoßen wir auf ein ausgesprochen apokalyptisches Verständnis.[18] Weil die bei den vier genannten Forschern beobachteten Ansätze an verschiedenen Punkten schließlich doch alle an einer Stelle konvergieren, so scheint es geraten und möglich, einen Neuansatz in der Analyse der markinischen Passionstradition zu versuchen.

Die Stellungnahme des Theologischen Ausschusses „Zum Verständnis des Todes Jesu" stellt den Bereich der Leidensgeschichte unter das Thema III, „Kreuz und Verkündigung", und bemerkt dazu: „Die ausführlichen Passionsberichte der Evangelien sind bereits bekennende Leidenserzählungen, Deutungen im Lichte des Alten Testaments, Verkündigung des Todes eines Menschen als Gnadentat Gottes für alle."[19] Es darf mit Recht gefragt werden, ob diese Bestimmung der Passionstradition zutreffend ist. Gilt die Charakterisierung als bekennende Erzählung in allen hier vorliegenden Fällen, und ist diese Formbestimmung zureichend? Was soll sie überhaupt besagen? Und weiter, inhaltlich gefragt: Soll in allen vier Evangelien und in den zugrunde liegenden Traditionen die Leidensgeschichte dazu dienen, den Tod Jesu als Gottes Gnadentat für alle Menschen auszusagen, wie hier behauptet ist, oder ist hier nicht eine ganz bestimmte, an Paulus gewonnene Deuteform verallgemeinernd auf die Evangelien übertragen worden, wobei schon auf den ersten Blick gesagt werden kann, daß dies unter Überspringung und Negierung der Theologie des Matthäus wie der des Lukas geschehen ist?

Dagegen scheint hier schon Luther stärker ein Problem gespürt zu haben, wenn er sich gelegentlich darüber beklagt, daß die Evangelisten nicht gut vom Tode Jesu gesprochen hätten, weil sie nur Fakten erzählten. Dagegen hätten Paulus und Jesaja besser daran getan, wenn sie recht vom usus geredet hätten.[20] Ist nun der hinter dieser Wertung stehende exegetische Eindruck Luthers von der Leidensgeschichte rundweg falsch, oder ist er in der einlinigen Klassifizierung der „Stellungnahme" als bekennende Erzählung einfach überspielt und damit verdeckt?

Offenbar kommt man der Erfassung der theologischen Motive der verschiedenen Leidensgeschichten überhaupt nicht näher, wenn man sie von der for-

17 H. W. Bartsch, Erwägungen 449–459; ders., Bedeutung 87–102.

18 Ders., „Verfluchung" 256–260; vgl. weiter auch ders., Die Passions- und Ostergeschichten bei Matthäus, in: Basileia. Festschrift für W. Freytag, Stuttgart 1959, 1961², 27–41; wieder abgedruckt in: H. W. Bartsch, Entmythologisierende Auslegung 80–92.

19 Stellungnahme 12.

20 E. Bizer, Kreuz 28.

malen Alternative „Kerygma" und „Geschichte" her zu begreifen sucht. Dies geschieht nun aber in dem gesamten genannten Dokument des Theologischen Ausschusses grundlegend, indem gerade die zu dem zuletzt angeführten Zitat gehörige These III,1 lautet: „Die Proklamation des Gekreuzigten ist weder historicher Bericht noch rationale Begründung der Heilsnotwendigkeit des Kreuzes, sondern Zuspruch des Heils."[21] Mit dieser Alternativformulierung aber hat man sich ganz und gar dem Bultmannschen Kategoriengefüge von Kerygma und Geschichte angeschlossen und in gewisser Weise ausgeliefert.[22] Dies geschieht aber zu einem Zeitpunkt, wo diese Grundbegriffe in ihrer von Bultmann geprägten Fassung sowie ihre auch hier vorgenommene Zuordnung zueinander selbst in der Bultmann-Schule als fragwürdig erkannt worden sind.[23] Es muß darauf aufmerksam gemacht werden, daß die „Stellungnahme" eines der wesentlichen Probleme behandelt, die durch die Grundlagenkrise der heutigen Bibelexegese entstanden sind, daß sie dies aber nun genau mit den Begriffsbestimmungen, Fragerichtungen und Denkformen tut, die diese Grundlagenkrise bestimmen.[24]

Das dürfte einer der Gründe dafür sein, warum die Stellungnahme „Zum Verständnis des Todes Jesu" so wenig weiterzuhelfen scheint und notgedrungen auf der Stelle treten muß.

Auf jeden Fall ist inzwischen evident geworden, daß man nicht eo ipso die Kerygmatisierung als positives Werturteil einerseits und die Historisierung als entgegenstehend negatives Werturteil (etwa auf Lukas bezogen) andererseits einfach entgegensetzen kann. Beide Begriffe sind viel zu allgemein und darum mehrdeutig. Sowohl eine Kerygmatisierung als auch eine Historisierung kann sich jeweils durchaus nach sehr verschiedenen Richtungen entwickeln, wie an der Vielfalt der inzwischen erkannten vorsynoptischen wie vorpaulinischen Traditionen ebenso deutlich erkannt worden ist wie an den verschiedenen Ausprägungen ein und desselben Stoffes innerhalb der Schriften des Neuen Testaments und auch in späteren apokryphen und gnostischen Texten. Vor allem scheitert die Alternative an dem Phänomen der urchristlichen Häretiker: Keryg-

---

21 Stellungnahme 13.

22 Vgl. z. B. R. Bultmann, Theologie 301 f., wonach „das Heilsgeschehen nirgends anders als im verkündigenden, im anredenden, fordernden und verheißenden Wort präsent ist; ein ,erinnernder', historischer, d. h. auf ein vergangenes Geschehen hinweisender Bericht kann es nicht sichtbar machen."

23 Vgl. den für die Grundlagenforschung einschneidenden und den Neuaufbruch charakteristischen Aufsatz von J. M. Robinson, Kerygma und Geschichte 294–337; vgl. auch schon: ders., Geschichtsverständnis 5–7; ferner: ders., Kerygma und historischer Jesus 152 ff., 175 ff.

24 Darum sind typischerweise auch die Fragestellungen der vorbereitenden exegetischen Vorträge so gerichtet: H. Conzelmann, Historie und Theologie; E. Haenchen, Historie und Geschichte 35 ff., 55 ff.

matisiert haben auch die Gnostiker in Korinth! Das Problem spitzt sich dann noch zu, wenn die Häretiker nicht nur wie etwa in den Korintherbriefen als Gegenüber auftreten, sondern wenn wir sie als Verfasser von Traditionen und Quellenstücken als direkten Bestandteil des Neuen Testaments entdecken.

Auch die seit 1954 neu aufgenommene Frage nach dem sogenannten historischen Jesus vermag hier hilfreiche Aufweise zu vermitteln. J. M. Robinson macht mit Recht darauf aufmerksam, daß Jesus und der Osterglaube oder das Kerygma der nachösterlichen Gemeinde nicht dergestalt unterschieden werden dürfen, daß der eine historisch (im Sinne des Ergebnisses der Rekonstruktion durch den Historiker) sei, der andere aber nicht. Alles, was uns vom urchristlichen Kerygma bekannt ist, wissen wir ja doch mit Hilfe der historischen Rekonstruktion. Die geläufigen modernen Begriffe haben uns also zu einer Unterscheidung verleitet, die weder in der Sprache der Quellen noch in unserer Beziehung zu diesen Quellen begründet ist. Die uns überkommenen Begriffe halten daher einen Unterschied aufrecht, der bei kritischer Nachprüfung kaum so existiert.[25] Der historische Jesus ist nicht mehr und nicht weniger „historisch" als das historische Kerygma.

Von dieser Einsicht her muß sich jede Weiterarbeit von dem Alternativzwang „Kerygma oder Geschichte" frei halten, und sie darf sich keinesfalls zu einer grundsätzlichen Abwertung des Geschichtsbegriffs drängen lassen. Dabei muß auch für den hier in der vorliegenden Arbeit behandelten Gegenstand folgendes klar festgehalten werden: „Die Geschichte, mit der es das neutestamentliche Kerygma direkt zu tun hatte, war nicht der historische Jesus, sondern die Überlieferungsgeschichte der Jesustraditionen. Zugang zu dieser Geschichte gibt es nur über die Methode der Traditionsgeschichte, also des Zurückverfolgens der Tradition samt deren wechselnder Anwendung, Form und Bedeutung. Dabei stellt sich heraus, daß mit den Traditionen über Jesus weit mehr geschah als nur eine einfache, geradlinige Entwicklung, wie sie der Begriff ‚Kerygmatisierung' vermuten läßt: Einmal wirkten außer dem Kerygma noch andere Einflüsse auf die Tradition ein, und zum anderen lenkte das Kerygma selbst die Tradition in verschiedene Richtungen und war selbst unterschiedlichem Verstehen ausgesetzt, so daß man mit E. Käsemann[26] den fragwürdigen Begriff im Plural gebrauchen und von ‚Kerygmata' sprechen muß. Diese Variierung des Kerygmas wurde verursacht durch die Tatsache, daß es neben seiner Verbindung mit der Überlieferungsgeschichte der Jesustraditionen noch in einem weiteren Sinne auf Geschichte bezogen war, nämlich auf die mannigfachen geschichtlichen Situationen, in denen es verkündigt und gehört wurde."[27]

25 J. M. Robinson, ZThK 62, 1965, 296 f.
26 E. Käsemann, Versuche II 53.
27 J. M. Robinson, ZThK 62, 1965, 298 f.

# 1. Die Traditionsgeschichte der Kreuzigungsperikope (Mark 15,20b–41 parr.)

## 1.1. Die Analyse der markinischen Kreuzigungsperikope

Die Abgrenzung dieser Perikope ist in dem genannten Versumfang Mark 15,20b bis 41 vorzunehmen, d. h. hinsichtlich des Anfangs mitten durch Vers 20 hindurch, da Vers 20b mit dem Praes. hist. einen Neueinsatz bringt;[28] hinsichtlich des Abschlusses ist der Schnitt nicht nach Vers 39 zu machen, sondern nach Vers 41, denn die in den Versen 40f. dargebotene Erwähnung der Frauen bezieht sich auf den Tod Jesu, als dessen Zeugen sie auftreten und im Hinblick auf den ihre Nachfolge betont wird.[29] Außerdem ist der Neuanfang Vers 42 durch die Zeitangabe als solcher gekennzeichnet.[30]

Wie komplex dieser Kreuzigungsbericht ist, zeigt sich darin, daß man sich bis heute über seinen markinischen Aufbau nicht einhellig im klaren ist. Während Grundmann[31] gänzlich auf eine Untergliederung verzichtet, heben Bultmann und Klostermann übereinstimmend vier Komplexe heraus[32]: Kreuzigung (V. 20b–27), Verspottung (V. 29–32), Tod (V. 33–39) und die Frauen (V. 40f.). Dabei fällt auf, daß die Komplexe (1) und (3) wesentlich umfangreicher sind als die beiden kürzeren, (2) und (4). Da die ganze Geschichte aus kleinen Einzelszenen besteht, so hat man versucht, auch die größeren Teile zu untergliedern. Doch ist dabei keine Einhelligkeit erzielt worden. Sowohl Lohmeyer[33] als auch Haenchen[34] rechnen mit sechs Teilen. Haenchen gliedert diese sechs Einzelszenen aber in einer wenig überzeugenden Weise: In der ersten Einzelszene faßt er das Kreuztragen des Simon und Jesu Weintrinken (V. 21–23) zusammen, obgleich er die Kreuzigungsperikope erst mit Vers 22 beginnen läßt. Außerdem ist das ebensowenig eine Einzelszene wie die folgende Kreuzigung (V. 24–27), die das Kreuzigen, Kleiderverteilen, den titulus und die Urteilsvollstreckung an den Aufrührern umfaßt; zudem sind das vier Einzelzüge und nicht nur drei, wie Haenchen[35] meint. Hinsichtlich der Umgrenzung der drei-

---

28 So mit Nestle; E. Klostermann 162; E. Lohmeyer 341; W. Grundmann 311; E. Lohse, Geschichte 93, 95; anders dagegen E. Haenchen 525, der wie Huck/Lietzmann, Synopse 200, gemäß der matthäisch-lukanischen Redaktion V. 20 zum Vorhergehenden zieht und außerdem V. 21 isoliert.

29 So mit E. Lohmeyer, 348, gegen E. Klostermann, 168, und E. Haenchen, 539, die beide die beiden Verse als Einleitung zur Begräbnisperikope ansehen.

30 E. Lohmeyer 344, 349.

31 A. a. O., 312.

32 E. Klostermann 162–168; R. Bultmann, Tradition 294–296.

33 A. a. O., 341–348.

34 A. a. O., 537f. im Anschluß an V. Taylor 587ff.

35 Ebd., 538.

fach gegliederten Verspottungsszene (V. 29–32) besteht Einhelligkeit in der Gliederungsauffassung bei allen Interpreten.[36] Bedenken sind aber wieder anzumelden, wenn die vierte Szene nur die Finsternis (V. 33) umfassen soll. Hier wird der Begriff Szene in seiner Unbrauchbarkeit am stärksten offenkundig. Als fünfte Szene fungieren die letzten Worte und der Tod (V. 34–37), als sechste und letzte (V. 38 f.) die Auswirkung auf den Tempel und den Centurio, während die zusehenden Frauen (V. 40 f.) schon der Begräbnisperikope zugerechnet werden. Alles in allem scheint diese Gliederung mehr Bedenken als Zustimmung zu verdienen. Dagegen wäre Lohmeyers Aufteilung in zwei mal drei Szenen demgegenüber vorzuziehen: Der erste Teil, „Die Kreuzigung" (V. 20b–32), umfaßt die Dreiheit: den Gang nach Golgatha (V. 20b–22), die Kreuzigung (V. 23–27) und die Schmähungen (V. 29–32).[37] Der zweite Teil, „Der Tod" (V. 33–41), wird untergliedert in die Dreiheit: Jesu Tod (V. 33–37), das Wunder des Todes (V. 38–39) und die galiläischen Frauen (V. 40–41). Wenngleich diese Einteilung als eine praktikable Möglichkeit erscheint, so bleiben doch noch Fragen offen: Wieso hat die Zeitangabe Vers 33 gliedernden Charakter, in Vers 25 dagegen nicht? Ist der Eloi-Ruf und seine Interpretation (V. 34 f.) und das zweite Tränkungsunternehmen (V. 36) schon unter das Thema „Jesu Tod" zu stellen, oder steht es nicht in engerem Zusammenhang mit den vorangehenden Stücken? Und ist Vers 37 dann nicht enger mit dem Folgenden zu verbinden? Diese Fragen zeigen, wie schwer es ist, hier zur Eindeutigkeit zu kommen. Es gibt Doppelungen, Überschneidungen und Unverbundenheiten zwischen den verschiedenen Aussagen, die eine Analyse des Aufbaus der Erzählung sehr erschweren. Damit aber stellt sich die Frage, ob man mit Hilfe einer literarkritischen Analyse besser in das Verständnis des Abschnitts eindringen kann.

Die analytische Arbeit der älteren Literarkritik arbeitete mit dem zum Maßstab erklärten Ziel, einen historisch zuverlässigen Grundbericht herauszuarbeiten, indem sie Züge legendärer Volksüberlieferung, erklärende Zusätze und vor allem den Weissagungsbeweis als Erweiterungen ausschloß. So bleibt bei J. Weiß-W. Bousset als Augenzeugenbericht das Kreuztragen (V. 21), der Name Golgatha (V. 22), das Anerbieten des Weins (V. 23), die Kreuzigung (V. 25), die Mitgekreuzigten (V. 27), die Spottreden (V. 29.32b), der laute Schrei (V. 37), die Erschütterung und das Bekenntnis des Hauptmanns (V. 39).[38] Auch die Arbeit von J. Finegan, die H. Lietzmann verpflichtet ist, ist ganz davon

---

36 Nur spricht W. Grundmann 312 mißverständlich vom „doppelten" Spott.

37 V. 28 fehlt in den wesentlichsten alten Handschriften Sin A B C D sy⁵ sa bo und ist in der Gruppe des Reichstextes, dem Koridethianus und sehr vielen anderen sowie lat syᵖ wohl nach Luk 22,37 (= Jes 53,12) sekundär zugefügt: „So erfüllte sich die Schrift, die spricht: Auch unter die Gesetzlosen wurde er gerechnet." Vgl. zur Ausscheidung E. Klostermann 165 und die anderen Kommentare z. St.

38 J. Weiß – W. Bousset 221.

Das hat man darum lange nicht gesehen, weil man wie Bultmann[50] die Zeitangabe Vers 25 für redaktionelle Zutat des Markus hielt. Das wäre an sich möglich, da die markinische Redaktion oft im Rückgriff auf vorgenannte Angaben der Tradition formuliert. Doch man ist damit hier schwerlich im Recht, weil „die übrigen wahrscheinlich von Markus herrührenden Zeitangaben des Evangeliums alle die Präzision der Stundenangaben von 15,25.33 f. vermissen lassen. Die Stundenangaben weisen in ihrer Einmaligkeit also auf in Markus 15 bewahrte Tradition."[51] Der Zusammenhang und die Erkenntnis des vormarkinischen Charakters dieser Stundenangaben ist der zweite grundlegende Ansatzpunkt für die literarkritische Analyse des Kreuzigungsberichts.[52]

Weiterführend ist die Beobachtung einer dritten Differenz zwischen den Versen 24 und 25. Während Vers 25 im Präteritum spricht, ist Vers 24 im Praes. hist. formuliert,[53] und zwar als ganzer Vers (V. 24b *diamerizontai*). Dieses Praes. hist. setzt aber schon Vers 20b ein (*exagousin*) und setzt sich in Vers 21 (*aggareuousin*), 22a (*ferousin*) fort,[54] um dann Vers 27 (*staurousin*) nochmals aufzutreten und dann zu verschwinden. Neben diesem sechsmaligen Vorkommen ist in den übrigen Sätzen der Kreuzigungsdarstellung keine einzige präsentische Form zu finden.[55] Somit gehören die Verse 20b.21.22a.24.27 zusammen. Nun findet sich das Praes. hist. wohl im Markus-Evangelium mit Abstand am häufigsten,[56] doch ist sein Zurücktreten nicht nur bei Matthäus und Lukas zu beobachten, sondern auch in rein redaktionellen Bildungen des Markus (z. B. 3,7–12; 6,53–56; 9,9–13), so daß man es nicht für die markinische Redaktion in Anschlag bringen kann und darf.[57] Bedenkt man dazu weiter, daß das Praes. hist. „Kennzeichen der Volkssprache" ist, so spricht alles dafür, daß hier eine alte Kreuzigungstradition vorliegt, „wobei die auch für das Markusevangelium einmalige Häufung des Praesens historicum womöglich auf aramäische Überlieferung hindeutet".[58] Auch das unliterarische finale *hina*, das sich zweimal in Vers 20 f. findet und typischerweise von Matth 27,31 und Luk 23,26 beseitigt

50 A. a. O., 295, 365; E. Haenchen 535.

51 J. Schreiber 24.

52 Ebd., 23; wenn V. Taylor 587 die Verse 21.24.26.29 f.34–37 für den ursprünglichen Bestand der Vorlage hält, so ist ihm schon darum zu widersprechen, weil diese Analyse die Stundenangaben V. 25 und 33 f. trennt.

53 E. Lohmeyer 342.

54 E. Lohse, Leiden, 95.

55 J. Schreiber 28; doch vgl. unten zu V. 29.

56 151mal gegenüber Lukas 9mal; Matthäus behält es nur 21mal aus Markus bei, dagegen bildet er es 72mal neu, doch davon entfallen 66 Stellen auf *legei* und *legousin;* vgl. E. Klostermann, Matthäus, 20; J. Schreiber 28 A. 25.

57 J. Schreiber 28.

58 Ebd. im Anschluß an M. Black 94.

wird, bestätigt die volkstümliche Art der vorliegenden Überlieferung.[59] Damit hat sich die Vermutung R. Bultmanns teilweise bestätigt, der einen kurzen alten Geschichtsbericht in den Versen 20b–24a.(27?).37 zu sehen glaubte.[60] Jedoch darf man sein Grundkriterium, das nach dem historisch Möglichen fragt, auf keinen Fall übernehmen.[61] Außerdem sind seinem Ergebnis gegenüber noch Modifikationen im einzelnen nötig. Vers 37 wird sicher nicht mehr der Simon-Tradition, wie man das erste Traditionsstück benennen könnte, zuzurechnen sein. Auch Vers 22b ist wie Vers 34b erklärende Glosse des Markus (vgl. 3,17; 5,41; 7,11.34 und dazu die jeweiligen Abänderungen bei Matthäus oder Lukas);[62] denn *ho estin* ist eine nur bei Markus belegbare Wendung,[63] und *methermēneuesthai* ist markinisches Vorzugswort.[64] J. Schreiber (ebd.) möchte auch Vers 23 insgesamt der markinischen Redaktion zuweisen. Der Vers ist im Präteritum stilisiert, was seine Einordnung in die Tradition seiner unmittelbaren Umgebung erschwert. Doch da er Dublette zu Vers 36 ist, einer klaren Formulierung der Redaktion, so ist er sicher traditionell, denn Markus dürfte das Tränkungsmotiv nicht ohne jede Vorlage in den Zusammenhang eingeführt haben. Für Schreibers Urteil ist entscheidend, daß Jesus hier stärker als der Handelnde geschildert wird. Das aber ist erst Vers 23b der Fall. Darum sollte man lieber annehmen, daß nur Vers 23b markinischer Zusatz ist und daß Vers 23a von daher redaktionell angeglichen sein könnte (s. u. bei der Interpretation z. St.).

Der nun verbleibende Rest ist zu umfangreich, um ihn ganz und gar der markinischen Redaktion zuzuschreiben, zumal die Simon-Tradition nur bis zum Akt der Kreuzigung hinführt. Zudem erschien schon in den Zeitangaben der Verse 25 und 33.34a der Ansatzpunkt für ein weiteres Traditionsstück. Außerdem ist der Dublettencharakter von Vers 34 und 37 schon lange gesehen. Bereits Matthäus und Lukas haben ihn empfunden und je auf ihre Weise beseitigt: Lukas, indem er die erste Erwähnung des Schreis ausließ, und Matthäus, indem er durch die Einfügung von *palin* 27,50 aus dem einen Schrei zwei Schreie gemacht hat. Das Verhältnis der Dubletten zueinander dürfte richtig bestimmt sein, wenn Bultmann urteilt: „Vers 34 ist offenbar eine nach·LXX-Ps 21,2 geformte sekundäre Interpretation des wortlosen Schreis Jesu Vers 37.“[65] Zur Übersetzungsformel Vers 34b und ihrem markinischen Charakter gilt das eben schon zu Vers 22b Gesagte. Da Vers 35 f. von dieser Deutung in Vers 34b

59 Ebd., 30.
60 A. a. O., 294, 301.
61 Dagegen mit Recht J. Schreiber 32 A. 38.
62 Ebd., 28.
63 F. Hauck 185.
64 3mal (Matth 1mal; Luk nie); vgl. zu dieser und allen weiteren statistischen Angaben R. Morgenthaler s. v.
65 A. a. O., 295; zustimmend H. W. Bartsch, ThZ 20, 1964, 95; J. Schreiber 25.

abhängig ist, so dürfte der ganze Zusammenhang von Vers 34b–36 eine nachträgliche Erweiterung sein.[66] Die geschilderte Hantierung und das Sehenwollen widerspricht inhaltlich der Finsternis dieser Zeitspanne. Das ergibt sich weiter auch daraus, daß dieser Block den Zusammenhang von Vers 37 mit Vers 34a stört und es Matthäus ermöglicht hat, in Mark 15,37 einen zweiten Schrei zu sehen und nicht denselben von Vers 34a. Auch stilistisch erweisen sich die Verse 34b–36 durch Partizipienhäufung als redaktioneller Nachtrag: „Da Markus die neunte Stunde zweifellos als die Todesstunde Jesu festhalten wollte (V. 34a), mußte er die Episode 15,34b–36 möglichst knapp gestalten, was ihm mit Hilfe der sieben Partizipien auch gut gelang."[67] Vor allem die in Vers 36 vorliegende „Verbindung mehrerer Partizipia conjuncta" zeigt schriftstellerische Art, wie wir sie vor allem aus dem lukanischen Schrifttum kennen.[68] Daneben ist darauf zu verweisen, daß Vers 36 zwei markinische Vorzugsworte (*afienai, erchesthai*) gebraucht sind;[69] auch *gemizein* findet sich bei Markus nochmals 4,37 und wird dort wie hier von beiden Seitenreferenten nicht übernommen (Matth hat es nie, Luk zweimal an anderen Stellen: 14,23; 15,16). In Vers 35 ist *paristanein* (6mal, Matth 1mal, Luk 3mal; vgl. V. 39) wie *ide* (9mal, Matth 4mal, Luk nie) für Markus charakteristisch. Der redaktionelle Charakter wird weiterhin dadurch bestätigt, daß Vers 36 ja Dublette zu Vers 23 ist. Offenbar wurde das Motiv der Tränkung hier aus Vers 23 aufgenommen und zur weiteren Ausstattung benutzt. Als theologisch gestaltende Motivierung ist in dieser Erweiterung außer der sprachlichen und alttestamentlichen Füllung des wortlosen Schreis noch das Verb *idōmen* (V. 36) bedeutsam: „Die plötzliche Hilfsbereitschaft (V. 36) der verblendeten Peiniger Jesu ist nichts als ungläubige Mirakelsucht."[70] Die Erwartung sichtbarer Erweise ist für Markus das Zeichen des Unglaubens. Hier wird ein weiteres Mal deutlich, was Markus sie schon Vers 32b deutlich fordern ließ: „. . . damit wir sehen (!) und glauben". Übrigens weist für diesen Satz das literarisch einwandfreie *hina* „als Ersatz für den Infinitiv der Folge"[71] auf schriftstellerisch-redaktionelle Formung, gerade im Unterschied zu dem unliterarischen finalen *hina* von Vers 20 f. (s. o.).[72] Außerdem ist *pisteuein* (10mal, Matth 11mal, Luk 9mal) als markinisches Vorzugswort anzusprechen.[73]

---

66 R. Bultmann ebd.; J. Schreiber a. a. O.; W. Trilling, Christusverkündigung 199; auch schon beobachtet von W. Bussmann 19 f., der im Sinne seiner Quellentheorie daraus folgert, daß V. 34–36 im Urmarkus gefehlt habe.

67 J. Schreiber 29.

68 Bl-Debr 421.

69 J. Schreiber 31.

70 Ebd., 25 f.

71 Bauer WB 747; Bl-Debr 391,5.

72 J. Schreiber 30.

73 R. Morgenthaler 181 gibt 14mal an, doch entfallen davon 4 Stellen auf den nicht ursprünglichen Nachtrag Mark 16.9 ff.

Damit stehen wir schon bei der Frage nach der vierten Dublette dieses Abschnitts, die in der Verspottung Vers 29 f. und 31 f. besteht. Von beiden ist deutlich Vers 31 f. die spätere Bildung[74]: (1.) Die „Oberpriester und Schriftgelehrten" (V. 31) sind als typische Gegner Jesu Anzeichen sekundärer Bildung; (2.) *dynasthai* ist markinisches Vorzugswort (33mal, Matth 27mal, Luk 26mal), und *allēlōn* mit der Präposition *pros* ist für Markus charakteristisch (vier von fünf Stellen sind so verbunden: 4,41; 8,16; 9,34; anders dagegen 9,50 *en*).[75] (3.) Die Forderung herabzusteigen (V. 32, vgl. 30), das Motiv der Selbstrettung (V. 31, vgl. 30) und der Hinweis auf den König (V. 32, vgl. 26)[76] sind ebenso aus dem Material des vorangehenden Stückes genommen, wie das Schmähen der Mitgekreuzigten (V. 32c) – eine sekundäre Steigerung der Schmähungen durch Bereicherung um eine dritte Gruppe – aus dem Material der anderen Tradition von Vers 27 ist. Diese Arbeitsweise des Redaktors Markus durch Aufgreifen und Gestalten von Neuem mit im Vorangehenden genannten Zügen der Tradition fand sich schon Vers 36, verglichen mit Vers 23, und findet sich auch sonst. Außerdem sei nochmals betont, daß nicht dieser Traditionsstrang die Mitgekreuzigten erwähnte, sondern der andere. Darum möchte ich gegen J. Schreiber, der Vers 32c für ursprünglich hält,[77] meinen, daß man den Satz für einen markinischen Zusatz halten muß, wenngleich er die Kürze des Erzählungsstils hat.[78] Jedoch zeigt der auffallende Gen. abs., mit dem Vers 33 einsetzt und der auch sonst ein Indiz für redaktionelle Formulierung ist,[79] daß das Voranstehende redaktionell sein muß und hier eine Umformulierung nötig machte. Außerdem erweisen sich in den Szenen mit dreifacher Wiederholung die blassen und allgemeinen Wiederholungen auch sonst als redaktionell (s. u. zu 14,39.40a). Auch daß der Satz zwei markinische Hapaxlegomena aufweist (*systaurousthai* und *oneidizein*),[80] ist kein entscheidendes Gegenargument. Demgegenüber wäre auch darauf zu verweisen, daß die beiden tragenden Worte in dem von J. Schreiber Vers 32c zugeordneten Vers 29a gerade keine markinischen Hapaxlegomena sind (*paraporeuomei* und *blasfēmein*), falls man nicht daraus schließen will, daß Vers 32c ursprünglich anstelle von Vers 29a stand und das Tempellogion einleitete. Aber was sollte Markus veranlaßt haben, den

74 R. Bultmann, Tradition 295, E. Lohse, Leiden 96; dagegen ist G. Schilles Annahme, ZThK 52, 1955, 195, daß V. 29 f. sekundär sei, als unbegründet abzulehnen.

75 R. Morgenthaler 70; Bauer WB 78, 1408.

76 R. Bultmann, Tradition 295 argumentiert auch hier wieder nicht literarisch, sondern historisch: weil hier die „sekundäre Anschauung zum Ausdruck" komme, „dass er als Messias gekreuzigt ist". Dagegen ist der Verweis auf V. 26, der schon einer Tradition angehört, sachlich richtiger.

77 A. a. O., 25.

78 Ebd., 27.

79 R. Bultmann, Tradition 304.

80 J. Schreiber 31.

dann guten Anschluß an Vers 27 zu verändern? Doch liegt an dieser Entscheidung nicht allzuviel. Gewichtiger ist es in diesem Zusammenhang, wenn J. Schreiber auch das Tempellogion Vers 29b der Tradition absprechen und der Redaktion zuweisen will.[81] Dem ist entgegenzuhalten: Ohne diese Erwähnung des Tempels in Vers 29 käme die Notiz vom Zerreißen des Tempelvorhangs Vers 38, die unbestritten zu der hier vorliegenden Tradition zuzurechnen ist, allzu unvermittelt. Das Kompositionsprinzip der Vorlage scheint außerdem betont mit chiastischen Entsprechungen zu arbeiten. Und überhaupt scheint der Tempel in dieser Passionstradition eine wesentliche Rolle gespielt zu haben und mit der Tempelanklage 14,58 sowie mit der apokalyptischen Tempeldemonstration 11,15–18 im sachlichen als auch literarischen Zusammenhang zu stehen.[82] Vor allem aber ist die Aussagerichtung von Vers 29 f. und 31 f. ganz verschieden: Während Vers 29c noch kein Ziel in sich hat, sondern reine Lästerung ist, hat die Wiederholung (V. 31 f.) doch in Vers 32b das Ziel in sich selbst formuliert: „damit wir sehen und glauben". Weiter liegt es in Vers 29ab, der mit drei Verben etwas sehr voll erscheint, nahe, den Anklang an Ps 22,8 (das Schütteln der Köpfe) als markinische Zutat zu beurteilen. Da diese Wendung aber durchaus auch dem ganzen Tenor der Simon-Tradition entspricht und wie Vers 24 den Aor. der Septuaginta in das Part. des Praes. umsetzt, so möchte man darin noch viel eher einen weiteren Teil der Simon-Tradition sehen (*kinein* ist markinisches Hapaxlegomenon). Diese Operation würde die Dublette weiter entflechten und vereinfachen.

Die Analyse von Vers 39 stellt uns vor besonders schwierige Fragen. Sein nicht ganz einfacher Stil schließt es aus, ihn in seiner jetzigen Form der Tradition zuzuweisen (V. 39a zwei Partizipien und zwei Verba finita). Andererseits fragt man sich, ob die zweite Kreuzigungstradition, die ja nach unserer bisherigen Sichtweite durchaus nicht auf Nebenpersonen verzichtet hat, mit dem Zerreißen des Tempelvorhangs Vers 38 abgeschlossen haben kann. Dagegen würde auch das Kompositionsprinzip des Abschnitts sprechen: Wenn die beiden Tempel-Erwähnungen (V. 29.38) in einer chiastischen Zuordnung zueinander stehen, dann ist auch zu dem Spottitel von Vers 26 eine analoge chiastische Entsprechung zu erwarten. Sollte darum nicht gerade der überfüllte Charakter des Verses 39 darauf hinweisen, daß in ihm auch ein Stück Tradition steckt? Man wird nicht so leicht geneigt sein, ihn mit J. Schreiber[83] rundweg der Tradition abzusprechen. Offenkundig ist, daß das einleitende *de* der Redaktion zuzuweisen ist. Wie bei den beiden Großevangelien der Gebrauch von *de* oft Kennzeichen der Redaktion ist, so gilt gleiches analog auch von Markus seinen Vorlagen gegenüber (vgl. V. 23b.36.40; ebenso ist es V. 25 und 37 in

81 Ebd., 25.
82 H. W. Bartsch, ThZ 20, 1964, 94.
83 A. a. O., 26; ebenso schon R. Bultmann, Tradition 294.

Anschlußstücken der Tradition zur Übergangsvermittlung gebraucht).[84] Auch das offenbar hier für die Redaktion besonders wichtige Stichwort „sehen" (V. 32. 36) dürfte an dieser Stelle nicht ursprünglich sein.[85] Beides zusammen dürfte ein ursprüngliches *kai* ersetzen; gleiches wird man auch für das jetzige *ho de Iēsous* (V. 37) annehmen müssen. Dort mußte es für *kai* eintreten, nachdem der Zusammenhang mit Vers 34a unterbrochen worden war. Mit dem hier einleitenden *idōn de* gehört in unserm Vers 39 noch unmittelbar *hoti houtōs exepneusen* zusammen. Die Wendung stellt eine klare Beziehung zu Vers 37 her. Diese umständliche Bezugnahme von Vers 39 über Vers 38 hinweg auf Vers 37 ist schon immer aufgefallen und hat sowohl in der alten Textüberlieferung seine glättenden Spuren hinterlassen als auch der neueren Auslegung Fragen aufgegeben.[86] Doch scheint die markinische Beziehung auf Vers 37 durch die eben als redaktionell herausgestellten Zusätze klar zu sein: „Das Bekenntnis (V. 39) soll ebenso wie das Zerreißen des Tempelvorhangs (V. 38) durch den Todesschrei Jesu (V. 37) verursacht sein."[87] Typisch ist, daß Lukas diesen Bezug durch Umstellung, Matthäus durch Einschub aufgehoben hat.[88]

Dabei ist im Text von Vers 39 noch eine andere Schwierigkeit zu beobachten: „Ihm gegenüber" ist in seiner von Markus gedachten Beziehung auf Jesus doppelt kompliziert. Einmal muß man das Pronomen über die Substantive von Vers 38 hinweg auf den Anfang von Vers 37 beziehen,[89] zum anderen ist die Ausdrucksweise „ihm gegenüber" in bezug auf den am Kreuz doch über ihm Hängenden ebenfalls schwierig. Löst man aber *idōn* – wie vorgeschlagen – und den davon abhängigen *hoti*-Satz heraus, so würde niemand auf die Idee kommen, das *autou* auf Jesus zu beziehen, sondern es auf das nächstvoranstehende Nomen, nämlich den Tempel, beziehen. Auch das Kompositum *paristanein* dürfte hier, wie schon Vers 35, markinisch sein (vgl. 14,47.69 f. „die Anwesenden, Umstehenden, Zuschauer");[90] es stößt sich auch etwas mit dem „gegenüber". Als Text der Tradition ist dann anzunehmen: „Und der Centurio ihm gegenüber sagte..."

Schließlich weist auch die redaktionelle Aufnahme des Centurio in die Grab-

84 Ed., 29, vgl. zur Bedeutung von *de* für die Markusanalyse schon L. Wohleb, Beobachtungen zum Erzählungsstil des Markusevangeliums, Bolzano 1928, wenngleich einseitig überzogen.

85 Ebd., 26.

86 Die Lesart von D ist eine eindeutige Glättung; R. Bultmann, Tradition 296 erwägt Beziehung auf V. 33 und 38; E. Klostermann auf den Schrei V. 37 oder auf V. 34 (dafür auch E. Haenchen 536: V. 34); E. Lohmeyer 46 A. 4 folgt sogar einer singularischen Itala-Variante und liest „daß er also schrie".

87 J. Schreiber 26.

88 E. Klostermann 167; R. Bultmann, Tradition 296 A. 1.

89 E. Klostermann 165 meint darum, V. 38 störe den Zusammenhang von V. 37 und 39.

90 Bauer WB 1246.

legungsgeschichte Vers 44 f.[91] darauf hin, daß er hier an unserer Stelle im Grundstock schon vorgegeben war. Es zeigt sich wieder das mehrfach beobachtete Verfahren des Markus, in redaktionellen Stücken auf vorher aus der Tradition übernommene Teile zurückzugreifen und sie in seinem Sinne verändert anzuwenden: Auf Grund der genauen Beobachtung des Centurio (V. 39) kann glaubhaft bestätigt werden, daß Jesus wirklich schon nach sechs Stunden (V. 25. 33 f.) tot war. „Matthäus und Lukas, die 15,25 ändern, müssen logischerweise 15,44 f. ebenfalls streichen ... Sie können also diesen von Markus geschaffenen Zusammenhang zwischen Kreuzigungs- und Grablegungstradition nicht aufrechterhalten – und wollen es auch gar nicht!"[92] Damit aber ist die Vermutung Bultmanns,[93] daß Matthäus und Lukas die Verse 44 f. „wohl noch nicht bei Markus gelegen haben", mit Sicherheit abzuweisen. So weist also der redaktionelle Charakter von Vers 44 f. auf das Vorhandensein von Tradition in Vers 39 hin. Denn daß beide Stellen redaktionelle Zufügungen sind, ist ebenso unwahrscheinlich, wie die Folgerung unmöglich ist, daß der sekundäre Charakter von Vers 44 f. auf den sekundären Charakter von Vers 39 schließen lasse.[94]

Wie ist schließlich der traditionsgeschichtliche Charakter von Vers 40 f. zu bestimmen, der die Frauen als Zeugen anführt? Der historistisch ausgerichteten Literarkritik galten diese Verse weithin als echt: die Frauen seien die Garanten der Kreuzigungsüberlieferung.[95] Nach R. Bultmann hätte man die Verse als „isoliertes Traditionsstück" anzusehen.[96] Doch daß sie „nicht aus Tendenz oder Erfindung zu erklären" sind, weil sie „unmotiviert als Gegebenes" dastehen,[97] stimmt wohl nicht ganz. Denn mindestens für Vers 41 wird man sagen müssen, daß die markinische Darstellung der Frauen „Grundgedanken seiner Theologie wiedergibt"[98]: In Galiläa „nachfolgen" und „dienen" und „mit nach Jerusalem hinaufziehen" bejahen und vollziehen damit die 8,34; 10,32 f. geforderte Kreuzesnachfolge, so daß die Aussagen von Vers 41 ganz prägnant die Absicht haben zu betonen, „daß das Bekenntnis zum Gekreuzigten (15,39) nicht nur eine Formel, sondern zutiefst und zuletzt eine Lebenshaltung ist".[99] Die Nennung der Einzelheiten ist also nicht dadurch bedingt, daß die Frauen hier bei Markus erstmalig erwähnt werden und dadurch diese Dinge von ihnen

91 E. Klostermann 169; das Wort findet sich im ganzen Neuen Testament nur bei Markus dreimal.

92 J. Schreiber 27.

93 A. a. O., 296.

94 So aber läuft die Argumentation J. Schreibers 27, der man sich schwerlich anschließen kann.

95 J. Weiß – W. Bousset 217 f.; J. Finegan 76–78.

96 A. a. O., 296.

97 So J. Finegan 77; dagegen mit Recht J. Schreiber 45 A. 96.

98 J. Schreiber 27.

99 Ebd., 45.

nachgetragen werden müßten, wie Lohmeyer aus der lukanischen Perspektive her meint;[100] denn erst Lukas hat die Frauen nach 8,2 f. vorgezogen.[101] Der redaktionelle Charakter von Vers 40 f. wird bestätigt durch den weitschweifigen Stil, der dem sachlich bedingten Rückgriff auf frühere Stellen des Evangeliums korrespondiert. Vers 40 steht das für Redaktion kennzeichnende *de*, und Vers 41 ist das temporale *hote* (Markus 12mal, wovon die meisten Stellen redaktionell sind; Matth 12mal, Luk 11mal)[102] ein Indiz für markinische Formung. Das „Sehen" in Vers 40 erweist sich im Zusammenhang mit dem gleichen Motiv von Vers 32.36.39 als redaktionell,[103] wobei Markus hier variierend sein Vorzugswort *theorein* verwendet (7mal; Matth 2mal, aus Mark übernommen, Luk 7mal). Schließlich liegt noch Vers 40 die Verbindung des Part. praes. mit *einai* vor. Diese sogenannte Conj. periphrastica ist für Markus kennzeichnend.[104] So scheint hier wirklich nichts übrigzubleiben, was man der Tradition mit Sicherheit zuweisen könnte; von einem „besonderen Traditionsstück" kann schon gar keine Rede sein.

Nun werden die Frauen aber von Markus dreimal erwähnt, nämlich als Zeugen noch Vers 47 beim Begräbnis und 16,1 als Handeln-Wollende am Grabe. Daß sie Vers 47 sekundär zugesetzt sind, ist durch den Anhangscharakter dieses Verses offenkundig.[105] Doch daß sie an allen drei Stellen erst durch Markus eingefügt wären,[106] ist kaum anzunehmen. Ihren festen Platz haben sie immer noch in der Geschichte vom leeren Grab. Von daher dürften sie in 15,40 f.47 eingetragen sein, um eine Kontinuität der Zeugen von Tod Begräbnis und Auferstehung herzustellen.[107] So scheint sich diesmal Marku' nicht mit einem Rückgriff, sondern mit einem Vorgriff das Material für die Gestaltung seiner Anliegen zu holen. Demnach ist also die Nennung der Frauen an unserer Stelle wohl als redaktionell anzusehen.

Die Analyse hat erbracht, daß Markus zwei verschiedene Kreuzigungstraditionen aufgenommen und mit Zusätzen versehen hat. Die erste, die „Simon-Tradition", liegt 15,20b–22a.23a?24.27.29b? vor; die zweite, apokalyptisch gestaltete Tradition in 15,25.26.29ac.30.33.34a.37.38.39 (zersagt). Anfang der zweiten und Schluß der ersten Tradition sind durch Einfügung von Vers 25 f.

100 A. a. O., 348.

101 J. Finegan 77.

102 J. Schreiber 29 f.

103 Ebd., 26.

104 Bl-Debr 353,1; vgl. W. Larfeld 220–223; E. Klostermann, Matthäus, 20: 27mal, vgl. bei Matth 8mal.

105 R. Bultmann, Tradition 297; J. Finegan 77 mit Recht gegen E. Lohmeyer 351.

106 Wie wiederum J. Schreiber 27 annimmt.

107 Daß sie 16,1 sekundär sind, kann J. Finegan nur folgern, weil er sie 15,40 f. für ursprünglich hält. Nicht überzeugend ist auch die Darstellung von M. Hengel 243–256, 246, die die Frauen an allen drei Stellen als ursprünglich annimmt.

zwischen die Verse 24 und 27 miteinander verzahnt nach einer auch sonst bei Markus zu beobachtenden Redaktionstechnik (Verschachtelung).[108] Redaktionelle Zusätze dürften 15,22b.23b.31.32.34b–36.39teilweise.40.41 vorliegen.

## 1.2. Die Interpretation der Simon-Tradition

Vers 20b: Das „Herausführen" läßt sich im jetzigen Zusammenhang vom Vorhergehenden her als ein Herausführen aus dem Prätorium verstehen. Ursprünglich war wohl das Herausführen aus der Stadt gemeint. Die Hinrichtung vor den Toren der Stadt ist als jüdische (Num 15,35 f.; Lev 16,27) wie als römische (Plautus, Mil. glor. 359 f.) Sitte belegt.[109] Wird dies hier nun nur erwähnt, aber noch nicht theologisch gedeutet wie etwa Hebr 13,12? Wenn, wie sich zeigen wird, alle die kurzen Sätze dieser Tradition theologische Deutung mittels Erzählung vollziehen und dabei außerdem reichlich mit alttestamentlichen Anspielungen erzählt wird, so wird man auch den hier vorliegenden Zusammenhang mit Num 15,36 (*kai exēgagon. auton*, und zwar zur Hinrichtung!) schwerlich außer acht lassen dürfen (*exagein* ist markinisches Hapaxlegomenon!). Der alttestamentliche Anklang deutet schon zu Anfang an, daß die hiermit einsetzende Handlung nach Gottes Willen geschieht. Inhaltlich ist die theologische Deutung also von der im Hebräerbrief verschieden.

Vers 21: Die Verurteilten mußten nicht das ganze Kreuz, sondern nur das Querholz (patibulum) tragen, während der Trägerpfahl an der Hinrichtungsstätte fest stand.[110] Dieses Selbsttragen ist mehrfach bezeugt bei anderen Kreuzigungen.[111] Daß auch Jesus sein Kreuz anfänglich selbst getragen hat, ist hier nicht gesagt; man kann es voraussetzen.[112] Doch die noch weitergehende Folgerung, daß Jesus zu schwach gewesen sei,[113] ist wohl denkbar, überschreitet aber eindeutig die Grenze der Interpretationsmöglichkeit. Darum ist es dem Text gemäßer, mit Lohmeyer die hier gesetzte Grenze zu respektieren: „Weshalb Simon zu diesem Dienst gepreßt wurde, wissen wir nicht."[114] Wir wissen nur, daß ein Simon aus Kyrene das Kreuz tragen mußte. Er war „dank der Tatsache, daß er gezwungen wurde, Jesus das Kreuz zu tragen, ein in aller

108 J. Schreiber 28; vgl. grundlegend E. von Dobschütz 193 ff.
109 E. Klostermann 162; E. Lohmeyer 341.
110 E. Haenchen 525.
111 Plutarch, Ser. Num. Vind. 544a; Artemidorus, Oneirocr. II,56; vgl. Bill. I,587; Pauly-W. IV, 1731; E. Klostermann 163; bei E. Lohmeyer 341 sind die Anmerkungen 1 und 3 verkehrt und gegeneinander auszuwechseln.
112 E. Lohmeyer 341.
113 So W. Grundmann 313; E. Haenchen 525; dagegen mit Recht H. Conzelmann, Bedeutung 49 A. 24.
114 E. Lohmeyer 342 A. 2.

Unwissenheit am Heilswillen Gottes dennoch gnädig und vor allem unmittelbar Beteiligter".[115]

Simon wird als aus der Kyrenaika stammend bezeichnet. Dort gab es seit Ptolemäus I. (Ende des 4. Jahrhunderts v. Chr.) eine starke jüdische Kolonie.[116] Ebenso hatten sie in Jerusalem eine eigene Synagoge (Apg 2,10; 6,9; Josephus, Ap. II,4; andere Kyrenaiker werden Apg 11,20; 13,1 erwähnt). Über seine Volkszugehörigkeit ist aus dem Namen nichts Eindeutiges zu erschließen, weil Simon auch als griechischer Eigenname häufig war.[117] Von daher ist nicht restlos sicher, ob er überhaupt ein Jude war. Wenn er es war, so deuten die hellenistischen Namen seiner beiden Söhne Alexander und Rufus darauf hin, daß er „dem hellenistischen Einfluß nicht feindlich gegenüberstand".[118] Er kann vorübergehend als Festpilger in der Stadt gewesen sein, aber vielleicht auch „einer jener nicht wenigen Juden, die nach der heiligen Stadt zurückkehrten und dort bis zu ihrem Ende lebten".[119]

Mit dem Namen der Söhne wird sicher auf in der christlichen Gemeinde bekannte Personen angespielt und so eine Zeugenkette hergestellt; doch ist diese Gemeinde nicht die Lesergemeinde des Markus,[120] sondern die Gemeinde, in der diese Tradition entstand und weitergegeben wurde. „Die hinter der Tradition stehende Gemeinde war ... stolz darauf, daß jemand aus ihrer Mitte, Simon von Kyrene, Jesus in seinem Leiden helfen und nahe sein durfte."[121] Die Vermutung aber, daß die Namen der Söhne erst Zusatz der markinischen Redaktion sein sollen, kann nicht damit begründet werden, daß diese Namen bei Matthäus und Lukas gleicherweise fehlen.[122] Denn beide streichen Namen oder behalten sie bei, je nachdem, wie es ihrer theologischen Konzeption entspricht. Die Streichung hier durch Matthäus läßt sich erklären: „Ein so frommer Jude kann ... nicht ... zwei Söhne mit hellenistischen Namen haben."[123] Ebenso

---

115 J. Schreiber 32; zur abgeänderten Darstellung bei Johannes s. u.

116 E. Schürer I 53.

117 G. Klein, RGG³ VI, 38; J. Jeremias, Abendmahlsworte 71; Bauer WB 1367.

118 J. Schreiber 62.

119 E. Lohmeyer 342; E. Klostermann 163.

120 So aber J. Finegan 73; E. Klostermann 163; W. Grundmann 313; J. Schmid 294; E. Lohse, Leiden 94; vgl. dagegen mit Recht J. Schreiber 32 f.: „Markus bringt in seinem ganzen Evangelium sonst nie solch einen persönlichen Hinweis wie 15,21. Seine Darstellung will nicht von individuellen Erlebnissen und erst recht nicht von Verwandtschaftsverhältnissen irgendwelcher Christen berichten. Mark 15,21 ist deshalb über die frühere Analyse hinaus ein Indiz dafür, daß" hier „eine vormarkinische Tradition" vorliegt.

121 J. Schreiber 32.

122 So begründet M. Karnetzki, Die letzte Redaktion des Markusevangeliums, in: Zwischenstation (Festschrift K. Kupisch), München 1963, 163; dagegen mit Recht J. Schreiber 62 A. 2.

123 J. Schreiber 50.

verhält es sich mit Lukas: Auf Grund seiner Sicht der heilsgeschichtlichen Entwicklung beginnt die Missionierung der Heiden erst später, weshalb ihn die hellenistischen Namen an dieser Stelle gestört haben dürften.[124] „Außerdem: Wenn Matthäus bzw. Lukas den Simon nicht mehr gekannt haben, warum streichen beide dann gerade die Namen der Söhne, obwohl diese beiden Männer ihrer Zeit noch näher waren als der Vater Simon?"[125]

Die hier vorliegende Überlieferung erwies sich nun in ihrer stilistischen Ausformung als sehr altertümlich. Man wird wohl J. Schreibers Urteil zustimmen können: „Sie enthält die älteste historische Nachricht von der Kreuzigung Jesu, die wir überhaupt besitzen."[126] Gerade darum wird man weiterfragen müssen: Doch um welche Gemeinde handelt es sich dabei? Aus den Namen der Söhne ist daraus nichts zu erheben. Der Name Alexander wird noch Apg 19,33 für einen Juden in Ephesus erwähnt, und 1 Tim 1,20; 2 Tim 4,14 trägt ein ausgeschlossener Häretiker diesen Namen. Eine Beziehung läßt sich nicht herstellen. Dagegen hat man den Namen Rufus öfter in Verbindung mit dem Röm 16,13 erwähnten Rufus gebracht, dessen Mutter Paulus „seine und meine Mutter" nennt, und von daher auf die römische Abfassung des Markus-Evangeliums geschlossen.[127] Doch abgesehen von der Fraglichkeit der Identifizierung[128] ist diese Vermutung auch darum ausgeschlossen, weil Röm 16 wahrscheinlicher ein nach Ephesus adressiertes Brieffragment darstellt und außerdem die Markusstelle nicht für den Evangelisten, sondern für seine Tradition relevant ist.

J. Schreiber möchte vom Alter des Traditionsstückes her an den „hellenistischen Flügel der Urgemeinde denken, der von den ‚Sieben' geleitet wurde (Apg 6,3; 21,8) ... Unsere Tradition ist dann aber mindestens so alt wie 1 Kor 15,3 f. – und ist trotz ihres hohen Alters auf das hellenistische Judenchristentum zurückzuführen."[129] Dieser Stephanuskreis scheint sich nach Apg 6,11.13 vor allem durch seine Stellung zur Tora und zum Tempel die Verfolgung der Juden zugezogen zu haben.

Darum läßt sich die Zuweisung unserer Tradition zu diesem Kreis noch weiterhin von zwei Seiten her begründen. Einmal ist deutlich, daß die Tradition verschiedentlich (deutlich in V. 24.27) mit Anklängen an alttestamentliche Stellen erzählt. Hier wird nur ein Schriftbeweis de facto geführt, in dem nicht wie beim Schriftbeweis de verbo wirklich zitiert,[130] sondern nur mit alt-

124 Ebd., 58; vgl. F. Hahn, Mission III f.
125 So fragt J. Schreiber 63 mit Recht.
126 Ebd., 33.
127 Z. B. zuletzt W. Grundmann 313 A. 4.
128 Von E. Klostermann 163 mit Recht betont.
129 A. a. O., 62.
130 Zur Bezeichnung und Unterscheidung vgl. Chr. Maurer 7 f.; vgl. A. Suhl 30 ff., 48; ferner M. Rese 35 ff.

testamentlichen Anklängen geschildert wird. Diese Stilisierung mit alttestamentlichen Anklängen will sagen: „Jesus ist nicht als Verbrecher, sondern gemäß dem im Alten Testament bezeugten göttlichen Willen unschuldig als Gerechter gekreuzigt worden."[131] Diese Art von Schriftgebrauch aber „mußte die orthodoxen Juden als Mißbrauch der ... Tora provozieren", so daß der Entstehungs- und Überlieferungsort dieser Tradition in der Stephanusgruppe liegen kann.[132]

Der zweite Grund für diese Zuweisung ist unserem Vers entnommen und betrifft die Notiz, daß Simon vom Felde kam (*ap' agrou*). Unabhängig von der Frage, ob Jesu Kreuzigung am 14. oder 15. Nisan stattfand, fragt J. Schreiber von den Sabbat-Streitgesprächen Mark 2,22;3,6 her, „ob die Nachricht, Simon sei vom Felde gekommen, nicht auch wie diese Gespräche polemischen Sinn hat und deshalb aufbewahrt wurde. Die Sabbat-Streitgespräche sind ja eindeutig gegen den jüdischen Toragehorsam gerichtet... Außerdem fehlen diese Art Streitgespräche wie die Kreuzigungstradition in der Spruchquelle. Nimmt man nun an, daß die Streitgespräche in demselben Kreis überliefert wurden wie die Kreuzigungstradition..., so ist die Vermutung nicht einfach von der Hand zu weisen, daß schon die alte Tradition Jesu Hinrichtung auf das Passafest datierte und deshalb an der Nachricht interessiert war, Simon sei vom Felde gekommen, weil sie damit sagen wollte: Simon konnte in allem Unverstand (15,21 *aggareuousin*!) Jesus dennoch ein wenig helfen, weil er, indem er vom Felde kam, den jüdischen Festtag mißachtete."[133] Hier würde dann ebenso wie in anderer Weise in den Versen 24 und 27 mit einem Stück Erzählung eine theologische Aussage gemacht. Da Matth 27,23 auch diese Wendung streicht, wird er sie wohl in dieser Weise verstanden und als anstößig empfunden haben.[134] Natürlich kann man allein daraus, daß Matthäus sie als offenbar anstößig empfand, noch nicht schließen, daß er sie auch „als Polemik verstand" und gar, daß dies beweise, daß sie ursprünglich als Polemik gemeint war.[135] Das läßt sich allein von der theologischen Füllung der anderen Bestandteile dieses Überlieferungsstückes wie den Schriftanklängen und besonders der Polemik in der Golgatha-Benennung Vers 22 her sagen. Von daher muß es aber bejaht werden. Auch die Wendung *ap' agrou* trägt hier keine Unsicherheit ein; *ap' agrou* muß nicht, kann aber nach 13,16 heißen: „von der Feldarbeit her"[136] (vgl. auch 11,8 „von den Feldern"). Man hat dagegen zwar öfter auf die Mehrschichtig-

---

131 J. Schreiber 32.

132 Ebd., 64.

133 Ebd.; daß „der Evangelist" hier „ganz unbekümmert" denke, wie E. Lohse, Leiden 94 ihm unterstellt, ist darum abzulehnen.

134 Ebd., 50 gegen J. Jeremias, Abendmahlsworte 71.

135 Ebd., 65.

136 E. Lohmeyer 276.

keit des Wortes *agros* hingewiesen; es könne auch „Hof, Landgut" bedeuten.[137] Dabei ist aber für den Sprachgebrauch des Markus übersehen, daß 5,14; 6,36.56 „Höfe" und „Dörfer" immer im Plur. steht.[138] Bei dem Einwand war man vor allem an der Feststellung interessiert, daß für die Chronologie des Todestages Jesu aus dieser Bemerkung nichts zu entnehmen sei.[139] Wenn aber 14,12 ff. derselben Traditionsschicht angehört (s. u.), so muß man die Dinge anders beurteilen. Die polemische Absicht der Formulierung kann nicht ausgeschlossen werden.

Wenn offenbar alle Einzelzüge der Erzählung theologisch relevant sind, so gilt das auch von der Wendung, „daß er ihm sein Kreuz nachtrage". Das gilt um so mehr, als Mark 8,34 parr. die gleiche Wendung in der Aufforderung zur Leidensnachfolge gebraucht ist (*airein ton stauron autou*).[140] Simon ist der erste, der – wenn auch nur gezwungen – die Kreuzesnachfolge Jesu vollzieht und damit der Weisung Jesu folgt.

Vers 22a: Die Soldaten bringen Jesus zur Hinrichtungsstätte; *ferousin* „bedeutet keineswegs, daß man Jesus hätte tragen müssen",[141] sondern das Wort heißt auch einfach „bringen, holen, herbeiführen" (vgl. 11,2.7).[142] Der Name *Golgothan* (so nur hier; Matth 27,33 und Joh 19,17 haben die indeklinable Form) scheint in hellenisierender Deklination des semitischen Namens als Akkusativ gemeint zu sein.[143] Es ist Transskription von aramäisch golgoltha (hebräisch: gulgoleth = Schädel); das letzte „l" ist zur bequemeren Aussprache im Griechischen ausgeschieden worden.[144] Das Wort wird schon von der Septuaginta Richt 9,53; 4 Regn 9,35 durch *kranion* wiedergeben,[145] und so übersetzt auch hier die redaktionelle Übersetzung des Evangelisten. Die Deutung des Wortes an unserer Stelle ist umstritten. Auszuscheiden hat die bei Hieronymus erwähnte Deutung locus decollatorum, weil die „Enthauptung keine jüdische Strafe" war.[146] Auch die Legende, daß hier Adams Schädel begraben liege, ist eine später ausgedeutete Legende.[147] Nach der allgemein heute vertretenen Auffassung soll die Bezeichnung von der Form des Hügels her-

137 J. Finegan 75; E. Klostermann 163; J. Schmid 294; J. Jeremias, Abendmahlsworte 71.
138 Bauer WB 26.
139 Bill. II, 828 f.; Finegan 75; E. Klostermann 163; E. Lohmeyer 342 A. 2; J. Jeremias, Abendmahlsworte 71.
140 E. Lohmeyer 342 A. 3 (nur steht da versehentlich „Matth."); W. Grundmann 313.
141 E. Klostermann 163; W. Grundmann 313.
142 Bauer WB 1692.
143 Bl-Debr 56,2; E. Klostermann 163.
144 Bill. I, 1037.
145 E. Lohmeyer 342.
146 Ebd.; E. Klostermann 163.
147 K. Holl, Gesammelte Aufsätze III, Tübingen 1928 (Nachdruck Darmstadt 1965) 36–47; vgl. J. Schmid 300 f.

rühren.[148] So hat offenbar schon Lukas es verstanden: *epi ... kranion* (23,33). „Der Pilger von Bordeaux, der im Jahre 333 Jerusalem besuchte, spricht von einem ‚Hügelchen Gogotha‘, und der in der heutigen Grabeskirche als traditionelle Stätte verehrte Platz ist nur ein fünf Meter hoher, zur Zeit Konstantins zubehauener Felswürfel.“[149]

Dieser offenbar von Lukas inaugurierten geographischen Deutung ist – soweit ich sehen kann – allein A. Schlatter nicht gefolgt.[150] Er betont: „Der Name ‚Schädel‘ läßt sich nicht dazu verwenden, um aus dem Ort einen ‚Hügel‘ zu machen. Eher zeigt er an, daß der Platz für unrein galt und deshalb zu Hinrichtungen benutzt wurde. Wenn ein vollständiger Schädel im Boden liegt, ist der Ort unrein, Tos Ahil 4,2“; vgl. weiter Tos Nidda 8,5: „In Kafar Saba galt eine Sykamine als unrein, ohne daß man noch wußte, warum sie es sei. Als der Sturm sie umriß, fand man einen vollständigen Schädel in ihren Wurzeln hängen.“ Eine Interpretation unserer Stelle der Golgotha-Erwähnung von diesem Hintergrund her gibt Schlatter allerdings nicht. Wenn nun aber bisher deutlich geworden ist, daß alle kleinen Züge dieser Kreuzigungserzählung eine theologische Relevanz haben und außerdem auch eine deutliche Polemik gegen jüdische Prämissen schon sichtbar wurde, so fragt man sich in der Tat, ob Vers 22a in dem Zusammenhang eine rein topographische Angabe sein kann. Man wird vielmehr von daher gegen eine rein topographische Erklärung skeptisch sein müssen. So wie das Vom-Felde-Kommen des Simon in einem Zusammenhang mit den Sabbat-Streitgesprächen stand, so ist die Golgotha-Erwähnung dann im Zusammenhang mit den vormarkinischen Traditionen über die rituelle Reinheitsfrage zu sehen, die 7,1 ff. gesammelt vorliegen. Das hieße dann aber: Die Kreuzigung Jesu ist nach Gottes Willen auf unreinem Boden geschehen.

Damit sind die jüdischen Prämissen von rein und unrein von Gott außer Kraft gesetzt und als „Menschensatzung“ herausgestellt. Nicht nur alle Speisen, sondern auch alle Orte sind für rein erklärt. Auch hier werden wir der grundlegenden Aufhebung von fanum und profanum ansichtig. Welch eine Verkennung liegt aber dann in der Tatsache, daß gerade auch der Kreuzigungsort wieder zum Gegenstand einer heiligen Verehrung werden konnte. Die rein topographische Auslegung der Stelle erscheint als ein letzter rationalistischer Ausfluß dieser Verkennung.

Vers 23a ist sicher als Bestandteil der Tradition anzusprechen. Nur das

---

148 Bill. I, 1037; J. Jeremias, Golgotha 74–128; G. Dalman, Orte und Wege 276 ff.; E. Klostermann 163; E. Lohmeyer 342; Bauer WB 326 f.; J. Schmid 297–301; J. Blinzler, Prozeß 363, dort A. 30 weitere Vertreter dieser Anschauung.

149 J. Schmid 297.

150 A. Schlatter, Matthäus 779; E. Haenchen 532 A. 10 neigt dazu, ihm zuzustimmen, bezieht aber keine eindeutige Stellung.

Impf. *edidoun* fällt formal heraus. Vielleicht dürfte auch hier ursprünglich ein Praes. hist. gestanden haben, denn deutlich steht das jetzige Impf. als ein Impf. de conatu mit dem Zusatz Vers 23b („er aber nahm es nicht") in Verbindung: „Sie versuchten ihm Wein zu geben."[151] Doch ist auch ein ursprüngliches Impf. de conatu möglich, das anzeigt, daß sie ihr Vorhaben nicht realisierten, was eben nicht durch ein historisches Präs. ausgedrückt werden konnte und was Markus dann mit seinem Zusatz Vers 23b nur noch deutlicher herausgestellt hätte.[152] Auch hier stellt sich dann wieder die Frage: Ist dieser Einzelzug ein reiner Bericht, der erst Vers 36 von Markus redaktionell alttestamentlich nach Ps 68,22 stilisiert und damit theologisch gedeutet wurde?[153] Gemeinhin hat man hierin eine rein berichtende geschichtliche Notiz gesehen; denn „dass man Jesus ein bitteres, Betäubung bezweckendes Getränk vor der Kreuzigung reichte, entsprach jüdischer Sitte".[154] In den jüdischen Belegen berief man sich sehr oft (z.B. Sanh 43a; Num R 10, 158c) auf Spr 31,6: „Gebt Rauschtrank dem, der dem Untergang geweiht ist, und Wein denen, die in ihrer Seele verbittert sind." Doch daß hier ein „jüdischer Brauch" (Lohmeyer) praktiziert worden sei, ist unwahrscheinlich, da die Exekutoren nicht Juden, sondern römische Legionäre waren, selbst dann, wenn man sich diese wohl wesentlich als aus Syrern rekrutiert vorzustellen hat. Daß auch sie ähnliches praktiziert haben können, ist nicht auszuschließen, doch dann handelt es sich dabei nicht um einen „jüdischen" Brauch.[155] Sicher aber ist die Formulierung der Tradition hier im Hinblick auf den bekannten Satz Spr 31,6 getroffen worden. Sollte sie ursprünglich präsentisch formuliert gewesen sein, dann dürfte auch an dieser Stelle allgemein die Schriftgemäßheit des Kreuzesweges Jesu ausgesprochen sein. Ist aber – wie es wahrscheinlicher schien – das Impf. de conatu schon Formulierung der Tradition, so dürfte eine noch stärkere Polemik in der Formulierung mit der Anspielung auf die Proverbien-Stelle liegen: Indem die nach Spr 31,6 versuchte Tränkung Jesu nicht zum Vollzuge kommt, wird ausgedrückt, daß sein Tod nicht sein Untergang ist. Es geht also in dieser Erwähnung um sehr viel mehr als darum, daß

---

151 Bl-Debr 326; E. Klostermann 163.

152 Auch J. Schreiber 65 f. A. 13 und 15 schließt diese Möglichkeit nicht eindeutig aus.

153 So H. W. Bartsch, ThZ 20, 1964, 91 f.

154 Bill. I, 1037 bietet verschiedene Belege; vgl. E. Klostermann 163; E. Lohmeyer 342; W. Grundmann 313; dabei ist *smyrnizein* neutestamentliches Hapaxlegomenon (Bauer WB 1503; zum Gebrauch von vina myrrhae vgl. auch Plinius, Nat. hist. 14,13); oinos kommt bei Markus nur noch 2,22 3mal vor; *didonai* und *lambanein* kommen nicht überdurchschnittlich bei Markus vor (J. Schreiber 31).

155 Damit entfällt aber auch die von J. Schreiber 65 vermutete Pointe: „Die Hilfe der Juden lehnt Jesus ab, die des Torabrechers Simon läßt er dagegen geschehen." Doch weist diese Interpretation in gewisser Weise schon in die richtige Richtung; nur ist die Polemik anders zu begründen.

Jesus „bei Besinnung alles erdulden" wollte.[156] Da der polemische Zug auf der Linie der Ergebnisse der bisherigen Interpretation liegt, so bestätigt er den Zusammenhang mit und die Zugehörigkeit dieses Satzes zu der Simon-Tradition. Die Markus-Redaktion hat diesen Einzelzug dann durch den Zusatz Vers 23b noch verstärkt.

Vers 24 berichtet mit einem einzigen Satz den Vollzug der Kreuzigung als solcher. Das historische Präsens ist nicht dahingehend überzuinterpretieren, daß die Kreuzigung ein dauernd gegenwärtiger Akt sei.[157] Dabei ist das insgesamt sechsmalige Vorkommen dieses Präs. von Vers 20b an übersehen; denn es handelt sich nicht um sechs immer gegenwärtige Ereignisse. Die „Einzelheiten der grausamen Vollstreckung hat kein Evangelist beschrieben",[158] und zwar nicht nur darum, weil „diese Dinge damals jedermann aus ähnlichen Hinrichtungen schmerzhaft gegenwärtig waren",[159] sondern doch wohl eher darum, weil man nur die Einzelzüge erzählte, die einer theologischen Sinndeutung fähig waren. Als eigentliche Todesursache ist nach dem Urteil moderner medizinischer Sachverständiger „weder Erschöpfung[160] noch Verschmachten durch Durst noch Blutverlust – es wurde keine Arterie verletzt – noch auch Herzschwäche oder Versagen der Atmung anzunehmen, sondern das Versagen des Blutkreislaufes (traumatischer Schock)".[161] Natürlich sind alle Erklärungsversuche Wagnisse. Leider gehen sie meist auch von literarkritisch ungenügend geklärten Ansätzen aus.

Vers 24b: Das Verteilen der Kleider mag einem römischen Brauch entsprechen und historisch sein.[162] „Auf die Kleider des Delinquenten haben die Soldaten ein sogar mit den Digesten belegbares Recht."[163] Doch darauf liegt wieder nicht der Ton. Vielmehr wird der Bericht deutlicher noch als Vers 20b.23.27

156 So E. Klostermann 163 u. a.; daß er damit gar nach Jes 53,4 unsere Schmerzen auf sich genommen hat (so noch weitergehend W. Grundmann 314), ist ein eindeutiger Eintrag in den Text (dagegen mit Recht H. W. Bartsch, ThZ 20, 1964, 91).

157 So E. Lohmeyer 342 f.

158 Ebd.

159 So J. Schreiber 33; W. Grundmann 314; darum bieten die Kommentare von E. Klostermann 163 f. und J. Schmid 295 f. hier dem modernen Leser eine längere Einzeldarstellung; vgl. auch J. Schneider, ThW VII, 572 ff.

160 So noch E. Klostermann 164.

161 J. Schmid 295 f.; den umfassendsten Literaturbericht „Der Kreuzestod in medizinischer Sicht" gibt J. Blinzler, Prozeß 381–384.

162 E. Klostermann 164; E. Lohmeyer 343; H. W. Bartsch, ThZ 20, 1964, 92; E. Lohse, Leiden 95; gegen J. Finegan 75 und R. Bultmann, Tradition 294 f.

163 M. Dibelius, Formgeschichte 188: Digesta 48,20,6; H. Conzelmann, Bedeutung 40 A. 9 gibt M. Dibelius verzerrt wieder, wenn er sagt: „Dibelius setzt die schöpferische Kraft des Schriftbeweises hoch an. Er soll Szenen wie die vom Verlosen der Kleider geschaffen haben." – Beides ist von M. Dibelius, Formgeschichte 188 f. her zu bestreiten.

mit alttestamentlichen Worten gegeben und, wie es scheint, von vornherein an den Septuagintatext angelehnt (LXX-Ps 21,19). Dabei ist an unserer Stelle ganz in der 3. Pers. und nicht in der 1. Pers. der Klage (*autou* statt *mou*) formuliert und der Aor. in das Präs. umgesetzt. Das zweite Verb ist in ein Partizip geändert, das verbindende *kai* dementsprechend ausgefallen und ebenso die zweite Obj.-Formulierung *epi ton himatismon mou*, die durch *ep' auta* ersetzt wurde. In einer Weise läßt sich eine besondere Verbindungslinie zu Vers 23a ziehen: Beide Male wird ein römischer Exekutionsbrauch im Lichte eines alttestamentlichen Wortes geschildert. Daß hier speziell Ps 22 vom leidenden Gerechten verwendet ist, soll andeuten, daß Jesus zu Unrecht leidet, wie es von den alttestamentlichen Gerechten gesagt ist.[164] Es geht auch bei diesem Einzelzug mehr um die Deutung der Tötung Jesu im ganzen, als daß etwa dieser spezielle Einzelzug als geweissagt und erfüllt angesehen werden soll. Ja es geht beim Schriftbeweis de facto überhaupt nicht so sehr um „Erfüllung", schon gar nicht um den Erweis speziell der Kleiderverteilung als messianischer Erfüllung.[165] Vielmehr wollen die alttestamentlichen Anspielungen dieser frühen Phase sagen, daß das Geschehen dem Willen Gottes gemäß war. Sie haben weniger Weissagungs- als vielmehr Zeugnischarakter.[166] Auch auf den genauen Sinn im alttestamentlichen Zusammenhang, wo es hier Ps 22,19 darum geht, daß durch das Verteilen der Kleider der Leidende so behandelt wird, als wäre er bereits gestorben,[167] ist hier kein Bezug genommen.[168]

J. Schreiber hat Erwägungen darüber angestellt, ob das Schriftzeugnis wirklich nur formal gemeint sei oder aber nicht doch auch eine inhaltliche Füllung haben könnte. Er hält „die Kleiderverteilung einer symbolischen Deutung fähig" und meint, sie zeige „den Sinn der Sendung Jesu und seines Todes; Jesus tritt nach Gottes Willen bedingungslos bis zur Hingabe seiner letzten Habe und seines Lebens für die Menschen ein".[169] Wenn man gegen diesen kerygmatischen Symbolismus schon an sich als eine Überinterpretation Bedenken haben sollte, so werden diese Bedenken hier durch den angehängten kurzen Relativsatz am Schluß des Verses (*tis ti arē*) bestätigt. Sollte dieser Zusatz bedeutungslos im Anschluß an die alttestamentliche Formulierung stehen? Matthäus und Lukas haben ihn beide weggelassen. Offensichtlich erschien er ihnen überflüssig und durch das Vorgenannte schon ausgesagt. Sollte dieser Satz aber in der knapp

---

164 E. Flesseman-van Leer 94; J. Schreiber 32.

165 Gegen E. Lohmeyer 343; J. Schmid 296.

166 W. Hahn, Mission 52 A. 1; J. Schreiber 80 A. 76; A. Suhl 47 f.; grundsätzlich auch M. Rese 36 ff.

167 H. J. Kraus, Psalmen I, Neukirchen 1961², 181; E. Flessemann-van Leer 95.

168 Gegen die Absicht von E. Flesseman-van Leer 90, 94, 98, die durchgängig eine inhaltliche Sinngemäßheit erweisen möchte. Diese Hauptthese ihres Aufsatzes ist nicht überzeugend.

169 A. a. O., 63 A. 7.

und ohne überflüssige Züge darstellenden Simon-Tradition wirklich nur eine überflüssige Tautologie gebracht haben? Dieses Bedenken läßt sich ausräumen, wenn man auch diesem Einzelzug eine besondere Bedeutung zuerkennen kann. Und das kann man in der Tat: Man muß davon ausgehen, daß schon Vers 21 von einem *hina arē* sprach. Im Hinblick auf diese Formulierung könnte das *tis ti arē* hier gut als antithetische Entsprechung formuliert sein.[170] Dort war betont die Aufnahme des Kreuzes als Vollzug der Nachfolge gemeint. Hier dagegen steht nun der paränetisch wirksame Kontrast dazu. Dem Aufnehmen des Kreuzes steht gegensätzlich das Aufnehmen der von Jesus hinterlassenen Kleider entgegen. In einem Wortspiel werden hier echtes und falsches *airein* einander gegenübergestellt: Man kann von Jesus mancherlei haben, sogar seine hinterlassenen Kleider. Doch Heilsgemeinschaft mit ihm hat nur, wer in der Kreuzesnachfolge steht, nicht aber der, der im Besitz seiner sonstigen Hinterlassenschaften sein mag.

So gesehen, liegt also die weitergehende inhaltliche Sinngebung hier nicht in den Worten des Schriftzeugnisses oder eines allgemeinen kerygmatischen Symbolismus, sondern in dem kurzen Zusatz dieser Überlieferung zu der alttestamentlichen Reminiszenz.

Vers 27 berichtet die Mitexekution von zwei *lēstai*. Der Ausdruck bezeichnet wohl nicht Räuber allgemein, sondern Aufrührer, Partisanen (so bevorzugt bei Josephus für die Zeloten verwendet).[171] Daß darin eine besondere Verhöhnung Jesu als Räuberhauptmann liegen soll,[172] kann wohl nicht gefolgert werden. Weil nach jüdischem Recht (Sanh 6,4) nicht zwei Verbrecher an einem Tage hingerichtet werden durften,[173] so ist erneut deutlich, daß es sich hier um ein Handeln der Römer handelt[174] (ausdrücklich wird dies in dem Traditionsstück ja nie gesagt). Gegen die Geschichtlichkeit dieses Zuges kann man also vom jüdischen Recht her nicht argumentieren.[175] Dagegen hat man immer wieder vermutet, daß diese Stelle aus dem Schriftbeweise hervorgewachsen sei.[176] Doch ist bisher deutlich geworden, daß gerade in diesem alten Textstück der Schriftanklang – wie man besser statt Schriftbeweis de facto für diese erste Stufe sagen sollte – nicht als ein produktives, sondern als ein selektives Gestaltungsprinzip anzusehen ist. „Das Geschehen selbst ist der Maßstab für die Auswahl

---

170 Zwei Fragepronomen disjunktiv ohne Konjunktion sind auch nach dem klassischen Griechisch schon möglich, Bl-Debr 298,5.

171 E. Lohmeyer 343; W. Grundmann 314; E. Haenchen 532: „zweifelhafte Gestalten einer jüdischen Untergrundbewegung"; J. Schmid 296.

172 So F. Hauck 157; W. Grundmann 314; dagegen mit Recht J. Schmid 296.

173 Bill. I, 1034, 1039.

174 E. Lohmeyer 343 A. 5, vgl. Joseph., Bell. 2,13,2; Euseb, Mart. Pol. VI,3.

175 Mit Recht E. Klostermann 165.

176 J. Finegan 75 mit Verweis auf Mark 14,48 (vgl. ebd., 71); E. Klostermann 165; unentschieden R. Bultmann, Tradition 295.

der Zitate."[177] Dabei ist entscheidend, daß dieser Traditionsstrang Augenzeugenschaft und Schriftanklang verbindet. Darum wird man dem Duktus des Ganzen entsprechend Vers 27 im Hinblick auf Jes 53,12 (*en tois anomois elogisthē*) erwähnt sehen dürfen, wenngleich dieser Anklang hier sehr schwach ist und sich nicht einmal in der Formulierung der Stelle ausgedrückt hat.[178] Immerhin zeigt die explizite Zufügung des Jesaja-Zitats im sekundären Reichstext an dieser Stelle, daß man diesen Anklang wohl wahrnehmen konnte.[179] Daß er sekundär ist, beweist außer der Wertung der Textzeugen auch die unmarkinische Art der Zitierung der Stelle mit einer wirklichen Erfüllungsformel (*kai eplērōthē hē grafē hē legousa*)[180] und die Übernahmemöglichkeit gerade dieses Zitates aus Luk 22,37, der einzigen Stelle der Leidensgeschichte, die ein Wort aus Jes 53 ausdrücklich aufnimmt. Doch der veränderte Ort gegenüber Lukas zeigt, daß diese Übernahme hier nicht nur einfach von Lukas her veranlaßt ist. Dann aber ist um so deutlicher, daß er von der markinischen Formulierung her nahegelegt sein muß.

Weil es nun nicht die erste, sondern die vierte Schriftreminiszenz in diesem kurzen Zusammenhang darstellt, so scheint die Vermutung durchaus nicht unbegründet, daß zwar kein Formulierungsanklang, wohl aber in Gestalt der Anspielung ein solcher Schriftbezug vorliegt. So wird aber hier ebenso wie Vers 20b.23.24 ein Handeln der Römer mit alttestamentlichen Bezügen dargestellt.

Vers 29b: Ein fünfter Schriftbezug – und zwar wieder in der deutlicheren Art des wörtlichen Anklangs, wie er Vers 24 vorlag – ist in Vers 29b gegeben, wo von den Vorübergehenden die Rede ist, die die Köpfe schütteln. Während Vers 24 sich auf Ps 22,19 bezog, so möglicherweise Vers 29 auf Vers 8 desselben Psalms (*ekinēsan kefalēn*). Wiederum wäre vom Aorist der Septuaginta-Formulierung in das Präs. übertragen. Weil das der Art der Verwendung des Alten Testaments in der ganzen Simon-Tradition entsprach, so wird diese Wendung wohl aus ihr stammen. Das Kopfschütteln erscheint als Ausdruck des Hohns auch noch an anderen alttestamentlichen Stellen (Jes 37,22; Jer 18,16; Hiob 16,4; Ps 44,15; 109,25 – diesmal benutzt die Septuaginta aber das Verb *saleuein*),[181] und so könnte dieser Anklang auch auf eine dieser Stellen zurückgehen, falls man überhaupt immer an eine ganz bestimmte Stelle zu denken hätte. Weil Ps 22 schon benutzt wurde, liegt dieser Bezug natürlich am nächsten.[182] Sollte allerdings auch *paraporeuomenoi* der Traditionsschicht zuzuweisen sein, so liegt

---

177 M. Rese 41.
178 M. Dibelius, Formgeschichte 187 als Möglichkeit; ebenso J. Schreiber 32.
179 Chr. Maurer 8.
180 E. Klostermann 165.
181 Bill. I, 1039; E. Lohmeyer 343.
182 M. Dibelius, Formgeschichte 187; E. Flesseman-van Leer 95.

Threni 2,15 noch näher (LXX ebenfalls nicht im Präs.), weil dort beides in gleicher Weise miteinander steht.[183]

Zusammenfassung: In der Mitte dieses Traditionsstücks steht Vers 24a die Notiz der Kreuzigung Jesu. Sie wird als solche nicht direkt gedeutet, ist aber umgeben von deutenden alttestamentlichen Bezügen, die deutlich machen wollen, daß Jesus nicht als Verbrecher, sondern nach Gottes Willen und Zulassung gekreuzigt worden ist als leidender Gerechter. Ein spezieller Rückgriff auf den hebräischen Text wurde dabei nirgendwo erkennbar. Neben den alttestamentlichen Bezügen steht als zweites Motiv die polemische Bestreitung der Bindung des Heils an heilige Zeiten und Orte. Als drittes Gestaltungsmotiv war der paränetische Hinweis auf die rechte Kreuzesnachfolge und im Konrast dazu das Kleiderverteilen und -raffen zu erkennen. Die Motive stehen in einer sinnvollen Sachverbindung zueinander: An die Stelle des Gesetzes als Heilsweg tritt die Nachfolge des gekreuzigten Gerechten. Unverkennbar war schließlich viertens in der Erwähnung Simons und seiner Söhne auch das Beglaubigungs- und Zeugnismotiv am Werke. Hinsichtlich der Herkunft dürfte die Vermutung richtig sein, daß wir hier ein Zeugnis des ältesten hellenistischen Judenchristentums vor uns haben, mit dem wir schon in Jerusalem selbst sehr früh zu rechnen haben.

Für die methodische Fragestellung ist das Miteinander der Motive (1) theologische Deutung mittels des Alten Testaments und (4) Beglaubigung in dieser auf einem Augenzeugen beruhenden Überlieferung wichtig. Es bewahrt davor, „theologische Deutung" und „geschichtlichen Tatbestand" auseinanderzureißen und in Alternative zu setzen,[184] und zumindest für diese älteste Tradition kann man nicht sagen, daß das, was theologische Deutung ist, nicht als geschichtlicher Tatbestand angesehen werden kann. Grundlegend ist für die Verhältnisbestimmung beider Größen die Bestätigung des von M. Dibelius gegebenen Grundsatzes, daß die alttestamentlichen Anspielungen und die mit ihnen gegebene theologische Deutung nicht primär produktiven, sondern selektiven Charakter hatte.

In gewisser Weise ist das zweite Motiv, die antijüdische Polemik (Acker V. 21a und Golgotha V. 22a), auch in der ersten Motivreihe wirksam; denn daß gerade die Schrift in Thora, Propheten und Schriften bezeugt, daß sich in der Kreuzigung Jesu Gottes heilvolles Handeln vollzieht, kann nur als Provokation empfunden werden. Darum werden im folgenden Diagramm diese beiden wichtigsten Motivgruppen der Zentralaussage der Kreuzigung in einem engeren Kreis zugeordnet:

---

183 Meist wird auf beide Stellen zusammen verwiesen, vgl. R. Bultmann 295; J. Finegan 75; E. Klostermann 165; E. Lohmeyer 343; W. Grundmann 314; J. Schmid 296.

184 So H. Conzelmann, Bedeutung 38 A. 2.

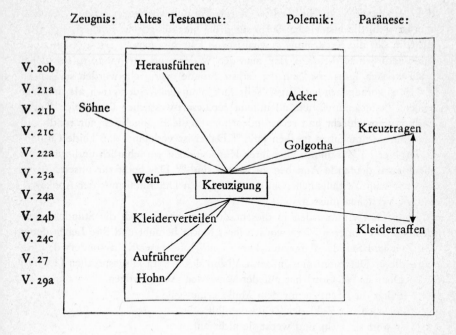

Zeugnis:    Altes Testament:      Polemik:    Paränese:

| | |
|---|---|
| V. 20b | Herausführen |
| V. 21a | |
| V. 21b | Söhne          Acker |
| V. 21c |                 Kreuztragen |
| V. 22a | Golgotha |
| V. 23a | Wein   Kreuzigung |
| V. 24a | |
| V. 24b | Kleiderverteilen |
| V. 24c |             Kleiderraffen |
| V. 27 | Aufrührer |
| V. 29a | Hohn |

## 1.3. Die Interpretation der apokalyptisch-gnostischen Kreuzigungstradition (Sieben-Stunden-Apokalypse)

Vers 25 setzt der zweite Kreuzigungsbericht mit einer der für ihn typischen Stundenangaben ein. Die erste Stundenangabe ist unbedingt im Zusammenhang mit den beiden folgenden in den Versen 33 und 34a zu sehen. Diese Stundenangaben „wirken wie eine Klammer des Textes. Sie ordnen die lose nebeneinandergestellten Einzelnachrichten von der dritten über die sechste auf die neunte Stunde hin. In dieser neunten Stunde stirbt Jesus, von den Menschen verkannt, hört die Finsternis auf, zerreißt der Tempelvorhang, bekennt sich der Hauptmann zum Gottessohn."[185] Jede Interpretation, die diesen Zusammenhang verkennt, wird dem Text nicht gerecht. Weil nun die Stundenangaben in den Versen 33.34a eindeutig mit apokalyptischen Vorgängen verbunden sind (V. 33 Finsternis; V. 34a der große Schrei), so ist auch die erste Zeitangabe schon unbedingt vom apokalyptischen Denken her zu interpretieren.

Darum sind aber auch alle Interpretationen abzulehnen, die dies nicht berücksichtigen. So ist die kultische Interpretation, die das Stundenschema als

---

185 J. Schreiber 23.

drei Gebetszeiten ansieht,[186] als nicht textgemäß abzuweisen.[187] Am verbreitetsten ist wohl die historische Auffassung, die hier die genaue Stunde angegeben sieht, in der die Kreuzigung geschah: neun Uhr morgens.[188] Diese Vorstellung führt natürlich sofort dazu, daß man den Widerspruch zu Joh 19,14 feststellen muß, wonach Jesus erst „um die sechste Stunde" verurteilt worden sei – noch dazu am vorangehenden Tage. Teils läßt man den Widerspruch als unlösbar stehen,[189] oder man glättet, indem man der Lesart westlicher Texte folgt,[190] oder harmonisiert schlecht und recht, indem man beide Evangelisten nur runde und ungefähre Zeitangaben machen läßt.[191] Dabei ist verkannt, daß beide Chronologien hier im Zusammenhang ihrer Konzeptionen vornehmlich und zuerst als theologisch deutende Angaben zu werten sind.[192] Das heißt für unseren Text, daß wir seine Zeitangaben vom chronologischen Determinismus der Apokalyptik her verstehen müssen.

Schon Dan 7,12 werden in diesem Zusammenhang auch die Stunden angedeutet: „Die anderen Tiere wurden ihrer Macht beraubt und ihre Lebensdauer auf Zeit und Stunde (lange und kurze Zeit[193]) festgesetzt." Besonders deutlich wird dieser Determinismus in der 1.Vision des 4 Esra ausgesprochen (4,36 f.):

„Denn er (sc. Gott) hat auf der Wage den Äon gewogen.
(37) Er hat die Stunden mit dem Maße gemessen
und nach der Zahl der Zeiten gezählt.
Er stört sie nicht und weckt sie nicht auf,
bis das angesagte Maß erfüllt ist."[194]

Zweierlei kommt hier zum Ausdruck: Alles ist also zeitlich genau von Gott determiniert; auch die Stunden sind hier genannt. Und wenn Gott daran nichts ändert, wie sollten dann Menschen eingreifen können?

186 So G. Schille, ZThK 52, 1955, 188, 195, 197 f., 199.

187 Dagegen mit Recht R. Bultmann, Ergänzungsheft[3] (zu 308) 46; H. Conzelmann, Bedeutung 39 A. 5: „Diese Liturgie ist ein Phantasieprodukt"; J. Schreiber 38 A. 69.

188 E. Klostermann 164; E. Lohmeyer 343; W. Grundmann 314; J. Schmid 296; E. Haenchen 532; W. Trilling, Christusverkündigung 198.

189 So E. Lohmeyer 343 A. 3.

190 D it glätten und schreiben „bewachen"; dem folgen E. Klostermann 164; J. Sundwall 83, um die Dublette zu V. 24 zu vermeiden, was Matthäus schon auf seine Weise tut und wovon die Variante abhängig sein dürfte.

191 So J. Schmid 296.

192 So mit Recht E. Lohse, Leiden 50; M. Weise 48 ff., 49–51.

193 Vgl. Gesenius/Buhl, Hebräisches und Aramäisches Wörterbuch über das Alte Testament, Berlin 1949[15], 905, 918 f.; die Septuaginta übersetzt beōs chronou kai kairou (vgl. auch Dan 7,25 und den Eid 12,7).

194 Übersetzung nach H. Gunkel, Das 4. Buch Esra, in: E. Kautzsch II, 331 ff., ebenso für die folgenden Zitate.

Im weiteren Verlauf des Gesprächsgangs sagt dann der Engel Uriel dem Seher Esra (4,40): „Geh' hin, frage die Schwangere, ob ihr Schoß, wenn ihre neun Monate um sind, noch das Kind bei sich behalten kann." Und er argumentiert weiter damit, daß „ein gebärendes Weib der schmerzenden Geburt möglichst bald sich zu entledigen strebt" (4,42). Immer wieder wird so im Blick auf die erwartete Vollendung der Welt betont: „Gott hat alles vorherbestimmt; alles, was geschieht, geschieht genau nach Gottes festgelegtem Plan, den menschliches Planen und Handeln weder fördern noch hindern können."[195]

Noch wichtiger ist es, daß dort im 4 Esra im zweiten Gesicht bei den Zeichen des Endes ausdrücklich eine Drei-Stunden-Angabe gemacht wird (6,24):

(23) „Die Drommete wird laut erschallen;
  alle Menschen vernehmen sie plötzlich und erbeben.
(24) ... Wasserquellen stehen still
  und laufen nicht drei Stunden lang (25 ...).
(26) Da erscheinen die Männer, die einst emporgerafft sind,
  die den Tod nicht geschmeckt haben seit ihrer Geburt."

Dazu ist auch der Lobpreis Esras nach der Deutung der 6. Vision in 13,58 zu vergleichen: „Er regiert ja die Stunden und was in den Stunden geschieht." Dies wird ausgesprochen als Antwort auf die Ankündigung des Kommens des welterlösenden „Menschen". Bei dem vielfältigen Wechsel gerade auch des chronologischen Ausdrucksmaterials ist es um so wichtiger, daß hier 4 Esra 6,24 an einer das Endgeschehen selbst bezeichnenden Stelle die direkte Erwähnung von drei Stunden erscheint und daß auch die Stundenangaben von 13,58 auf das Endgeschehen selbst bezogen sind. Somit dürfte unsere vormarkinische Kreuzigungstradition, die durch das Drei-Stunden-Schema bestimmt ist, dieses Geschehen damit nicht nur allgemein als apokalyptisch gezeichnetes Geschehen bezeichnen und auch nicht nur die unaufhaltsame göttliche Determiniertheit des sich hier Ereignenden aussprechen, sondern dieses Geschehen ganz präzis als das Endgeschehen selbst charakterisieren. Mark 15,25b ist das erste Ereignis dieser Epoche. Es wird apokalyptisch als Endgeschehen gedeutet. Denn allein die Tatsache, daß sie ihn kreuzigten, ist zunächst nichts anderes als eine Schmach, die ihren tieferen Sinn nicht in sich selbst hat.

Vers 26 schildert das zweite Ereignis, das dieser Überlieferung für die erste Stundentrias wichtig ist, den titulus am Kreuz.[196] Im Zusammenhang mit dem

---

195 Ph. Vielhauer, Apokalypsen und Verwandtes. Einleitung, in: Hennecke/Schneemelcher II, 407 ff., Zitat 414 f.; J. Schreiber 38.

196 H. Conzelmann, Bedeutung 49 hält diesen Vers für einen markinischen Zusatz wegen der Königssymbolik, und schon R. Bultmann, Tradition 293 erklärte ihn von Mark 15,2 her für sekundär. Doch sind *aitia* und *epigrafesthai* markinische Hapaxlegomena, und *epigrafe* wird nur noch 12,16 bei ihm verwendet. Was sprachlich auf markinische Gestaltung weist, ist höchstens die Verwendung des Verbs nach dem Subst. gleichen Stammes und ebenso

weiteren Ereignis dieser Zeitspanne (V. 29), das klar eine Verhöhnung Jesu ist, dürfte auch Vers 26 als ein Akt des Hohnes hier stehen. Das legt sich auch vom Inhalt her nahe. „Weil es ein unmöglicher, deshalb höhnischer Titel ist – der religiöse lautet ‚König Israels' (Prot Ev 11), der politische ‚König von Judäa' (Luk 1,5) –, ist durch ihn die Schuld deutlich bezeichnet."[197] Daß eine Tafel (titulus = *epigrafē*)[198] mit der Angabe der Anklage (causa poenae = *aitia*)[199] bei der Hinrichtung eines Delinquenten vorangetragen oder ihm um den Hals gehängt wurde, ist als römischer Brauch bekannt, für eine Kreuzigung selbst aber sonst nicht direkt bezeugt.[200] Übrigens ist auch hier nicht direkt gesagt, daß es sich um einen titulus am Kreuz handelt. Das hat man nur aus der Reihenfolge der Darstellung erschlossen. Wenn das Partizip erst markinische Zutat ist (s. o. Anm. 196), so ist ursprünglich wohl überhaupt nur gesagt, daß es einen titulus gab, nicht aber, daß es ein titulus am Kreuz war.

In diesem Zusammenhang findet sich auch Sanh 43a Bar eine talmudische Notiz über Jesu Tod: „Am Rüsttag des Passa hat man Jesus von Nazareth gehängt. Während vierzig Tagen ging ihm ein Ausrufer voraus: Er muß gesteinigt werden, weil er Zauberei getrieben und verführt und Israel abwendig gemacht hat. Jeder, der für ihn eine Rechtfertigung weiß, komme und mache sie für ihn geltend. Aber man fand niemand, der ihn rechtfertigte, und so hängte man ihn am Rüsttage des Passa."[201] Diese Darstellung ist widersprüchlich und deutlich apologetisch orientiert und hängt wohl von der christlichen Überlieferung ab, kann also wenig weiterhelfen.

Vers 29 schildert den zweiten Akt des Hohns als ein drittes Faktum der Schmach in dieser ersten Stundenperiode: das Lästern in Überschneidung mit der Simon-Tradition, der das Kopfschütteln und wohl auch die Vorübergehenden zuzuweisen waren. Auch hier wie schon Vers 26 schafft sich der Hohn im Unterschied zur Simon-Tradition in Worten Ausdruck. Die Interjektion *oua* (markinisches Hapaxlegomenon) ist Ausdruck wirklicher (so Epiktet III,23.24), hier aber spöttischer Bewunderung (vgl. rabbinisches *jah*).[202] Wie Vers 26 auf

die Verbindung des Part. mit einer Form von *einai*; danach könnte *epigegrammenē* markinischer Zusatz sein. Dann aber ist erst recht der Grundbestand des Verses der Tradition zuzusprechen.

197 E. Lohmeyer 343; wenn J. Schmid 296 hierin auch eine Verhöhnung der Juden sieht, so ist dies vom vierten Evangelium her eingetragen.

198 Bauer WB 576.

199 Ebd., 51.

200 Sueton, Calig. 32, Domit. 10; Cassius Dio 54,8; Euseb., Hist. Eccl. 5,1,44; vgl. E. Klostermann 164 f.; E. Haenchen, Bedeutung 78 A. 38; zur öffentlichen Bekanntmachung im jüdischen Recht vgl. Bill. I, 1038, doch trägt das hier nichts aus.

201 Bill. I, 1023 f.; vgl. dazu M. Goguel, Leben Jesu 21 f.; W. Trilling, Geschichtlichkeit 59 f.

202 Bill. II, 52; Bauer WB 1171; E. Klostermann 165.

die Pilatusverhandlung 15,2 ff. zurückwies, so das Tempelwort hier auf die Synhedriumsverhandlung 14,58 in betonter Entsprechung.[203] Zugleich liegt hier ein Vorweis auf die Verse 38 f. vor: Die Zerstörung des alten Tempels geschieht tatsächlich, und ebenso die Gründung des neuen Tempels, der nicht mit Händen gemacht ist (14,58), beginnt mit dem Bekenntnis des Centurio. Er steht stellvertretend für die ganze neue Gemeinde, den neuen Tempel, der ein Bethaus für alle Völker (11,17) ist.[204] Damit wird ihr Spott zugleich ambivalent: Sie müssen wider ihren Willen die Wahrheit ansagen.[205]

Vers 30: Während Vers 29 mit den Rückgriffen auf 14,58 nur höhnische Anreden brachte, fährt Vers 30 mit einer direkten Aufforderung fort: Rette dich selbst, indem du vom Kreuz herabsteigst. Das bedeutet auf dem Hintergrund von Vers 29: Der so große Dinge mit dem Tempel vorhatte, bringt nicht einmal das kleinere seiner eigenen Rettung zustande. Mehr ist hiermit nicht gesagt. Eine weitergehende Ausdeutung bringt erst der markinische Zusatz Vers 31 f.

Schmach und Hohn der Gegenwart sind gerade auch in der jüdisch-apokalyptischen Literatur wesentliche Fragen, die auf das Endgeschehen hinlaufen. Durch die einleitende Zeitansage ist hier mit Vers 25 die bange Frage des Apokalyptikers: „Wie lange?" im Prinzip schon gelöst. Die vergleichbare Grundfrage zum Beispiel, auf die die 2. Vision im 4 Esra Antwort gibt, lautet (5,28): „Jetzt aber, Herr, weshalb hast du das Eine den vielen preisgegeben, hast den einen Sproß vor anderen in Schmach gebracht und dein einziges Eigentum unter die vielen zerstreut? (29) Weshalb haben, die deinen Verheißungen widersprochen haben, die niedertreten dürfen, die deinen Bündnissen fest geglaubt haben?" (Vgl. auch die Weherufe in den Mahnreden des aethiop. Henoch, die vor allem auch die *Lästernden* trifft: 95,4–7; 96,7 f.; 98,13–15; 99,15; 100,7.)

Vers 33: Während der Inhalt der ersten dreistündigen Periode die dreifache Schmach Jesu, vor allem die Verspottung, ist, wird als Inhalt der zweiten nur die Finsternis angegeben, die über die ganze Erde geht, nicht nur exklusiv und partiell über das jüdische Land.[206] Sie hat nicht nur teilweise, sondern kosmische Ausmaße. Die nächste Parallele hierzu dürfte in 4 Esra 14,20 zu sehen sein:

„Denn die Welt liegt in Finsternis,
    ihre Bewohner sind ohne Licht."

203 E. Klostermann 165; E. Lohmeyer 344.

204 H. W. Bartsch, ThZ 20, 1964, 94.

205 J. Schreiber 41.

206 So aber E. Klostermann 166; H. Sasse, ThW I, 676,14; dagegen mit Recht H. Conzelmann, ThW VII, 439 A. 137; W. Grundmann 315; J. Schreiber 38 A. 70 lehnt diese Differenzierung als modernistisch ab, betont aber den umfassenden Aspekt: „Der Text will die umfassende kosmische Bedeutung des Todes Jesu verkündigen und schaut dabei auf die jüdische Welt, in deren Bereich auch der Text formuliert wurde." (Gegen eine Differenzierung auch E. Lohmeyer 345.)

Wie dort aus dem Kontext eindeutig hervorgeht, ist damit nicht ein generelles Urteil über die ganze Weltzeit im Sinne eines kosmischen Dualismus gefällt, sondern es handelt sich um die derzeitige Epoche nach der Zerstörung Jerusalems.[207] Da auch in unserm Text die Finsternis als Epoche erscheint, so ist diese Parallele in der Tat zur Interpretation hier heranzuziehen. Anders dagegen steht es mit den Aussagen über die Finsternis als Verdammungsort (z. B. aeth Hen 41,8; 64,6), in denen ja die Finsternis als zukünftig erscheint, anders ebenso mit dem deterministischen Dualismus (z.B. 1 QS 3,13 ff.; 1 QM 13,10 ff.), bei dem man durch Bekehrung aus einem Kind der Finsternis zu einem Kind des Lichtes werden kann.[208] Diese drei Formen sind voneinander zu unterscheiden und nicht ohne weiteres zur Interpretation unserer Stelle zu verbinden.[209] Damit entfällt auch der Bezug auf die oft hier herangezogene Stelle[210] Amos 8,9 f.: „An jenem Tage wird es geschehen, spricht Jahwe der Herr, daß ich lasse die Sonne untergehen am Mittag und bringe Finsternis über die Erde am lichten Tage... Ich werde Trauer schaffen wie um den Einzigen."[211] Denn auch hier handelt es sich um eine Gerichtsfinsternis, also eine endgültige Erscheinung und nicht eine vorübergehende Epoche. Näher kommt an unseren Text schon der Vorstellungshintergrund der synoptischen Apokalypse heran: Bevor der Menschensohn erscheint, wird die Sonne verfinstert werden und der Mond seinen Schein verlieren usw. (13,24)[212] Der Tod Jesu wird also als apokalyptisches Ereignis verstanden. Doch ist hier genau auf die zeitliche Zuordnung zu achten und nicht zu sagen: ein Ereignis, *bei* dem die Sonne ihren Schein verliert";[213] denn dies stimmt eben gerade nicht. *Zuvor* verliert die Sonne ihren Schein, und beim Tode Jesu bekommt sie ihn gerade wieder. Die kosmische Finsternis ist das letzte Ereignis *vor* dem Eintritt der neuen Welt und insofern ein sicherer Anzeiger dieser neuen Zeit.

Wenn es hier also um die letzte apokalyptische Epoche vor dem Weltende geht, so ist die übliche Deutung im Unrecht, die hier allgemein ein wunder-

---

207 So mit Recht H. Conzelmann, ThW VII, 432 A. 57 gegen S. Aalen 181, dem J. Schreiber 35 folgt.

208 Ebd., 433 f.

209 Gegen J. Schreiber 33–35; vor allem ist gegen seine im Anschluß an S. Aalen vollzogene motivgeschichtliche Interpretation vom Alten Testament her zu bedenken, daß „Finsternis" erst im Judentum theologische Bedeutung gewinnt, was H. Conzelmann, ThW VII, 429,7 mit Recht betont.

210 So von E. Klostermann 166; E. Lohmeyer 345; W. Grundmann 315; H. W. Bartsch, ThZ 20, 1964, 94; H. Haenchen 533 f.; J. Schreiber 34 neben Jes 13,10; Joel 2,1 f.10; Zeph 1,15 Finsternis als Gericht.

211 H. Conzelmann, ThW VII, 531,5 ff. dazu zu vergleichen.

212 E. Lohmeyer 345 verweist mit Recht darauf.

213 So W. Grundmann 315.

bares Zeichen in Form einer Sonnenfinsternis sehen will.[214] Interpretationshorizont ist dabei das oft bezeugte Mittrauern der Natur beim Tode großer Männer im Heiden- wie im Judentum.[215] So berichten z. B. Vergil (Georgica I, 463 ff.) und Pseudo-Servius,[216] daß beim Tode Caesars eine große Finsternis einsetzte. Doch bei der Heranziehung dieser Aussagen ist die eben betonte Zeitbestimmung nicht berücksichtigt: „Bei genauerem Zusehen" ergibt sich nämlich „ein diametraler Gegensatz zwischen beiden Angaben: Mit dem Tode Caesars trauert die Natur, beginnt die große Nacht...; mit dem Tode Jesu dagegen hört die Finsternis genau umgekehrt gerade auf".[217]

In Wirklichkeit hat man da, wo man vom Zeichencharakter, von Wunder und Sonnenfinsternis in der Auslegung sprach, gar nicht unseren Text, sondern seine lukanische Bearbeitung exegesiert,[218] wo der Markustext in der Tat in dieser Weise abgeschwächt und umgedeutet worden ist.[219] Es handelt sich hier weder um eine Sonnenfinsternis (denn von der Sonne ist hier in der Traditionsgeschichte vor Luk 23,45 gar nicht die Rede) noch um ein wunderhaftes Zeichen, sondern um eine apokalyptische Epoche. Daß eine astronomische Sonnenfinsternis wegen des Vollmondes der Passazeit nicht in Frage kommt, wußten schon Julius Afrikanus und Origenes.[220] An Bewölkung (mit Origenes, B. Weiß, Ed. Meyer) oder das zufällig eintretende Naturereignis des Schirokko-Dunstes zu denken,[221] ist überflüssig.[222] Daß die apokalyptische Interpretation richtig ist, zeigt die Fortsetzung des Textes.

Vers 34a: Die neunte Stunde ist die entscheidende Stunde und der Höhepunkt des Gerichtsgeschehens.[223] Der wortlose Schrei, mit dem Jesus stirbt, ist das deutlichste apokalyptische Zeichen[224] und keineswegs ein „unartikulierter Todesschrei".[225] Seine sprachliche Füllung Vers 34b durch Markus ist sekundäre Enteschatologisierung. *Fōnē megalē* ist das Attribut des endzeitlichen Richters: 1 Thess 4,16 beschreibt die Parusie des Kyrios *en keleusmati, en fōnē archagge-*

214 E. Klostermann 166; E. Lohmeyer 345; W. Grundmann 315; E. Haenchen 533 f.; H. Conzelmann, ThW VII, 439 f.

215 Jüdisches Material bei Bill. I, 1040–1042, doch fehlen direkte Parallelen zur Finsternis im rabbinischen Bereich! Andere Parallelen bei J. Wettstein I, 537 ff.

216 Vgl. J. Schreiber 39 f.; weiter Diog. Laert. IV, 64; Plutarch, De Pelopida 295a.

217 Ebd., 40.

218 Darüber gibt sich nur H. Conzelmann ThW VII, 439 A. 136 Rechenschaft, allerdings mit der falschen Annahme, Lukas habe hier seine Vorlage richtig interpretiert.

219 Außer von Schreiber bisher nur von H. W. Bartsch, ThZ 20, 1964, 94 f. erkannt.

220 E. Klostermann 166; E. Lohmeyer 345 A. 3.

221 So noch J. Schmid 302 nach G. Dalman und M.-J. Lagrange.

222 Dagegen mit Recht E. Klostermann 166; E. Haenchen 533 A. 12.

223 J. Schreiber 39.

224 H. W. Bartsch, ThZ 20, 1964, 95.

225 So E. Klostermann 167.

*lou kai en salpiggi theou* (vgl. auch Matth 25,6). Vorgreifend erfährt auch der Seher Johannes *fōnēn megalēn hōs salpiggos* (Offb 1,10; vgl. syr Bar Apk 6,8). In einem manichäischen Hymnus droht Mani das Weltende mit dem Hinweis an: „... indem ich einen Schrei zuschreie den auf Erden Gewordenen".[226] Dieser Schrei ist letzter Gerichtsvollzug auch schon nach jüdisch-apokalyptischer Darstellungsweise: aeth Hen 62,2 „Die Rede seines Mundes tötete alle Sünder"; 4 Esra 13,4 „Und wohin die Stimme seines Mundes erging, da zerschmolzen alle, die seine Stimme vernahmen, wie Wachs zerfließt, wenn es Feuer spürt" (vgl. ebd., V. 10.27f.37). Auch 2 Thess 2,8 tötet der Kyrios der Parusie mit dem Hauch seines Mundes (vgl. Offb 1,16; 2,12.16; 11,5; 19,15.21).[227] Aber dieser Ruf ist vor allem auch 4 Esra 13 beim Erscheinen des „Menschen" nicht nur ein vernichtender Ruf, sondern hat auch die andere heilbringende Seite (13,12 f.): „Danach schaute ich, wie jener Mensch ... ein anderes friedliches Heer zu sich rief (13). Da nahten sich ihm Gestalten von vielen Menschen, die einen frohlockend, die anderen traurig; einige waren in Banden, einige führten andere als Opfergaben mit sich." Auffallend ist, daß dieser Schrei in der 4. Vision des 4 Esra auch im Munde des zerstörten Zion, des klagenden Weibes, laut werden kann (10,25-27): „Während ich noch überlegte, was dies zu bedeuten habe, (26) schrie sie plötzlich mit lauter, furchtbarer Stimme, daß die Erde von ihrem Schreien erbebte. (27) Und als ich hinblickte, war das Weib nicht mehr zu sehen, sondern eine erbaute Stadt und ein Platz zeigte sich mir auf gewaltigen Fundamenten."

Schließlich ist hier auch auf Joh 5,28 zu verweisen, wo vom Kommen der „Stunde" (*hōra!*) die Rede ist, in der alle, die in den Gräbern sind, seine „Stimme" (*fōnē!*) hören werden und zur Auferstehung des Lebens bzw. des Gerichts hervorgehen werden. Die Stunde, der Schrei und das Endgericht gehören also auch hier in einer sehr engen Verbindung unmittelbar zusammen. Nicht anders verhält es sich in der zweiten vormarkinischen Kreuzigungstradition mit dem Schrei des Gekreuzigten mit der als neunten dargestellten, aber als abschließend siebenter gezählten Stunde. Denn die dritte bis neunte Stunde ergibt unverkennbar die Siebenzahl. Diese Siebenzahl wird hier betont intendiert sein, denn sie spielt in der Apokalyptik eine bedeutende Rolle. 4 Esra, zu dem hier die Beziehungen am häufigsten herzustellen waren, ist nicht nur in sieben Visionen gegliedert, sondern die Siebenzahl ist Gestaltungsprinzip auch in der endzeitlichen Jahrwoche (7,43, vgl. 30f.), die der urzeitlichen Schöpfungswoche entspricht. Zu beachten ist weiter, daß die älteste uns bekannte Apokalypse, die 10-Wochen-Apokalypse,[228] bei ihrer Einordnung in das redaktionelle

226 R. Reitzenstein 15 A. 3; vgl. H. Schlier, Ignatiusbriefe BZNW 8, 28; E. Grässer, Parusieverzögerung BZNW 22, 124 A. 3.

227 J. Schreiber 36.

228 O. Eissfeldt 765 setzt die Entstehung um 170 v. Chr. voraus, also noch etwas älter als Daniel.

Sammelwerk des aeth Henoch gerade nach der siebenten Woche abgebrochen wurde (93,1-10). Die achte bis zehnte Woche ist nach 91,12-17 versetzt und dort überliefert, ein Zeichen dafür, daß bei der Redaktion die Siebenzahl wiederum bestimmend gewesen ist. Markus gestaltet seine Passionsgeschichte nach einem Wochenschema, und der vierte Evangelist komponiert neben der Passionswoche in den ersten beiden Kapiteln des Evangeliums auch noch eine zusätzliche Epiphaniewoche.[229] Im Falle unserer Tradition dürfte der vorliegenden Verwendung gemäß das Schema der Woche, eventuell der Jahrwoche, auf die Stunden übertragen worden sein, so daß wir unsere Kreuzigungsüberlieferung ihrer Form nach als Sieben-Stunden-Apokalypse zu bestimmen hätten. Ihr Höhe- und Zielpunkt liegt in der abschließenden siebenten, formal neunten, Stunde.

Hier geschehen Gericht und Heil durch den Mund des Gekreuzigten. Durch den Todesschrei Jesu wird in der letzten Stunde der Welt die Finsternis beendet und vernichtet, der Tempel zerstört, indem der Vorhang zerreißt, und das Bekenntnis des Centurio hervorgerufen.[230]

Vers 37 dürfte ursprünglich mit bloßem *kai* (statt *ho he Iesous*) direkt an Vers 34a angeschlossen haben: Und den lauten Schrei ausstoßend, verschied er. „Eschatologie und ‚Mortologie' fallen" hier „ganz im gnostischen Sinne zusammen."[231] Jesu Tod, der die Epoche der Finsternis beendet, ist der Anbruch des Endgeschehens selbst, wie die Wiederholung von *fōnē megalē* unterstreicht, ebenso wie die neunte Stunde durch die doppelte Nennung Vers 33.34a schon hervorgehoben war. Als erste und unmittelbare Wirkung wird genannt, daß Jesus aushaucht, seinen Geist aufgibt. Das dafür verwendete Verb *ekpneō* ist typisch griechischer Sprachgebrauch und fehlt in der Septuaginta.[232] Dann aber ist gemeint: Die himmlische Seelensubstanz ist „zum Aufstieg in ihre ursprüngliche himmlische Heimat" befreit.[233]

Vers 38: Das Zerreißen des Tempelvorhangs ist nicht ein zweites Wunderzeichen neben der Finsternis,[234] sondern die zweite Folge des apokalyptischen Schreis neben der Beendigung der Finsternis. Eine historisch orientierte Auslegung hat gemeint, hier sei nicht der innere Vorhang vor dem Allerheiligsten gemeint, weil dieser ja nur den Priestern sichtbar gewesen sei, sondern der

---

229 M. Weise 48 ff.

230 J. Schreiber 26, 33, 39.

231 Ebd., 81 A. 85; vgl. 39 A. 71; damit sind alle historisierenden und psychologisierenden Rückfragen – z. B. Schmid 303, ob es ein Schrei des Schmerzes oder Triumphes sei und daß es ein Beweis dafür sei, daß sein Leben nicht sanft erlosch – ausgeschlossen.

232 E. Schweizer, ThW VI, 451, 7–22 Belege seit Aischylos.

233 Ebd., 391,5 ff.

234 So G. Bertram FRLANT 32, 90; R. Bultmann, Tradition 295; J. Finegan 76; E. Klostermann 165; E. Lohse, Leiden 97; H. Conzelmann, ThW VII, 440,6 ff.

äußere Tempelvorhang.[235] In dieser Richtung hat schon das apokryphe Nazaräer-Evangelium fr. 21 gedacht, das die Oberschwelle des Tempels beim Tode Jesu zerbrechen läßt.[236] Dagegen hat schon P. Billerbeck mit Recht geltend gemacht, daß bei der Frage, ob hier „der äußere oder innere Vorhang gemeint sei, nur theologische Gründe den Ausschlag geben" können; „und diese entscheiden angesichts der kultischen Bedeutungslosigkeit des äußeren Vorhangs und der hohen kultischen Bedeutung des inneren Vorhangs für den letzteren".[237]

Doch auch wenn dies bejaht wird, so ist damit die hier vorliegende theologische Deutung noch nicht eindeutig bestimmt. Einige Ausleger deuten von Hebr 9,8; 10,19 f. her soteriologisch, damit sei der Weg zu Gott wieder frei gemacht: „In Christi Tod ist der Zugang zur heiligen Stätte für uns alle aufgetan worden, so daß wir herzutreten und Gott nahen dürfen."[238] Doch das entspricht nicht dem Zusammenhang mit den Tempelaussagen 14,58; 15,29, der hier zu beachten ist. Hier geht es um die Aufhebung des Tempels. Darum haben andere Ausleger unseren Vers im Zusammenhang mit rabbinischen Angaben verstehen wollen, die im Aufspringen von Tempeltüren und ähnliche drohende Vorzeichen[239] der kommenden Tempelzerstörung sahen.[240] Doch ist damit der Tod Jesu nicht in Verbindung gebracht.[241] Man könnte das für eine nichts beweisende Selbstverständlichkeit ansehen und sagen, dies sei eben hier in der christlichen Tradition geschehen, und hier liege darum eine Weissagung auf die Tempelzerstörung vom Jahre 70 vor. Dagegen spricht aber, daß nach den bisherigen Zügen dieser Tradition nicht auf künftige Ereignisse vorgeschaut, sondern auf den Tod Jesu als Endereignis zurückgeschaut wurde und darum in ganzer Konzentration auf eben dieses eine Ereignis. Weiter ist darauf aufmerksam zu machen, daß die herangezogenen jüdischen Parallelen insgesamt keine direkte Parallele gerade zum Zerreißen des Tempelvorhangs bieten.[242] Sie können sie auch nicht bieten, weil hier ein grundsätzlicher Unterschied in der Beurteilung des Tempels zwischen jüdischer Überzeugung und unserer Kreuzigungstradition sichtbar wird. Das wird besonders deutlich an der Sorg-

235 G. Dalman, Worte Jesu 45; E. Klostermann 167; E. Lohmeyer 347; unentschieden J. Schmid 303; W. Grundmann 316; W. Trilling, Christusverkündigung 261. (Matth 27,51b Erdbeben).

236 Hennecke/Schneemelcher I, 97; das NE ist hier wie sonst von Matthäus abhängig

237 Bill. I, 1045; ihm folgen mit Recht C. Schneider, Art. *katapetasma*, ThW III, 631,29 ff.; E. Lohse, Leiden 98; J. Schreiber 37 A. 64.
– dagegen mit Recht W. Grundmann 316.

238 E. Lohse, Leiden 98 nach C. Schneider, ThW III, 631,31 ff.; ebenso J. Schmidt 303;

239 Belege bei Bill. I, 1045 f.

240 So M. Dibelius, Formgeschichte 196; E. Klostermann 167; E. Haenchen 534; S. Schulz, Stunde 138; dagegen mit Recht J. Schreiber 37 A. 64, 65.

241 Das betont E. Lohmeyer 347 mit Recht.

242 J. Schreiber 37 A. 64.

falt, mit der gerade der Apokalyptiker syr Bar 6,7 f. den Vorhang des Tempels über die Tempelzerstörung hinweg gerettet werden läßt:

„(7) Und ich sah ihn (sc. den Engel), wie er zum Allerheiligsten hinabstieg und von dort weg den Vorhang nahm und den heiligen Ephod und den Sühnedeckel und die zwei Tafeln und die heiligen Gewänder der Priester und den Räucheraltar und die 48 Edelsteine, die der Priester an sich trug, und alle heiligen Gefäße des Zeltes. (8) Und er sagte zur Erde mit lauter Stimme: ‚Erde! Erde! Erde! Höre das Wort des allmächtigen Gottes und nimm diese Dinge in Empfang, die ich dir anvertraue, und bewahre sie bei dir bis auf die letzten Zeiten, damit du sie, wenn es dir anbefohlen wird, hergebest, auf daß sich nicht die Fremden ihrer bemächtigen können.‘"

Der diametrale Gegensatz ist offenkundig. Hier in der Kreuzigungstradition bewirkt die „laute Stimme" nicht das Bewahren, sondern die Vernichtung des Tempelvorhangs. Doch die Wichtigkeit des Tempelvorhangs ist in beiden Fällen gleich vorausgesetzt. Darum zeigt auch der stark polemische Zug, daß unsere Tradition noch sehr direkt im Verstehenshorizont des Judentums entstanden sein muß. „So wie das Allerheiligste als Wohnsitz der Gottheit das Zentrum des Jerusalemer Tempels ist, so ist der Vorhang wiederum an diesem Tempel das eigentlich Entscheidende: Nur an dieser einen Stelle kann das Volk durch Vermittlung des Hohenpriesters mit Gott verkehren, mit ihm versöhnt werden. Ein Zerreißen dieses Vorhangs ... kommt darum einer unwiderruflichen Vernichtung des Allerheiligsten und damit des ganzen Tempels gleich: Hinter einem zerrissenen Tempelvorhang wohnt Gott gewiß nicht mehr."[243] Dies auszusagen ist die entscheidende Absicht dieses Verses. Nicht erst die spätere Zerstörung,[244] sondern die durch den Todesschrei Jesu erfolgte Profanierung ist als das eigentliche Ende des Tempels anzusehen. Die Aussagerichtung ist also, was den Tempel anbetrifft, durchaus negativ, so daß die positive Deutung von M. Dibelius „als Reaktion des heiligen Ortes auf das große heilsgeschichtliche Geschehen", die bezeuge, „daß hier Entscheidendes geschehen sei",[245] verfehlt ist. Damit ist Vers 38 in zu enger Analogie zu Vers 39 interpretiert. Die hier getroffene Aussage mußte vielmehr von jedem Juden als eine ungeheure Provokation verstanden werden. Darum liegt hinsichtlich dieses Zuges eine gleiche Tendenz wie in der ersten Kreuzigungstradition vor. Die starke Polemik gegen die Prämissen des Judentums ist auch hier ein wichtiges Kennzeichen der Kreuzigungs-

243 Ebd., 37.

244 M. Dibelius, Formgeschichte 196 A. 3 und P. Vielhauer (in: Hennnecke/Schneemelcher II, 436) ziehen darum Schlüsse aus Vers 38 für die Abfassung des Markus-Evangeliums nach der Tempelzerstörung um 70; dagegen J. Schreiber 76 A. 59, was nach R. Pesch, passim, jedoch kaum bestritten werden kann.

245 Ebd., 196.

überlieferung.[246] Dabei ist zu beachten, daß diese Polemik nicht auf moralischer Ebene durchgeführt wird, sondern in einer Gerichtsbotschaft, die sich gegen die Grundlagen des gesetzlichen Judentums richtet. Im Unterschied zur Simon-Tradition geschieht dies nicht mehr indirekt durch Schriftgebrauch und Andeutungen, sondern verstärkt durch deutliche, massiv apokalyptische Direktheit.

Vers 39 dürfte in seiner Grundaussage, die das Bekenntnis des Centurio[247] ist, der Tradition zuzuweisen sein,[248] wobei offenbleiben muß, ob die inhaltliche Füllung dieser Akklamation schon mit der jetzt vorliegenden Gottessohnprädikation, die für die Christologie des Markus charakteristisch ist, identisch war. Auf alle Fälle ist die Tatsache der Akklamation des Centurio als die dritte Wirkung des wortlosen Schreis anzusehen. Als solche steht sie in enger Beziehung zum Tempelgericht, wahrscheinlich auch textlich, wenn sich das reine *ex enantias autou* urspünglich auf den Tempel beziehen wird. Hier beginnt die neue Welt des Lichtes nach der Finsternis, der neue Tempel für alle Völker nach dem Ende des alten.[249] Der Centurio steht stellvertretend für alle Erlösten aus allen Völkern.[250]

Zusammenfassung: In der Mitte dieser apokalyptisch als Sieben-Stunden-Apokalypse gestalteten und gnostisch gedachten Kreuzigungtradition steht der beim Tode Jesu laut werdende, das Endgeschehen einleitende wortlose Schrei Jesu in der neunten Stunde. Anders als in der Simon-Tradition, wo das zentrale Ereignis der Kreuzigung nur durch den Kontext gedeutet wurde, ist hier also das Mittelpunktereignis selbst als ein Vorgang beschrieben, der voll inhaltlicher Füllung ist.

Daß geschichtliche Ereignisse der Darstellung zugrunde liegen, ist im Gegensatz zur Simon-Tradition hier sehr unwahrscheinlich wegen des zugrunde liegenden anderen Denkens: Das weltverneinende Denken des Gnostikers ist als

246 J. Schreiber 39, 66 f., 70, 81.

247 *Kentyriōn* ist seit Polybius im Griechischen belegter Latinismus (Bauer WB 847; E. Klostermann 167)! Im Petrus-Evang. 8,31 heißt er dann Petronius (Hennecke/Schneemelcher I 122), und Chrysostomus weiß, daß er christlicher Märtyrer wurde (E. Klostermann ebd., vgl. C. Schneider, Der Hauptmann am Kreuz, ZNM 33, 1934, 1–17.).

248 Eine verwandte Parallele liegt bei Plut., Kleom. 39, 823e vor: Die Nachricht von Zeichen beim gekreuzigten Kleomenes bewirkt, daß man ihn für einen Göttersohn (*theōn paida*) hält; vgl. E. Klostermann 167 f.; R. Bultmann, Tradition 296 A. 1. Doch ist aus dieser Analogie für die Ursprünglichkeit des Titels an unserer Stelle nichts zu folgern, da die Herkunftsbereiche zu weit auseinanderliegen. Ohne die Erkenntnis des apokalyptischen Charakters der Tradition wäre das leichter.

249 J. Schreiber 39 vermißt das in dieser Kreuzigungtradition und will es nur indirekt angedeutet wissen. Doch wird hier auch von der sachlichen Seite her deutlich, daß man Vers 39 nicht ganz und gar der Tradition absprechen kann (s. o.).

250 H. W. Bartsch, ThZ 20, 1964, 94; J. Schreiber 41.

solches geschichtslos. In seiner parasitären Art bemächtigt es sich natürlich auch geschichtlicher Ansatzpunkte, doch sie sind nicht letztlich wesentlich. Weil für den Gnostiker die sichtbaren und ‚geschichtlichen' Vorgänge nur relevant sind als die oberflächlichen Wellen und Oszillationen des eigentlichen untergründigen und hintergründigen Geschehens, die aber wesentlich akosmisch-mythischer Natur sind, so ist eine solche uns zunächst im Rahmen der Leidensgeschichte besonders fremd anmutende Darstellungsweise aus ihren eigenen Voraussetzungen her jedoch verständlich.

In dem für diesen ganzen Text charakteristischen apokalyptischen Stundenschema, das die einzelnen Ereignisse aufgliedert, werden sie deutlich erkennbar auf den Schrei Jesu hingeordnet. In der ersten Stundentrias stehen die Kreuzigung und eine doppelte Verspottung (Kreuzestitel und Tempelwort). Für die zweite Stundentrias ist die inhaltliche Füllung mit der kosmischen Finsternis gegeben. Eine direkte Verbindung zwischen diesem Motiv der zweiten und den Motiven der ersten Triasperiode, so daß der Spott wie die Kreuzigung als Zeichen der Finsternis erschiene,[251] ist durch nichts gerechtfertigt und widerspricht der zeitlichen Periodisierung. Sie ist dagegen dann für die markinische Redaktion nachzuweisen (s. u.). Der Schrei Jesu in der entscheidenden neunten Stunde hat eine darauf bezogene dreifache Wirkung: Er beendet die Finsternis, profaniert den Tempel und bewirkt die Akklamation des Centurio; dabei wird chiastisch jeweils auf eines der vorgenannten negativen Motive Bezug genommen. Dem Spottitel A (V. 26) entspricht der Bekenntnistitel A' (V. 39); dem Tempelspott B (V. 29) die Tempelzerstörung B' (V. 38), der kosmischen Finsternis C (V. 33) deren Ende C' (V. 33c). Auf diese Entsprechungsstruktur dürfte auch die doppelte Nennung der entscheidenden neunten Stunde wie des großen Schreis hinweisen. Man kann sich die Struktur der Sieben-Stunden-Apokalypse mittels eines doppelachsigen Diagramms verdeutlichen:

3. Stunde:  Kreuzigung V. 25
            Unverständnis V. 26
            Tempelspott V. 29
6. Stunde:  Finsternis V. 33
9. Stunde: ───────────────────── Schrei V. 34a. 37
            Finsternisende V. 33c
            Tempelende V. 38
            Erkenntnis V. 39

Neben der aufgewiesenen dreifachen Entsprechung ist besonders auffallend, daß allein die Kreuzigung nach der neunten Stunde keine Entsprechung hat.

251 So J. Schreiber 38 f. zu Unrecht.

Als Entsprechung käme wohl die Auferstehung in Frage, doch wäre dabei verkannt, daß hier die Kreuzigung und der Tod ja schon als das Endgeschehen selbst erscheint. Die Vorstellung von der Endvollendung am Kreuz führt zum Vollendungsbewußtsein wie zur Negierung der Auferweckung Jesu von den Toten. Das sind deutlich gnostisierende Züge.

Daß dieses Traditionsstück mit alttestamentlichen Anspielungen arbeite, kann nicht gesagt werden. Sie waren in keinem Falle aufweisbar.[252] An deren Stelle steht hier vielmehr die durchgängige Verwendung von Denk- und Sprachformen der jüdischen Apokalyptik. Mit ihrer Hilfe wird in Antithese zum apokalyptischen Judentum ausgesagt, daß das dort für die Zukunft erwartete endgültige Gerichts- und Heilsgeschehen in dem in der Vergangenheit liegenden Ereignis des Todes Jesu schon geschehen ist.[253]

Die Behauptung der Verbindung von apokalyptischer Darstellungsart und gnostisierendem Denken scheint für das Gefühl so ungleiche Dinge wie Gnosis und Apokalyptik zusammenzuführen. Doch liegt dies wohl nur daran, daß wir zu Unrecht mit dem Prädikat „gnostisch" meistens zugleich auch das andere „hellenistisch" assoziieren. Schon die Beobachtung, daß zur Erklärung des Dualismus des vierten Evangeliums sowohl Qumrantexte als auch gnostische Texte herangezogen werden können, ohne daß immer eine feste Grenze festgelegt werden kann, sollte uns hier vorsichtig machen. Schließlich sind nicht nur in Qumran schon Züge präsentischer Eschatologie wahrnehmbar, sondern die den Essenern offenbar nahestehenden Therapeuten werden von Philo mit einem Vollendungsbewußtsein beschrieben, das stark an antipaulinische Häretiker in Korinth erinnert[254]: „Ferner sind sie der Meinung, daß sie schon um des Verlangens nach einem unsterblichen und seligen Leben willen das sterbliche Leben beendet haben, und überlassen das Besitztum Söhnen und Töchtern oder auch anderen Verwandten als Erben aus freiwilligem Entschluß. Wer keine Verwandten hat, (überläßt es) Gehilfen und Freunden; denn welche den sehenden Reichtum klar empfinden, müssen den blinden (Reichtum) denen überlassen, deren Verstand blind ist" (Philo, De vita contemplativa 13).[255]

Mit Recht fordert darum z. B. auch H. D. Betz ausdrücklich, daß wir uns von dem „Vorurteil trennen", daß „Apokalyptik und Gnosis einfach einander ausschließende Gegensätze" seien.[256]

Auch die Vermutung W. Schrages, daß schon die Formulierung einer Lei-

252 Gegen J. Schreiber 67, 72.

253 H. W. Bartsch, Aufsätze 83, 90; ders., EvTh 22, 1962, 451 f., 459 f.; ders., ThZ 20, 1964, 95; J. Schreiber 68; H. Conzelmanns Polemik (zur Bedeutung 41 A. 10) gegen diese von Bartsch weitergeführte These von M. Dibelius ist darum zurückzuweisen.

254 Darauf verweist J. M. Robinson, ZThK 62, 1965, 304 f. A. 12.

255 Übersetzung nach H. Bardtke II 309.

256 H. D. Betz 257–270, 268.

densgeschichte eine Reaktion auf den urchristlichen Enthusiasmus sei,[257] läßt sich demnach nicht aufrechterhalten. Sie geht von den beiden offenbar nicht zutreffenden Voraussetzungen aus, daß einmal die Kreuzestheologie im Neuen Testament immer noch eine größere Einheit darstellt, als sie es in Wirklichkeit ist, und andererseits von der offenbar unrichtigen Vorstellung, daß der urchristliche Enthusiasmus auf einer isolierten Wertung der Ostererscheinungen beruhe. Dagegen zeigt die vorliegende Sieben-Stunden-Apokalypse mit Bestimmtheit, daß genau umgekehrt das Gegenteil angenommen werden muß: Eine alte Tradition der Leidensgeschichte hat den Tod Jesu als Anbruch der Endereignisse verstanden. Von daher mag auch verständlich werden, warum Paulus in 1 Kor 15 gerade nicht vom Kreuz, sondern von dem Osterevangelium her dagegen argumentiert. Als Zeugnisse für den urchristlichen Enthusiasmus kommen also nicht nur Hymnen und die Logientradition in Frage, sondern ebenso Bestandteile des Erzählungsstoffes der Jesusüberlieferung.[258]

Ebenso wie die Simon-Tradition enthält auch die Sieben-Stunden-Apokalypse kein einziges Jesuswort. „Die Gerichtsbotschaft unseres Textes wird" auch „nicht als kerygmatische Formel, sondern als Erzählung verkündigt."[259] Ob man aber sagen kann: „in Form einer hellenistischen Epiphaniegeschichte", wie J. Schreiber[260] erweisen will, scheint fraglich. Der Form nach ist sie eher als Sieben-Stunden-Apokalypse zu bezeichnen, dem Inhalt nach als „Kreuzigungs-Apokalypse".

Die Vertrautheit mit jüdisch-apokalyptischen Denkformen und die antijüdische Polemik bei gleichzeitiger Verwendung typisch griechischer Ausdrücke läßt auch hier wieder allgemein an das hellenistische Judenchristentum als Entstehungsort dieser Tradition denken.[261] J. Schreiber rechnet hier ebenfalls mit den Stephanusleuten und datiert diese zweite Tradition in die Zeit *nach* der Flucht nach Samaria (Apg 8,1),[262] woher sich die stärkere Polemik und das „hellenistisch-gnostische" (!) Milieu erklären lassen soll. Doch scheint mir fraglich, ob man beide Traditionen demselben Kreis zuordnen und nur zeitlich differenzieren kann, da in der Motivierung die Unterschiede größer erscheinen: Hier ist die Apokalyptik herrschend, die dort gänzlich fehlt, während umgekehrt hier der Schriftanklang gänzlich ausfällt, der dort vorherrscht. Als verbindende Gedanken sind die antijüdische Polemik und das Fehlen jeder Sühnedeutung des Todes Jesu zu erkennen. Dies scheint aber als Gemeinsamkeit für einen gleichen Entstehungskreis nicht ausreichend. Die Differenz wird noch

257 So W. Schrage, Das Kreuz 65 A. 42.
258 Auf diesen Zusammenhang verweist mit Recht von 1 Kor 15 her H. W. Bartsch, Argumentation 261–274, 269 f.; vgl. auch J. M. Robinson, ZThK 62, 1965, 309 f., 320 ff.
259 J. Schreiber 71.
260 Ebd., 72–78.
261 Ebd., 66, 70.
262 Ebd., 78 f.

augenfälliger, wenn man die zeitliche Wertung des Fehlens eines Sühnegedankens bei verschiedenen Auslegern vergleicht. Während Schreiber[263] dies im Sinne eines „Nicht-mehr" auf Grund der fortgeschrittenen Verfolgungen der Christen durch die Juden deutet, versteht Bartsch[264] dies umgekehrt im Sinne eines „Noch-nicht" als Ausweis ältester Überlieferung. In beiden Fällen scheint mir die Geschichte der Urchristenheit in ihrer frühesten Phase zu einlinig gesehen zu sein. Statt dessen wird man eine größere Vielfalt von ursprünglichen Ansätzen annehmen müssen. An verschiedenen Orten und zu verschiedenen Zeiten sind in verschiedenen Kreisen offenbar unterschiedliche Kreuzesinterpretationen und auch verschiedene Leidensgeschichten entstanden.

## 1.4. Die Interpretation der markinischen Redaktion

Vers 22b: Der erste Zusatz des Markus ist eine erklärende Bemerkung, die den Namen Golgotha übersetzt. Sie hat ihre genaue Entsprechung in 5,41 und 15,34. Die Übersetzung scheint anzudeuten, daß Markus die Angabe rein topographisch versteht und die theologische Aussage der Simon-Tradition nicht weiter verfolgt. Ob sie ihm selbst geläufig war, ist nicht zu erkennen.

Vers 23b: Weil die Simon-Tradition Vers 23a nur von einer versuchten Tränkung Jesu sprach, nimmt Markus dies zum Anlaß, Jesu eigene Aktivität durch den Zusatz zu betonen: Er nahm (den Weintrank) aber nicht an. „Mit dieser Geste gibt er sich im Vorgriff auf Vers 37 schon als der im Tode Mächtige zu erkennen, der mit eben diesem Leidenswillen entschlossen nach Jerusalem hinaufzog (8,31; 9,31; 10,30 ff.) und sich dort seinen Häschern auslieferte (14,41 ff.), um durch das Bekenntnis zu seiner Erhöhung (14,62) das Todesurteil herbeizuführen (14,63 f.)."[265]

Vers 31 f.: Durch die Erweiterung der Spotttradition von Vers 29 f. wird die Spottszene verdreifacht (Vorübergehende, Volksführer, Mitgekreuzigte)[266] und somit gesteigert. Da für Markus das Dreier-Schema bezeichnend ist, dürfte er den titulus nicht mehr als Schmähung verstanden haben, sondern nur als berichtete Tatsache, in der natürlich eine indirekte Proklamation seiner wahren Würde gegeben ist, was er durch die Zufügung des Verbs zum Substantiv in Vers 25 betont herausstellte.

Der erste Spottsatz der Oberpriester und Schriftgelehrten knüpft an den in der Tradition vorgegebenen Spottsatz „Rette dich selbst" (V. 30a) an, führt aber den Gedanken durch die Zufügung von *allous esōsen* entscheidend weiter

263 Ebd., 80.
264 H. W. Bartsch, ThZ 20, 1964, 96 f.
265 J. Schreiber 41.
266 E. Lohmeyer 344.

und biegt den Spott zu einer indirekten soteriologischen Aussage um. Jesus rettete nicht sich selbst, sondern andere,[267] wie im Rückblick an die Heilungsgeschichten erinnernd gesagt wird. Das ist der Sinn seiner Kreuzigung. Da er genau vor die Passionswoche 10,45 eine Aussage über die Heilsbedeutung des Todes Jesu setzte und dies in den Abendmahlsworten 14,24 wiederholte, so ist die Stelle möglicherweise im Zusammenhang mit diesen beiden Stellen zu sehen. ✓

Im zweiten Satz wird Jesus zum sechsten Male in Kap. 15 unter Anknüpfung an Vers 26 *basileus* genannt. Vor der Leidensgeschichte, genauer vor Kap. 15, findet sich dieser Titel im Unterschied zu den späteren Evangelien nicht. Das läßt ihn hier betont erscheinen. Darauf deutet auch die Doppelung mit *ho christos*. Markus verwendet gern Doppelausdrücke. Während Jesus bisher immer im Mund des Pilatus (V. 2.9.12) bzw. seiner Soldaten (V. 18) und als Inhalt des *titulus* als *basileus tōn Ioudaiōn* bezeichnet wurde, so hier als *basileus Israēl*.[268] Diese Abänderung ist nicht von theologischem Gewicht, sondern eine im Munde von Juden notwendige erzählerische Modifikation, weil sie selbst nicht vom „König der Juden" sprechen können.[269]

Dieser zweite Spottsatz ist weiter Anknüpfung an die Tradition von Vers 30b (Steige herab vom Kreuz), die durch die Einfügung von *nyn* verstärkt ist, wodurch das Ganze dramatisch gesteigert wird.[270] Zu fragen wäre, ob Markus mit dem wiederholten *katabainein* einen tieferen Sinn verbinden will. Das Wort erscheint hier zum zweiten Mal, und zwar in der Redaktion von dem in der Tradition (V. 30) damit verbundenen *sozein* getrennt, was vermuten läßt, daß Markus eine Anspielung auf das gegenteilige *anabainein* vornimmt,[271] das Jesu bewußten Weg zum Kreuz hin beschreibt (10,32 f.). Das würde dann heißen: „Jesu Gegner (15,30.32), der Satan in Gestalt des Petrus (8,32 f.) und die sich ✓ fürchtenden Menschen (10,32) wollen die Anabasis nicht. Ihre Lebenshaltung konzentriert sich auf den Wunsch nach der Katabasis im Sinne egoistischer Selbstrettung."[272] Daß diese Sinngebung für Markus anzunehmen ist, beweist die doppelte redaktionelle Bezugnahme auf diesen Gedanken im Folgenden

---

267 J. Schreiber 43.

268 Matthäus übernimmt vier der sechs markinischen Stellen wörtlich (27,11.29.37.42), während er 27,17.22 in „Jesus, der sogen. Messias" ändert. Lukas übernimmt nur drei der markinischen Stellen (23,3.37.38), wobei er die Verspottung vor den titulus stellt, am Spott die Soldaten beteiligt sein läßt und dementsprechend hier nicht umformulieren muß. Johannes erweitert die basileus-Prädikation in der Leidensgeschichte auf neun Stellen.

269 J. Finegan 76.

270 E. Lohmeyer 344.

271 Gegensatzbegriffe: J. Schneider, ThW I, 520,2 ff.

272 J. Schreiber 43 f.; der Einwand, den J. Roloff 73 ff., 77 A. 19 dagegen erhebt, ist ungerechtfertigt, da er auf der Annahme eines vormarkinischen Bestandes von Vers 32 beruht.

(V. 36.41). Im Zusammenhang mit der Aufforderung zum Herabsteigen steht Vers 36 die Erwartung, daß Jesus von Elia *herab*genommen wird; Vers 41 betont im Schlußsatz nochmals das Mithinaufziehen (*synanabainein*) vieler Frauen (s. u.).

Von besonderem Gewicht ist der abschließende Finalsatz (V. 32b): Damit wir sehen und glauben, soll Jesus vom Kreuz herabsteigen. Damit geht die Rede über den eigentlichen Spott noch hinaus. Hier wird der Mirakelglaube als Unglauben charakterisiert, für den das Motiv des Sehens wichtig ist. Sichtbar soll Jesus vom Kreuz herabsteigen, damit sie zum Glauben kommen. Daß Markus dieses „Sehen" wirklich so stark betont, zeigt wieder die redaktionelle Wiederholung von *idōmen* in Vers 36. „Die Gegner Jesu wollen die egoistische Katabasis (bzw. Herabnahme) Jesu sehen und daraufhin glauben ... Jesus soll so egoistisch sein wie sie selbst (vgl. Mark 7,6 ff.; 12,38 ff.). Sie wollen eigentlich nur ihren Egoismus, ihren Aufruhr gegen Gott durch das Herabsteigen Jesu bestätigt sehen. In diesem Sinne wollen sie ‚glauben'. Nichts dergleichen geschieht. Jesus bleibt am Kreuz."[273] In antithetischer Beziehung dazu steht dann das wiederum redaktionelle „Sehen" des Centurio Vers 39 (vgl. 10,33).[274]

Wozu wird nun Vers 32c noch das Schmähen der Mitgekreuzigten hinzugefügt? Da es wortlos ist, scheint es über das Vorangegangene hinaus keine Steigerung mehr zu bringen, sondern eher nachzuklappen, weshalb man geneigt sein könnte, es doch für ein Stück Tradition zu halten. Wenn es aber – wie es wahrscheinlicher erschien – doch für redaktionell gehalten werden muß, worin liegt dann hier noch ein neues, überbietendes Moment? Darauf ist zweierlei zu antworten: in der Polemik und im Schriftbezug. Indem die Oberpriester und Schriftgelehrten zusammen mit den beiden Räubern Jesus verspotten, werden sie auf eine Linie gestellt. Damit wird gegen sie auf schärfste Weise polemisiert: „Die Führer des jüdischen Volkes erweisen sich angesichts des Kreuzes Christi in ihrer totalen Verblendung als Verbrecher im Sinne des radikalen Ungehorsams gegen Gott."[275] Hinzu tritt weiter das Moment des Schriftbezugs. In allen drei Leidenspsalmen, auf die in der Passionsgeschichte wiederholt Bezug genommen wird, findet sich ein Hinweis auf das *oneidizein* (LXX-Ps 21,7; 30,12; und besonders betont 68,10).[276] Markus will dann also wesentlich mit dem Zusatz Vers 32c die Schriftgemäßheit des ganzen Komplexes der Verschmähungen erweisen, wodurch er den in der Tradition (V. 29b) hierfür schon vorgegebenen Schriftbezug verstärkte, indem er diese Stelle gewissermaßen zur Anfangsklammer machte, sofern er hier noch eine Schlußklammer gleicher Art

---

273 Ebd., 44.

274 Ähnlich ist die Problemstellung von Sehen und Glauben im vierten Evangelium; E. Lohmeyer 344.

275 J. Schreiber 44.

276 M. Dibelius, Formgeschichte 187; das bestreitet A. Suhl 61 zu Unrecht.

beigefügt hat. Andererseits ist damit das schon in der Simon-Tradition durch einen Schriftbezug bestimmte Motiv der Mitdelinquenten (V. 27) durch eine neue Schriftreminiszenz bereichert worden (vgl. ebenso auch V. 23.36).

Vers 34b: Markus gibt dem ursprünglich wortlosen Schrei eine inhaltliche Füllung mit den Anfangsworten des 22. Psalms. Diese Deutung ist auf jeden Fall sekundär, weil sie den wortlosen Schrei nicht mehr in seiner ursprünglichen apokalyptische Bedeutung verstanden hat[277] oder aber, was noch wahrscheinlicher ist, sie sehr wohl verstanden hat und ausdrücklich und absichtlich veränderte, um damit die Deutung des Todes Jesu als Ereignis des Endgeschehens zu bestreiten. Daß dies die Absicht des Markus ist, zeigt auch die auffallende Einfügung des apokalyptischen Kapitels Mark 13 unmittelbar vor dem Todesbeschluß 14,1 f. Auch damit wird eine theologische Interpretation vollzogen, die deutlich bestreitet, daß das Ende der Geschichte Gottes mit seiner Welt bereits in den Ereignissen der Passion gekommen ist. Leiden, Sterben und Auferstehen Jesu, so betont Markus, sind Ereignisse der Vergangenheit, angesichts derer die christlichen Gemeinden zur Erwartung des Kommens Christi gerufen werden.[278] Sie leben noch nicht in der neuen Welt Gottes, sondern sind auf die Wiederkunft Christi hin in die Kreuzesnachfolge gerufen. Die Verbindung der Verweise auf Verfolgung (Kreuz) und Hoffnung erklären sich sinnvoll als Antithese gegen das Vollendungsbewußtsein einer präsentischen Eschatologie. Wie hier der Schrei, so werden weiter dann auch die Stundenangaben von Markus ihres eschatologischen Sinnes entkleidet, sofern er sie Vers 44 f. zur Bestätigung dafür verwendet, daß Jesus wirklich schon so schnell gestorben ist. Damit sind sie ganz eindeutig durch die markinische Redaktion historisiert. Der Centurio kann als Zeuge bestätigen, daß Jesus wirklich schon nach sechs Stunden tot war.[279]

Daß der Schriftbezug auf Ps 22,2 hier von Markus zugefügt wurde, ist im Zusammenhang mit Vers 32c zu sehen, wo wir ebenfalls gerade einen zusätzlichen Schriftbezug des Markus entdecken konnten. Daß dieses Klagewort „Mein Gott, mein Gott, warum hast du mich verlassen" aber „der ‚historische‘ Kern" sei, „auf Grund dessen dann die einzelnen Stadien des Kreuzigungsgeschehens auch Ps 22 angeglichen worden sind",[280] ist dadurch ausgeschlossen. Deutlicher noch als bei den bisherigen Anklängen ist hier ein ganzer zusammenhängender Satz aus dem Alten Testament aufgenommen. Auch das weist auf spätere Entstehungszeit hin als die anderen Anklänge. Da der Satz aber hier im Munde Jesu selbst begegnet, so ist das Bestreben der Ausleger verständlich,

---

277 So H. W. Bartsch, ThZ 20, 1964, 95.
278 Ebd., 101 f.
279 J. Schreiber 27.
280 So E. Flesseman-van Leer, Zur Bedeutung 95 A. 32.

darin den Beweis dafür zu sehen, daß der Schriftbezug auf Jesus selbst zurück-geht.[281] Doch leider ist dieser Erweis hier nicht zu erbringen.

Wenn das Wort auf Markus zurückgeführt werden muß, so kann es auch nicht im Sinne der älteren Leben-Jesu-Forschung als Ausdruck verzweifelter Trostlosigkeit und „tiefster Gottverlassenheit" aufgefaßt werden.[282] Dagegen hatte schon M. Dibelius überzeugend betont, daß man den Zusammenbruch Jesu mit einem verzweifelten Schrei nicht mit einem Bibelwort formuliert hätte.[283] Doch nicht nur, daß es sich hier um ein Bibelwort handelt, ist wichtig, und daß dieses das einzige Wort Jesu in der Kreuzigungsszene darstellt und als solches das letzte Wort des irdischen überhaupt, sondern hinzu kommt, daß es ein Gebetswort ist. Jesus ruft „in höchster Todesnot nach Gott" und hält „in dieser Not unbeirrbar an Gott" fest.[284] Dieses Wort muß aber nicht nur auf dem Hintergrund des alttestamentlichen Klageliedes, dem es entstammt, positiv verstanden werden, was an sich nicht ausschlaggebend zu sein braucht, wohl aber von der Gebetstheologie des Markus-Evangeliums selbst her. „Indem der Gekreuzigte mit einem Gebetsruf, mit einem Ausdruck des unbedingten Gott-vertrauens in aller Gottverlassenheit ... stirbt" und indem „er die Haltung sei-nes Gebetes von 14,35 f. in seinem Kreuzestod mit letzter Konsequenz bewährt, macht er seine Worte von 9,23; 11,24 wahr: Ihm, Jesus, dem Glaubenden, dem im Gebet unbedingt Vertrauenden, ist wirklich alles möglich; er hat an Gottes Allmacht teil (vgl. 10,27)."[285]

Das Psalmwort ist bei Markus zuerst aramäisch angegeben.[286] Das steht im Einklang damit, daß Markus auch sonst aramäische Worte anführt (5,41; 7,34; 14,36).[287] Auch das Faktum und die Art der Übersetzung ist markinisch (vgl. V. 22b).

Vers 35 ist von Vers 34 her entstanden. Der Ruf nach Gott wird als der Ruf

---

281 So J. Schmid 304 f.

282 So zuletzt aber wieder E. Flesseman-van Leer, a. A. 280 a. O., was aber auf Grund der eben genannten Historisierung der Aussage durch sie nicht verwunderlich ist.

283 M. Dibelius, Formgeschichte 194 f.; doch gerät er seinerseits in eine neue Verzeich-nung der Traditionsgeschichte, wenn er den nachfolgenden Redaktoren, die hier ändern, rundweg „Bibelfrömmigkeit" abspricht; vgl. dagegen den berechtigten Einspruch von J. Schreiber 14 f. Die Änderungen bei Lukas und Johannes geschehen im Zusammenhang ihrer eigenen theologischen Motive und sind darum nicht auf eine direkte Schwierigkeit mit diesem Wort zurückzuführen. Erst beim Petr.-Ev. 5,19 „Meine Kraft" und in der D-Variante „... mich geschmäht" kann man Abschwächung und Korrektur am Werke sehen; E. Klostermann 166.

284 J. Schreiber 48 f.; vgl. E. Klostermann 166; E. Lohmeyer 345; J. Schmid 302 f.; E. Lohse, Leiden 96; H. Conzelmann, Bedeutung 49; A. Suhl 52.

285 Ebd., 242.

286 E. Klostermann 166; A. Suhl 52 hält es darum für sekundär, aber vormarkinisch.

287 J. Finegan 76.

nach Elia mißverstanden. Doch das ist akustisch unmöglich, aus dem aramäischen Elohi einen Anklang an Elia herauszuhören.[288] Ganz kann auch nicht von der Frage abgesehen werden, ob den römischen Soldaten eine Kenntnis der jüdischen Nothelfervorstellung von Elia zugetraut werden kann. Schon Matth 27,46 hat hier mit seiner Hebraisierung versucht, Eli zu historisieren. Doch sollte man das in der Auslegung vermeiden. Es handelt sich um ein Produkt markinischer Gelehrsamkeit. Die Funktion dieses Einschubs ist deutlich. Markus meint die Szene ganz im Sinne seiner Geheimnistheorie als bewußte Verblendung. Seiner Meinung nach rufen sie nach dem Nothelfer Elia.[289]

Vers 36 deutet das näher. „Während Jesus in höchster Todesnot nach Gott ruft, verstehen seine Gegner diesen Ruf nur als einen Anlaß für ein Wunder: Vielleicht kommt Elia und nimmt Jesus vom Kreuz herab! Jetzt, kurz vor dem durch sie verschuldeten Tod des Erlösers (V. 37), erwarten sie die Ankunft des Elia als Befriedigung ihrer sündhaften Mirakelsucht (vgl. 8,11 f.).“[290] In Übereinstimmung mit Vers 32 steht hier wiederum *idōmen,* und der Gedanke des Herabsteigens ist modifiziert zum Herabgenommenwerden. Die Aussage des Markus ist hier weniger auf eine neue Verhöhnung ausgerichtet[291] als von der Wundererwartung des Unglaubens bestimmt, das einen sichtbaren Erweis erwartet entsprechend der redaktionellen Erweiterung von Vers 32. Auch an die Absicht einer Verlängerung der Qual (von Lohmeyer erwogen) ist darum nicht zu denken. Auch ist die Alternative zur Verhöhnung nicht Mitleid (so von Klostermann erwogen), sondern die Erwartung eines Wunders. Darum kann *oxos* hier ohne weiteres das Erfrischungsgetränk der Feldarbeiter und Soldaten meinen.[292] „Die plötzliche Hilfsbereitschaft ... der verblendeten Peiniger Jesu ist nichts als ungläubige Mirakelsucht, wie sie hinter allem Spott auch schon in 15,32 spürbar" wurde.[293]

Durch die hier geschaffene Verbindung zwischen den Sachaussagen von Vers 36 und Vers 32 (und auch zu Vers 23 hin) wird eine weitere Uminterpretation des vorgegebenen Stundenschemas deutlich. Während die Kreuzigungsapokalypse die Inhalte der Epochen auseinanderhielt, verbindet sie Markus und läßt sie ineinanderfließen, indem der in der Zeitspanne der Finsternis laut werdende Unglaube Vers 36 inhaltlich mit einem Ereignis der ersten Stundentrias (V. 32) gleichgesetzt wird. Wenn damit einerseits das Stundenschema wiederum, wie schon von Vers 44 f. her, seiner konkreten apokalyptischen Bedeutung beraubt wird, so wird doch andererseits damit die Reichweite der

288 E. Haenchen 536.
289 J. Schreiber 48 A. 111; vgl. J. Schmid 303.
290 Ebd., 48 f.
291 So E. Klostermann 167; E. Lohmeyer 346; E. Lohse, Leiden 96.
292 Ruth 2,14; Num 6,3; Bill. II, 69 f.; Plutarch, Cato maior 336.
293 J. Schreiber 25 f.

Finsternis auf die Handlungen des Unglaubens überhaupt ausgeweitet und so konkret neu gefüllt. „Die in 15,35 f. dargestellte totale Blindheit der Gegner Jesu läßt die Gottverlassenheit Jesu (V. 34) als Kommentar zu der Finsternis von 15,33 erst voll verständlich werden; Finsternis, d. h. für Markus so viel wie den Gekreuzigten nicht als Sohn Gottes erkennen und so dem Satan verfallen sein (vgl. 8,27–32)."[294]

Die szenische Einleitung zu diesen inhaltsschweren Worten hat Markus in Vers 36a unter Aufnahme des in der Simon-Tradition vorgegebenen Tränkungs-motivs von Vers 23 formuliert. Dort wie hier spricht das Imperfekt de conatu nur von einer versuchten Tränkung,[295] und wiederum ist im Anklang an einen Leidenspsalm formuliert. In dieser dritten zusätzlichen Reminiszenz der mar-kinischen Redaktion wird mit *oxos* und *potizein* ein Anklang an Ps 68,22 her-gestellt.[296] Ähnlich wie bei Vers 32c, so wird auch hier eine schon vom Schrift-anklang her gedeutete Stelle durch einen zusätzlichen Schriftbezug bereichert. Vielleicht geht die Parallelität der redaktionellen Gestaltung zwischen beiden Motiven noch weiter: Wie die Korrespondenz zwischen Vers 29b und Vers 32c zugleich der zusammenfassenden Rahmung diente, so ist auch hier möglich, daß Markus durch Vers 36a eine Schlußklammer bildete und so Vers 23 zur An-fangsklammer machte.

Vers 39 ist auf jeden Fall redaktionell überarbeitet. Wenn man erkannt hat, welche Rolle in den beiden markinischen Versen 32 und 36 bisher das Sehen spielte, „so wird die eigenartige Nachricht verständlich, der Hauptmann habe den Todes*schrei* Jesu nicht gehört, sondern *gesehen*".[297] Damit wird der Cen-turio zum Gegenbild der Ungläubigen, die nur auf Grund des Wunders, das in einem Herabsteigen vom Kreuz besteht, glauben wollen. Denn er seinerseits „*sieht* den Todesschrei Jesu und bekennt sich deshalb zu ihm, dem Gekreuzig-ten als dem Gottessohn".[298] Dem Sehen des Unglaubens tritt hier das Sehen des Glaubens gegenüber; denn Jesu Sieg im Tode, „seine Erhöhung im Kreu-zestod, sieht nur der Glaube".[299] So fügt sich diese Gestaltung der Kreuzigung der markinischen Konzeption ein, die gerade vom Kreuz her die Darstellung des Irdischen als „geheime Epiphanie"[300] auffaßt.

294 Ebd., 49.
295 E. Klostermann 167.
296 M. Dibelius, Formgeschichte 187 zählt die Stelle zu den deutlichen Anklängen; vgl. auch R. Bultmann, Tradition 295; J. Finegan 76; E. Klostermann 167; E. Lohmeyer 346; J. Schmid 303 betont mit Recht, daß vom Psalmsinn her nicht das Motiv der Verhöhnung einzutragen ist. Es handelt sich also nicht um eine Erfüllung: A. Suhl 61 f. Doch bestreitet Suhl zu Unrecht, daß überhaupt ein Schriftanklang vorliegt.
297 J. Schreiber 44.
298 Ebd.
299 Ebd., 45.
300 M. Dibelius, Formgeschichte 232.

Daß die markinische Geheimnistheorie nicht die apologetische Tendenz hat, das unmessianische Leben Jesu messianisch darzustellen, ist über ihren Entdecker W. Wrede hinaus heute allgemein anerkannt.[301] Weiter ist deutlich, daß man statt vom „Messiasgeheimnis" besser vom „Gottessohn-Geheimnis" sprechen sollte, da Ph. Vielhauer nachgewiesen hat, daß „Gottessohn" der bei Markus allein redaktionell wesentliche Jesustitel ist.[302] Da er ebenso mit Recht feststellt, daß sich im markinischen Redaktionsgut keine Präexistenzaussagen nachweisen lassen,[303] so wird die bisherige Deutung zum Problem, die in der markinischen Geheimnistheorie die erzählerische Entfaltung des hellenistischen Kerygmas von Phil 2,5 ff. sah.[304] An die Stelle dessen setzt Vielhauer die These, daß in markinischer Sicht Jesus erst mit der Kreuzigung zum Gottessohn im Vollsinne würde. Er sieht ihn nach einem Inthronisationsritual gestalten, wonach die drei Stadien, Taufe Jesu als Adoption (1,11), Verklärung als Präsentation (9,7) und das Bekenntnis des Centurio als Akklamation (15,39), die entscheidenden Stadien darstellen, wobei das Kreuz dann als Herrschaftsübertragung Schlüsselstellung bekommt.[305] Die These vom Markus-Evangelium als dem „Buch der geheimen Epiphanien" wäre zu präzisieren zum „Buch der geheimen Inthronisation". Nun ist das Gefälle des Buches zur Passion hin nicht zu bestreiten, nur darf das nicht so gedeutet werden, daß Jesus erst mit der Passion zum Gottessohn im Vollsinne würde.[306] Denn das Bekenntnis des Centurio sagt klar, auf die Vergangenheit des irdischen Jesus weisend: Er *war* Gottes Sohn. Das ist natürlich nicht als Abschwächung zu begreifen,[307] sondern als den ganzen hier dargestellten Jesusstoff betreffend. Nicht nur das Kreuz, sondern die ganze Jesus-Geschichte wird damit authentisch interpretiert. Das zeigt sich auch darin, daß Jesus 3,11 und 5,7 durch den Mund der Dämonen als Gottessohn prädiziert wird, wovon 3,11 als Bestandteil eines Sammelberichts deutlich redaktionell ist und darum für die inhaltliche Erfassung des markinischen Gottessohnbegriffs nicht einfach beiseite gelassen werden kann.

301 W. Wrede 226 ff.; vgl. dazu zuletzt zusammenfassend H. Conzelmann, Theologie 158 f.

302 Ph. Vielhauer, Erwägungen zur Christologie des Markusevangeliums, in: Zeit und Geschichte (Bultmann-Festschrift), Tübingen 1964, 155 ff., 158 f., 169; = ders., Aufsätze zum NT 199–214, 202 f.; zustimmend H. Conzelmann, Theologie 164; E. Schweizer, Art. *byos theou*, ThW VIII, 380 f.; K. M. Fischer, Theol. Vers. II, 1970, 111.

303 Ebd., im Aufweis wie in den Zustimmungen.

304 R. Bultmann 372; M. Dibelius, Formgeschichte 232; J. Schreiber, ZThK 58, 1961, 154 ff.

305 A. a. O., 166–168 (= 212–214); wegen der Wertung des Kreuzes in Verlängerung der zweiten Passionstradition verwundert es nicht, daß J. Schreiber 1967, 220 ff. den Entwurf seines Lehrers nicht als Gegenthese, sondern als „sinnvolle Ergänzung" verstehen und ihm zustimmen kann.

306 Vgl. die Einwände von E. Schweizer, ThW III, 381 A. 324 und K. M. Fischer 111.

307 Auch nicht im Sinne von „ein" Gottessohn, denn der Art. fehlt vor dem Prädikatsnomen, weil es vor dem Verbum steht; E. Schweizer, ThW VIII, 381 A. 324.

Ist diese frühe, vorstaurologische Proklamation durch die Dämonen aber ernst gemeint, so ist auch die Proklamation durch Gott in 1,11 und 9,7 nicht als vorläufig und unvollständig anzusehen. Dann aber ist auch 1,1 stärker in die Interpretation einzubeziehen. Mit den meisten Auslegern nimmt Vielhauer 1,1 wegen des Schwankens der Textzeugen aus. *Hyou theou* fehlt allerdings nur bei Sin (ursprünglicher Text), Koridethianus und einigen anderen, Irpt, Orig. Daß der längere Text dadurch „zu schlecht" bezeugt sei, wird man nicht sagen können.[308] Der Zusatz fehlt in den wenigen Texten wohl auf Grund eines Schreibfehlers, der sich durch Homöoteleuton leicht erklären läßt,[309] so daß man nicht die Zufügung als liturgische Erweiterung annehmen muß.[310] Außerdem wäre hier Doppeltitulatur oder wenigstens eine vollere Bezeichnung für Markus gerade typisch und darum zu erwarten (vgl. 1,24 f.; 14,61; 15,32; *Christos* dürfte hier Eigenname sein, wie die Stellung beweist). Auch für Vielhauer dürfte letztes Motiv für die Entscheidung gegen diese Lesart nicht die angeblich schlechte Bezeugung sein, sondern der Störfaktor gegen seine Interpretation, der von dieser Stelle ausgeht. Nach seiner Gesamtauffassung des Markus-Evangeliums vom Inthronisationsschema her ist der Gottessohntitel funktional gefaßt, wonach erst die Einsetzung ins Amt der Beginn der Gottessohnschaft ist. Die schon genannten gegenteiligen Beobachtungen machen es „fraglich, ob Markus noch den Gottessohntitel so als Funktionsbezeichnung versteht, daß erst die Einsetzung ins Amt der Beginn der Gottessohnschaft ist".[311] Auch „religionsgeschichtlich ist das Inthronisationsritual nicht so eindeutig festgelegt, daß man es als ein allgemein bekanntes Schema ansehen könnte".[312] Richtig sieht E. Schweizer, daß die gut bezeugte Lesart von 1,1 besonders dann als wahrscheinlich anzunehmen ist, „wenn Markus das ganze Leben Jesu als *archē* des nach Ostern ergehenden Geheimnisses vom Gottessohn verstände".[313] Dies scheint in der Tat die bestmögliche Erklärung. Markus versteht sein ganzes Buch als „Anfang des Evangeliums". Das Evangelium selbst wird erst nach Ostern laut. Von daher erklärt sich das Verbot der Verkündigung der vollen Gottessohnschaft vor der Passion ebenso wie die durchgängige Verwendung des Prädikats in allen Teilen des Buches und das Lautwerden des Bekenntnisses im Munde des Centurio an unserer Stelle. Inhaltlich ist durch den Zusammenhang des Kontextes hier (15,32.26) wie durch die Zusammenstellung von 14,61 Sohn Gottes auch im Zusammenhang mit der Königstitulatur zu verstehen, und

308 Gegen Ph. Vielhauer, a. a. O., 158 (= 202) A. 15; ebenso F. Hauck und E. Haenchen z. St.; E. Schweizer, ThW VIII, 381,7: „fraglich".

309 So mit E. Klostermann 5.

310 Gegen E. Haenchen 39 A. 2.

311 E. Schweizer, ThW VIII, 381 A. 324.

312 K. M. Fischer 111; vgl. dazu 1 Tim 3,16; Hebr 1,5 ff. und E. Norden, Die Geburt des Kindes, 1924, 116 ff.

313 E. Schweizer, ThW VIII, 381 A. 325.

zwar „nicht als Wesensbestimmung, sondern als Würde, als Bezeichnung des eschatologischen Königs".[314] Damit erweist sich aber die Einsetzungs-Hyologie, die von Anfang an in ihrer Gestuftheit den Irdischen einbezogen hatte (Röm 1,3 f.), als das bestimmende Gestaltungsprinzip der markinischen Jesusdarstellung.

Vers 40 erweitert Markus den Kreis der wahrhaft Glaubenden noch durch die Frauen. Auch sie werden wie der Centurio als die „Sehenden" geschildert. Sie sehen, wenn auch nur von fern, und sind so wie der Centurio die richtig Sehenden, die den verschiedenen Gruppen von Unglaubenden gegenüberstehen. So ist der Centurio kein isolierter Einzelner mehr. Eine Abwertung dürfte in der Wendung *apo makrothen* nicht liegen, wenngleich es auch 14,54 von Petrus heißt, daß er *apo makrothen* nachfolgte; daß in diesem Falle keine Abwertung mit der markinischen Wendung beabsichtigt ist, zeigt schon Vers 54b: Er setzt sich in ihre Mitte. Noch deutlicher wird die rein lokale Bedeutung dieser Wendung in 8,3, wo sie auf die Heidenchristen zu deuten ist.[315] Die enge Verbindung von Vers 39 und 40 wäre noch augenfälliger, wenn hier eine Anspielung auf LXX-Ps 37,12 vorliegt. Dort steht einem *ex enantias* in der ersten Zeile einem *apo makrothen* in der zweiten Zeile parallel.[316] Wengleich das dem Wortsinn nach in der Psalmstelle negativ gemeint ist, so spricht das nicht gegen die Abhängigkeit, da Markus bei seinen alttestamentlichen Reminiszenzen ja gerade nicht den Gedanken der Erfüllung betonen will. Markus kann also dieses Gestaltungsmittel hier durchaus positiv benutzt haben, um damit eine stärkere Verbindung herzustellen und außerdem einen weiteren, vierten zusätzlichen Schriftbezug deutlich zu machen. Da die enge Verbindung von Vers 39 und 40 auch abgesehen davon schon hinreichend deutlich ist, so ist mit dieser erneuten Reminiszenz des Redaktors ernstlich zu rechnen. Dann aber ist erst recht jeder Abwertung des *akolouthein* durch *apo makrothen* in 14,54 der Boden entzogen.[317]

Vers 41a wird mit Bedacht von diesen drei Frauen gesagt, daß sie in Galiläa Jesus nachfolgten und ihm dienten. Damit dürfte Markus betonen wollen, „daß das Bekenntnis zum Gekreuzigten (15,39) nicht nur eine Formel, sondern zutiefst und zuletzt eine Lebenshaltung ist".[318] Der wahre Glaube erschöpft sich nicht im Sehen des Kreuzes und im Aussprechen der Akklamation, sondern er ist Kreuzesnachfolge und Liebesdienst. Damit wird dieser Dienst auch von

314 Ph. Vielhauer, a. a. O., 166 (= 209 f.).

315 J. Schreiber 117.

316 Darauf verweist E. Lohmeyer 348.

317 Gegen J. Roloff 76 A. 12 liegt hier kein erweiterter, sondern ein für den Sprachgebrauch des Redaktors spezifischer Sprachgebrauch von Nachfolge vor; vgl. E. Schweizer, EvTh 24, 1964, 350; ZNW 56, 1965, 7 f.; Markus 209.

318 J. Schreiber 45.

den Vers 23.36 vorgenannten Diensten der Wundersüchtigen abgehoben. Auch sie wollten Jesus zweimal den Dienst der Tränkung erweisen. Doch er war nicht Dienst in der Kreuzesnachfolge. Nicht jede gutgemeinte Hilfeleistung, die man Jesus zuwendet, ist *diakonein*.

Vers 41b scheint wieder wie schon Vers 32c unbetont nachzuklappen. Doch hat der Satz auch hier seinen besonderen Sinn. Mit seiner Hilfe wird auch die Gruppe der Glaubenden auf die Dreizahl gebracht. Den drei Spottgruppen stehen also genauso drei Glaubensgruppen gegenüber. Seinen eigentlichen Tiefgang aber erhält dieser Schlußsatz durch die Formulierung *synanabasai* – und zwar *autō*, auf Jesus bezogen.[319] Damit ist auf 10,32 (8,34) angespielt: *anabainein* meint die Kreuzesnachfolge. Sie also sind solche, die die Kreuzesnachfolge bejaht und vollzogen haben. Daneben ist durch die Ausweitung auf eine glaubende Dreiergruppe von Personen auch eine Verbindung zum Motiv des „Sehens" hergestellt. Daß dies keine Überinterpretation ist, zeigt die Formulierung in der Aufforderung zum Weg nach Jerusalem 10,33: *idou* (!) *anabainomen*.[320] Das glaubende Sehen vollzieht sich in der Kreuzesnachfolge Jesu. Schließlich dürfte die Entgegensetzung dieser beiden Dreiergruppen auch das *anabainein* in betonten Gegensatz zu der Vers 30.32.36 geforderten und gewünschten *katabasis* vom Kreuz stellen. Da *anabainein* vom Alten Testament her im absoluten Gebrauch „terminus technicus kultischen Handelns geworden ist"[321] und *katabainein* auch im kultischen Sinne den Gegensatz dazu bezeichnet,[322] beides seinen Ort aber hier im Kreuz im Gegensatz zum Tempel hat und außerdem ausdrücklich in dem Zusammenhang die Aufhebung des Tempels durch das Kreuz (V. 38) ausgesagt ist, so ist die Dreiergruppe des Centurio mit den Frauen zusammen als der neue Tempel anzusprechen, den Jesus (V. 29) bauen wird. Ihr Spott mußte wider Willen die Wahrheit sagen. Sowohl der neue Tempel als auch das neue *anabainein* sind damit nicht mehr kultischer Ort und kultisches Handeln im antiken Sinne, sofern sie beide vom Kreuz her bestimmt sind. Der neue Tempel ist die Gemeinde unter dem Kreuz, die der Gekreuzigte sammelt. Ihre Wallfahrt ist die Kreuzesnachfolge, die sich von der egoistischen, wundersüchtigen Frömmigkeit des alten Tempels und aller alten Tempel unterscheidet.[323]

*Zusammenfassung:* Die markinische Kreuzigungsdarstellung hat die beiden ihm vorgegebenen Kreuzigungstraditionen wohl im wesentlichen unverkürzt

---

319 Daß dies „nicht im Blick auf Jesus" gesprochen sei, kann J. Roloff, EvTh 29, 1969, 77 A. 19 nur unter Verkennung dieses *auto* wie des *syn* des Kompositums behaupten. Sein Einwand ist also nicht stichhaltig.

320 J. Schreiber 45.

321 J. Schneider, ThW I, 517,32 f.

322 Ebd., 520,1 f.

323 J. Schreiber 43.

übernommen und sie so zusammengefügt, daß sie sich in den Versen 25–29 überlagern und durchdringen. Daneben hat Markus die neue Darstellung durch verschiedene redaktionelle Zusätze erweitert, wobei auffällt, daß sie sich überwiegend im zweiten Teil der Perikope finden. Dabei ist weiter zu beobachten, daß er das aus der ersten Tradition übernommene Motiv des Schriftbezugs nicht nur übernommen, sondern auch noch durch weitere vier Stellen verstärkt hat. Typisch ist dabei, daß Markus dies gerade im Bereich der zweiten Kreuzigungstradition tut (V. 32c.34b.36.39 f.). Daß hier der in Zusammenhang dieser Aussagen bisher fehlende Schriftbezug eingetragen wird, beweist, daß Markus offenkundig die zweite Tradition von der ersten hier interpretiert und nicht umgekehrt. Daß er die Erweiterungen teilweise durch Verbreiterung von Motiven der Kreuzigungsapokalypse vornimmt (Erweiterung der Spötter auf drei Gruppen und Erweiterung des Centuriobekenntnisses durch die Beiordnung der Frauen), darf nicht zu der Meinung führen, daß Markus die apokalyptische Kreuzigungstradition zur wesentlichen Basis nimmt und sie entfaltet. Im Gegenteil ist über die Verzahnung beider Traditionen und die Übertragung des Schriftgemäßheitsmotives aus dem ersten in den zweiten Komplex hinaus noch zu beobachten, daß er die zentrale Aussagerichtung der apokalyptischen Tradition kritisiert und korrigiert. Die Stundenangaben werden ihres apokalyptischen Sinnes entkleidet und historisiert, wenn Markus sie Vers 44 f. zur Bestätigung dafür verwendet, daß Jesus wirklich schon so schnell gestorben ist. Ebenso wird der die Endzeit einleitende Schrei zu einem Gebet Jesu verwandelt, also in ein irdisches und vergangenheitliches Geschehen (V. 24). Durch die Wiederholung der Wundererwartung Vers 35 f. in der Epoche der Finsternis wird diese ebenso ihres apokalyptischen Charakters entkleidet und zum Kennzeichen menschlicher Wundererwartung überhaupt (V. 31 f.35 f.). Zugleich wird durch die Wiederholung des Tränkungsversuchs Vers 36a der Zusammenhang über diesen Bereich hinaus bis Vers 23 hinauf übergreifend zusammengeschlossen. Mit allen diesen Veränderungen dürfte Markus ein einheitliches Ziel verfolgen, die Deutung des Todes Jesu als Beginn des Endgeschehens zu bestreiten und die Vollendungsgewißheit der dahinter stehenden Gemeinde zu kritisieren.

Was aber setzt er positiv an diese Stelle? Das wird erkennbar an der Neuinterpretation, die sich an die in der Vorlage unbetonten Erwähnung der Katabasis-Forderung anschließt. Der Unglaube will Mirakel sehen und glauben (V. 30.32.36). Dem steht das glaubende Sehen der Dreiergruppe von Vers 39–41 gegenüber, das sich in der Kreuzesnachfolge konkretisiert. Von daher dürfte auch der markinische Aufbau in der jetzigen Gestalt der Perikope bestimmt sein. Vers 20b–22 erscheint als Einleitung mit dem Gang zur Richtstätte. Was die Struktur dieses Teiles betrifft, so ist das bei der Simon-Tradition Erarbeitete auch für Markus gültig, da er diese Überlieferung theologisch unmodifiziert übernimmt. Auch die antijüdische Frontstellung, die in beiden Traditionen vorgegeben war, hat Markus übernommen und durch neue Polemik (V. 32) verstärkt. Wesentlicher aber noch ist, daß Jesus in der jetzigen Fassung stärker als der Handelnde erscheint: Er weist den Trank zurück (V. 23b), vollzieht die gewünschte Selbsterlösung nicht, betet aber statt dessen. Das alles sind eindeutig historisierende Züge. So dürfte der markinische Aufbau der Perikope, sofern er sich in der Bindung durch das übernommene Material Ausdruck verschaffen kann, antithetisch so gestaltet sein, daß der Unglaube als Ausdruck der Finsternis auf den Tod Jesu hin und der Glaube vom Todesgebet Jesu her sich entsprechen. Als zentrale und bestimmende Momente der beiden Seiten stehen sich also die Finsternis einerseits und der betend in den Tod gehende Jesus andererseits gegenüber:

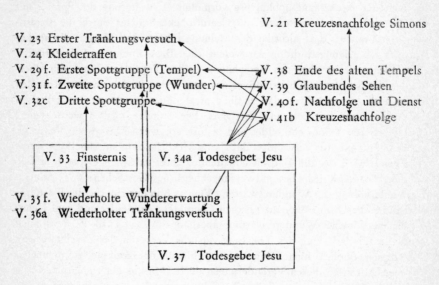

V. 21 Kreuzesnachfolge Simons

V. 23 Erster Tränkungsversuch
V. 24 Kleiderraffen
V. 29 f. Erste Spottgruppe (Tempel)
V. 31 f. Zweite Spottgruppe (Wunder)
V. 32c Dritte Spottgruppe

V. 38 Ende des alten Tempels
V. 39 Glaubendes Sehen
V. 40 f. Nachfolge und Dienst
V. 41b Kreuzesnachfolge

V. 33 Finsternis

V. 34a Todesgebet Jesu

V. 35 f. Wiederholte Wundererwartung
V. 36a Wiederholter Tränkungsversuch

V. 37 Todesgebet Jesu

## 1.5. Die matthäische Redaktion (Matth 27,32–56)

Matthäus folgt hier im Ausdruck sehr eng der Vorlage des Markustextes und hinsichtlich des Aufbaus ganz und gar.[324] Er nimmt keine Umstellungen oder größere Auslassungen vor. Die einzige größere Zufügung findet sich in den Versen 51b–53. Zahlreiche kleinere Textänderungen dienen der stilistischen Glättung und einer klareren Darstellung. Von daher ist mit Recht auf die Gefahr hinzuweisen, daß man gelegentlich die Markuspassion von der klareren

324 J. Finegan 36; N. A. Dahl NTS 2, 1955/56, 17; K. M. Fischer 109; das gilt für die beiden Passionskapitel insgesamt.

Gestaltung der Matthäuspassion her zu verstehen sucht.[325] Man muß sich immer dessen bewußt bleiben, daß die matthäische Redaktion gegenüber der vorangehenden markinischen eine noch weitergehende sekundäre Historisierung darstellt.[326] Auch wenn die Änderungen des Matthäus nicht sehr umfangreich sind, so stellen sie jedoch noch eine weitergehende theologische Uminterpretation dar. Aus der Matthäusdarstellung könnte man die beiden ursprünglichen Kreuzigungstraditionen nicht mehr eruieren. Hätten wir nur Matthäus, so ist deutlich, daß der traditionsgeschichtlichen Rückfrage viel stärkere Grenzen gesetzt wären. An diesem Testfall kann man sich deutlich machen, wie schwer es allein wäre, aus der Matthäusfassung die Markusvorlage zu rekonstruieren, wenn wir diese nicht vorliegen hätten.

Vers 32: Matthäus hat hier konsequent das Präs. hist. beseitigt. Indem er *exerchomenoi de heuron* hinzufügt, macht er Mark 15,20b zum Abschluß der voranstehenden Verspottungsgeschichte und schafft deutlich einen neuen Perikopenanfang. Das neue Kompositum mit *ex-* ist notwendig, weil Matthäus im vorangehenden Vers das *exagousin* des Markus in *apēgagon* geändert hatte (nach Mark 15,16).[327] Indem so aus einem Verb der Vorlage hier drei werden, wird die Szene novellistischer. Dadurch werden die Personen stärker als die hier Handelnden geschildert. Die Einleitung mit *de* und der Partizipialkonstruktion ist deutlich schriftstellerische Besserung.[328] Der wörtliche Anklang an das Kreuztragen als Zeichen der Nachfolge bleibt erhalten (vgl. 16,24). Die Streichung der Söhne (s. o. zu Mark 15,21) konzentriert den Blick auf diese Aussage.

Das wird weiter dadurch unterstrichen, daß auch die Notiz gestrichen wird, daß Simon vom Felde kam. Sie war Matthäus anstößig. Simon „erscheint im Unterschied zu Mark 15,21 als ein Mann, der das Passafest (Matth 27,15) streng nach jüdischem Ritus feiert. Er tut keine Arbeit an diesem heiligen Tage. Ein so frommer Jude kann auch nicht mehr zwei Söhne mit hellenistischen Namen haben. Die Namen werden deshalb gestrichen."[329] Beide Abänderungen lassen sich also aus ein und demselben Motiv erklären. Damit entfallen zwei wichtige Aussageintentionen der Simon-Tradition: die antijüdische Polemik und das Zeugenmotiv.

Vers 33 wird das mißverständliche *ferousin auton epi* durch *elthontes eis* ersetzt und damit zugleich neutralisiert. Wieder setzt Matthäus mit einer Parti-

---

325 M. Dibelius, Formgeschichte 197.

326 G. Strecker, Weg 184; gegen E. Lohmeyer, Matthäus 393 A. 1 handelt es sich um literarische Veränderungen, nicht um Varianten mündlicher Überlieferung.

327 E. Klostermann, Matthäusevangelium 223.

328 Die Texterweiterung von D it „ihm entgegen" ist sekundäre Erweiterung.

329 J. Schreiber 50; daß Matthäus nur deshalb ändere, weil er die Leute nicht mehr kenne (so J. Schmid, Matth. und Luk. 162; E. Klostermann, Matth. 223), verkennt dieses Motiv und ist abzulehnen, weil auch Markus die Söhne schon nicht mehr kennen dürfte.

zipialkonstruktion ein. Der Name Golgotha wird mit *legomenon* typisch matthäisch eingeleitet (vgl. 9,9 mit Mark 2,14; 26,14 mit Mark 14,10); das wird bei der Übersetzung wiederholt und dabei *methemēneuomenos* gestrichen (wie ebenfalls zu Mark 15,34; 5,41). Damit wird die bei Markus gegebene Betonung dieser aramäischen Worte abgeschwächt. Matthäus hat statt dessen die dreimal gestrichene Wendung nur einmal an bezeichnender Stelle (1,23) zur Übersetzung des Emmanuel-Namens eingeführt, ein Zeichen dafür, daß er sie gezielt zu verwenden wußte. Das heißt aber, betont werden soll damit nicht dies und jenes, sondern der Name Jesu selbst. Indem er diese christologische Betonung vollzieht, werden die damit bei Markus bezeichneten Nebenzüge ihres Gewichtes entkleidet. So dürfte auch hier der in der Simon-Tradition mit Golgotha verbundene Sinn (unreiner Ort) bei Matthäus weggefallen sein und Golgotha zu einer reinen Ortsangabe gemacht sein, dessen Name genannt wird, so wie andere Namen auch genannt werden.

Vers 34: Durch Transponierung des Impf. in den Aor. ist aus der versuchten Tränkung eine wirkliche geworden. Weiter wird aus dem mit Myrrhen gemischten Wein ein „Wein mit Galle gemischt". Damit wird die Darstellung an LXX-Ps 68,22 angeglichen (*edōkan... cholēn*) und ein Schriftbezug hergestellt,[330] der dadurch eine andere Deutung als bei Markus erhält: „Die Tränkung ist bei Matthäus eine Jesus absichtlich zugefügte Qual, die die Bosheit des Pilatus und seiner römischen Soldaten verdeutlicht (vgl. 27,27 *tou hēgemonos*)."[331] Von daher wird auch Jesu Ablehnung ausführlicher motiviert: Er schmeckt und trinkt darum nicht, weil er nicht will (matthäisches Vorzugswort). Das ist nicht nur eine rein erzählerische Erweiterung,[332] sondern stellt die Hoheit Jesu durch sein souveränes Tun heraus. Es ist eine willentliche Handlung Jesu. Damit begegnet ein wesentlicher Zug des Matthäus: Der Leidensweg ist nicht ein Weg passiven Erduldens, sondern ein Weg des vorbildlichen und bewährenden Handelns Jesu.[333] Grammatisch liegt hier schon die dritte Partizipialkonstruktion vor.

Vers 35 werden die bei Markus unverbundenen Einzelaussagen mittels Partizipialkonstruktion syntaktisch einander zugeordnet und damit wieder stilistisch geglättet. Damit verliert der Akt der Kreuzigung seine Hervorhebung und Selbständigkeit und wird zur Nebenhandlung der Kleiderverteilung, die ge-

---

330 J. Finegan 31; R. Bultmann, Tradition 295; E. Haenchen 530; J. Schreiber 51; daß hier nicht ein regelrechtes Erfüllungszitat steht, ist kein Gegenargument (gegen E. Klostermann, Matth. 223, der mit Wellhausen nur eine Verwechslung von Galle und Myrrhe wegen der Ähnlichkeit beider Worte im Hebräischen und Aramäischen annehmen möchte). Die spätere Textüberlieferung hat den Anklang an Ps 69,22 noch erweitert durch Ersetzung von *oinos* durch *oxos* (Reichstext, pm it), was aber deutlich nachträglich ist.

331 J. Schreiber 51.

332 So J. Finegan 31.

333 G. Strecker, Weg 181 f.; K. M. Fischer 109 f.

mäß der Vorlage im alttestamentlichen Anklang gebracht wird, doch durch den einleitenden Aorist noch stärker an LXX-Ps 21,19 angeglichen.[334]

Am Schluß wird ebenfalls verkürzt; *ep' auta* und *tis ti arē* fällt als entbehrlich weg.[335] Damit verschwindet die paränetische Antithese zum Kreuztragen des Simon, wie sie die Simon-Tradition bot.

Vers 36 wird die Dublette der Kreuzigungsnachricht von Mark 15,25 vollständig beseitigt und damit auch die Erwähnung der dritten Stunde.[336] Der apokalyptische Sinn der Zeitangabe, die schon Markus umdeutete, wird von Matthäus offenbar nicht gesehen, wo er doch andererseits Vers 51–53 gerade die apokalyptischen Bezüge beim Tode Jesu verstärkt. An die Stelle dessen tritt hier die Notiz von der Bewachung Jesu, die die Sondergutlegende von der Grabesbewachung (V. 62–66; 28,4.11–15) vorbereitet (vgl. V. 54); *tērein* und *ekei* sind matthäische Vorzugsworte.

Vers 37 schildert in Erweiterung des Markustextes das wirkliche Anbringen des titulus am Kreuz: *epethēkan epano* (Vorzugswort) *tēs kefalēs autou*. Dabei wird in wörtlicher Anlehnung an das Aufsetzen der Dornenkrone (V. 29 *epethēkan epi tēs kefalēs autou*) formuliert, was ebenfalls eine matthäische Erweiterung darstellt[337] (*kefalē* ist matthäisches Häufigkeitswort).

Innerhalb des titulus erweitert Matthäus, indem er den Jesus-Namen zufügt und diesen durch *houtos estin* noch betont hervorhebt. „Im Unterschied zu Markus und Lukas kommt es ihm darauf an, daß der Jesus-Name in der Kreuzesüberschrift genannt ist."[338] Das ist nicht zufällig. Daß Matthäus auf den Jesus-Namen besonderen Wert legt, ergibt sich sowohl aus der Häufigkeit seiner Verwendung (150mal, vgl. Mark 80mal, Luk 89mal) als auch aus seiner betonten Sinnfüllung im Rahmen der Geburtsverheißung an Joseph 1,21-23 mittels eines Reflexionszitates. „Der Gekreuzigte trägt diesen Namen, weil er sein Volk von Sünden befreit und damit die Immanuel-Weissagung erfüllt (1,21-23). Hier in 1,23 taucht nun plötzlich das in Mark 15,22.34 gestrichene *methermēneuein* betont auf: Das im Jesus-Namen beschlossene ‚Gott mit uns' gilt ‚seinem Volk' (1,21), d. h. allen, die die Thora im Sinne des Matthäus halten (vgl. 28,19 f.)."[339] Hier wird also betont: Der Gekreuzigte trägt gerade diesen

---

334 Das aor. Part. *balontes* (Sin. D Korid pm) ist sekundäre stilistische Glättung. Das Präs. beweist die Abhängigkeit von Markus. Ebenso ist die Umstilisierung durch Erweiterung in ein vollständiges Reflexionszitat in einigen Handschriften sekundär durch Joh 19,24 veranlaßt; es kann nicht als ursprünglich und durch *Homöoteleuton* ausgefallen angesprochen werden (gegen E. Klostermann, Matth. 223). Daß Matthäus nicht nur Erfüllungszitate einfügt, zeigt auch V. 43.

335 J. Schmid, Matth. und Luk. 162; E. Klostermann, Matth. 223.

336 Ebd., J. Schreiber 51.

337 J. Schreiber 51.

338 Ebd.

339 Ebd.

Namen. Somit müssen die ihn bewachenden Legionäre, ohne es zu wissen und zu wollen, die wahre Bedeutung Jesu bekannt machen.

Vers 38: Die Kreuzigung der beiden Partisanen wird bei Matthäus durch seine bevorzugte Übergangspartikel *tote* („darauf")[340] zeitlich der Kreuzigung nachgeordnet.[341] Damit wird wieder stilistisch gebessert und gleichzeitig die Vorstellung eines Ablaufs von Ereignissen stärker historisierend ausgedrückt.

Vers 39: Im Eingang der Verspottungsszenen ersetzt Matthäus wiederum mit *de* das stereotype *kai* der Markusvorlage (vgl. schon V. 32.35 und dann weiter V. 45.46.47, insgesamt etwa 60mal);[342] sonst folgt er ihr hier und im folgenden wörtlich genau, einschließlich der Schriftreminiszenz.

Vers 40 läßt die bei Markus das Spottwort einleitende Bewunderungspartikel weg, fügt aber einen Konditionalsatz ein: „Wenn du Gottes Sohn bist." Im Zusammenhang mit diesem Zusatz wird das folgende Verb in den Imp. umgeändert (*katabēthi*). Beides zusammen, Konditionalsatz mit Gottessohnanrede und nachfolgendem Imp., ist eine genaue Angleichung an die Versuchungsgeschichte (4,3.6).[343] Dieser Anklang, der so das ganze Leben Jesu bei Matthäus rahmt, will sagen, daß sich hier die Versuchung Jesu wiederholt und fortsetzt. Jesus aber ist der, der die Versuchung im Gehorsam durchsteht, auch am letzten Tage seines Lebens. Somit wird die Leidensgeschichte dem ganzen Lebensweg Jesu angeglichen und ihm eingeordnet verstanden. Dabei weist die Anspielung direkt auf das Synhedriumsverhör und die dort erfolgte Bejahung der Gottessohnfrage 26,63 f. zurück.[344] Der Titel ist für Matthäus sehr typisch. Er gebraucht ihn 17mal (vgl. Markus 7mal).[345]

Vers 41 streicht Matthäus *pros allēlous* und läßt den Spott damit noch direkter an Jesus selbst gerichtet sein. Statt dessen ergänzt er die Oberpriester und Schriftgelehrten durch die dritte Gruppe der Presbyter.[346] Sie sind für Matthäus die Mitverantwortlichen für den Tod Jesu: 26,3 werden sie statt der Schriftgelehrten beim Todesbeschluß eingefügt; vor Pilatus sind sie 27,12.20 zugefügt; durch Streichung der Schriftgelehrten sind sie bei der Vollmachtsfrage 21,23, bei der Gefangennahme 26,47 und bei der Übergabe an Pilatus 27,1 mit den Oberpriestern enger zusammengerückt und zu den Hauptverantwortlichen ge-

340 E. Klostermann, Matth. 9; J. Jeremias, Gleichnisse 81 A. 1; G. Strecker, Weg 90 A. 2.

341 E. Klostermann, Matth. 223 – daß Matthäus sie aber anderen Soldaten zugeschrieben habe, ist durch den Text nicht angedeutet.

342 Ebd., 19 f.

343 R. Hummel 115 f.

344 E. Klostermann, Matth. 223.

345 G. Strecker, Weg 125; R. Hummel 115 f.; K. M. Fischer 109 ff.

346 Ihre gelegentliche Streichung ist Angleichung an Markus; ihre Ersetzung in westlichen Texten durch die Pharisäer ist ebenso sekundär wie die noch spätere Verbindung beider in Reichstext-Lesarten, wodurch vier Gruppen entstehen.

macht.[347] Redaktionell dürfte die Doppelgruppe auch in den beiden Sondergut-stücken 27,3 und 28,11 f. sein. Statt dessen steht nun 21,45 und 27,62 die nur bei Matthäus begegnende Doppelgruppe „Oberpriester und Pharisäer", die jeweils deutlich die vorangehende von „Oberpriestern und Ältesten" aufnimmt (21,23; 27,10.20). Matthäus denkt sich also wohl die Ältesten (Vorzugswort) mit den Pharisäern identisch.[348] Sie sind in seiner Vorstellung die offiziellen Vertreter des Volkes, wie die matthäische Wendung „Oberpriester und Ältesten des Volkes" (21,23; 26,3.47; 27,1) zeigt.[349]

Vers 42: Im zweiten Satz des Spottwortes wird der Christos-Titel weggelassen. „Er dürfte Matthäus im Rahmen der Spottworte nicht passen, da er im Unterschied zur Markusdarstellung bei Matthäus die Würde Jesu besonders vollkommen umschreibt."[350] Vgl. besonders 16,20 im Unterschied zu Mark 8,30, wo Matthäus die Zweideutigkeit des Markus beseitigt; von elf Stellen mit absolutem *ho christos* sind nur vier von Markus übernommen, und die restlichen sieben scheinen redaktionell zu sein.[351]

Auch das Markus wichtige Motiv des Sehens wird hier gestrichen; dagegen wird das Glauben durch den Zusatz *ep' auton* stärker an die Person Jesu gebunden[352] (vgl. auch 18,6 *eis eme*).

Vers 43 fügt Matthäus einen neuen dritten Spottsatz hinzu. Hier wird deutlich mit einem Schriftanklang LXX-Ps 21,9 aufgenommen. Dabei hat Matthäus den Eingang nicht nach der Septuaginta (*ēlpisen epi kyrion*); *pepoithen* findet sich Jes 36,5; 2 Par 16,7;[353] das Perf. II zu *peitho* findet sich bei Matthäus nur hier,[354] doch will das nicht allzuviel heißen, da Matthäus das Verb nur noch zweimal im transitiven Sinn verwendet. Abweichend ist auch das *ei* statt *hoti*, doch könnte das auch eine kontextgemäße Änderung sein, wie es bei dem Zusatz *nyn* sicher der Fall ist. Darum muß Matthäus hier nicht auf den masoretischen Text zurückgehen,[355] sondern könnte, falls nicht auch die Änderung des Anfangs von ihm stammt, eventuell von einer Fassung gerade dieses Leidenspsalms, die in seiner Gemeinde abweichend von der Septuaginta in Gebrauch war, abhängig sein.

347 R. Hummel 22.
348 Ebd., 15 f.
349 G. Strecker, Weg 115.
350 J. Schreiber 52.
351 R. Hummel 112 f.
352 Das geläufige *eis* einiger Lesarten ist hier sekundär, ebenso der eine Dat. in westlichen Texten und im Reichstext *epi* mit Dat.
353 E. Klostermann, Matth. 223.
354 G. Strecker, Weg 28 A. 13.
355 A. Schlatter, Matth. 781; G. Strecker, Weg 28 möchte darum dies einer vormatthäischen Weiterbildung der Tradition zurechnen, da Matthäus in der Regel der Septuaginta folgt, doch ist das nicht sicher.

Im Nachsatz wird der Gottessohntitel nach Vers 40 wiederholt und als Selbstaussage Jesu gekennzeichnet, womit klar auf 26,63 Bezug genommen ist. Möglicherweise ist diese Verbindung auch vom Alten Testament her inspiriert, so daß damit ein zusätzlicher Schriftanklang an Sap 2,18 beabsichtigt ist: *ei gar estin ho dikaios hyos theou... rysetai auton* (vgl. auch V. 13).[356] Jedenfalls müssen die jüdischen Autoritäten gegen ihre Absicht die Wahrheit über Jesus sagen.[357] Sachlich bedeutet der Zusammenhang: Nicht der Wundererweis, sondern der vertrauensvolle Gehorsam auch im Leidensweg erweist Jesus als den Sohn Gottes.

Vers 44 erweitert Matthäus, indem er *hoi lēstai* wiederholt und nicht nur die Tatsache ihres Spotts berichtet, sondern ihn mit dem Spott der jüdischen Autoritäten inhaltlich identisch sein läßt: *to d' auto*; dies kann neben dem Akk. der Person hier eher Obj.Akk. der Sache sein oder aber adverbiell für *hōsautōs* stehen („ebenso, in gleicher Weise").[358]

Vers 45 wird stilistisch geglättet, indem der Beginn der Finsternis redaktionell mit *apo de* eingeleitet wird. Damit wird wie 26,29 (über Mark 14,29 hinaus) die Entsprechung *apo – heōs* hergestellt (redaktionell auch 1,17; 11,12; übernommen in 24,21). Die Ersetzung von *holēn* durch *pasan* zeigt die matthäische Bevorzugung von *pas* an.

Vers 46: *peri* macht die Stundenangabe zu einer ungefähren (vgl. 20,3.5. 6.9);[359] dies zeigt ebenso wie die Streichung von Vers 25, daß Matthäus sich noch weiter als Markus vom apokalyptischen Sinn des Stundenschemas entfernt und die Zeitangaben historisierend versteht.

Dazu stimmt, daß Jesu Schrei jetzt als ein Aufschrei, *aneboēsen* (neutestamentliches Hapaxlegomenon),[360] bezeichnet und typisch matthäisch mit *legōn* (112mal)[361] eingeleitet wird. Dabei ist die Verbindung *anaboao fone megale* wieder deutlich eine Formulierung im Septuaginta-Sprachgebrauch: 1 Regn 28,12 und Jdth 7,23 wird ein Vorwurf so eingeleitet, doch 3 Makk 5,51 ein flehentliches Bittgebet in Todesnot und Bel 41 (Theodotion) sogar ein Jubelgebet. Matthäus verstärkt hier also offenbar durch die Umstilisierung der Redeneinleitung den Gebetscharakter der Worte.

Der aramäische Wortlaut des Gebets Jesu[362] bei Markus wird von Matthäus teilweise hebraisiert. Dabei dürfte eine doppelte Tendenz am Werke sein. „Der Gekreuzigte bedient sich der Tora im Original. Das Nachfolgende wird so

---

356 E. Klostermann, Matth. 224.
357 E. Lohmeyer, Matth. 391; R. Hummel 116.
358 Bl-Debr 154; E. Klostermann, Matth. 223.
359 E. Klostermann, Matth. 224; J. Finegan 32.
360 Bauer WB 101; das Simplex bei B ist sekundäre Angleichung an Markus.
361 A. Schlatter, Matth, 16f.; G. Barth, Matth. 129 A. 2.
362 Die von Nestle/Aland und Huck/Lietzmann gebotene Lesart ist die bestbezeugte.

plausibler": Eli ist leichter mit Elia zu verwechseln.[363] Die Zitatübersetzung wird wie Vers 33 gekürzt und heißt hier nur kurz *tout' estin.*

Die griechische Übersetzung des Zitats hat geringe Änderungen erfahren. Während man *hinati* als Angleichung an den Text des LXX-Psalms beurteilen könnte, fällt doch auf, daß Matthäus andererseits gegen den Septuagintatext *me* voranstellt. Ebensowenig wird der Vokativ *thee*[364] durch den Septuagintatext gedeckt. Die matthäische Intention muß hier also auch in eine andere Richtung gehen. Diese wird erkennbar, wenn man sieht, daß Matthäus in der Gethsemane-Perikope 26,39 gegenüber Mark 14,36 dieselbe Änderung vorgenommen hat: Die Gebetsanrede ist aus dem Nom. in den Vokat. transponiert. Außerdem ist redaktionell *mou* hinzugesetzt, und beides ist durch die redaktionelle Wiederholung 26,42 betont. Außerdem ist dort ebenfalls zu beobachten, daß das Personalpronomen (*ap' emou*) vom Schluß des Satzes weg nach vorn gezogen ist. Damit ist deutlich, daß Matthäus – wie schon aus der geringfügigen Umstilisierung in der Einführung der Gebetsworte hervorging – hier das Gewicht auf die Worte als Gebetsworte legt. Der Ton liegt bei Matthäus in besonderer Weise auf der Anrede.[365] Bedenkt man weiter dazu, daß das Gethsemanegebet die Anrede *patēr* betont mit dem redaktionellen Zusatz *mou* formuliert, so bekommt auch das hier doppelt übernommene *mou* einen neuen Akzent; denn *ho patēr mou* ist für die matthäische Christologie eine gewichtige Wendung. Von 16 Stellen sind 15 deutlich redaktionell.[366] Dieses „mein Vater" steht in deutlichem Zusammenhang mit dem Titel Sohn Gottes bei Matthäus.[367] Wenn nun gerade dieser Titel zweimal dem matthäischen Kreuzigungsbericht zugesetzt wurde, so ist auch das Gebet bei Matthäus in dem Zusammenhang zu verstehen: Der hier betet, ist der Sohn als der sich vertrauensvoll an Gott Haltende. Nicht indem er der spottenden Aufforderung der Vorbeigehenden und der Volksführer nachkommt und vom Kreuz herabsteigt, um so seine göttliche Macht zu beweisen, ist er Gottes Sohn, sondern indem er, Gottes Willen tuend, den Leidensweg in betender Verbindung mit Gott geht, ist er der Sohn Gottes. „Der Sohn hält auch dann noch Glauben, wenn Glaube sinnlos geworden zu sein scheint und die irdische Wirklichkeit den abwesenden Gott kund-

363 J. Schreiber 52; vgl. J. Finegan 33; E. Lohmeyer, Matth. 393 A. 1; das bestreitet G. Strecker, Weg 27 zu Unrecht, indem er darauf verweist, daß *eli* auch als hebräisches Lehnwort im Aramäischen möglich ist. Er möchte so die Umformulierung der vormatthäischen Weiterüberlieferung zuschreiben. Doch ist die redaktionelle Tendenz des Evangelisten klar ersichtlich.

364 Bl-Debr 54,2.

365 E. Käsemann, Gegenwart 6.

366 F. Hahn, Hoheitstitel 321; nur Matth 11,27 (= Luk 10,22) ist übernommen.

367 Wenn G. Strecker, Weg 125 meint, daß der Gottessohntitel bei Matthäus keine besondere Bedeutung habe, so verkennt er auch den sachlichen Zusammenhang mit der Wendung „mein Vater".

tut."[368] Der Sohn Gottes ist der, der alle Gerechtigkeit betend und handelnd erfüllt (vgl. 3,17 mit Vers 15!).

Vers 47 wird das typisch markinische *parestēkōtēs* (die Umstehenden, Anwesenden, Zuschauer) wie 26,51.71.73; 27,54 vermieden[369] und wie 26,73 in das Simplex versetzt, wohinzu noch das typisch matthäische (vgl. V. 36) *ekei* tritt (vgl. auch 26,71).[370] Eventuell soll durch den Gebrauch von *ekei* hier mit Vers 36 ein enger Bezug hergestellt werden; dann wären damit die römischen Soldaten gemeint;[371] doch diese sitzen nach Vers 36; eher dient *ekei* aber nur der anschaulicheren topographischen Gestaltung und Gliederung, da Vers 55.61 auch die Frauen mit *ekei* eingeführt werden.

In der wörtlichen Rede läßt Matthäus das einleitende *ide* aus, fügt aber das *hoti*-rezitativum ein, was er 30mal tut;[372] *houtos* wird wie Vers 37 zur Verdeutlichung hinzugesetzt, eventuell nach semitischem Sprachgebrauch;[373] damit wird wieder stärker auf Jesus selbst hingewiesen.

Vers 48 wird mit der matthäischen Formulierung *kai eutheōs* (was Markus nie gebraucht) eingeleitet (vgl. 26,49). Auch sonst wird die Szene durch Erweiterungen anschaulicher gemacht. Der Laufende (Mark: *tis*) wird zu *heis ex autōn*. *Gemizein* wird hier wie 8,24 (gegen Mark 4,37) nicht übernommen und so von Matthäus überhaupt vermieden; dagegen wird es wie 22,10 gegen Luk 14,23 Q in *pimplēmi* abgeändert. Neben *plēsas* ist auch das vorbereitende *labōn*, ein matthäisches Vorzugswort, zugefügt. Sonst bleibt die markinische Formulierung einschließlich der Anspielung auf LXX-Ps 68,22 erhalten.

Vers 49 wird das markinische *legōn* durch *hoi de loipoi eipan*[374] ersetzt. Während also Markus „den tränkenden Soldaten selbst reden läßt..., sind es bei Matthäus seine Kollegen".[375] Auch der Anfang der Rede selbst wird ein wenig verändert: *afes* statt *afete;* während bei Markus der Tränkungswillige seine Handlung damit begründet, könnten die Worte hier, da sie ja von den anderen zu dem Soldaten, der Jesus tränken will, gesprochen sind, auch mit dem Sing. als Behinderung gemeint sein (Laß es sein, wir wollen doch sehen...).[376] Wahrscheinlicher aber ist damit ihre Zustimmung ausgedrückt:

---

368 E. Käsemann, Gegenwart 6.

369 E. Klostermann, Matth. 212.

370 D und Reichstext haben hier sekundär das Part. des Aor.

371 So J. Schreiber 52.

372 E. Klostermann, Matth. 20.

373 Ebd., 224 nach M.-J. Lagrange.

374 Diesen seltenen schwachen Aor. ersetzen westliche Lesarten durch den geläufigen starken, andere Zeugen durch das Impf.

375 E. Klostermann, Matth. 224.

376 So W. Grundmann, Matth. 560 f.; J. Schreiber 52: In ihrer Wundersucht gönnen sie Jesus „nicht einmal den Essigtrank"; dagegen E. Klostermann, Matth. 224.

„Laß uns sehen"; denn *afes* ist eine „erstarrte Singularform", die auch vor die 1. Pers. des Konj. treten kann (vgl. 7,4 = Luk 6,42 Q).[377]

*Kathelein* hat Matthäus durch *sōsōn*[378] ersetzt und damit die markinische Betonung des Katabasis-Motivs nicht aufgenommen. Dagegen stellt er hier durch den Rückgriff auf das dreifache *sōzein* von Vers 40.42 diesen Begriff als stärker betont heraus (vgl. V. 43 *rysasthō*), was um so wichtiger ist, als dieses Verb dort ja mit dem für Matthäus wichtigen Gottessohntitel verbunden ist.[379]

Vers 50: Matthäus lockert die ihm zu ungefüge Markus-Darstellung weiter auf und historisiert, indem er den Schrei in seiner wiederholten Erwähnung Mark 15,37 deutlich als einen zweiten Schrei versteht (*palin kraxas*). Mit *krazein* interpretiert er ihn klar als Gebetsschrei, wie aus dem besonderen matthäischen Sprachgebrauch von *krazein* hervorgeht. Matthäus hat das Wort 12mal (Markus dagegen 10mal, Lukas nur 3mal, wovon zwei Stellen aus Markus übernommen sind). Das ist rein numerisch noch kein besonders augenfälliges Ergebnis. Doch ergibt eine neue genauere Nachprüfung, daß Matthäus gerade dreimal bei den Dämonenschreien (Mark 3,11; 5,5; 9,26) streicht und nur Mark 5,7 als einzige Stelle dieses Sachzusammenhangs in 8,29 beibehält, allerdings bezeichnenderweise an dieser Stelle wenigstens *fōnē megalē* streicht. Weiter wird er einmal bei der Forderung der Menge nach der Kreuzigung aus Mark 15,13 gestrichen und wiederum nur bei der Wiederholung Mark 15,14 in Matth 27,23 stehengelassen. Stehen blieb als dritte negativ aufzufassende Stelle 14,26 das Wort als Ausdruck der Furcht der Jünger beim Seewandel. Doch indem hier aus dem Aufschrei der Jünger (*anakrazein* Mark 6,49) durch Abwandlung in das Simplex ein Schrei geworden ist, der kurz danach 14,30 redaktionell zur Einleitung des Gebetsrufes des sinkenden Petrus benutzt wurde (Herr, rette mich), so ist damit die matthäische Tendenz der Begriffsverwendung angedeutet: Er gehört zur Gebetssprache des ersten Evangelisten. In gleicher Funktion wurde dieser Begriff noch dreimal von Matthäus in Eigenformulierungen zugesetzt: 9,17 (in redaktioneller Vorwegnahme von 20,30 f.); 15,22 f. (gegen Mark 7,25): Herr (Sohn Davids), erbarme dich mein (unser). Damit wird ein bei Markus nur angedeuteter Sprachgebrauch, der dort nur eine Sinngebung unter anderen war, bei Matthäus zur beherrschenden Sinndeutung gemacht. Bei Markus war nur 9,24 der Bittruf des Vaters (von Matthäus mit dem ganzen Zusammenhang ausgelassen) und 10,47 f. der Bittruf des Blinden (Matth 20,30 f.

---

377 Bl-Debr 364,2, vgl. E. Klostermann, Matth. 224; E. Lohmeyer, Matth. 394 A. 2.

378 Das finale Part. des Fut. ist eine seltene, korrekt attische Konstruktion, die sich im Neuen Testament außer bei Lukas nur hier findet (Bl-Debr 418,4) und darum verständlicherweise in *sozon, sosai* oder *kai sosei* abgeändert wurde (E. Lohmeyre 394 A. 2).

379 Der Zusatz V. 49b, den Sinaiticus, Vaticanus und Ephraemi bezeugen, ist sekundär aus Joh 19,34 eingefügt, „hier freilich sehr verwunderlich, da Jesus ... noch lebt" (E. Klostermann, Matth. 224; E. Lohmeyer, Matth. 394 A. 2).

als unverkürzte Doppelung aufgenommen) so eingeleitet. Ähnlich war bei Mark 11,9 der Jubelruf Hosianna mit *krazein* eingeleitet; Matthäus hat dies 21,9 übernommen und 21,15 in bezug auf die Kinder im Tempel redaktionell wiederholt. Sieht man also, daß bei Markus von zehn Stellen nur vier (in drei Texten) als Gebet verstanden sind, bei Matthäus dagegen von zwölf Stellen bisher acht diesen Sinn aufweisen, so wird man aus diesem Gefälle heraus auch die redaktionelle Formulierung 27,50 im Sinne des Matthäus eindeutig als Gebetsruf Jesu zu verstehen haben. Darauf deutet hier nun auch gerade das *palin*, das ja auf den inhaltlich gefüllten und damit eindeutigen Gebetsruf Vers 46 zurückverweist: Jesus betet zum zweiten Male und stirbt betend. Daß hier der Gebetsinhalt nicht bezeichnet ist, entspricht dem dritten Gebetsgang in Gethsemane (26,44), den Matthäus auch selbst geschaffen hat. Gerade in diesem Vers findet sich nun aber ebenfalls ein doppeltes *palin*, wie es hier auch begegnete. So deutet auch dieses Wort darauf hin, daß hier wie dort das wiederholte Gebet betont gemeint ist. Es handelt sich also nicht nur um eine kleinere Abweichung und Verdeutlichung oder Verbesserung des Matthäus,[380] sondern um eine theologische Deutung. Wie Jesus das wiederholte, intensive Gebet betont geboten und seine Erhörung verheißen hat (7,7–11, vgl. 6,5 ff.9 ff.; 18,19), so bewährt er sich selbst als der Betende. In diesem Sinne ist die Leidensgeschichte im Sinne des Matthäus auch hier ein Stück praktizierter Bergpredigt. Der sie geboten hat, erfüllt sie selbst vorbildlich.

Der Tod Jesu wird bei Matthäus mit *afēken to pneuma* „rationaler ausgedrückt als in Mark 15,37"[381] und wohl auch hier noch stärker als Handlung Jesu empfunden und dargestellt. Diese Wendung findet sich im Neuen Testament nur hier! Dabei wird *pneuma* rein anthropologisch als Lebenskraft verstanden;[382] die Bezeichnung *afienai tēn psychēn*, den Geist aufgeben, findet sich seit Herodot (4,190) und Euripides (Hecuba 571 *pneuma*; Orestes 1171 *psychēn*) öfter und ist auch in die Septuaginta übergegangen (Gen 35,18; 1 Esra 4,21), und Josephus bezeugt sie mehrfach (Ant 1,218; 14,369; 12,430; Bell 2,153);[383] ähnlich kann es dafür auch *apedōken* heißen (IV Makk 12,19) vom Martyrium

380 So E. Klostermann, Matth. 224; J. Schmid, Matth. und Luk. 162.

381 J. Schreiber 52.

382 E. Schweizer, ThW VI, 394,18; 451,13 f.

383 Bauer WB 250; A. Schlatter, Matth 783, vgl. 751; E. Lohmeyer, Matth 395 A. 1; darum ist W. Grundmanns Interpretation „er *über*gab den Geist" (Matth 561) eindeutig eine Überinterpretation. Sie trifft eher die johannäische Fassung *paredoken to pneuma* Joh 19,30; schon E. Lohmeyer, Matth 395 hatte Matthäus in dieser Richtung interpretiert, allerdings nicht wie Grundmann vom Sprachgebrauch des Sterbens, sondern vom Schrei her, was aber nach der hier gegebenen Darstellung ebenso nicht als matthäisch anzuerkennen ist.

des jüngsten der sieben Brüder: „Nach diesem Gebet stürzte er sich selbst in die Pfanne und gab seinen Geist auf."[384]

Vers 51: Matthäus leitet das Zerreißen des Tempelvorhangs mit der für ihn typischen Demonstrativwendung *kai idou* (32mal, bei Markus nie in Erzählungstexten)[385] ein (vgl. 28,2.9), doch steht bei ihm dieses apokalyptische Ereignis nicht allein, sondern wird Vers 51b–53 erweitert durch sieben weitere Einzelzüge: das Erbeben der Erde, das Zerspringen der Felsen, die Öffnung der Gräber, die Erweckung der Leiber der Heiligen, deren Herausgehen aus den Gräbern, ihr Einzug in die heilige Stadt und ihre Erscheinung vor vielen.

Weil das Öffnen der Gräber und das Herausgehen einen altertümlichen Eindruck macht[386] und Matthäus Vers 53 ihr Herausgehen aus den Gräbern und ihr Hineingehen in die Stadt mit der Auferweckung Jesu am dritten Tage umständlich verbinden muß – die Auferweckten sind danach drei Tage in den Gräbern, ehe sie aus ihnen heraus- und in die Stadt hineingehen –,[387] so ist deutlich, „daß wir es mit einer gesonderten Tradition zu tun haben, die Matthäus nur mühsam mit seiner Leidensgeschichte verbinden kann, weil sie ursprünglich nicht in die Leidensgeschichte des Evangeliums, wie es uns vorliegt, gehört".[388] Man hat darum in der Wendung *meta tēn egersin autou*[389] eine interpretierende Glosse späterer Leser sehen wollen.[390] Nun ist wohl *egersis* neutestamentliches Hapaxlegomenon, doch bevorzugt Matthäus das Verb *egeirein* nicht nur überhaupt (36mal, vgl. Markus 19mal, Lukas 18mal), sondern auch zur Bezeichnung der Auferstehung Jesu (vgl. die drei Leidensweissagungen 16,21; 17,23; 20,19 gegen Markus, der *anistanein* hat). Auch temporales *meta* mit Akk. findet sich in matthäischen Eigenformulierungen (1,12; 25,19; 27,62 f.; während er darin 17,1; 24,29; 26,2.32.63 Markus folgt). Man muß darum wohl *meta ten egersin autou* als redaktionellen Zusatz des Evangelisten ansehen.[391] Matthäus, der zeitlich und szenisch gliedert, unternimmt hier einen Ausgleich, der die zeitliche Vorordnung der Auferweckung Jesu festhält. Auch darüber hinaus dürfte Matthäus hier gestaltend am Werke sein. Als matthäische Eigentümlichkeit fällt die unsemitische Voranstellung des attributiven Adj. auf,

384 Vgl. W. Bieder, ThW VI, 367,9; während der ursprüngliche Sinaiticus und der Alexandrinus hier absolutes *apodidonai* haben, fügen die meisten Handschriften *ten psychen* hinzu und eine Korrektur des Sinaiticus auch *to pneuma*.

385 J. Schmid, Matth und Luk 78.

386 G. Bertram 91.

387 Ebd.; E. Klostermann, Matth 225.

388 H. W. Bartsch, Aufsätze 85.

389 Die Lesart *autōn* wie die Auslassung des Pron. sind textlich sekundäre Glättungen; E. Klostermann, Matth 225.

390 So Weiß/Bousset 384; E. Lohmeyer 395 A. 2, 396; auch E. Klostermann, Matth. 225; A. Oepke, ThW II, 336,41 f.; W. Grundmann, Matth 563 tendieren in diese Richtung.

391 J. Schreiber 53 A. 17; vgl. R. Walker 72 f.

die sich Vers 52 f. dreimal findet[392]: zunächst Vers 52 vor dem undeterminierten Nomen *polla sōmata* (vgl. 9,10; 10,31; 13,17; 14,14; 24,11), dann Vers 53 beim determinierten Nomen *tēn hagian polin* (= 4,5, vgl. 9,1) und ebenso schließlich mit einem adjektivisch gebrauchten Part. Vers 52 *tōn kekoimenōn hagiōn* (*koimasthai* hat Matthäus nur noch 28,13 redaktionell; Markus nie, Lukas nur 1mal).

Frei von solchen redaktionellen Zügen sind die ersten drei der sieben Glieder in Vers 51b.52a. Hier liegen kurze und knappe Sätze vor, die ganz analog gebaut sind (Konjunktion, Artikel, Substantiv, Verb):

(1.) *kai hē gē eseisthē*

(2.) *kai hai petrai eschisthēsan*

(3.) *kai ta mnēmeia aneōchthēsan*

Hat man die matthäische Bearbeitung des folgenden vierten Gliedes Vers 52b erkannt und sieht man diesen Satz in Analogie zu den drei vorangegangenen Gliedern, so ergibt sich als Grundbestand der Tradition der Satz:

(4.) *kai (ta) sōmata ēgerthēsan.*

Der Form nach müßte *polla* durch den Artikel ersetzt werden; es stößt sich auch in der gebundenen Formulierung der Tradition mit *pollois* im siebenten Glied. Die sprachstatistische Häufigkeit der Vokabel zeigt keine Besonderheiten.

Diese vier Sätze stehen in einem deutlichen Sach- und Abfolgezusammenhang. Die ersten drei Ereignisse zielen auf das vierte, die Auferstehung der Leiber[393]: Die Erde erbebt; daraufhin zerspringen die erschütterten Felsen; nach 27,60 sind Gräber in die Felsen gehauen; das Öffnen der Gräber ist also die Folge der Felsbrüche. Damit sind die Voraussetzungen für die apokalyptische Totenauferweckung von Gott her erfüllt und eingeleitet.

Auffallenderweise folgen nun wieder drei Glieder, die ebenso deutlich als Folge der Auferweckung von dieser her bestimmt sind. Während in den ersten vier Gliedern passivisch das Handeln Gottes betont war,[394] so stehen im fünften bis siebenten Satz die Auferweckten selbst als die Handelnden da. In dieser Dreiergruppe ist in der Anordnung das Verb vorangestellt und ihm jeweils ein Objekt nachgeordnet.

In der fünften Zeile fällt die partizipiale Formulierung des Verbs aus dem Rahmen heraus. Da sie aber offensichtlich durch den matthäischen Zusatz „nach seiner Auferweckung" bedingt ist, so dürfen wir hier für die Tradition eindeutig ein Verb. finit. voraussetzen:

(5.) *kai exēlthon ek tōn mnēmeiōn.*

Im sechsten Glied fehlt das sonst immer einleitende *kai*. Es dürfte aber in

392 A. Schlatter, Matth 105 bietet 46 Belege, von denen über 20 auf Anhieb als redaktionell zu erkennen sind.

393 E. Lohmeyer, Matth 396 A. 1; R. Walker 72.

394 E. Lohmeyer, ebd., 395; R. Walker ebd.

der Matthäus vorliegenden Überlieferung gestanden haben und im Zusammenhang mit der Veränderung in der fünften Zeile ausgefallen sein: der partizipiale Anschluß machte das *kai* überflüssig. Weiter dürfte das Adjektiv entsprechend der Redaktion der vierten Zeile ebenfalls als sekundäre Erweiterung aufzufassen sein, falls nicht gar *hagian polin* hier den ursprünglichen Namen Jerusalems verdrängt hat:

(6.) *(kai) eiselthon eis ten polin.*

Die Schlußzeile liegt wieder wie der Anfang unabgeändert vor *(emfanizo* ist matthäisches Hapaxlegomenon):

(7.) *kai enefanisthesan pollois.*

Überblickt man das ganze Stück, so hat man einen offensichtlich in sich geschlossenen Siebenzeiler vor sich, der in sich klar aufgebaut und gegliedert ist. Im Zentrum steht die Aussage von der Auferweckung der Leiber. Je drei Zeilen führen auf diese Aussage hin, und drei weitere kommen von ihr her. Auf die rhythmische Fügung des Stückes hat schon E. Lohmeyer aufmerksam gemacht,[395] doch vermutete er infolge einer unvollständigen Analyse hier zwei Strophen mit je drei Gruppen, die jeweils aus einem längeren Satz mit drei oder vier Hebungen und aus einem Kurzsatz mit zwei bestehen. Doch besteht die rhythmische Fügung offenbar darin, daß jede Zeile gleichmäßig zwei Hebungen aufweist, wenn man von den Art. und der Konj. *kai* absieht. Das könnte auch auf ein hebräisches Original zurückweisen. Auf jeden Fall dürfte hier ein jüdisch-apokalyptisches Lied vorliegen, das die endzeitliche Auferweckung der Toten beschreibt. Ob es sich dabei nur um die Frommen handelt, ist nicht erkennbar. Einen besonderen christlichen Einschlag weist dieses Lied nicht auf, doch könnte Matthäus es natürlich auch aus einer judenchristlichen Tradition her überkommen und aufgenommen haben.

Der religionsgeschichtliche Ort dieser Tradition läßt sich noch genauer bestimmen. Am untersten Fries der Nordwand der Synagoge von Duras-Europos (um 250 n. Chr.) findet sich ein Auferstehungsbild. Bei allen Schwierigkeiten der Deutung „ist völlig unzweifelhaft, daß hier die Schau der Wiederbelebung der Toten von Ez 37 dargestellt werden soll".[396] Dabei weist der gespaltene Berg auf ein Erdbeben (Ez 37,7 f.); ihm folgen Wiederbelebung der Toten und Einzug in das Heilige Land. Nach späterer rabbinischer Anschauung (Sanh

395 E. Lohmeyer, ebd., 395 A. 1.

396 W. G. Kümmel, Die älteste religiöse Kunst der Juden, Judaica 2, 1946, 1–56, 51 (ders., Heilsgeschehen und Geschichte 123–152, 149); ferner R. Meyer, Betrachtungen zu drei Fresken der Synagoge von Duras-Europos, ThLZ 74, 1949, 29 ff., vor allem 35–38; H. Riesenfeld, The Resurrection in Ez. 37 and the Duras-Europos-Painting; die Darstellung bei Kümmel an beiden Stellen, jetzt nach E. R. Goodenough, Jewish Symbols; ein Ausschnitt auch RGG³ II, Tafel 9,2 nach Spalte 288; der Bildband von J. Leipoldt-W. Grundmann, Umwelt III, enthält leider keine Einzeldarstellung dieses Bildes.

92b) hat Ezechiel selbst eine Auferweckung wirklich vollzogen;[397] das ist auch hier vorausgesetzt, doch soll dadurch, daß der Prophet am Ende mit den Auferweckten gleichgestaltet ist, zugleich auf die endzeitliche Totenerweckung hingewiesen werden. Nun hat H. Riesenfeld auf die mehrfachen Übereinstimmungen zwischen Matth 27,51b–53 und der Auferstehungsdarstellung nach Ez 37 in Duras-Europos hingewiesen.[398] Da der ursprüngliche Prophetentext nicht eine Totenauferstehung im Blick hat, so dürfte hier bei Matthäus ein wichtiges Bindeglied zwischen Ez 37 und der Duras-Europos-Darstellung vorliegen, die bezeugt, daß schon im ersten Jahrhundert die Ezechiel-Vision auf eine wirkliche Totenauferstehung hin gedeutet worden ist.

Die Vermutung, daß dieses Stück von der vierten bis zur letzten Zeile hin ursprünglich singularisch formuliert war und sich auf Jesus bezog, so daß hier ein altes christliches Osterlied vorliegen würde, ist eine zu kühne Konstruktion und angesichts der aufgewiesenen Zusammenhänge mit Ez 37 überflüssig. Gegen die Annahme W. Trillings, daß das „Fragment eines alten Osterberichtes" vorliege,[399] spricht die aus dem Text gewonnene Analyse eines rhythmisch stilisierten Stückes, also offenbar eines Liedes. Immerhin ist die Nähe zur matthäischen Ausformung der Geschichte vom leeren Grab unverkennbar: Die Erde erbebt (28,2); das Grab im Felsen (27,60) wird geöffnet. Jesus geht heraus und erscheint den Frauen (28,9), die schon vom Grabe weg eilig auf die Stadt zu gelaufen sind (V. 8). Daneben sind aber auch die Unterschiede zu beachten: Der Engel öffnet das Grab, nicht das Erdbeben; dieses ist nur eine Folge der Engelerscheinung. Nicht nur die Erde, sondern auch die Wächter erbeben. Die Auferweckung Jesu wird hier sowenig wie sonst im Neuen Testament erzählt, sondern nur seine Erscheinung. Doch daß hier Zusammenhänge und Abhängigkeiten bestehen, ist unverkennbar. Sie dürfen nur nicht dahin gedeutet werden, daß die Matth 27,51b–53 zugrunde liegende Tradition ein christliches Osterlied sein müsse. Vielmehr ist anzunehmen, daß Matthäus einen apokalyptischen Hymnus hier direkt wie dort indirekt benutzt, um sowohl den Tod Jesu als auch seine Auferweckung apokalyptisch zu beschreiben und zu deuten.

Daß dieses Sondergutstück klar apokalyptisch bestimmt ist, ist nicht zu bestreiten. Damit aber entfällt die Deutung, daß es sich um „Prodigien" handele, wie sie „dem heidnischen Altertum" bekannt seien[400] und mit denen die christ-

---

397 Bill. I, 888.

398 A. a. O., 11; zustimmend N. A. Dahl, NTSt 2, 1955/56, 28 A. 1.

399 W. Trilling, Christusverkündigung 196.

400 So E. Klostermann, Matth. 225 mit Verweis auf Vergil, Georg I, 47, 5 (Erdbeben beim Tode Caesars), Dio Cassius 51,17,5 (Erscheinen von Totenbildern vor der Einnahme Alexandrias durch Vespasian), Ovid, Met. 7,205: „Ich bewege Wälder und befehle den Bergen zu erbeben und dem Boden zu dröhnen und den Verstorbenen aus den Gräbern zu gehen."

liche Gemeinde „der herrschenden Welt- und Geschichtsbetrachtung ihren Tribut" entrichte.[401] Erdbeben und Totenauferstehung sind nicht Zeichen und Naturwunder im Sinne volkstümlicher Erzählkunst,[402] sondern die Ereignisse des Endgeschehens, worauf vor allem ihr Zusammenhang hier weist.[403] Von der „mißglückten Einschaltung einer verwilderten Tradition"[404] sollte man also nicht reden. Damit hätte man sich die Aufgabe der Matthäusinterpretation zu leicht gemacht. Vielmehr soll, wie E. Lohmeyer richtiger, wenn auch noch nicht zureichend und befriedigend, formuliert hat, hier „die eschatologische Macht dieses Todes" offenbart werden.[405]

Doch in welchem konkreten Sinne werden Tod und Auferweckung Jesu bei Matthäus eschatologisch verstanden? Daß Beziehungen vorliegen, ist unverkennbar. Daß Matthäus aber die apokalyptisch-gnostizierende Deutung des Todes Jesu gemäß der zweiten vormarkinischen Kreuzigungstradition vertritt, ist nicht wahrscheinlich, da er die bei Markus noch erkennbaren Züge dieser Tradition nicht aufgreift, sondern weiter abschwächt. Darum ist H. W. Bartsch hier nicht zu folgen, wenn er meint, Matthäus verstehe die „Leidensgeschichte als Teil des Endgeschehens" in dem Sinne, daß er sie auf die „mit dem Sterben Jesu beginnende Parusie" hin interpretiere.[406] Das dürfte nicht exakt der Eschatologie des Matthäus entsprechen, der die Parusie nach Kap. 24 „rein zukünftig denkt".[407]

Doch noch weiter ist in der von H. W. Bartsch angedeuteten Richtung W. Schmauch gegangen.[408] Ausgehend von der richtigen Beobachtung, „daß die Passionsgeschichte und die sich anschließenden Osterberichte ein der apokalyptischen Rede zugeordnetes Geschehen bilden",[409] kommt er nach der Herausstellung der vergleichbaren Einzelzüge zu der Wertung, daß Matthäus „die Parusie ... möglicherweise als schon geschehen angesehen" habe und „daß die Bindung der Rede von den letzten Dingen an das Passions- und Ostergeschehen eine ‚Ent-Apokalyptisierung' dieser" Rede bedeute „zugunsten einer Eschatologisierung".[410] Gegen diese Interpretation erheben sich nun aber die gleichen Bedenken wie gegen die Interpretation der matthäischen Leidens- und Oster-

---

401 So G. Bertram, Leidensgeschichte 91.

402 Gegen Finegan 33; R. Bultmann, Tradition 296; W. Grundmann, Matth 561 f.

403 So mit Recht E. Lohmeyer, Matth 396 A. 1; H. W. Bartsch, Aufsätze 85 f.; J. Schreiber 53 f.

404 So E. Haenchen 531 A. 9.

405 E. Lohmeyer, Matth 395.

406 H. W. Bartsch, Aufsätze 83, 86.

407 Vgl. J. Schreiber 54 A. 18 gegen Bartsch; auch K. M. Fischer 117.

408 W. Schmauch, Die Komposition des Matthäusevangeliums, in: Zu achten aufs Wort, 64–87, besonders 78–83.

409 Ebd., 78.

410 Ebd., 80.

geschichte durch H. W. Bartsch: Ist die hier unbestreitbar vorliegende Bezugnahme auf die apokalyptischen Aussagen wirklich im Sinne einer so festen und ausschließlichen „Bindung" zu verstehen, daß ihr Absolutheitscharakter zugesprochen werden könnte? Dagegen spricht, daß gerade auch das von W. Schmauch betonte Vollmachtswort 28,18b, das keine Überbietung zuzulassen scheint (alle Gewalt im Himmel und auf Erden!), am Schluß Vers 20 immer noch den Hinweis auf die zukünftige *synteleia tou aiōnos* hat.[411] Die bevorzugte Rolle, die der Endgerichtsgedanke gerade bei Matthäus spielt,[412] erlaubt es nicht, ihm eine Entapokalyptisierung im Sinne einer Abschwächung der Zukunftserwartung zugunsten einer schon geschehenen Heilsvollendung zuzusprechen. Denn Matthäus kennt im Gegenteil keine spezifisch präsentische Eschatologie.[413]

Immerhin ist klar – soviel ist festzuhalten –, „daß der Verlauf des Parusiegeschehens den Ablauf der Ereignisse in 27,51–53 bestimmt".[414] Die Folge des Todes Jesu ist einerseits Gericht über Israel, wie sich am Tempel erweist (V. 51a, vgl. 23,38 Q: Euer Haus wird euch überlassen werden!), andererseits Heil, wie sich an der Auferweckung der Heiligen (matthäischer Zusatz!) erweist. Hier soll darauf verwiesen werden, daß Jesus der ist, der beides auch universal im Endgericht tun wird, gerechtsprechen und verfluchen (25,31 ff.). Der hier stirbt, ist demnach kein anderer als der künftige Weltenrichter. Darum wird wohl eine „andeutende Vorwegnahme des Parusiegeschehens"[415] von Matthäus formuliert, und aus dem gleichen Grunde geschieht eine „Parusie in nuce" (ebd.) auch in der Geschichte vom leeren Grab: Das Gericht ergeht über die Wächter, die vor Gerichtsfurcht beben und wie tot sind (28,4), die Frauen aber erfahren Freude (28,8 f.). Es geschieht also keine eschatologische Erfüllung, sondern eine Prolepse im strengen Sinn, eine Vorwegnahme, die die künftige Vollendung um so gewisser machen will. Weil nun beide Ereignisse, Tod und Auferweckung Jesu, je für sich zur betonten Kennzeichnung Jesu als des kommenden Weltenrichters durch „Antizipation des für" Matthäus „heilsentscheidenden Parusiegeschehens"[416] stilisiert werden, es aber für ihn faktisch nur in ihrer Einheit und Verbundenheit sind, darum drückt er dies 27,53 durch den im unmittelbaren Kontext eigenartigen Zusatz aus, daß die erweckten Heiligen erst nach

411 W. Grundmann, Matth. 562 A. 10; dieser Interpretation von Matth 28,18 ist vor allem dadurch ein wesentlicher Grund entzogen, daß A. Vögtle 266–294 eindeutig nachgewiesen hat, daß dort nicht Dan 7,13 f. zugrunde liegt und als durch Ostern christologisch erfüllt angesehen wird (gegen W. Schmauch, a. a. O., 81; E. Lohmeyer, Matth 416 f.). Vögtle hat mit Recht die Zustimmung von G. Bornkamm, Überlieferung und Auslegung 292 A. 3 erfahren.

412 G. Bornkamm ebd., 13 ff.; G. Strecker, Weg 236 ff.

413 P. Stuhlmacher 188.

414 J. Schreiber 54.

415 Ebd.

416 Ebd., 53.

seiner Auferweckung, also nach drei Tagen, aus ihren Gräbern herausgehen und erscheinen, so daß der Anschluß von Vers 54 schwer wird; denn die Bewacher können eigentlich jetzt nur die Ereignisse sehen, die bis Vers 52 reichen. Doch hat Matthäus auch dies mit Bedacht formuliert. Er hält nicht nur die Priorität der Auferweckung Jesu fest, sondern will auch die Ereignisse von Vers 54 mit Bedacht als grundsätzlich nachösterlich aufgefaßt wissen.[417] Ostern hat also im Prolepsis-Gedanken des Matthäus eindeutig das größere Gewicht.

Vers 54 wird das Lehnwort *kentyriōn* durch *hekatontarchos* wiedergegeben (vgl. 8,5.8.13, aus Q übernommen).[418] Das Subjekt wird um *hoi meth' autou tērountes* (vgl. V. 36) zu einer ganzen Gruppe erweitert, wobei wie schon Vers 37 der Jesus-Name betont hinzugefügt wird. Wenn dann weiter gleichzeitig im Prädikationssatz *ho anthrōpos* gestrichen wird, so ist damit nicht nur allgemein auf die Hoheit Jesu gezielt, sondern zugleich deutlich gemacht, daß hier nicht mehr an den Tod des Menschen, sondern an die Zukunft des Menschensohn-Weltenrichters gedacht ist.

Um der Subj.-Erweiterung willen muß *idōn* in den Plur. versetzt werden und ebenso das singularische *eipen,* das Matthäus wieder in sein beliebtes Part. zur Redeneinleitung umformt (vgl. V. 46). Entscheidend nun aber weiter: Als Gegenstand des Sehens ist nicht mehr zentral wie bei Markus der Schrei und der Tod Jesu hingestellt (*ex enantias autou hoti houtōs exepneusen* wird gestrichen!), sondern mit Bezug auf die Erweiterung statt dessen *ton seismon kai ta ginomena* betont Ostern an dessen Stelle gesetzt. Die Reaktion ist nicht vom Tode Jesu, sondern von Ostern her bestimmt.[419] Außerdem ist ihre Hauptreaktion nicht mehr das Wort, sondern die zugefügte Haltung „sie fürchteten sich sehr" (vgl. 28,4 – durch diese Parallele eindeutig negativ als Gerichtsfurcht qualifiziert; *sfodra* ist matthäisches Vorzugswort). Die Worte sind dann aber nur noch Ausdruck der Furcht und kein Bekenntnis mehr.[420] Die Worte nehmen inhaltlich nur das auf, was die Spottenden redaktionell Vers 40 und 43 auch schon sagten, und haben so kein Eigengewicht mehr. „Das für Markus einmalige Bekenntnis zur Gottessohnschaft von 15,39 ist damit gründlich entwertet."[421] Für den Leser soll natürlich dahinterstehen, daß sie ebenso wie die spottenden Juden damit die Wahrheit wider Willen sagen müssen. Für sie selbst aber bedeutet es nur Ausdruck der Furcht vor dem Gericht, wie es an den ersten beiden Stellen Ausdruck des Spotts war. „In den Zeichen des Endes ahnen sie den zukünftigen Weltenrichter und das Gericht, das auf sie, die Gottlosen, zu-

---

417 R. Walker 72 f.
418 J. Schmid, Matth und Luk 162 A. 6.
419 R. Walker 73.
420 Gegen E. Klostermann, Matth 225; E. Lohmeyer, Matth 393, 397; R. Walker 72 f.
421 J. Schreiber 51 f.; ebenso W. Trilling, Christusverkündigung 195.

kommt."[422] Das wird auch daraus deutlich, daß hier bei Matthäus sich nicht mehr Tempelende und Heidenbekenntnis in antithetischer Entsprechung unmittelbar gegenüberstehen, sondern durch die neue Entsprechungsantithese: Tempelende – Auferweckung der Heiligen als Parusiehinweis ersetzt ist und die Reaktion des Hauptmanns und seiner Begleitung neu zugeordnet wird. Für eine negative Wertung der Reaktion ist auch zu bedenken, daß die so Redenden ja die sind, die auch weiterhin bewachen.

Vers 55: Die Doppelung der Frauengruppe wird von Matthäus beseitigt, indem *pollai* vom Schluß in Mark 15,41 her nach vorn gezogen wird. Dabei wird mit dem wieder zugesetzten *ekei* (vgl. V. 36) ein Absatz zum Vorhergehenden markiert und eine neue Szene für sich geschaffen. Die Frauen stehen nicht mehr wie bei Markus im Zusammenhang, sondern im Gegensatz zum Handeln des Hauptmanns. Zur Nachfolge, die sie charakterisiert, wird ein drittes Mal der Jesus-Name in dieser Perikope zugefügt, und das Dienen wird noch enger damit verknüpft, indem die markinische Nebenordnung durch *kai* durch eine Partizipialverbindung ersetzt wird. Außerdem ist ebenso als Verstärkung zu werten, daß sie ihm nicht nur „in Galiläa", sondern „von Galiläa her" dienend nachfolgten.[423] Das christliche Leben wird so schon stärker in einer Erstreckung gesehen. Im Gegensatz zu den sich fürchtenden Bewachern bedeutet dies auf dem Hintergrund der matthäischen Interpretation des Todes Jesu: Wer sich so verhält wie diese Repräsentanten der Gemeinde, hat Anwartschaft auf das Auferstehungsleben im Hinblick auf Jesu Parusie.[424]

Vers 56: Die drei Frauen werden von Matthäus als nachträgliche Spezialisierung der Gruppe der vielen nachgeordnet. Maria aus Magdala erscheint unverändert.[425] Bei der zweiten Namensnennung wird Joses in das semitischere Joseph verändert. Die Lesart Jose bei B C Reichstext pl ist trotz reicher Bezeugung als sekundäre Angleichung an Markus zu beurteilen. Die Auslassung von *mētēr* in it ist wohl Lesefehler, der auf Grund des doppelten *mētēr* entstanden ist. Daß hier aber von Matthäus vier Frauen gemeint seien, ist nicht wahrscheinlich, da in der Doppelwendung der Artikel bei *kai Iōsef mētēr* fehlt.[426] Nur der unkorrigierte Sinaiticus hat hier so geändert, daß er an vier Frauen denken läßt, die er außerdem zu vier Marien macht. Das aber ist sicher nicht im Sinne des Matthäus, der 27,61 und 28,1 dann immer nur von zwei Frauen spricht, und zwar von Maria aus Magdala und der anderen Maria. Denkbar ist dagegen, daß die Änderung von Joses auf Joseph schon eine vorbereitende Anspielung auf Josef von Arimathäa sein soll, der im nächsten Vers eingeführt wird. Dann

422 Ebd., 55.
423 J. Schmid, Matth und Luk 163.
424 Vgl. J. Schreiber 55.
425 Nur einige Handschriften haben sekundär das semitische *Mariam*.
426 Gegen E. Lohmeyer, Matth 397 A. 3, 398; ihm folgt W. Grundmann, Matth 563.

soll die zweite Maria als seine Mutter erscheinen. Matthäus hätte das Gewicht dieses Mannes hier ebenso verstärkt, wie er das Vers 57 tut, wo er ihn einen Jünger Jesu sein läßt. Wenn diese Abänderungen zusammenhängen, so wäre hier nahegelegt, „daß Joseph womöglich schon bei der Kreuzigung zugegen war und jedenfalls sofort nach Jesu Tod sinnvoll als Jünger tätig wird".[427]

Noch auffallender ist die Ersetzung der Salome des Markus durch die Mutter der Zebedaiden. Im allgemeinen vermutet man, daß Matthäus beide dadurch gleichgesetzt habe.[428] Doch ist die Identifikation keine erkennbare Absicht des Matthäus. Diese wird man vielmehr darin erkennen, daß er die Mutter der Zebedaiden schon 20,20 redaktionell genannt hatte. Damit ist von hier aus eine Brücke und Verbindungslinie ins Leben Jesu zurück geschlagen, wie auch sonst für ihn die Setzung von Beziehungen durch Rückverweise typisch ist (vgl. die Begriffe von 28,16 ff. mit dem voranstehenden Text des Evangeliums). Weiter dürfte für die Ergründung der Absicht des Matthäus hier auch ihre „merkwürdige" Wiederauslassung in 27,61 und 28,1 sein, die man für unerklärbar hielt.[429] Doch diese Auslassung läßt sich deuten: Die 20,20 redaktionell eingeführte Mutter der Zebedaiden leistet eben dort im Anschluß an die dritte Leidensverkündigung (20,17–19) die redaktionell zugesetzte Proskynese. Damit tut sie aber etwas, was die beiden Marien erst angesichts des Auferweckten redaktionell 28,9 tun. Von daher erklärt sich sicher ihre Einfügung in 27,56 wie ihre Auslassung im weiteren Fortgang. Sie braucht nicht mehr genannt zu werden, weil sie schon durch die Leidens- und Auferweckungsankündigung zur Proskynese gekommen ist und nicht erst durch die Erscheinungen des Auferstandenen. Diese Frau hat nach der Sicht des Matthäus, indem sie 20,20 in der Proskynese um die Ehrenstellung ihrer Söhne bittet, verstanden und anerkannt, daß gerade sein Kreuzes- und Auferstehungsweg zu seiner Parusie hinführt. Das dürfte aber auch ihr Auftauchen an dieser Stelle erklären.[430]

Zusammenfassung: Die dem markinischen Gang der Ereignisse folgende matthäische Überarbeitung der Kreuzigungsdarstellung ist etwa ein Sechstel länger als ihre markinische Vorlage (der Wortbestand beträgt bei Matthäus 367 Worte gegenüber 308 bei Markus). Die matthäische Umformung hat klarer gegliedert und historisierend den Gang der Abfolge entsprechend vier Gruppen mit je vier knappen Szenen gestaltet:

1. Die Kreuzigung V. 32–37
1.1. Das Kreuztragen des Simon V. 32
1.2. Die Ablehnung der quälenden Tränkung durch Jesus V. 33 f.

427 J. Schreiber 56 A. 25.
428 So A. Loisy nach E. Klostermann, Matth 225; E. Lohmeyer, Matth 397 A. 3.
429 Weiß/Bousset 387; Klostermann, Lohmeyer, Grundmann, Haenchen gehen auf diese Frage zur Stelle nicht ein.
430 J. Schreiber 56.

Während die ersten drei Vierergruppen weitgehend von Markus her vorgegeben sind, wird die matthäische Gestaltung besonders in den vier Schlußszenen deutlich. Der doppelten kosmischen Folge, die Gottes endgültiges Urteil über Israel vollzieht (V. 51–53), entspricht die doppelte Folge auf seiten der Menschen (V. 54–56), wobei jeweils eine positive Schilderung (V. 51b–53 und V. 55 f.), die umfangreicher ist, einer negativen (V. 51a und 54) folgt. Diese Folgen und Begleiterscheinungen beim Tode Jesu machen deutlich, daß hier der stirbt, der vernichtend und rettend das Weltgericht bei seiner Parusie durchführen wird.

Darum ist Lohmeyers Gliederung[431] abzuweisen, der drei Ereignisse (V. 45 bis 49) auf den Tod Jesu (V. 50) hinführen läßt, denen parallel drei Ereignisse nach dem Tode (V. 51–56) entsprechen sollen: der Finsternis (V. 45) entspreche der „Aufruhr der Erde" (V. 51–53), Jesu Schrei (V. 46) entspreche dem „Bekenntnis" des Hauptmanns (V. 54), und dem Chor der Spötter (V. 47–49) sei der „Chor der Zeuginnen" (V. 55 f.) zugeordnet. Doch kann Vers 51–53 nicht generell zusammengenommen werden; von der Doppelung der Gebetsschreie darf nicht abgesehen werden. Der Hauptmann legt kein Bekenntnis mehr ab. Die zweite Tränkung ist Wundererwartung und nicht Spott. Die Frauen erscheinen nicht primär als Zeugen, sondern als Gegenbild der furchterfüllten Bewacher. (Die Kategorie des Zeugen ist unmatthäisch).

Mit der hervorhebenden Ausformung des Schlußteils soll aber nicht gesagt sein, daß Matthäus in den vorangehenden Versen sich restlos an Markus an-

---

431 E. Lohmeyer, Matth 393; ihm folgt W. Grundmann 558.

geschlossen habe. Auch hier sind Unterschiede deutlich, die sich allerdings mehr in der Stilisierung als in der Gliederung auswirken. Vor allem fällt die Gestaltung dieses Stückes durch die matthäische Christologie auf. Der von Markus nur zweimal im Zusammenhang mit dem Schrei genannte Jesusname wird nicht nur durch die Zerlegung in zwei Schreie auseinandergezogen (V. 46.50), sondern bei Matthäus insgesamt viermal gebracht, indem er im ersten Teil beim Kreuzestitulus (V. 37) und im vierten Teil bei der Charakterisierung der Nachfolge (V. 55) zugefügt wird. Ebenso wird die bei Markus einmalige Würdebezeichnung Sohn Gottes durch die doppelte Einfügung im zweiten Teil (V. 40.43) auf drei Stellen erweitert.

Bedeutet dies nun, daß nach der programmatischen Deutung des Jesusnamens am Anfang des Evangeliums 1,21 ff. der Tod Jesu als das Ereignis verstanden wird, das „sein Volk aus ihren Sünden errettet wird"? Dies wäre durch den Jesusnamen allein hier zu schwach ausgedrückt. Dagegen aber spricht entscheidend, daß Matthäus das *afienai* wie das *dikaioun* Gottes betont dem Parusiegeschehen zuordnet (vgl. 6,12.14 f.; 18,35; 25,31 ff.). Es ist auch „nicht Ausgangs-, sondern Zielpunkt der ethischen Forderung".[432] Daß das Kreuz bzw. der Tod Jesu bei Matthäus keine soteriologische Bedeutung hat, wird auch daraus deutlich, daß der Tod Jesu in unserem Text ebenso wie an anderer Stelle den eben genannten soteriologischen Akten der Parusie zugeordnet wird. Indem der Tod Jesu ebenso wie seine Auferstehung mit Zügen der Parusie Jesu charakterisiert wird, so sagt Matthäus klar, daß er den Tod und vor allem die Auferweckung Jesu als die Einsetzung Jesu zum kommenden Weltenrichter versteht, auf dessen Parusie hin jetzt die Welt lebt.

Tod und Passion aber sind bei Matthäus auch nicht ganz gleich verstanden, denn die Leidensgeschichte, auch sofern sie die letzten Stunden Jesu betrifft, erfährt eine andere Sinngebung als der Tod im Zusammenhang mit der Auferweckung. Die letzten Stunden des Lebens Jesu sind ein letztes Stück seines ganzen Lebensweges, der als „Erfüllung aller Gerechtigkeit" (3,15) gezeichnet ist. Jesus erscheint stärker als der Handelnde (V. 34.46.50).[433] Er ist der, welcher der hier sich wiederholenden Versuchung (V. 40) nicht nachgibt. Er ist besonders der, der als der wiederholt Betende (V. 46.50) den von ihm ausgelegten Gotteswillen auch tut. Er stirbt betend, und das heißt auch gehorchend. Wie Jesus der Sohn Gottes als der Gebietende ist (14,33), so ist er ebenso der Sohn Gottes als der vertrauensvoll Gehorchende. Die Leidensgeschichte „wird als Bewährung der Tora der Bergpredigt im Hinblick auf die Parusie verstanden".[434] Darin liegt der Unterschied zum Ereignis des auf die Auferweckung hin gerichteten Todes Jesu andererseits, die als Einsetzung zum Weltenrichter

432 G. Strecker, Weg 149.
433 Ebd., 182 f.
434 J. Schreiber 57.

ebenfalls auf die Parusie hin verstanden werden und insofern auch als Legitimation und Bestätigung des Weges Jesu durch Gott gewertet werden dürfen. Als gehorsame Bewährung des Willens Gottes aber steht die matthäische Leidensgeschichte als solche „parallel neben den übrigen Teilen des Evange-·liums".[435] Sie ist also weder nur ein Nachwort,[436] noch kann auf sie das für Markus zweifellos geltende Wort M. Kählers der Evangelien als „Passionsgeschichte mit ausführlicher Einleitung" angewendet werden.

In Zuordnung zum Gehorsam Jesu stehen auch hier seine Nachfolger, im Kontrast dazu seine Gegner, deren Handeln Matthäus stärker schildert als Markus: sie quälen Jesus (V. 34); sie bewachen ihn (V. 36.54). Juden und Heiden werden aneinander angeglichen: Gottessohn-Anrede, Spott, Wundererwartung und Furcht kennzeichnen sie beide.

Die Bezogenheit auf die Schrift ist von Markus her unverkürzt übernommen und noch durch weitere Anklänge (V. 34.43.46) erweitert worden. Ein direkter Schriftbeweis wird aber auch von Matthäus in der Kreuzigungsdarstellung selbst nicht geführt. Der Tod Jesu als solcher erhält seine Deutung nicht vom Alten Testament her. Auffallend ist, daß ebenso wie in der vormarkinischen Kreuzigungsapokalypse die Sinnfüllung wieder mittels apokalyptischer Aussagetraditionen vorgenommen wird, wenngleich in einer ganz anderen Weise.

## 1.6. Die lukanische Redaktion (Luk 23,26–49)

Was den Umfang des lukanischen Kreuzigungsberichts betrifft, so ist er fast ebenso lang wie die Matthäusfassung (365 Worte ohne V. 34a), doch fällt dieser gegenüber eine sehr viel weiter gehende Umformung der Markusvorlage durch Auslassungen, Umstellungen und Erweiterungen auf. Gestrichen werden neun Einzelzüge: 1. die Simonsöhne Mark 15,21; 2. der Name Golgotha Mark 15,22; 3. die erste Tränkung Mark 15,23, wodurch deren Doppelung verschwindet; 4. die Stunde der Kreuzigung Mark 15,25; 5. die erste Spottszene mit dem Tempelwort Mark 15,29; 6. die Forderung herabzusteigen aus der zweiten Spottszene und damit verbunden das Sehen- und Glaubenwollen; 7. der Gebetsruf Jesu Mark 15,34; 8. das sich daran anschließende Elia-Mißverständnis Mark 15,35 f.; 9. die Namen der Frauen Mark 15,40.

Umstellungen finden sich fünfmal: 1. Die Kreuzigung der beiden anderen wird zusammen mit der Kreuzigung Jesu vollzogen (im Gegensatz zur Tendenz des Matthäus an dieser Stelle) und dementsprechend vor die Kleiderverteilung nach Luk 23,33b vorgezogen. 2. Der Kreuzestitulus wird von seinem Platz vor den Spottszenen entfernt und von Lukas nach Vers 38 versetzt und so einer

435 G. Strecker, Weg 184 A. 3.
436 So K. Stendahl 25.

zweiten Spottszene, der der Soldaten, eingeordnet. Im Sinne des Lukas ist der titulus Spott. 3. Diese zweite Spottszene, deren Subjekt redaktionell die Soldaten sind, wird aus je einem Element der ausgelassenen ersten Spottszene (Mark 15,30a: Rette dich selbst) und einer Aufnahme aus der zweiten Spottszene (Mark 15,32a: König) geformt, die hier nach Luk 23,37 verlegt werden. 4. Damit wird die aus Mark 15,36 hierher nach Luk 23,36 vorgezogene Weintränkung verbunden. 5. Das Zerreißen des Tempelvorhangs folgt dem Tode Jesu nicht mehr nach (Mark 15,38), sondern geht ihm zusammen mit der Finsternis voraus.

Erweiterungen fallen an sechs Stellen auf: 1. das umfangreiche Gespräch Jesu mit den Klagenden (V.27–31); 2. die Erwähnung der beiden anderen Delinquenten schon bei der Hinführung (V. 32); 3. das breite Wechselgespräch mit den Mitgekreuzigten (V. 39–43); 4. die inhaltliche Wortfüllung des Schreis (V. 46b); 5. der Eindruck des Todes auf die *ochloi* (V. 48); 6. die Erweiterung der Gruppe der Frauen durch „alle seine Bekannten" (V. 49a).

Diese Fülle von Abweichungen und Unterschieden hat immer wieder vor die Frage gestellt, ob es wirklich denkbar sei, daß Lukas der markinischen Darstellung der Leidensgeschichte folge und sie so „vollständig durcheinandergewirbelt" habe.[437] Man nahm statt dessen an, daß Lukas im Grunde einer anderen Tradition folge und dieser Sonderüberlieferung nur nachträglich einige Verse aus der Markusvorlage zugefügt habe.[438] Derartige Versuche haben aber keine allgemein genügende Überzeugungskraft bewiesen.[439] R. Bultmann hat die Meinung selbständiger Lukastradition ursprünglich auch vertreten, sie aber vor allem unter dem Einfluß der Untersuchung von J. Finegan aufgegeben.[440] Diese Frage wird heuzutage noch stärker unter Einbeziehung der redaktionsgeschichtlichen Fragestellung mitzuentscheiden sein, denn die Abweichungen, die für Stil und Theologie des Redaktors typisch sind, dürfen nicht einer besonderen Tradition zugesprochen werden. J. Schreiber ist angesichts unserer Perikope zu dem gut begründeten Urteil gekommen, daß sich im Vergleich mit Markus „alle Unterschiede zwischen den beiden Berichten aus der Theologie des Lukas erklären lassen und . . . man" von daher „auf

437 J. Jeremias, Perikopen-Umstellungen bei Lukas?, NTS 4, 1957/58, 115 ff., 118.

438 So zuletzt W. Grundmann, Luk 428, 431 im Anschluß an B. Weiß, B. H. Streeter, The Four Gospels, London 1924, 207 ff.; W. Bußmann, Synoptische Studien I (1925), 203 (Lukas bietet die älteste Geschichtsquelle), vgl. III (1931), 177; A. Schlatter, Luk (dem K. H. Rengstorf, Luk folgt); E. Hirsch, Frühgeschichte II, 254 ff.; J. Jeremias, NTS 4, 1957/58, 118 f.: „ein letzter Block . . ., indem Lukas seiner Sonderüberlieferung folgt", setzt mit 22,14 ein (vgl. ders., Abendmahlsworte 92); H. Schürmann, Paschamahlbericht 1953; F. Rehkopf, Lukanische Sonderquelle.

439 Vgl. dagegen zuletzt W. G. Kümmel, Einleitung 78 f., 80 f.

440 R. Bultmann, Ergänzungsheft³ 45 zu 303; vgl. J. Finegan 35–40 und dazu auch W. Kümmel, Einleitung 79.

die Sonderquellen-Hypothese verzichten" muß.[441] Wir gehen die Perikope im einzelnen durch.

Vers 26: Das zugefügte temporale *hōs* („als") ist typisch lukanisch (19mal).[442] Lukas leitet durch die Wendung *apēgagon auton* ein, die aus Mark 15,16 stammt; das ist ein weiteres Zeichen dafür, daß Lukas die markinische Verspottungsszene 15,16–20 gelesen, aber ausgelassen hat (vgl. auch 23,11: „Lukas hatte die Perikope schon in 23,11 kondensiert"[443]). Zu fragen wäre weiter, wer hier als Subjekt gedacht ist, nachdem im Unterschied zu Markus (und auch Matthäus) die Soldaten ja als verspottend Mißhandelnde ausgeschieden sind. Vers 26 schließt jetzt an die redaktionelle Wendung „ihrem Willen" (übergab Pilatus Jesus) Vers 25 an. Also könnten es in der Sicht des Lukas nicht wie bei Markus die Soldaten, sondern Juden sein, die Jesus zur Kreuzigung abführen.[444] Erst Vers 36 tauchen die Soldaten wieder auf.[445] Jesus wird von Pilatus den Juden übergeben, um sie als die wahren Schuldigen hinzustellen (vgl. Apg 2,33; 3,17; 13,27 f.).[446]

Lukas vermeidet weiter das von Matthäus nur versetzte Fremdwort *aggareuein*[447] und ersetzt es durch sein Vorzugswort *epilambanein* (5mal, Mark und Matth nur 1mal).

Die Notiz, daß Simon vom Felde kam, bleibt stehen; doch liegt darin keine Polemik mehr gegen das jüdische Passa, weil Lukas die vorangehende Notiz Mark 15,6 gestrichen hat. (Der Satz 23,27 fehlt in p[75] A B L al a sa bo und ist als spätere Zufügung zu betrachten.)[448]

Dagegen wird hier die Erwähnung der Söhne weggelassen. Die Erklärung, daß Lukas sie nicht mehr kannte[449] oder sie für ihn ohne Interesse waren,[450] ist unbefriedigend, weil man dann erst recht fragen kann, warum nicht auch oder noch eher der Vater gestrichen wurde.[451] Besser wird man darum hier ein theologisches Motiv annehmen: Die Söhne tragen hellenistische Namen. Lukas aber will die Bekehrung der Heiden erst später in der Apostelgeschichte ihren Platz geben. Darum ändert er mehrfach, wenn er im Text des Evangeliums

---

441 J. Schreiber 57.

442 W. Grundmann, Luk 24 nach K. Grobel 74 f.

443 J. Finegan 30, vgl. 28.

444 E. Klostermann, Luk 223.

445 J. Finegan 30.

446 M. Dibelius, Aufsätze I, 286; H. Conzelmann, Mitte 81; J. Schreiber 58.

447 J. Schmid, Matth und Luk 162; Bauer WB 12: persisches Lehnwort.

448 „Die gegen das jüdische Passa polemisierenden Formulierungen in Mark 14,1 f.; 15,6.42 beseitigt Lukas, während er die Verklammerung von Abendmahl und Tod in seiner Sicht beibehält … (22,1.7)": J. Schreiber 148, vgl. 58 A. 37.

449 So z. B. J. Finegan 31.

450 So z. B. E. Klostermann, Luk 226.

451 J. Schreiber 63, vgl. 58.

schon die Missionierung der Heiden angedeutet findet (vgl. die Behandlung von Mark 13,10 bei Lukas).[452] „Von daher könnten die hellenistischen Namen Alexander und Rufus den Lukas gestört haben, während der Name des Simon in die lukanische Sicht der heilsgeschichtlichen Entwicklung paßt."[453]

Der Zusatz *epethēkan autō* ist eine ausschmückende, novellistische Erweiterung, durch den die Handlung „ein wenig lebendiger" wird.[454] Gewichtiger ist die nächste Erweiterung: Mit dem Zusatz *opisthen* und der Ersetzung des Pronomens durch den Jesusnamen wird von Lukas ein noch betonterer Zusammenhang mit dem Jesusgebot der Kreuzesnachfolge (vgl. 9,2 = Mark 8,34; und vor allem 14,27 Q = Matth 10,38 ausdrücklich *opisō mou*!) hergestellt.[455] Lukas will diese Beispielhaftigkeit stark herausheben und dürfte auch darum hier den Vater allein nennen wollen, so daß ein weiteres Motiv für die Streichung der Söhne vorliegen kann.[456]

Vers 27–31 ist die erste größere Einschaltung in dieser Perikope. Das besondere lukanische Interesse an den Frauen ist bekannt und hat sich auch im Sprachgebrauch niedergeschlagen, sofern *gynē* lukanisches Vorzugswort ist (41mal, vgl. Mark 16mal, Matth 29mal). „Die hier spürbare freundliche Haltung des Lukas den Frauen ... gegenüber tritt auch sonst bei ihm auf (z. B. 11,27) und macht es wahrscheinlich, daß er selbst der Verfasser dieses Vorgangs ist."[457] Darauf weist ebenfalls auch der Sachzusammenhang mit den beiden anderen Weissagungsstellen von der Zerstörung Jerusalems (19,39–44; 21,20–24; ferner 11,50f.; 13,34ff.; 20,9ff.; die Weissagungen über die Zukunft von Stadt und Volk sind bei ihm besonders zahlreich).[458] Das wird weiter dadurch bestätigt, als die hier auftretenden Züge sachlich engstens zur lukanischen Gestaltung der Passion Jesu vom Martyrium her gehören![459] Denn das Motiv der zuschauenden und Stellung nehmenden Volksmenge gehört zur Topik der Martyrien (Lukian, De morte Peregini 34; Quintilianus, Decl. 274).[460] Dieses Vers 27a anklingende Motiv der Volksmenge wird im Folgenden in den redaktionellen Sätzen Vers 35a und 48 noch weitergeführt; *theōrein* meint dort „die übliche Neugier".[461] Auch sprachlich erweist sich Vers 27 als

---

452 F. Hahn, Mission 111 f.

453 J. Schreiber 51.

454 J. Finegan 31.

455 G. Bertram, Leidensgeschichte 73; E. Klostermann, Luk 223; J. Finegan 31.

456 J. Schreiber 58 nach H. W. Surkau 95 f.

457 J. Finegan 31, vgl. 36.

458 J. Schreiber 58 nach H. Flender 22.

459 M. Dibelius, Formgeschichte 202.

460 E. Klostermann, Luk 227; G. Bertram, Leidensgeschichte 34; H. W. Surkau 96; J. Schreiber 58; W. Grundmann, Luk 429 verweist noch auf Siph. Deut. 308 (133b) im Anschluß an G. Dalman, Jesus-Jeschua 174.

461 E. Klostermann, ebd.

lukanisch: *plēthos* ist für ihn kennzeichnend (8mal, Mark 2mal, Matth nie) mit Gen. *laou* auch 1,10 und Apg 21,36, noch näher 6,17; *laos* ist ebenfalls Vorzugswort (36mal; Mark 2mal, Matth 14mal); *gynē* wurde schon genannt, zu verweisen wäre noch auf das Relativpronomen (182mal; Mark 85mal, Matth 122mal), vgl. Vers 29.33. Von der neugierigen Menge abgehoben werden die trauernden Frauen, „die ihn beklagten und beweinten" (das Objekt gehört wie 8,52 redaktionell zu beiden Verben),[462] denn sie allein werden auch im Folgenden angeredet. Die Anwesenheit eines großen Trauergefolges ist kaum historisch, da es unvereinbar ist mit der gleichzeitig in der Stadt stattfindenden Festfeier des Passa. Darum wird Lukas hier kaum von alter Überlieferung[463] oder gar von den historischen Vorgängen abhängig sein, sondern wohl schriftgelehrt nach Deut-Sach 12,10–14 gestalten, wonach das Klagen der Frauen um den Messias besonders hervorgehoben wird.[464]

Vers 28a leitet das längere prophetische Drohwort im Munde Jesu mit der Notiz der Wendung Jesu in typisch lukanischer Weise ein (*strafeis ... eipen* 7,9.44; 10,23; 14,25, vgl. 9,55; 22,61). Lukas verwendet es 7mal, und zwar im Unterschied zu dem mehrschichtigen Sprachgebrauch bei Matthäus (6mal, davon nur 2mal 9,22; 16,23 redaktionell in einer Lukas vergleichbaren Weise, wozu Lukas an Ort und Stelle keine Parallele hat) nur für Jesus. Damit wird die Hinwendung als direkte Aktion Jesu betont, die sich ganz dem Gegenüber zuwendet. Es dient der Unterstreichung des folgenden Wortes. Auch *pros* ist Vorzugswort.

Vers 28b: Die wehklagenden Frauen werden in semitisierender Weise als „Töchter Jerusalems" (= Cant 1,5; vgl. Jes 3,16 Töchter Zions) angeredet. Die semitische Namensform der Stadt ist lukanische Besonderheit (27mal; Matth 2mal). Damit werden sie betont von den dann Vers 49 erwähnten Galiläerinnen unterschieden.[465] Außerdem wird durch die Anrede die Korrespondenz zu den Jerusalem-Worten 19,39–44 noch deutlicher: Mit der Klage über Jerusalem näherte sich Jesus der Stadt, und mit derselben Klage verläßt er sie.[466] Auch dies deutet auf bewußt redaktionelle Gestaltung dieses Abschnitts.

Die Verbotsform ist ähnlich antithetisch wie 12,31 (redaktionell, vgl. V. 29); 10,20 (redaktionell!); *plēn* steht hier statt des der Negation eigentlich korrela-

---

462 Ebd.

463 So R. Bultmann 37 f., 121, der sogar mit aramäischer Überlieferung rechnet; dagegen schon H. J. Holtzmann 418 f.

464 Sach 12,10b: „Sie beklagen ihn wie den Geliebten und beweinen ihn wie den Erstgeborenen" – doch hat die Septuaginta hier neben *koptō odynaō*; dagegen *thrēnoun* Micha 1,8 und öfter als Entsprechung, vgl. Matth 11,17; H. J. Holtzmann 418; E. Klostermann, Luk 226; W. Grundmann, Luk 429.

465 H. J. Holtzmann, ebd.; E. Klostermann, ebd.

466 A. Schlatter, Luk 444; W. Grundmann, Luk 429.

tiven *alla*[467] und ist ein typisch lukanisches Wort (14mal; Mark 1mal, Matth 5mal). Das Weinen wird nicht untersagt, doch das Obj. des zu Beweinenden ist ein anderes: sie selbst und ihre Kinder. Auch dies ist ein geläufiges Motiv (Sophokles, Philoct. 339 f.; Ovid, Met. 13,464; Seneca, Agamem. 659).[468] Dabei ist *klaiein* ebenso lukanisches Vorzugswort (11mal; Mark 4mal, Matth 2mal) wie *epi* mit Akk. (99mal; Mark 35 mal; Matth 68mal).

Vers 29 führt mit *hoti idou* die Begründung für diese überraschende Umkehrung ein. Die Wendung *erchontai hēmerai* wird auch 19,43 für die Zerstörung Jerusalems gebraucht und 21,6 redaktionell für die Zerstörung des Tempels eingefügt; 17,22 meint sie Zeiten vor der Parusie. So dürfte sie immer künftige Tage bezeichnen, die nicht die Parusie sind, doch Beziehungen zu ihr haben; außer an unserer Stelle steht das Verb dabei immer im Futur.[469]

In jenen Tagen (zur lukanischen Bevorzugung des Relativpronomens vgl. V. 27, hier gehäuft 3mal) wird man das, was man (die 3. Pers. plur. macht eine allgemeingültige Aussage; die Veränderung in die zweite Person sys.c ist sekundär)[470] normalerweise als Glück ansieht (vgl. 11,27), als Unglück ansehen. Auch dafür gibt es wieder außerbiblische Parallelen (Eurip., Androm. 395; Seneca, Rhet., Controv. II, 5,2; Apuleius, Apol. 85, 571),[471] was wiederum auf das Bestreben des Lukas hinweist, möglichst hellenistisch allgemeinverständlich darzustellen. Sachlich wird in dem negativen Makarismus hier der bei Lukas auf den Untergang Jerusalems bezogene und damit enteschatologisierte Weheruf 21,23 aufgenommen.[472] Die Seligpreisung der Kinderlosen (*steirai*) ist hier anders als Jes 54,1 gemeint, wo der gleiche Begriff im Sing. steht. Ein vergleichbarer positiver Inhalt – etwa als Hinweis auf ein neues Israel, das geistlich ist –, ist hier in keiner Weise intendiert.[473] Die Kinderlosen werden in einem folgenden Doppelglied poetisch weiter umschrieben: die Mutterleiber, die nicht geboren, und die Brüste, die nicht genährt (4 von 9 neutestamentlichen Stellen sind lukanisch!) haben. In semitischer Art „wird von den einzelnen Gliedern der Mutterschaft gesprochen".[474] Unglück statt Glück also wird die Mutterschaft in den Unheilstagen darum sein, weil Mütter dann auch noch um den Untergang ihrer Kinder bangen müssen, während die Markusvorlage von Luk 21,23 daran denkt, daß werdende und neugewordene

467 Bl-Debr 449,1; E. Klostermann, Luk 227; Bauer WB 1327 f.

468 E. Klostermann, Luk 227; G. Dalman, Jesus-Jeschua 174.

469 Ebd.

470 Ebd.; W. Grundmann, Luk 430 gegen Merx.

471 Ebd.

472 Das Logion ist bei Lukas nicht mehr apokalyptisch, was J. Finegan 31 übersieht.

473 H. Flender 100 A. 99; vgl. W. Käser 240 ff.

474 W. Grundmann, Luk 430 – doch nicht „in palästinensischer Weise", womit unsachgemäß auf das Vorliegen von Tradition hingewiesen werden soll.

Mütter dadurch behindert werden.[475] Lukas seinerseits dürfte auch die Stelle in der synoptischen Apokalypse von hierher nicht mehr in diesem eingegrenzten Sinne verstehen. Sie ist von der hier gegebenen redaktionellen Interpretation her auszulegen. Auch die Erwähnung der „Kinder" 19,44, die in dem vorlukanischen Klagelied zunächst die Stadtbewohner meinte, dürfte wohl im Zusammenhang mit der Korrespondenz dieser lukanischen Texte im Sinne des Lukas dann im Hinblick auf Kinder selbst verstanden werden.

Vers 30: Lukas verstärkt die Unheilsschilderung der Begründung weiter durch ein Gerichtswort über Israel aus Hosea 10,8 nach der Septuaginta unter Vertauschung der beiden Verben, was wohl darauf deutet, daß er frei aus dem Gedächtnis zitiert, falls er nicht Zeuge für die Ursprünglichkeit des Texttypus von A ist.[476] Der Wunsch geht jedenfalls eher „auf schnellen Tod . . ., nicht auf Bergung vor der Katastrophe (Apk 6,16)".[477] Eingeleitet wird die aufgenommene Schriftstelle durch die pleonastische und für Lukas kennzeichnende Wendung archesthai mit Inf. (27mal, auch Mark 26mal, doch hat Lukas davon nur drei Stellen übernommen).[478] Mit der Formulierung in der 3. Pers. plur. bleibt die Aussage auch hier wieder stark im Allgemeinen, während die sekundäre Übertragung in die 2. Pers. (syp) hieraus eine direkte Anrede an die Frauen macht.[479]

Vers 31 gibt mit hoti einen neuen Grund parallel zu Vers 29 an und ist nicht etwa Fortsetzung des legein von Vers 30.[480] Mit dem Schluß vom Schwereren auf das Leichtere soll die Bestimmtheit begründet werden, mit der die Katastrophe eintritt.[481] Doch in welcher sachlichen Weise wird das Sprichwort angewendet?[482] Wenn Gott hier als Subjekt gedacht werden muß, wie Grundmann annimmt,[483] so würde das bedeuten: Wenn Gott schon mich dieses grausame Todesschicksal erfahren läßt (tauta), was soll dann erst mit euch werden, die ihr meinen Tod verschuldet und durchführt. Der verbindende Gedanke wäre dann der der Notwendigkeit, des göttlichen dei, im einen wie im anderen Falle. Sowohl Jesu Tod wie der Untergang Jerusalems stehen unter dem gleichen Gesetz. Ein stellvertretendes Strafleiden aber wird daraus nicht abgeleitet. Nächste Sachparallele wäre dann das Wort des auch auf dem Wege zur Kreuzigung verspotteten Rabbinen Jose b. Joezer aus Cereda (um 150 v. Chr.):

---

475 E. Klostermann, Luk 227.

476 T. Holtz, Untersuchungen 27–29, 167 A. 2.

477 E. Klostermann, Luk 228.

478 J. Schmid, Matth und Luk 40; T. Holtz, a. a. O., 28 A. 2, der mit Recht betont, daß die Wendung hier kein Aramaismus ist.

479 E. Klostermann, Luk 227 f.; W. Grundmann, Luk 430 A. 9.

480 Ebd., 228.

481 Ebd.

482 Vgl. dessen verschiedene Verwendung Bill. II, 263 f.

483 W. Grundmann, Luk 430.

„Wenn solches denen wird, die seinen Willen tun, was dann erst denen, die ihn kränken!" (Gen. Rabba 65 [42a]).[484] Jedoch ist an dieser Interpretation fraglich, ob man das Demonstrativum (von Lukas bevorzugt verwendet, vgl. V. 35; ebenso *ginestai*) wirklich so ohne weiteres auf den Tod Jesu beziehen kann. Noch näher liegend wäre der Bezug auf das unmittelbar voranstehend erwähnte Schicksal der Jerusalemer Frauen. Da in Vers 27 einleitend zwischen den Frauen und dem Volk unterschieden wurde und diese Unterscheidung dann Vers 28 ff. betont dadurch aufgenommen wurde, daß nur die Frauen angeredet wurden, so dürfte man hier eher einen Schluß vermuten, der, von den Frauen ausgehend, auf das ganze jüdische Volk beim Untergang Jerusalems abzielt: Wenn dies schon den um Jesus trauernden und damit ihre Sympathie bezeugenden Frauen widerfährt, dem grünen Holz, wie erst wird es dann dem dürren Holz ergehen, dem eigentlich schuldbeladenen Volk, das sich auch noch nach der Auferweckung Jesu verschließt![485]

Vers 32 führt Lukas die beiden Mitdelinquenten, den Kreuzweg abschließend, schon bei der Hinführung mit ein.[486] Das Vorzugswort *ēgonto* (13mal; Mark 3mal, Matth 4mal) steht analog zu dem *apēgagon auton* des Einleitungsverses 26. Damit wird eine gliedernde Korrespondenz hergestellt. Die Doppelwendung *de kai*[487] ist typisch lukanisch (25mal).[488] Die lukanische Bezeichnung der *lēstai* als *kakourgoi* (im Neuen Testament nur hier, V. 32 f.39, und 2 Tim 2,9) ist eine moralisierende Akzentverschiebung zum Negativen hin. Indem die Mitgekreuzigten als Verbrecher bezeichnet werden,[489] soll damit das unschuldigen Leiden Jesu hervorgehoben werden, was Lukas den zweiten dann Vers 40 f. auch ausdrücklich sagen läßt. Auch *heteroi* ist lukanisches Vorzugswort (33mal; Mark nie, Matth 9mal, vgl. V. 40) und steht hier pleonastisch, daß es unserem Gefühl nach fehlen könnte: „und außerdem zwei Missetäter".[490] Es scheint sogar mißverständlich, als wäre Jesus dadurch auch als Übeltäter bezeichnet, weshalb wohl it und sy⁵ es auslassen. Weiter ist auch *syn* im soziativen Sinne bei Lukas am häufigsten.[491] Wie 22,2, so ist auch hier *anairein* lukanische Formulierung (Matth nur 2,16, Mark nie; Luk noch öfter in der Apg).[492] Aus der Markusvorlage 15,27 ist nur *dyo* übernommen und vorgezogen und wird dann im folgenden Vers nicht nochmals wiederholt.

484 Bill. II, 263 f.; E. Klostermann, Luk 228.
485 H. Conzelmann, Mitte 85.
486 E. Klostermann, Luk 226; J. Finegan 31.
487 Bl-Debr 447,9.
488 W. Grundmann, Luk 25 nach K. Grobel 73.
489 Bauer WB 786 f.
490 Bl-Debr 306,5; E. Klostermann, Luk 226.
491 Bl-Debr 221, im Attischen erschien nur *meta* in diesem Sinne.
492 E. Klostermann, Luk 226; J. Finegan 31.

Wozu hat Lukas diesen Vers 32 gebildet? Wollte er nur den Kreuzweg um ein Detail erzählerisch ausschmücken?[493] Das dürfte seine Erzählabsicht ins Ästhetische verzeichnen und abschwächen. Die Auskunft, daß er damit Vers 33 vorbereiten wollte,[494] ist unbefriedigend, weil Vers 33 unmittelbar folgt und vor allem in sich keinen gewichtigen Inhalt hat. Entscheidend dürfte zuerst sein, daß Lukas die Verbrecher, die ja keine lēstai mehr sind, so oft wie möglich mit Jesus zusammen erwähnt, um die Erfüllung des von ihm eingebrachten Zitats 22,37 zu geben. Das gilt auch für die folgenden Verse 33 und 39 ff.[495] Sicher hat Lukas weiter hiermit seine zweite größere Einschaltung vorbereiten wollen, die Vers 39–43 das Gespräch zwischen Jesus und den beiden Mitdelinquenten bringen. Doch wird man noch einen Schritt weiter gehen können und sagen dürfen: Lukas wollte nicht nur vorbereiten, sondern auch verbinden. Das Gespräch Jesu mit den Verbrechern wird so mit dem Wort Jesu an die Frauen verbunden. In den beiden Wortgruppen liegt ohnehin der Hauptakzent der lukanischen Kreuzigungsdarstellung. Dies wird noch gewichtiger, wenn man ihre sachliche Verbindung erkennt: In Vers 42 f. wird erst endgültig klar, warum Jesus nicht zu beweinen ist. Das wird hier Vers 28 nur postuliert, aber noch nicht endgültig begründet. Weil dagegen der antithetische Imperativ: Weint über euch selbst! hinlänglich begründet wird, so macht Lukas seine Leser nach der Begründung des ersten 1. Imp. fragend. Diese Lösung wird hier noch nicht gegeben. Mit Vers 32 deutet Lukas an, daß er die Lösung der Frage in Vers 42 f. im Zusammenhang mit den Mitgekreuzigten bringen wird: Sein Tod ist anders als jeder andere Tod der Eingang in sein Reich. Darum also, so versteht man, ist über Jesu Tod nicht zu weinen.

Vers 33: Ebenso wie Matthäus ersetzt Lukas das ihm unschicklich scheinende ferein durch erchesthai.[496] Dagegen wird die aramäische Ortsbezeichnung weggelassen. Das entspricht einer typisch lukanischen Tendenz, der dem Markustext gegenüber Aramaismen noch stärker einschränkt als Matthäus (vgl. in der Leidensgeschichte noch weiter das aramäische Kreuzeswort Mark 15,34 entfällt ebenso wie der Namen Gethsemane Mark 14,32 und Abba 14,36, desgleichen Hosanna aus Mark 11,9 f. und Amen in Mark 14,26.30, das er Luk 22,31 aus Mark 14,18b durch plēn ersetzt – vgl. Luk 10,14 –, dagegen 23,43 selbständig hat).[497]

Statt der markinischen Übersetzungsformel, die Lukas durchaus kennt (vgl. Apg 4,36; 13,8; ausgelassen wird sie auch zu Mark 5,41; 15,34), benutzt Lukas

---

493 So J. Finegan 31.

494 So E. Klostermann, Luk 226.

495 M. Rese 155–158.

496 J. Schmid, Matth und Luk 162; gegen W. Bußmann I, 203, der Lukas hier ursprünglich sein läßt, wendet sich auch J. Finegan 31 A. 2.

497 Vgl. im einzelnen W. Larfeld 21–25; J. Schmid, Matth und Luk 35 A. 1.

hier das ihm geläufigere Wort *kaloumenon* (11mal und Apg 13mal; sonst im Neuen Testament nur in der Apk).[498] Daß dies „einer indirekten Abwertung des Ortes der Kreuzigung gleich"-komme,[499] ist wohl eine Fehlinterpretation dieser Änderung, zumal Lukas in der Fortsetzung *ekei* hinzufügt. Man wird nur sagen können, daß sich ein besonderer theologischer Akzent mit der Ortsnennung nicht verbindet. Die ursprünglich polemische Absicht der Nennung ist ausgeschaltet. Lukas versteht sie rein topographisch (s. o. zu Mark 15,22).

Die Auslassung der ersten Weintränkung (Mark 15,23) und ihre Zusammenziehung mit einem Wort der zweiten Tränkung aus Mark 15,36 sowie ihre neue Platzanweisung bei Luk 23,36 im Zusammenhang des Spottes beseitigt nicht nur die Doppelung,[500] sondern bringt damit an unserer Stelle gleichzeitig die markinische Erwähnung eines Handelns Jesu („er aber nahm es nicht") in Wegfall.[501] Indem das Handeln Jesu gestrichen und gleichzeitig die Worte Jesu in der Kreuzigungsszene vermehrt werden, wird angedeutet, daß Lukas Jesus wesentlich als den durch das Wort Handelnden auch in seinen letzten Stunden zeichnet (vgl. 19,45 f. mit Mark 11,15 ff.: auch die Tempelreinigung geschieht nach Lukas durch das Wort Jesu, denn die Einzelhandlungen werden nicht nur gestrichen, sondern durch *legōn* [„indem er sagte"] ersetzt).

Mark 15,27 wird nach hier vorgezogen, und durch diese stilistische Verbesserung wird die Kreuzigung aller drei Personen eine zusammenhängende Handlung.[502] Beide Kreuzigungen standen ja auch vor der markinischen Redaktion in dem zugrunde liegenden Traditionsstück näher beieinander und wurden erst durch die markinische Redaktion voneinander getrennt. Lukas macht diesen Vorgang rückgängig und stellt noch enger als ursprünglich zusammen.[503] Mit der stilistisch pointierten Trennung der beiden Mitdelinquenten voneinander durch das differenzierende *hon men ... hon de*[504] statt des doppelten *hena* bei Markus wird wiederum eine Vorandeutung ihres unterschiedlichen Verhaltens Vers 39 ff. gegeben. Die Satzgliederung mit *men ... de* in erzählenden Texten hat von den Evangelisten nur Lukas (vgl. V. 56; 24,1 und auch in wörtlicher Rede hier V. 41; Apg 51mal);[505] zum bevorzugenden Gebrauch des Relativums vgl. Vers 27.29. Die Abänderung von *euōnymōn* in *aristerōn* findet sich bei Lukas nur hier (Markus hat beides alterierend 10,37.40, wo Lukas jedoch die ganze

---

498 W. Grundmann, Luk 25 nach K. Grobel 73; J. Schmid, Matth und Luk 153; Bauer WB 788.

499 So J. Schreiber 58.

500 E. Klostermann, Luk 226; J. Finegan 31 f.

501 J. Schreiber 51.

502 J. Finegan 32.

503 J. Schreiber 58.

504 E. Klostermann, Luk 226.

505 W. Larfeld 20 f.

Perikope ausläßt; Matthäus hat *aristeros* nur im Sondergut 6,3; dagegen Lukas *euōnymos* in Apg 21,3).

Vers 34a ist wohl Lukas abzusprechen, denn „das fürbittende Wort Jesu ist leider in den besten Handschriften unbezeugt".[506] Es fehlt außer in B, Sin[1], D (unkorrigiert), W, Korid, pc a b d sy[s] sa bo[pt] Cyrill hom 153 zu Lukas auch in dem äußerst gewichtigen inzwischen bekannt gewordenen p[75], der wohl noch in das 2. Jahrhundert zu datieren ist und textkritisch von größtem Wert ist.[507] Damit aber wird den Verfechtern der Echtheit dieses Satzes, die gern möchten, daß die Frage „von der textlichen Bezeugung her allein nicht entschieden werden" kann,[508] die Last des Beweises für die Zugehörigkeit zum ursprünglichen Bestand des lukanischen Textes erheblich vergrößert.[509] Zwar wird auch von den hier negativ entscheidenden Exegeten zugestanden, daß „gegen Form und Inhalt des Wortes selber . . . nichts einzuwenden" ist.[510] Doch muß man fragen, ob bei der Entscheidung für die Echtheit gegen das Gewicht der Textzeugen nicht letztlich der fromme Wunsch maßgebend ist, dieses „herrliche Wort" (Th. Zahn) für Lukas oder gar für Jesus unbedingt festhalten zu wollen. Auch formal und sachlich läßt sich hier schwer etwas einwenden: Das Impf. *elegen* kann von Lukas zur Einleitung der direkten Rede verwendet werden (vgl. V. 42); die Anrede *pater* ist lukanisch möglich (22,42); die Vergebungsbitte des Sterbenden ist nicht wort-, aber sinngleich mit dem letzten Wort des sterbenden Stephanus Apg 7,60;[511] die Tötung Jesu aus Unwissenheit ist ebenfalls lukanische Meinung (Apg 3,17; 13,27).[512] Dennoch ist festzustellen, daß man mit diesen Motiven allein nicht die lukanische Herkunft der Sätze in Luk 23,34a erweisen kann. Die letztgenannten Begründungen lassen sich ebensogut gegensätzlich verwenden,[513] so daß man urteilen kann: Diese Parallelen sind die Basis für die Interpolation gewesen. Immerhin wird auch stilistisch ein Argument zugunsten der Nichtursprünglichkeit von Vers 34a anzuführen sein: Das Part. *diamerizomenoi* (V. 34b) wird durch den Einschub von Vers 34a von seinem Bezugsverbum *estaurōsan* (V. 33b) hart getrennt. Darüber hinaus ergeben sich generell vom Ort dieser Gebetsworte her Bedenken: Sie stehen hier

506 Weiß/Bousset 506; G. Bertram 87 f.; R. Bultmann, Tradition 306; vgl. 295; E. Klostermann, Luk 226; J. Finegan 32; E. Haenchen 529.

507 B. M. Metzger 41 f.

508 So W. Grundmann, Luk 432.

509 Für die Ursprünglichkeit auch A. Harnack, SBA 1901, 255–261; Th. Zahn, Luk 698 A. 6; M. Dibelius, Formgeschichte 203 A. 2; H. W. Surkau 97; A. Schlatter, Luk 446; K. H. Rengstorf, Luk 268; H. Schelke, Passion 26; E. Lohse, Märtyrer 129–131; J. Schreiber 58; letztlich auch H. Conzelmann, Mitte 82 f.

510 Weiß/Bousset 506; vgl. E. Klostermann, Luk 506; E. Haenchen 529.

511 K. H. Rengstorf, Luk 268; W. Grundmann, Luk 432.

512 H. J. Holtzmann 419; H. Conzelmann, Mitte 82 f.; W. Grundmann, Luk 432.

513 E. Klostermann, Luk 226.

isoliert und inmitten einer Szene, während sonst die Gebetsaussagen, die Lukas in Fülle redaktionell zusetzt, an hervorgehobenen Anfangs- und Schlußpunkten stehen und einen strengen Bezug zum Folgenden haben (vgl. die Gruppe 3,21 f.; 9,28 f.; 22,41 f.; ferner 23,46:47; 24,50 f.:53 und weiter 5,16 ff.; 6,12 ff.; 9,18 ff.; 11,1 ff.).

Auffallend ist auch, daß die Verteidiger der Echtheit keine durchschlagende Begründung für die von ihnen angenommene nachträgliche Ausscheidung dieses Versteils geben können. Für ein Versehen der Abschreiber spricht nichts, da kein Homöoteleuton oder dergleichen vorliegt. Daß die Streichung wegen des Fehlens dieses Jesuswortes bei den Seitenreferenten vorgenommen wurde,[514] ist keine überzeugende Auskunft, weil man dann fragen muß, warum das nur mit diesem und nicht auch mit einem der anderen nur bei Lukas vorkommenden Worte Jesu am Kreuz geschehen ist. Eine Streichung des Wortes, weil man es als zu milde und im Widerspruch zu Vers 28 ff. stehend empfand,[515] ist ebenfalls eine gekünstelte Begründung. Das von anderen angenommene Motiv, daß man „die Kreuzigung als unvergebbares Geschehen verstand"[516] und die „Milde gegenüber der größten Sünde, welche die Erde gesehen hat, einer späteren Zeit anstößig erschien",[517] müßte auch durch entsprechende Abänderungen bei den verwandten Stellen der Apostelgeschichte erhärtet werden. Ebensowenig ist die Vermutung zu erhärten, daß „eine judenfeindliche Tendenz dieses Wort der Fürbitte Jesu für seine Feinde nachträglich gestrichen haben" sollte.[518] Auch hier ist zu entgegnen, daß „dann ein ähnlicher Eingriff" auch „in die Textüberlieferung von Apg 7,60 zu erwarten" wäre.[519] Dagegen läßt sich die Möglichkeit eines späteren Zusatzes besser motivieren: Wenn Stephanus schon für seine Mörder betet, dann erst recht Jesus. Die moralisierende Begründung, daß unbewußte Schuld leichter Vergebung findet, ist antik allgemein verbreitet.[520] Darum konnte man sie hier auch ohne Schwierigkeiten eintragen. Der Gedanke ist jedenfalls nicht spezifisch christlich. Seine exegetische Hochschätzung ist vielmehr ein Indiz für eine moralische Abschwächung des christlichen Sündengedankens, die theologisch bedenklich ist.[521] Wie leicht sich diese antike Ent-

---

514 So M. Dibelius, Formgeschichte 203 A. 2; ihm folgt E. Lohse, Märtyrer 130.

515 So A. Schlatter, Luk 446; H. Schelke, Passion 25; W. Grundmann, Luk 432.

516 H. Conzelmann, Mitte 82 als Frage.

517 B. Weiß - J. Weiß, Luk 646 als Möglichkeit.

518 Weiß/Bousset 506 als Frage; bei J. Jeremias, ZNW 25, 1926, 138 A. 6 als Argument.

519 So mit Recht E. Lohse, Märtyrer 130.

520 Alttestamentliche und rabbinische Parallelen bei Bill. II, 264; Weiteres bei E. Klostermann, Luk 226: Philo, In Flacc 2 § 7 II 518 M; Ovid, Heroides 20, 187: „Schuld aus Unwissenheit erlangt Verzeihung."

521 Vgl. für Th. Zahn etwa seine sinnentstellende Interpretation von Röm 2,15 f., wo er eine Entschuldigung der Heiden herausliest im Gegensatz zur Intention des Paulus, alle als unter der Sünde zu erweisen. Man lese in seinem Römer-Kommentar S. 135 f.!

schuldigungsgnome mit dem Märtyrertod verbindet, zeigt auch das letzte Wort des sterbenden Jakobus nach Euseb, H. e. II,23.16: „Ich bitte, Herr, Gott, Vater, vergib ihnen, denn sie wissen nicht, was sie tun."

Für eine nachträgliche Interpolation spricht schließlich auch die Tatsache, daß sich auffallenderweise im dritten Evangelium noch zwei größere Einschübe finden, die ebenfalls um das Motiv des Nicht-Wissens kreisen: Luk 6,5 läßt Codex D Jesus zu einem, der am Sabbat eine Arbeit verrichtet, sagen: „Mensch, wenn du weißt, was du tust, bist du selig; weißt du es aber nicht, so bist du verflucht und ein Übertreter des Gesetzes!" Und Luk 9,55 haben Koinetexte, D, Koridethianus u. a., lat, sy$^c$, Marcion als Zusatz das Jesuswort: „Wißt ihr nicht, welches Geistes ihr seid?" Wenngleich sich diese drei Zusätze bei jeweils verschiedenen Textzeugen finden (hier 23,34 beim unkorrigierten Sinaiticus, A, C, Koinetexte, pl, c e f ff$^2$ l r aur vulg sy$^{(c)}$p, Iren$^{lat}$, Hipp, Marcion, Clem Alex, Orig, Ps.clemHom)[522], so ist doch eine gewisse Konstanz des Zusammentreffens im Bereich der westlichen Textgruppe erkennbar und weiterhin die Vermutung nicht von der Hand zu weisen, daß diese Zusätze, die durch das Motiv der Unwissenheit verbunden sind, untereinander zusammenhängen und daß sie von einem gemeinsamen, vermutlich verkirchlichten gnostischen Ursprungsort her[523] in die verschiedenen Zweige der Überlieferung, vor allem von Zeugen der westlichen Textgruppe, eingedrungen sind. Nach allen diesen Erwägungen muß man hier sicher mit einer späteren Einfügung rechnen. Daß „eine so weitgehende Interpolation solchen Gehalts ... im Evangelientext ohne Beispiel" wäre,[524] ist angesichts der vergleichbaren Stellen ein glattes Fehlurteil. Die Entscheidung der Textkritik muß also klar gegen diesen Versteil gefällt werden. Die Schwere der Entscheidung macht nur deutlich, wie nahe gerade die lukanische Theologie der theologischen Entfaltung der frühkatholischen Kirche steht, in der sie ja auch stärker als jede andere theologische Ausformung des ersten Jahrhunderts zum Zuge gekommen ist, wie das Symbolum Romanum beweist.

Vers 34b wird von Lukas die Kleiderverteilszene gegen den Markus- wie den Septuagintatext partizipial an Vers 33 angeschlossen (zur Bedeutung für die Textfrage s. o.) und mit Einschaltung von de fortgeführt. Das Schlußwort ist gegen Nestle wegen des Gewichts der Textzeugen, besonders auch des p$^{75}$ (daneben ägyptische und Koine-Textgruppen, D pm b$^2$ c sy$^p$), wie bei Markus und Matthäus im Sing. zu lesen und nicht im Plur. klērous (so A, Korid, Lake-Gruppe, 33 al lat sy$^c$). Der Verdacht, daß der Sing. Rückangleichung an die Parallelen ist, kann erhoben, muß aber wegen des Gewichts der Gegenzeugen

522 Vgl. K. Aland, Synopse 482; ferner B. Weiß - J. Weiß, Luk 645 f.; Th. Zahn, Luk 698 A. 6, der noch weiteres Material zu diesem Wort aus der alten Kirche darbietet.
523 Zum Unwissenheitsmotiv vgl. J. Dupont 3 ff.; L. Cerfaux, RAC I, 186 ff.
524 So M. Dibelius, Formgeschichte 203 A. 2; übernommen von E. Lohse, Märtyrer 129.

niedergeschlagen werden. Der Plur. kann von dem Plur. *himatia* her nachträglich verursacht sein. Die letzten fünf Worte der Markusvorlage werden weggelassen, wobei die dort vorliegende paränetische Sinngebung in Wegfall kommt.

Vers 35a: Mit dem Wegfall des markinischen Verses 25 wird die Dublette der Kreuzigungsnotiz aufgehoben und gleichzeitig bewußt oder unbewußt mit der Stundenangabe ein gewichtiges Teil der „realisierten Eschatologie" der zweiten Markusvorlage.[525] Die hier von Lukas statt dessen neu gebildete Notiz vom neugierig gemeinten Zuschauen des Volkes (zum lukanischen Begriff *laos* vgl. V. 27) ersetzt den markinischen Vers 29, an den er sich anlehnt,[526] und soll wohl als „eine erste Stufe des Hohnes von allen Seiten" verstanden werden, denn mit *theōrōn* ist eine zusätzliche Anspielung auf den schon unmittelbar vorher verwendeten LXX-Ps 21,8 gemacht.[527] Das Volk ist bei Lukas schon hier in die Verspottung einbezogen; das bestätigt dann das lukanische *de kai* (vgl. V. 32) des nächsten Satzes unbestreitbar.

Die Tempelnotiz aus Mark 15,29 fehlt hier entsprechend der Auslassung von Mark 14,58 vor Luk 22,29 im Prozeß.[528] Damit wird ein wesentlicher Gesichtspunkt der alten Passionstradition eliminiert. Weiter fällt hier wie in der Folge (Mark 15,32.36.41) das typisch markinische Katabasis-Anabasis-Motiv weg (vgl. auch den Wegfall von Mark 10,32 und statt dessen die lukanische Motivierung in Luk 9,51) und damit verbunden die Aussage über den Glauben (Mark 15,32).[529]

Vers 35b: Statt dessen fährt Lukas mit dem redaktionellen Spottwort *ekmyktērizein* (im Neuen Testament nur bei Luk 2mal) fort in deutlicher weiterer Anlehnung an LXX-Ps 21,8; dies ist auch dort das auf *theōrein* folgende Verb.[530] Die Kennzeichnung der Spötter als *archontes* ersetzt die markinische Erwähnung der Oberpriester und Schriftgelehrten und ist für Lukas typisch (vgl. im Zusammenhang der Passion 23,13; 24,20; Apg 3,17; 13,27; Luk insgesamt 7mal und in der Apg 10mal; gegen Matth. nur 1mal in einem vergleichbaren Sinne: 9,18; Mark dagegen nie). Möglicherweise will Lukas mit dem Wort hier auch noch eine Anspielung auf Ps 2,2 machen.[531]

---

525 J. Schreiber 58 f.

526 J. Finegan 32.

527 E. Klostermann, Luk 226; gegen W. Grundmann, Luk 433 soll nicht das Volk ausgenommen werden. Die Koinetexte und Korideth. haben durch die Erweiterung in V. 35b diesen Zug nicht erst geschaffen, sondern nur verdeutlicht. Auch daß das Volk „nachdenklich zuschaut" (H. J. Holtzmann 419), ist zu bestreiten.

528 H. J. Holtzmann 419; E. Klostermann, Luk 226; J. Finegan 32; J. Schreiber 59.

529 E. Klostermann, ebd.; J. Schreiber, ebd.

530 E. Klostermann, ebd.; J. Finegan 32.

531 J. Finegan, ebd.

Der erste Spottsatz „Andere rettete er" wird von Markus Vers 31 übernommen, der zweite Satz aber abgeändert, indem der Imp. „er rette sich selbst" modifiziert aus Mark 15,30 hierher umgestellt wird.[532] Der Christos-Titel wird wohl aus Mark 15,32 übernommen, doch durch die Zufügung von *ei houtos estin* zu einem Konditionalsatz umgestaltet.[533] Die Zufügung des Demonstr.-Pron. entspricht einer lukanischen Eigentümlichkeit: *houtos* ist lukanisches Vorzugswort (230mal und Apg 237mal; gegenüber Matth 147 mal; Mark 78mal; vgl. hier V. 38.41.46(47)48.49),[534] und als Ersatz für das Personalpronomen ist es besonders typisch. Die christologische Titulatur wird von Lukas auf drei Begriffe erweitert: *ho hyos* ist auf Grund der Bezeugung bei p[75] (D) Lake-Gruppe pc sa bo gegen die Entscheidung vieler Exegeten im Text zu lesen.[535] Die Weglassung von *hyos* in vielen Handschriften erklärt sich als absichtliche Verkürzung, weil man den Sohnestitel nicht dem Spott anheimfallen lassen wollte, oder als (wahrscheinlicher) zufällige Auslassung durch Homöoteleuton. Es liegt nach dieser textkritischen Entscheidung dann hier nicht wie bei der Zufügung Luk 9,20 zu Mark 8,29 die Wendung *ho christos tou theou* vor.[536] Möglicherweise hat Lukas den Sohnestitel hier als Äquivalent eingeführt, weil er ihn in V. 47 im Bekenntnis des Centurio ausließ. Als dritter Teil wird „der Auserwählte" wie bei der Verklärung Luk 9,35 zugesetzt, und zwar an beiden Stellen zum Sohnestitel[537] (dort partizipial). Diese letzte Bezeichnung stammt wohl aus Jes 42,1 und wird auch aeth Hen 39,6; 40,5; 45,3 f. aufgenommen.[538] Die Spötter müssen auch in der hohnvollen Bezweiflung seines Anspruchs im Sinne des Lukas die Wahrheit aussagen! Darum häuft er die Titulatur: Jesus „ist der Erwählte nicht nur in seinem Leiden und trotz seines Leidens, sondern in seiner Bestimmung für das Leiden".[539]

Vers 36 wird eine neue Spottszene von Lukas geschaffen, deren Akteure die „Soldaten" sind, die bei Lukas erst hier auftreten.[540] Sie sind aus Mark 15,16 übernommen,[541] was wiederum beweist, daß Lukas die Verspottungsszene gelesen und ausgelassen, mithin also Markus zur Vorlage hatte. Daß Lukas sie

532 E. Klostermann, Luk 225.

533 Bl-Debr 372,1; J. Schmid, Matth und Luk 162.

534 R. Morgenthaler 181.

535 Gegen E. Klostermann, Luk 225; andere, z. B. J. Schmid, Matth und Luk 162; J. Finegan 32; W. Grundmann 433 lassen das undiskutiert unberücksichtigt! Kodex D hat die Abfolge nur umgestellt und erweiternd geglättet.

536 Vgl. 2,16 *kyriou;* Apg 4,26 *autou,* Zitate Ps 2,2; gegen J. Schmid, Matth und Luk 120, 162; J. Finegan 32.

537 H. J. Holtzmann 419.

538 J. Finegan 32; W. Grundmann Luk 433.

539 G. Schrenk, Art *eklektos* ThW IV, 194.

540 E. Klostermann, Luk 226; W. Grundmann, Luk 433.

541 J. Finegan 32.

als römische Soldaten vorgestellt hat, wie Grundmann als selbstverständlich annimmt,[542] muß nach dem Anklang an die Formulierung von 22,53 (*stratēgous tou hierou* redaktionell bei der Gefangennahme!) in dieser Selbstverständlichkeit bezweifelt werden; es wird von Lukas wohl mit Absicht in einer gewissen Schwebe belassen (vgl. Apg 3,15; 5,30; 7,52: den habt *ihr* getötet; 2,23; 13,28 präzisiert wohl: ihr durch die Hand der Heiden, ist aber daran interessiert, das „ihr" stärker herauszustellen; 11,39 allgemein). Juden, Henker und Soldaten bilden nach der lukanischen Sicht und Darstellung eine Einheit. Lukas verbindet darum auch wieder Vers 36 durch sein typisches *de kai* (vgl. V. 32.35) eng mit dem Vorangehenden.

Das Verb für die Verspottung (*empaizein*) hat Lukas aus Mark 15,31 hierher übernommen; *proserchomai* wird redaktionell von Lukas zugesetzt, wie es auch Vers 52 redaktionell steht. Zwar verwendet Lukas dieses Verb nicht so oft wie Matthäus, doch immer noch doppelt so oft wie Markus, so daß wir es für seinen Sprachgebrauch reklamieren können. Dieses Hinzutreten dient hier der „Essig"-Tränkung, wodurch Lukas die Doppelung der Tränkung bei Mark 15,23.36 beseitigt und aus den beiden jeweiligen Zusammenhängen herausnimmt und so der Tränkung einen völlig neuen Ort und damit Sinn gibt. Durch den neuen Kontext wie durch die grammatische Verklammerung wird die Darreichung des Essigs bei Lukas ebenso eindeutig wie einmalig als Akt des Spottes verstanden.[543] Indem *oxos* aus Mark 15,36 übernommen wird, bleibt die Anspielung auf Ps 69,22 abgeschwächt erhalten.[544] *Prosferein* ist zwar kein lukanisches Vorzugswort, steht hier aber ebenso redaktionell wie Vers 14 (sonst nur 2mal in Abhängigkeit von Mark: 1,44, vgl. Luk 5,14; 10,13, vgl. Luk 18,15; auch in der Apg nur 3mal: 7,42 Zitat; 8,16; 21,26).

Vers 37: Die Spotthandlung der Soldaten wird wieder durch ein Wort des Spottes ergänzt (*kai legontes*), das wieder wie Vers 35b mit einem Konditionalsatz mit *ei* eingeleitet, diesmal aber als direkte Anrede in der 2. Pers. (*sy ei*) stilisiert wird. Der Königstitel aus Mark 15,32 ist hierher übernommen und die Aufforderung „rette dich selbst" wörtlich aus Mark 15,30. Nur bei der Königstitulatur wird das „Israel" der Vorlage in *tōn Ioudaiōn* umgewandelt. Diese Änderung ist Angleichung an 23,3 (= Mark 15,2) und den Kreuzestitulus, der typischerweise auch Vers 38 sofort nachgetragen wird. Sie ist also von daher klar zu erklären und muß nicht besagen, daß die so redenden Soldaten damit als Nichtjuden – also Römer – gedacht sind (redaktionelles *tōn Ioudaiōn* bei

542 A. a. O., 433.

543 W. Grundmann, ebd.; E. Klostermann, Luk 226; die Auslassung bei Syˢ·ᶜ ist sekundär.

544 J. Finegan 32.

Lukas noch 7,3; 23,51 – also 5mal; das sind alle Stellen, an denen Lukas das Substantiv hat; es erscheint immer im Gen. plur.).[545]

Vers 38: Der Kreuzestitulus wird aus Mark 15,26 hierher versetzt und dient „als Erklärung der neu formulierten Spottworte" von Vers 37.[546] Lukas fühlt sich gemüßigt zu erklären, „daß es am Kreuz eine Inschrift mit diesem Titel gab",[547] dessen Worte die Spottenden wiederholen. Die enge Verbindung mit diesen Worten wird wiederum mit dem typisch lukanischen *de kai* hergestellt (vgl. oben zu V. 32); auch *epi* mit Dativ ist für Lukas charakteristisch (35mal + Apg 27mal, vgl. Matth 17mal, Mark 16mal);[548] außerdem wird am Schluß des Wortes wieder in lukanischer Weise betont das Demonstr. statt des Pers.-Pron. hinzugesetzt (vgl. oben zu V. 35). Dieses macht auch die Inschrift zu mehr als einer bloßen Erklärung; sie ist vielmehr selbst ein Akt der Verhöhnung.[549] Das ergibt sich nicht nur aus dem Ort, den Lukas diesem Vers gegeben hat, und aus den beiden Zusätzen *ep' autō* und *houtos*, sondern auch aus der Weglassung von *tēs aitias autou* aus der Markus-Vorlage: Wenn der titulus Verhöhnung ist, so ist er nicht mehr als Angabe des Verurteilungsgrundes aufzufassen.[550]

Vers 39 ändert Lukas betont den Markustext 15,32c ab und läßt nur einen der beiden Gehenkten (von *kremasthai* sind vier von sieben neutestamentlichen Stellen lukanisch; die restlichen drei in der Apg; zum lukanischen *kakourgōn*, s. o. V. 32; auch die Änderung des *kai* der Vorlage in *de* bezeugt die Hand des Lukas) Jesus spotten.[551] Damit wird für die, die die Geschichte schon aus der Tradition kennen, ebenso ein Spannungsmoment eingeführt wie für die, die aus der Darstellung des Lukas bisher nur Vers 32 f. zur Kenntnis genommen haben. Es erhebt sich schon hier die Frage: Was aber ist mit dem anderen? Wie verhält er sich? Damit wird Vers 40–43 schriftstellerisch kunstvoll als die wirkungsvolle Antwort und als Gegenstück zu dem Spottabschnitt vorbereitet.[552]

Als Terminus für den Spott gebraucht Lukas hier das aus Mark 15,29 hierher

545 Die Zufügung der Dornenkrönung bei D (sys.c) ist eine sekundäre Wiedereinführung der von Lukas gestrichenen und von den Abschreibern bzw. Übersetzern bei ihm vermißten Spotthandlung, die aber das Gefälle der lukanischen Veränderungen insofern richtig erkennt, als sie den Zusatz gerade hier einbringt; vgl. E. Klostermann, Luk 226; W. Grundmann, Luk 433 A. 13.

546 J. Schreiber 59.

547 J. Finegan 32.

548 R. Morgenthaler 160.

549 E. Klostermann, Luk 226; J. Finegan 32; W. Grundmann, Luk 433.

550 Die verbreitete Zufügung der Dreisprachigkeit des titulus ist nachträgliche Eintragung aus Joh 19,20; vgl. H. J. Holtzmann 419; E. Klostermann, Luk 226f.; W. Grundmann, Luk 433 A. 14.

551 E. Klostermann, Luk 229.

552 H. J. Holtzmann 419; Th. Zahn, Luk 702 A. 18; bei Marcion fehlt V. 39–43 wohl

zurückgesetzte und aufgesparte *blasfēmein,* das das markinische *oneidizein* an dieser Stelle verdrängt. Dieser stärkste aller gebrauchten Ausdrücke erscheint nicht wie bei Markus am Anfang, sondern betont am Schluß der Verspottung, wodurch eine wirkungsvolle Steigerung erreicht wird. Lukas hat die Steigerung weiter dadurch deutlich gemacht, daß er dem Verbrecher auch ein Spottwort in den Mund legt,[553] das in Übereinstimmung mit den beiden bisherigen eine Würdebezeichnung (aus Mark 15,32a übernommen) und die Aufforderung zur Selbsthilfe (aus Mark 15,30a wiederholt) bringt. Dennoch handelt es sich auch in der wörtlichen Rede nicht nur um eine bloße Wiederholung, sondern ebenfalls um eine Steigerung: Lukas leitet den Satz mit seinem Vorzugswort *ouchi* (17mal, vgl. Matth 9mal, Mark nie)[554] ein; das ist noch „bitterer als *ei*".[555] Erst recht wird die Rede dieses Mannes dadurch lästerlich, daß er Jesus nicht nur zur Selbsthilfe auffordert, sondern steigernd *kai hēmas* hinzufügt. Auch er erwartet *sōtēria* von Jesus, doch nicht jede an Jesus gestellte Heilserwartung ist richtig und positiv zu bewerten. Daß man von Jesus überhaupt etwas erwartet, ist noch keine Legitimation. Es gibt hier auch ausgesprochen falsche Erwartungen, ja sogar falsche Heilserwartungen.

Die ganze Spottszene ist von Lukas in überlegter Weise kompositorisch durchgegliedert. Die Gruppen erscheinen „in methodischer Reihenfolge . . ., das Volk (V. 35a), die Obersten (V. 35b), die Soldaten (V. 36–38), die mitgekreuzigten Verbrecher (V. 39–43) – und von allen, außer von dem zweiten Mitverbrecher, wird Jesus verhöhnt. So wird die Zusammenhangslosigkeit des Markus-Berichts, wo die einzelnen Sätze unabhängig nacheinander gestellt sind, sehr gebessert".[556] Dieser Zusammenhang der Personen ergibt sich außerhalb unseres Textes z. B. daraus, daß Lukas *anomoi* nur Luk 22,37 im Hinblick auf die Mitgekreuzigten und Apg 3,23 für die Urteilsvollstrecker verwendet, beide mithin verbunden sieht.[557] Doch wird man hier noch einen Schritt weiter gehen und feststellen können, daß die Spottszene aus sechs Gliedern besteht, die in drei Zweiergruppen aufgeteilt werden können: Auf eine Spotthandlung (V. 35a Zuschauen, V. 36 Tränkung, V. 38 Inschrift) folgt jeweils ein Spottwort (V. 35b, 37, 39). Der Zusammenhang untereinander wird durch den Gleichbau der Spottworte

darum, weil hier die Rettung eines Juden ausgesagt wird. Damit wird aber der lukanischen Komposition das Herzstück ausgebrochen.

553 Dessen Fehlen bei D e ist versehentliche oder absichtliche Auslassung als vermeintlich überflüssige Wiederholung; vgl. E. Klostermann, Luk. 229; W. Grundmann, Luk 433 A. 15 – doch ist ihm gegenüber zu betonen, daß nicht der Vers, sondern nur der Versteil fehlt.

554 R. Morgenthaler 181.

555 E. Klostermann, Luk 229; die Abänderung in *ei* bei einer größeren Anzahl Textzeugen ist eine sekundäre Angleichung an V. 35 und 37 und sachlich eine Abschwächung.

556 J. Finegan 32.

557 M. Rese 159.

ebenso ausgedrückt: Auf einen oder mehrere Christustitel folgt immer die Aufforderung zur Selbsthilfe. Das bedeutet, daß der gliedernde Einschnitt hinter Vers 39 zu machen ist und nicht davor (mit Nestle 224 gegen Huck/Lietzmann 203). Andererseits ist unbestreitbar, daß Vers 39 mit Vers 40–43 zusammenhängt: „Alle drei an den Kreuzen Hängenden sprechen und werden durch ihre Worte in ihrer Eigenart charakterisiert."[558] Es gibt hier also nochmals eine Dreiergruppe. Die Überschneidung der verschiedenen Dreiergruppen in Vers 39 bedeutet eine Verklammerung, mit der zum Ausdruck gebracht wird, daß Vers 40–43 nicht nur als Antwort auf Vers 39 allein aufzufassen ist, sondern als die Antwort auf Vers 35–39 insgesamt, was Lukas auch dadurch deutlich macht, daß er Vers 33 schon einleitend die gemeinsame Hinrichtung der drei Personen aussagt und damit eine Anfangsklammer für die Spottszene schafft. Wie wir schon sahen, hat weiter die lukanische Erwähnung der drei bereits auf dem Wege zur Hinrichtung in Vers 32 den Sinn, Vers 40–43 vorzubereiten, so daß das hier Folgende darüber hinaus auch im Sinne des Lukas als Antwort auf Vers 27–31 zu werten ist.

Vers 40 leitet mit der Gegenrede des anderen Mitgekreuzigten das Zentrum der lukanischen Kreuzigungsdarstellung ein. Der Passus erweist sich als lukanische Gestaltung. *Heteros* ist lukanisches Vorzugswort (vgl. V. 32). Das, was der andere sagt, wird als *epitiman* gekennzeichnet; auch dieses Wort ist bei Lukas am häufigsten verwendet (12mal, fehlt allerdings in der Apg; Mark 9mal, Matth 6mal);[559] dabei ist besonders der Charakter der vier redaktionellen Stellen (9,55; 17,3; 19,39; 23,40) auffallend, weil hier die sinngemäße Verwendung einheitlich ist. Es kennzeichnet hier immer die brüderliche Zurechtweisung und ist offensichtlich Terminus technicus der Kirchenzucht gewesen (vgl. 2 Tim 4,2 und das Substantiv 2 Kor 2,6)[560]: Jesus selbst muß seine Jünger „bedrohen", wenn sie Feuer vom Himmel fallen lassen wollen (9,55). Der Bruder, der sündigt, ist zu „bedrohen", damit er umkehrt und ihm vergeben wird (17,3 red. gegen Matth 18,15 Q). Die pharisäische Bitte, daß Jesus seine huldigenden Jünger beim Abstieg vom Ölberg „bedrohe" (19,39), ist unangebracht und wird von ihm zurückgewiesen (19,40). Es gibt also auch falsche Kirchenzucht! Hier schließlich ist die einzige Stelle, an der das *epitiman* durch eine folgende wörtliche Rede inhaltlich gefüllt wird. Daß dies erst an der zuletzt vorkommenden Stelle geschieht, läßt die vorangehendenWendungen auf unsere Stelle hinzielen. Sie sind inhaltlich sinngemäß von den hier durch Lukas gegebenen Worten zu füllen. Vier Momente zeichnen dieses Wort aus: Hinweis auf die Gottes-

---

558 W. Grundmann, Luk 433 A. 15.

559 R. Morgenthaler 100.

560 E. Stauffer, ThW II, 623, 15 ff.; vermutlich fußt Lukas hier auf dem Septuaginta-Sprachgebrauch der Weisheitsliteratur (ebd. 621,14 ff.) ebenso wie der kirchenrechtliche Gebrauch der Urkirche.

furcht, Erkenntnis der Schuld, Solidarität der Schuld (wir! V. 41) auf dem Hintergrund des unschuldigen Leidens des Christus.[561]

*Fobein* mit Gott als Objekt ist für die Sprache des Lukas charakteristisch (6mal + Apg 5mal; Markus nie; Matth nur 10,28 = Luk 12,5 Q). Betont ist weder *sy* noch *theon*, sondern *fobē*.[562] Als situationsbedingter Begründungssatz (*hoti*) wird hinzugefügt *en tō autō krimati ei*: „Du bist doch ebenso im Begriff zu sterben wie der von dir Verhöhnte."[563] (*Krima* für die Verurteilung Jesu nur noch Luk 24,20, also auch hier lukanisch geprägt.)

Vers 41: Auf dem Hintergrund der eigenen Schuld wird die Unschuld Jesu ausgesagt, indem beide Sätze mit *men-de* eng verknüpft werden (vgl. für die lukanische Redaktion V. 33). Mit der 1. Pers. plur. wird nicht nur der andere auf seine Schuld aufmerksam gemacht, sondern der Redende selbst bezieht sich auch ein.[564] Das Adv. *dikaiōs* wird in den vier Evangelien nur hier verwendet. Es wird in dem nachfolgenden *gar*-Satz Vers 41b begründet: Wir empfangen doch „nur" (dies ist sinngemäß zu ergänzen), was unseren Handlungen entspricht; *apolambanein* gebraucht Lukas 4mal, und zwar in eigenen Formulierungen (Matth nie, Mark nur 1mal; es fehlt auch in der Apg;[565] das doppelte *prassein* ist auch als lukanisches Vorzugswort anzusprechen, da Matthäus und Markus es nie verwenden (Lukas 6mal; Apg 13mal)[566] und da es hier wie Vers 15 mit *axion* + Genitiv verbunden ist (vgl. noch Apg 25,11.25; 26,31, auch 26,20).

Vers 41c erklärt dagegen mit dem Demonstr. in lukanischer Weise betont (s. o. zu V. 35) und in bedeutungsvoller Umkehrung des Spott-*houtos* von Vers 35 und 38 die Unschuld Jesu. Diese wird mit *atopos* bezeichnet, was in den Evangelien nur hier vorkommt.[567] Es meint Unrecht „im rechtlichen und sittlichen Sinne" wie Apg 25,5 (vgl. 2 Thess 3,2) und wie oft im profanen Sprachgebrauch[568] (dagegen Apg 28,6 allgemein „Ungewöhnliches"; von vier neutestamentlichen Stellen stammen also drei aus der Feder des Lukas!).[569]

---

561 J. Schreiber 59.

562 E. Klostermann, Luk 229; die Furcht Gottes ist der Grund richtiger Selbsterkenntnis (Prov 1,7 der Weisheit Anfang), W. Grundmann, Luk 434.

563 E. Klostermann, ebd.

564 Daß in dem *hēmeis* die Schuld „aller Menschen" ausgedrückt sei (so J. Schreiber 59), ist als Überinterpretation anzusprechen. Lukas hat an dieser Stelle nicht in dieser Weise einen Zusammenhang von Kreuzestod und Sündenvergebung intendiert.

565 R. Morgenthaler 77.

566 Ebd. 135.

567 Die Lesart *poneron* D lat ist sekundäre Vermeidung dieses seltenen Wortes und evtl. Verstärkung.

568 E. Klostermann, Luk 229; Th. Zahn, Luk 701 A. 14; Belege bei Wettstein z. St.

569 R. Morgenthaler 80; H. Köster, Art. *topos*, ThW VIII, 187 ff. läßt die Behandlung dieses Adj. vermissen.

Auch *oudeis* gebraucht Lukas oft (33mal; Apg 25mal; vgl. Mark 26mal; Matth 19mal).[570]

Mit Vers 42 wendet sich der Mitgekreuzigte von seinem Komplizen weg und direkt Jesus zu mit der Bitte, er möge seiner gedenken. Während er bisher (V. 41) nur die Schuldlosigkeit Jesu aussprach, steigert er sich jetzt zur Anerkennung der Messianität Jesu.[571] Die Textüberlieferung dieses Verses ist vielfach gespalten, doch läßt sich die älteste Form mit Wahrscheinlichkeit ermitteln: Die Anrede *kyrie* (A, sy, Koinetexte) wurde sekundär hinzugefügt, „weil man die in den Evangelien singuläre Anrede *Iēsou* als Dativ zu *elegen* nahm".[572] Theologisch weittragender ist die Entscheidung, ob der Vers von einem Kommen Jesu „mit" (*en*) seiner Herrschaft[573] oder „in" (*eis*) seine Herrschaft[574] reden läßt; *eis* ist zwar schwächer bezeugt (B L lat), doch hat diese Lesart jetzt durch p[75] eine gewichtige Stütze bekommen. Das bei Sin, A, C, W, Korid, Lake, Ferrar, Koinetexte, sa bo bezeugte *en* ist dann als Korrektur nach Matth 16,28 und Angleichung an die kirchliche Christologie zu beurteilen.[575] Sachlich wird das *eis* auch durch Luk 24,26 bestätigt, wo Lukas parallel zu unserer Stelle vom *eiselthein eis tēn doxan autou* spricht (vgl. auch 16,16 redaktionell *eis autēn*). Die Basileia ist nach Lukas eine schon vorhandene göttliche Wirklichkeit, in die man hineingenommen wird. Der Akzent hat sich vom Kommen des Reiches auf das Kommen in das Reich verlagert; damit „wird der Weg dorthin zum eigenständigen Problem".[576] Sowohl für Jesus (er mußte leiden) als auch für die Menschen (sie müssen sich bekehren) wird diese Frage des Eingangs in das Reich von Lukas reflektiert. (Doch ist diese Tendenz und Redeweise nicht erst von Lukas aufgebracht worden: vgl. schon die Formulierung in den Logien Mark 10,15.25 *eis*.) Auch hier wird der Eingang Jesu in seine Basileia durch die Verbindung mit Vers 41 an sein unschuldiges Leiden gebunden. Der Schächer erkennt schon das, was die Emmausjünger erst durch die Begegnung mit dem Auferstandenen lernen müssen. Dieser heilsuchende Mitgekreuzigte erhofft den Eingang in die Basileia durch Jesu Erinnerung an ihn

570 Ebd. 127.

571 E. Klostermann, Luk 229.

572 Ebd.; die Erweiterung der Einleitung bei D, der gar keine Anrede hat (*strafeis pros ton kyrion*), ist mit *kyrios* offensichtlich von der genannten sekundären Lesart abhängig; *strafeis* wird zudem unlukanisch verwendet, da Lukas es nur für Jesus gebraucht (vgl. V. 28).

573 So H. J. Holtzmann 409; Th. Zahn, Luk 701 A. 16; J. Jeremias, Art. *Paradeisos* ThW V, 768 A. 47, sieht hierin einen Semitismus „als König".

574 So zuletzt W. Grundmann, Luk 434.

575 A. Schlatter, Luk 447; das bestätigt Klostermanns Begründung seiner gegenteiligen Entscheidung insofern, als er *eis* eine „schlechte Korrektur" (!) nennt (Luk 229). Die singuläre Lesart von D *en tē hēmera tēs eleuseōs sou* ist deutlich tertiär, da sie mit *en* von der sekundären Lesart abhängig ist, diese aber im temporalen Sinne uminterpretiert.

576 H. Conzelmann, Mitte 95.

(*mnēsthēti mou*). Das Wort *mimnēskesthai* ist lukanische Ausdrucksweise (6mal + Apg 2mal; Mark nie; Matth 3mal).[577] Apg 10,31 steht es parallel zur Erhörung einer Bitte (*eisakousthai*). Sein Wunsch ist, daß Jesu Erinnerung für ihn erhörende und rettende Wirkung haben möchte. Auch *hotan* wird von Lukas verstärkt verwendet (29mal + Apg 2mal; vgl. Mark 21mal, Matth 19mal).[578]

Vers 43: Diese Bitte des zweiten Mitdelinquenten bekommt aus dem Munde Jesu eine positive Zusage, die nicht als Korrektiv aufzufassen ist,[579] sondern als bestätigende Antwort. Sie wird eingeleitet mit der Zusageformel *amēn legō* + Dat. der 2. Pers. des Pers.-Pron., die Lukas sonst weitgehend tilgt und nur 6mal bietet (vgl. Mark 13mal, Matth 31mal)[580]: Ohne Parallele wie hier noch 12,37; 3mal aus Markus übernommen 18,17.29 (= Mark 10,15.29); 21,32 (= Mark 13,30) und 1mal 4,24 gegen Mark 6,4 zugesetzt. Die letztgenannte Stelle legt es nahe, auch die ersten beiden nicht als Sonderüberlieferung, sondern als Redaktion aufzufassen. Lukas kann die Zusageformel nicht nur weglassen oder übersetzen, sondern auch hinzufügen. J. Jeremias sieht in dieser Formel wohl mit Recht ein „Kennzeichen der ipsissima vox Jesu"[581] und inhaltlich „einen den Gottesnamen meidenden Ersatz der prophetischen Vollmachtsformel ‚so spricht der Herr'".[582] Doch beweist unsere Stelle, daß nicht alle so gebildeten Worte Jesu schon durch die Verwendung der Formel als solcher als jesuanisch ausgewiesen sind. Auch läßt sich die Häufung bei Matthäus nicht nur aus einer besonderen Tradition heraus erklären. Vielmehr hat der Sprachgebrauch auch neue Worte bildend weitergewirkt.[583]

Der Inhalt der Verheißung ist die „sofortige Versetzung in das Paradies".[584] Weil hier „die endgültige Entscheidung nicht erst der Parusie und der Auferstehung vorbehalten" ist,[585] sondern für „heute" verheißen wird, hat man

577 R. Morgenthaler 121.

578 Ebd. 127.

579 So aber Th. Zahn, Luk 701 f.; E. Klostermann, Luk 229: „nicht erst dann, sondern gleich sollst du mit mir selig werden"; diese Interpretation ist die Konsequenz seiner textkritischen Entscheidung für *en* in V. 42 und trägt hier die Paradoxie von Joh 11,24 ff. ein. – Die Erweiterung des Verses in der Einleitung bei D ist wiederum sekundär (ebd.).

580 R. Morgenthaler 71; Einzelaufstellung bei W. Larfeld 22 f.

581 J. Jeremias, Abba 148–151.

582 Ebd. 149; vgl. G. Dalman, Worte Jesu I, 185–187; Bill. I, 242–244; H. Schlier ThW I, 339–342; W. Grundmann, Mark 85 f.

583 E. Haenchen, Weg 529 A. 7; auch J. Jeremias muß einen „formalhaften Gebrauch in der urkirchlichen Überlieferung" (149) zugestehen.

584 H. J. Holtzmann 419; eine formale Parallele bei Siph. Dtn. 32,4 § 307 (133a): Ein Philosoph, dem beim Märtyrertode des R. Chamina b. Teradjon und seiner Frau (um 135) auch die Hinrichtung angedroht wird, sagt: „Morgen wird mein Teil bei diesen sein in der zukünftigen Welt" (Bill. II, 264).

585 E. Klostermann, Luk 229.

daran Anstoß genommen und verschiedene Ausweichmöglichkeiten versucht: Man hat teilweise schon in der alten Kirche das Komma hinter *sēmeron* gesetzt und damit interpretiert: „Heute sage ich dir";[586] auf Grund des religionsgeschichtlichen Materials hat man andererseits in neuerer Zeit wiederholt angenommen, daß dem Schächer hier nicht die endgültige Rettung, sondern erst ein seliger Zwischenzustand verheißen würde,[587] denn „die alte Synagoge kennt ein dreifaches Paradies: das Paradies Adams Gen 2,8 ff., das Paradies der Seelen, das den entschlafenen Gerechten während des Zwischenzustandes als Aufenthaltsort dient, und das endzeitliche Paradies, das den Seligen nach der Auferstehung und dem Endgericht übergeben wird".[588] Von daher ist zuzugeben, daß das Wort *paradeisos* als solches nicht eindeutig ist, doch wird es in unserem Vers eindeutig als endgültiger Heilsort bestimmt durch den Zusatz *met' emou*, da Jesus ja nicht erst in einen Zwischenzustand eingeht, sondern nach dem Zusammenhang eindeutig in sein Reich (V. 42) bzw. seine Herrlichkeit (24,26). Dazu stimmt auch das von Lukas bevorzugt (11mal + Apg 9mal; vgl. Mark 1mal, Matth 8mal)[589] und betont soteriologisch und nicht chronologisch verwendete *sēmeron* in 2,11; 4,21; 5,26; 19,5.8.[590] Das bedeutet aber speziell für unsere Stelle, daß Lukas die Erhöhung Jesu wohl nicht direkt vom Kreuzestod aus denkt. Man darf wohl die verwendeten Züge des Märtyrerbildes nicht in dieser Richtung überinterpretieren.[591] Seit G. Bertrams Untersuchung „Die Himmelfahrt Jesu vom Kreuz aus und der Glaube an seine Auferstehung"[592] ist behauptet worden, daß Lukas hier in die Nähe zu solchen ursprünglich apokalyptisch-gnostischen Vorstellungen komme.[593] Daß es diese Vorstellungen von der Erhöhung Jesu, abgesehen von seinem Begräbnis und seiner Auferweckung von den Toten, sehr früh gegeben hat, hat die Analyse des apokalyptischen Kreuzigungsberichts gezeigt, den Markus aufgenommen hat. „Man konnte an

586 Beleg und Widerlegung bei Th. Zahn, Luk 702 A. 18.

587 So C. Clemen, Religionsgeschichtliche Erklärung des Neuen Testaments, 1924[2], 149; Th. Zahn, Luk 203 f.; A. Schlatter, Luk z. St.; J. Jeremias ThW V, 768 f.

588 Bill. IV/2, 1118; vgl. auch schon ebd., 1016 f. und ferner die Belege ebd., 1119–1165 und II, 264–269; J. Jeremias, ThW V, 765, 11 ff.; das Wort ist in den Evangelien Hapaxlegomenon; es findet sich im NT nur noch 2 Kor 12,4. Apk 2,7.

589 R. Morgenthaler 140.

590 Das muß auch J. Jeremias, ThW V 768 f. zugeben; vgl. W. Grundmann, Luk 434; E. Fuchs, Art. *sēmeron*, ThW VII, 272 f., trennt Luk 23,43 zu Unrecht von diesen Stellen ab.

591 So etwa J. Schreiber 59: „Der Märtyrer vermag den Mitgekreuzigten noch heute (23,43), bei seinem Tode, da er seinen Geist in die Hände des Vaters befiehlt (23,46,) mit sich ins Paradies zu ziehen."

592 Festgabe für A. Deißmann, 1927, 187–217.

593 So J. Jeremias, Der Opfertod Jesu Christi, Calwer Hefte 62, Stuttgart 1963, 9; J. Schreiber 59 A. 44.

den Erhöhten glauben, ohne Begräbnis und Auferstehung vorauszusetzen."[594] Daß Lukas aber direkt diesen Traditionen folge oder hier von ihnen abhängig sei, ist nicht anzunehmen, da gerade Luk 23,42 f. sich als redaktionelle Formung erwies und die Umformung der ganzen Kreuzigungsdarstellung nichts von einer Tendenz des Rekurses auf die vormarkinische Tradition spüren ließ. Zum anderen sieht Lukas insgesamt nicht vom Begräbnis Jesu und seiner Auferweckung von den Toten ab, sondern hält sich deutlich an die andere Tradition von der Auferstehung am dritten Tage.[595] Das *sēmeron* ist also weniger temporal und stärker soteriologisch gemeint; es sagt eine soteriologische Präsenz an. Dann aber ist es andererseits auch eine ungerechtfertigte Psychologisierung in chronologischer Hinsicht, wenn man den Mitgekreuzigten als „Muster der Reue in letzter Stunde" versteht.[596] Der Zusammenhang mit den anderen soteriologischen *sēmeron*-Stellen verbietet dies.

Vers 44 nimmt Lukas den Markusfaden wieder auf und erzählt geringfügig modifiziert das Auftreten der Finsternis. Durch die Zufügung eines weiteren *kai* zur Zeitbestimmung entsteht eine Parataxe, wie sie der von Lukas ausgelassene erste Markusvers mit Zeitbestimmung (Mark 15,25) hatte. Eventuell hat Lukas hier sogar in Anlehnung an ihn umformuliert. Dieses zweite *kai* koordiniert beide Aussagen: „... als eine Finsternis geschah..."[597] Durch die Zufügung von *ēdē* (Luk häufig, 10mal + Apg 3mal; vgl. Mark 8mal, Matth 7mal)[598] und *hōsei* (lukanisches Vorzugswort: 8mal – und zwar nachweislich überall redaktionell[599] – + Apg 6mal; vgl. Mark 1mal, Matth 3mal)[600] wird dieser ursprünglich apokalyptisch gemeinte Sachverhalt stärker chronologisch gefaßt und damit historisiert.[601] Es ist die einzige Stundenangabe, die Lukas hier beibehalten hat.[602] Aber ganz und gar vordergründig hat auch Lukas diese Notiz nicht verstanden, denn in deutlicher Beziehung zu der Stelle fügt er bei der Gefangennahme (22,53b) den Satz hinzu: „Aber dies ist eure *Stunde* (!) und der *Machtbereich* der *Finsternis* (!)." Die Gefangennahme wie der Tod Jesu finden in der Finsternis statt; beides geschieht im Machtbereich des Teufels.[603]

---

594 J. Finegan 32 A. 3 mit Bezug auf G. Bertram.

595 Das betont J. Finegan 32 mit Recht.

596 So R. Bultmann, Tradition 307; J. Finegan 32 A. 2 und J. Schreiber 59 A. 47 folgen ihm darin zu unbesehen.

597 Bl-Debr 442,4, vgl. die klassischen Belege dazu im Anhang; E. Klostermann, Luk 225.

598 R. Morgenthaler 104.

599 E. Klostermann, Luk 225; J. Finegan 33.

600 R. Morgenthaler 157.

601 W. Trilling, Christusverkündigung 196.

602 W. Grundmann, Luk 435; doch ist ihm zu widersprechen, wenn er in V. 44a Sonderüberlieferung sehen will.

603 E. Klostermann, Luk 218.

Das zeigt an, daß Lukas mehr über die Tötung als über den Tod Jesu reflektiert.

Vers 45a ist eine lukanische Zufügung, die den Ursprung der Finsternis rationalisiert.[604] Der abs. Gen. ist lukanische Vorzugskonstruktion;[605] vom Verbum *ekleipein* sind drei von vier neutestamentlichen Stellen lukanisch.[606] Als erklärte Sonnenfinsternis (H.-J. Holtzmann 419: „... dafür ist *ekleipein* der stehende Ausdruck.") ist die Finsternis ihrer ursprünglich apokalyptischen Bedeutung entmythologisiert und wird gleichzeitig damit zu einem Wunderzeichen mythisiert, das in antiker Weise auf die große Bedeutung des hier Sterbenden hinweist (s. o. zu Mark 15,33).[607] Andererseits ist nach Apg 2,20 gemäß dem Zitat aus Joel 3,4 die Sonnenverfinsterung Vorzeichen der angebrochenen Endzeit. Die lukanische Eschatologie ist demnach heilsgeschichtlich gegliedert aufzufassen.[608] Die lukanische Erweiterung an unserer Stelle ist im Hinblick auf das Joelzitat in Apg 2 vorbereitend getroffen worden. „In Apg 2 wird die Zugehörigkeit des Todes am Kreuz zum endzeitlichen Heilshandeln Gottes anschließend näher ausgeführt."[609]

Vers 45b hat Lukas das Zerreißen des Tempelvorhangs vor den Tod vorgezogen und damit eine Zweiheit von Wunderzeichen geschaffen.[610] Damit ist auch hier der ursprüngliche Sinn dieser Erwähnung nicht mehr erhalten. Es ist nicht mehr Folge des apokalyptischen Gerichtsrufs Jesu und somit auch nicht mehr das unweigerliche Ende des Tempels, sondern ein Naturwunder, das dem Tode Jesu voraufgeht. „Die Wunder werden bei Lukas zum Instrument der Vorsehung Gottes."[611] Der Schluß des Satzes ist gegenüber der Markusvorlage verkürzt, jedoch durch das lukanische Vorzugswort *mesos* (14mal + Apg 10mal; vgl. Mark 5mal, Matth 7mal)[612] zugleich dramatisiert. Sehr wahrscheinlich ist die durch die Umstellung erreichte Dopplung der Zeichen von Lukas mit Hin-

604 Ebd. 226; J. Finegan 33; mit p75c B C hat man wohl das Präsens als lectio difficilior vorzuziehen; die Lesart „und die Sonne verfinsterte sich" (A, W Korid Lake Ferrar Koinetexte lat sy), die den Gen. abs. auflöst, doch als sekundär anzusprechen ist, sieht darin noch einen Zusatz zur allgemeinen Finsternis, also im Zusammenhang noch ein drittes Zeichen.

605 Ebd. 245; R. Bultmann, Tradition 385.

606 R. Morgenthaler 92.

607 J. Schreiber 39 f., 59.

608 Ebd. 59 A. 49.

609 M. Rese 54; das bedeutet eine Modifizierung der Sicht Conzelmanns von der lukanischen Eschatologie: „Noch nicht mit Jesu Leben, aber mit seinem Sterben am Kreuz beginnt nach Meinung des Lukas die Endzeit" (ebd. A. 45).

610 H. J. Holtzmann 420; E. Klostermann, Luk 227; J. Finegan 33; D macht das sekundär wieder rückgängig.

611 J. Schreiber 59 A. 49; vgl. S. Schulz, Gottes Vorsehung 104 ff., besonders 113 f.; ders., Stunde der Botschaft 281.

612 R. Morgenthaler 181.

blick auf die Stelle in dem Apg 2,19 angeführten Joel-Zitat gestaltet worden, wonach den Vorzeichen oben am Himmel auch Zeichen unten auf der Erde entsprechen.[613] Das war schon durch die Erweiterung Vers 45a nahegelegt und würde durch die Umstellung hier noch bestätigt. „Bei Lukas könnte die Finsternis als Sonnenfinsternis das ‚Wunder am Himmel oben‘, das Zerreißen des Vorhangs das ‚Zeichen auf der Erde unten‘ sein.“[614] Dann wäre nach Lukas der Tod Jesu durch die begleitenden Wunderzeichen auch als Vorbedingung der endzeitlichen Geistepoche anzusehen. Es geht Lukas auf jeden Fall mit dieser Aussage nicht mehr direkt um das Ende des Tempels, ja gar nicht mehr um den Tempel als solchen.

Vers 46 hat Lukas die Einheit des Schreis analog der vormarkinischen Tradition (Mark 15,34a.37) wiederhergestellt, indem er die redaktionelle Zutat des Markus (15,34b-36) wegließ. Daß er sie aber gelesen hat, bewies die Weinnotiz Vers 36 (s. o.). Für diese Auslassung lassen sich zwei Gründe namhaft machen. Einmal läßt Lukas hier wie im ganzen Evangelium die markinische Eliatypologie aus, weil sie seiner Eschatologie und besonders der damit verbundenen Auffassung des Täufers nicht mehr entsprach.[615] Zum anderen entsprach das markinische Gebetswort Jesu nicht seinem Märtyrerbild von der Kreuzigung Jesu. Der Märtyrer stirbt in Gottes Nähe und nicht mit Worten, die die Gottverlassenheit aussagen.[616]

Die Stilisierung am Anfang hat Lukas verschönert durch die figura etymologica *fōnēsas fōnē megalē*, die sich durch Apg 16,28 als lukanische Stilisierung erweist.[617] Für das fallengelassene Kreuzeswort aus Ps 22,2 hat Lukas nun an dieser Stelle dem ursprünglich wortlosen Schrei einen neuen Inhalt aus LXX-Ps 30,6 gegeben,[618] der einen eindeutig vertrauenden Sinn hat.[619] Das wird noch

613 J. Schreiber 59 A. 49.

614 M. Rese 54.

615 H. Conzelmann, Mitte 12 ff., 20, 81; U. Wilckens, Missionsreden 101–105; G. Bornkamm, RGG³ II, 764; J. Schreiber 60.

616 H. J. Holtzmann 420; M. Dibelius, Formgeschichte 195; H. Conzelmann, Mitte 81; J. Schreiber 60; M. Rese 201.

617 E. Klostermann, Luk 226; J. Schmid, Matth und Luk 162; J. Finegan 33.

618 M. Dibelius, Formgeschichte 195, 204 A. 2; R. Bultmann, Tradition 304; jetzt ausführlich M. Rese 200–202; daß Lukas von der Septuaginta abhängig ist, bezeugt der Plur. *cheiras* gegen den Sing. des masoretischen Textes. Nur das Fut. der Septuaginta ist der Situation entsprechend in das Praes. übertragen, was Koinetexte sekundär rückgängig machen (T. Holtz, Zitate 58). Der Tempuswechsel darf nicht so mißverstanden werden, „daß hier auf die Schriftstelle als erfüllte Weissagung angespielt wird“. Es handelt sich nur um eine Anspielung, nicht um ein Zitat. „Bei dieser Art Schriftbenutzung ist von einer Reflexion im Sinne von Weissagung und Erfüllung nichts zu sehen“ (M. Rese 201 gegen K. Weidel 269).

619 H. Greeven, Gebet 48.

durch die Zufügung der Gebetsanrede „Vater" unterstrichen (vgl. 22,42).[620] Daß sich hierin besonders deutlich die lukanische Märtyrerideologie ausdrückt, zeigt die sinngemäße Wiederholung dieses Gebets im Munde des sterbenden Stephanus Apg 7,59, die sich dann dort an Jesus selbst richtet, was natürlich zugleich auch den Unterschied markiert. Doch hebt das die Zusammenhänge nicht auf: „Das Sterben Jesu wird zum Beispiel für die Seinen."[621]

Weil spätere Rabbinen diesen Psalmvers gelegentlich als kurzes Abendgebet empfohlen haben,[622] hat man hier historisierend gemeint, daß Jesus „sich mit den Worten des jüdischen Nachtgebets wie ein sich zum gewöhnlichen Schlaf Schickender Gott" befehle.[623] Doch ist das in Frage zu stellen, da man über das Alter und die Verbreitung dieses Brauches vorsichtig urteilen muß[624] und außerdem für Lukas eine spezielle Kenntnis möglicher rabbinischer Bräuche nicht ohne weiteres angenommen werden kann. Da die Schriftreminiszenz mit den erwähnten Ausnahmen genau der Septuaginta folgt, dürfte Lukas allein von dorther hierin abhängig sein. Daß hier keine vorlukanische Sonderquellenüberlieferung vorliegt, hat die Untersuchung bisher auf Schritt und Tritt gezeigt. Daher ist die noch weiter gehende Historisierung Grundmanns als zu wenig sorgfältig abzulehnen: „Jesus betet, während – nach Mark (!) 15,33 um die neunte Stunde – vom Tempel die Posaunen herüberschallen, die zum Abendgebet auffordern, das (!) Abendgebet des (!) frommen Juden und leitet es mit der ihm eigenen Abba-Anrede... ein."[625] Damit dürfte die lukanische Intention hier gründlich verkannt sein. Vielmehr gibt Lukas mit dem hier eingesetzten Wort, das deutlich die Aussagen über seinen Tod von Vers 42 f. aufnimmt und zu Ende führt, „die Lösung des Problems dieses Martyriums, und zwar in einer Fassung, die jedermann verständlich ist".[626] Denn die hier gewählte Fassung hat auch enge zeitgenössische Parallelen; zum Beispiel formuliert Seneca als letztes Wort des Herakles: „Nimm meinen Geist, ich bitte dich, zu den Sternen auf... Siehe, mein Vater ruft mich und öffnet den Himmel. Ich komme, Vater, ich komme."[627] Bei aller Beachtung der großen Zeitoffenheit des Lukas sollte man aber doch nicht übersehen, daß er es „immerhin noch für nötig hielt,

---

620 W. Grundmann, Luk 435; M. Rese 200.

621 E. Klostermann, Luk 227; vgl. H. J. Holtzmann 420.

622 Bill. II, 269; J. Jeremias, Das Gebetsleben Jesu, ZNW 25, 1926, 123–140, vor allem 126 A. 3.

623 K. H. Rengstorf, Auferstehung Jesu 106.

624 Vgl. J. Jeremias, ZNW 25, 131 f.; Vorsicht läßt hier gegenüber Rengstorf auch T. Holtz 58 A. 1 mit Recht walten.

625 W. Grundmann, Luk 435 nach E. Stauffer, Jesus. Gestalt und Geschichte, Bern 1957, 107 f.; dagegen mit Recht auch M. Rese 201.

626 H. Conzelmann, Mitte 81.

627 Heracles Octaeus 1707 f., 1729 f., zit. bei W. Grundmann, Luk 435.

an dieser Stelle die Schrift heranzuziehen".[628] Noch ein weiteres Moment der Komposition des Evangelisten ist hier zu beachten. Lukas dürfte auch noch eine besondere Beziehung zwischen dem Anfang und dem Schluß seines Jesusberichts hergestellt haben: Das erste, was wir von Jesu Wirken erfahren, ist, daß er betet (3,21); ebenso ist das letzte, was er tut, sein Beten. Ebenso ist auch das letzte, was Lukas den Auferstandenen tun läßt, nichts anderes als ein Gebet (24,50 f.). Der Schlußsatz unseres Verses verklammert die hier gesprochenen Gebetsworte aufs engste mit dem Tod Jesu: Er stirbt, während er dies betend ausspricht. Lukas leitet den redaktionellen Satz wieder mit dem mit Vorliebe benutzten Demonstrativum (s. o. zu V. 35) ein.

Vers 47 wird wiederum modifiziert aus Markus übernommen. Lukas meidet den Latinismus *kentyriōn* und nennt den Hauptmann wie 7,2.6 *hekatontarchēs;* die Vorliebe des Lukas für dieses Wort zeigt sich in dem noch 13maligen Vorkommen in der Apostelgeschichte.[629] Das markinische *hoti houtōs exepneusen* wird kurz durch *to genomenos* wiedergegeben; Lukas liebt es, „die substantivische Ausdrucksweise statt der verbalen" zu benutzen;[630] speziell den hier verwendeten Ausdruck gebraucht er häufiger (vgl. V. 48);[631] weiterhin ist *ginesthai* überhaupt lukanisches Vorzugswort (129mal + Apg 124mal; vgl. Mark 55mal, Matth 75mal).[632] Lukas kann hier mit einer allgemeineren Wendung als Markus reden, weil der Bezug auf den unmittelbar voranstehenden Tod Jesu eindeutig und nicht durch die Tempelnotiz unterbrochen erscheint. Damit ist aber auch der direkte Sachbezug der Aussage unseres Verses auf den Tod Jesu, d. h. auf sein betendes In-den-Tod-Gehen, klar. Zugleich ist natürlich dabei auch das Vorangehende eingeschlossen und die Aussage vor allem in Antithese zu den Spottszenen gesprochen. Der Hauptmann preist da, wo die anderen nur höhnten. Zur Einleitung der nachfolgenden Aussage fügt Lukas noch betont hinzu *edoxazen ton theon.* Damit macht er unmißverständlich klar, daß er das Bekenntnis des Hauptmanns als Gotteslob verstanden wissen will. Das darf nicht abgeschwächt werden, indem man aus der Änderung der Gottessohnprädikation der Vorlage in *dikaios* etwa herausliest, daß der Hauptmann nach Lukas „etwas viel Geringeres" als bei Markus ausspreche, „nämlich die in diesem Augenblick innerhalb menschlicher Maßstäbe einzig erreichbare Überzeugung von Jesu Unschuld".[633] Doch ist Gotteslob bei Lukas nicht als innermensch-

---

628 M. Rese 201.

629 R. Morgenthaler 92; vgl. E. Klostermann, Luk 225; J. Schmid, Matth und Luk 162 A. 6.

630 J. Schmid, Matth und Luk 163; E. Klostermann 227.

631 Stellen bei J. Schmid, ebd. 163 A. 1.

632 R. Morgenthaler 181.

633 So M. Dibelius, Formgeschichte 204; dagegen mit Recht H. W. Surkau, Martyrien 99 f.

lich Erreichbares aufgefaßt. Das läßt sich leicht erkennen, weil *doxazein* bei Lukas nicht nur Vorzugswort ist (9mal + Apg 5mal; vgl. Mark 1mal, Matth 4mal; genauso auch das Substantiv *doxa*),[634] und zwar in der Regel mit dem Objekt *ton theon* verbunden,[535] sondern nach der zentralen Stelle vom dankbaren Samariter (17,15:18 f.) eindeutig als Handlung des Glaubens erklärt wird!

In dem lobpreisenden Bekenntnissatz selbst wird das markinische *alēthōs* durch *ontōs* ersetzt. Auch bei Mark 14,70 hatte es Luk 22,59 – wenn auch in anderer Weise – schon abgewandelt. Statt dessen setzte er 3mal *alēthōs* redaktionell in Worten Jesu statt des einleitenden *amēn* seiner Vorlagen (9,27; 12,44; 21,3). Weil er es also für Worte Jesu aufspart, läßt er es hier aus. Doch ist dies nicht der einzige Grund für die Änderung; denn *ontōs* hat Lukas nur noch an einer zweiten Stelle, an der es mit Bestimmtheit ebenfalls redaktionell ist, Luk 24,34: „Der Herr ist wirklich (*ontōs*)[636] auferweckt und Simon erschienen." Denn ohne dieses besondere Wort stimmt der Satz faktisch mit dem grundlegenden Auferstehungskerygma 1 Kor 15,4 f. zusammen und dürfte ebenfalls aus der Gemeindeüberlieferung übernommen sein. Folglich werden die beiden lukanischen Stellen durch *ontōs* miteinander eng verbunden und in Beziehung gesetzt. Das wird auch dadurch bestätigt, daß typischerweise wiederum das einzige markinische *ontōs* im Zusammenhang der Vollmachtsfrage Mark 11,32 bei Luk 20,6 nicht übernommen wurde. Nun stehen die beiden lukanischen *ontōs*-Stellen jeweils am Schluß der zentralen Passions- und Ostergeschichte und haben durch diesen hervorgehobenen Platz zusammenfassenden Charakter. Ebenso wirklich, wie Jesus unschuldig zu Tode gebracht wurde, ist er wirklich auferweckt und erschienen. Damit ist die Bedeutung von Karfreitag und Ostern je für sich wie im Zusammenhang miteinander im Verständnis des Lukas umschrieben, und so wird sie in den Reden der Apostelgeschichte ja auch mehrfach wiederholt.

Die Benennung Jesu als eines „Gerechten" hat man entweder gegenüber dem Sohnestitel bei Markus als Abschwächung verstanden[637] oder aber als Indiz dafür gewertet, daß Lukas hier nicht Markus, sondern einer eigenen Vorlage folge, „da ein Grund zur Änderung des bekenntnismäßig stärkeren Markus-Wortes durch Lukas nicht erkennbar" sei.[638] Doch beide Annahmen gehen fehl; denn ihre gemeinsame Voraussetzung, daß *dikaios* bei Lukas eine Minderung christologischer Würde sei, ist falsch. Zunächst einmal läßt sich feststellen, daß eine Konkurrenz zum Sohnestitel nicht besteht, da Lukas diesen ja in Vers 35 verwendet hatte (s. o.) und er weiter durch die Vater-Anrede Vers 46 erinnert

634 R. Morgenthaler 90.
635 E. Klostermann, Luk 226; J. Finegan 33.
636 Bauer WB 1137.
637 So M. Dibelius, Formgeschichte 204; E. Haenchen, Weg 530.
638 So zuletzt W. Grundmann, Luk 435 A. 25.

wurde. Und weiter wird durch die Reden der Apostelgeschichte, wo diese Christusbezeichnung dreimal auftaucht, bestätigt, daß die Rede von Jesus als dem *dikaios* in bezug auf den Leidensweg Jesu für Lukas typisch ist; vgl. vor allem Apg 3,14 f.[639]: „Den *Heiligen und Gerechten* habt ihr verleugnet und begehrt, daß euch ein Mörder geschenkt wurde; den *Anfänger des Lebens* aber habt ihr getötet, ihn, den Gott von den Toten erweckt hat, wofür wir Zeugen sind." Vergleicht man damit noch die zweite Stelle Apg 7,52 „Verräter und Mörder des Gerechten", so wird deutlich, daß Lukas die beiden Begriffe in Apg 3,14 „nicht primär titular, sondern im Sinne eines Werturteils über Jesus" im Kontrast zu den „bösen Menschen" verwendet.[640] In der zweiten Stelle geht die Entwicklung schon stärker auf einen Titel hin, und an der letzten Stelle Apg 22,14 sieht und hört Paulus den Gerechten, ohne daß hier der Bezug zur Passion noch ausdrücklich besteht. Der Wortgebrauch geht also von der Passion aus, verallgemeinert sich aber im Laufe der Darstellung. Man erkennt einen Prozeß christologischer Entwicklung, der „Adjektive in Titel verwandelt".[641] Das Hendiadyoin „der Heilige und Gerechte" in Apg 3,14 macht ebenso wie die dort nachfolgende Prädikation „Anfänger des Lebens" deutlich, daß *dikaios* an unserer Stelle nicht als Abschwächung zu begreifen ist. Jesus ist der Heilige als der Gerechte. Er ist der in seinem leidenden Verworfensein außerhalb des Zusammenhangs von Schuld und Strafe Stehende. Der Bezeichnung als *dikaios* entspricht immer zugleich die Betonung des Unrechts, das man ihm angetan hat, und damit seiner eigenen Unschuld. Jesus stirbt unschuldig. Das wird hier abschließend gesagt, nachdem es das ganze Kapitel hindurch immer wieder betont worden war (23,4.14.15.16.20.22.28.32 f.41).[642] Die Unschuld Jesu, die Pilatus, Herodes und der Schächer feststellten, wird nun auch vom Hauptmann bestätigt. Besonders deutlich ist der Bezug zum Schächerwort Vers 41, das feststellt, daß die anderen beiden *dikaiōs* am Kreuz hängen, Jesus dagegen *ouden atopon epraxen*. Also erweist sich *dikaios* an unserer Stelle mit Bedacht dem *dikaiōs* dort gegenübergestellt und nicht nur als typisch lukanisch, sondern auch als gerade von diesem Zusammenhang her bedingte Abänderung. Die lukanische Christologie ist also an der Stelle nuanciert und nennt Jesus den Gerechten speziell im Hinblick auf seinen Leidensweg, um seine Schuldlosigkeit herauszustellen. Da sein Leiden nicht selbstverschuldet war, muß es einen anderen Sinn haben: Er geht den von Gott im Alten Testament vorgezeichneten Weg des leidenden Gerechten (Luk 24,25–27) als den Weg in sein Reich, seine Herrlichkeit, seine Auferstehung.

639 E. Klostermann, Luk 226.

640 U. Wilckens 168, dem M. Rese 132 zustimmt.

641 M. Rese, ebd., nach J. C. O'Neill, The Theology of Acts in its Historical Setting, London 1961, 141.

642 J. Finegan 39.

Vers 48 ist eine lukanische Bildung, die mit den Versen 27a und 35a vorbereitet wurde.[643] Während Vers 27b f. nur erst die Frauen trauern, die andern aber dem Spott beteiligt zusehen, ist hier nun eine Wende vollzogen: Der Tod des Gerechten hat auch die anderen zu einer positiveren und angemessenen Reaktion gebracht; sie holen nach, was die Frauen schon beim Kreuzweg taten. Ausdrücklich nennt Lukas alle (*pantes*) Mitanwesenden (*symparaginesthai* ist neutestamentliches Hapaxlegomenon,[644] doch als ein Kompositum charakteristisch für die lukanische Ausdrucksweise). Der Wechsel von *laos* zu *ochloi* dürfte andeuten, daß die Volksführer ausgenommen sind.[645] *Epi* mit Akkusativ ist für Lukas ebenso typisch wie der Zusatz des Demonstrativums (s. o. zu V. 28 bzw. 35); *theōria* ist wiederum neutestamentliches Hapaxlegomenon, steht hier aber in Paronomasie mit dem Verb,[646] das auch Vers 35a redaktionell zugefügt war, und so beide Stellen deutlich verklammert und sachlich aufeinander bezieht. Andererseits verbindet der Lukanismus *ta genomena* (s. o. zu V. 47) diesen Vers eng mit dem vorangehenden, indem es das dort singularisch ausgesagte Sehen des Geschehenen pluralisch erweitert. Damit hat Lukas eine Art Chorschluß zugefügt. Ganz parallel zu Vers 47 folgt auch hier dem Sehen eine bedeutungsvolle Reaktion dieses Sehens. Dem Gotteslob dort entspricht hier das Sich-an-die-Brust-Schlagen und Umkehren: *typtein* (Lukanismus: 4mal + Apg 5mal; vgl. Mark 1mal, Matth 2mal)[647] *to stethos* steht hier wie 18,13 für das Sündenbekenntnis des Zöllners im Tempel[648] und wird darum von daher auch für unsere Stelle eindeutig auf diesen Sinn festgelegt.[649] Falls es dort vorlukanische Traditionsformulierung ist, so hätte Lukas das hier in bewußter Aufnahme dieser Stelle gesetzt, um Gleiches auszudrücken. Dort wird die so beschriebene Handlung durch eine Aussage gefolgt. Ein solches interpretierendes Sündenbekenntnis haben auch hier in sachlich richtiger Aufnahme der Aussageintention sys c g[1] im Anschluß an Petr Ev 7,25 sekundär zugefügt.[650]

Damit verbunden ist statt dessen hier das Verb *hypostrefein*, das ein eindeutig lukanisches Vorzugswort ist; den 22 lukanischen Belegen (+ Apg 11mal) steht kein Beleg bei Markus, Matthäus und Johannes gegenüber.[651] Die enge Verbindung zum voranstehenden Partizip und die Objektlosigkeit des Verbs schließen hier eine rein geographische Deutung des Wortes aus. Es soll viel-

---

643 H. J. Holtzmann 420; J. Finegan 33; E. Schreiber 58, 60.

644 R. Morgenthaler 144; Bauer WB 1542; ebenso in der LXX-Ps 82,9 einmalig.

645 R. Meyer, ThW V, 587,4–17.

646 E. Klostermann, Luk 227.

647 R. Morgenthaler 150.

648 H. J. Holtzmann 420.

649 Eine Anspielung auf Sach 12,10, wie E. Klostermann, Luk 227 vermutet, läßt sich nicht nachweisen.

650 E. Klostermann, ebd.; W. Grundmann, Luk 435 A. 26.

651 R. Morgenthaler 152, 181; sonst im NT nur noch Gal 1,17; Hebr 7,1; 2 Petr 2,21.

mehr ihre Umkehr im heilsträchtigen Sinne ausgesagt werden.[652] Man wird sogar noch einen Schritt weiter gehen dürfen und sagen, daß das *hypostrefein* betont dem *doxazein ton theon* in Vers 47 parallel gesetzt ist. Daß dies keine Überinterpretation ist, zeigt die Tatsache, daß dem *hypostrefein* an fünf Stellen ein bzw. mehrere Verben des Sagens zugefügt sind (8,39; 9,10; 10,17; 24,9.33), die an vier weiteren Stellen betont als lobpreisende Handlungen charakterisiert sind (2,20; 17,15.18; 24,52), so daß *hypostrefein* bei Lukas speziell die doxologieanzeigende Funktion hat. Somit ist auch für unsere Stelle deutlich, daß die Menge nicht nur Reue, sondern ganze Umkehr zeigt, die nach Lukas durch den Vollzug der Doxologie positiv gekennzeichnet ist (vgl. 17,11-19),[653] wie sich aus der Parallele zu Vers 47 klar ergibt. Die Verse 47 und 48 lassen erkennen, daß Lukas dem Sterben Jesu zwar eine soteriologische Wirkung, aber keine besondere Heilsbedeutung zuerkennt. Jesu unverschuldetes Leiden wie sein betendes Sterben bringt ebenso wie seine Heilungen und andere Taten, wie das Ereignis seiner Geburt und die Auferstehungserscheinungen Menschen zur Erkenntnis ihrer Schuld vor Gott und zum Vollzug des Gotteslobes und läßt ihnen darin Heil widerfahren.

Vers 49a läßt Lukas alle Bekannten Jesu von ferne zusehen. Nur *de* und *apo makrothen* ist von Markus übernommen. *Hoi gnōstoi* hat Lukas auch 2,44 und 10mal in der Apostelgeschichte (Mark und Matth dagegen nie);[654] daß es hier lukanische Redaktionsformulierung ist, zeigt das häufige Vorkommen in der Apostelgeschichte und das Fehlen in alttestamentlichen Anspielungen. LXX-Ps 87,9.19 steht hier noch weiter entfernt im Anklang als bei Markus. Der lukanische Satz soll aber sicher eine lukanische Anspielung auf LXX-Ps 37,12b sein (*kai hoi eggistai mou apo makrothen hestēsan*).[655] Das in dem Psalmwort ebenfalls unbelegte *pantes* grenzt die Gruppe der Jesusleute klar von den *pantes* der jüdischen Volksmenge im vorangehenden Vers 48 ab. Zum anderen hat dieses *pantes* sicher auch die Funktion, die Anwesenheit der Jünger anzudeuten, denn die Notiz ihrer Flucht hatte Luk 22,53 ja weggelassen.[656] Das entspricht auch klar der Zeugenfunktion des lukanischen Apostelbegriffs (24,48;

652 W. Grundmann, Luk 436 A. 27, vermutet das, möchte aber dies nur „sinnbildlich" angedeutet sehen und „in die Stadt" oder „nach Jerusalem" als Obj. zum Verb ergänzen.

653 Leider wird der lukanische Begriff von G. Bertram, Art. *strefo*, ThW VII, 714–729 nicht behandelt und nur 725 A. 18 anläßlich der v.l. von Luk 2,39 in Blick genommen.

654 R. Morgenthaler 85.

655 H. J. Holtzmann 420; E. Klostermann, Luk 226; W. Grundmann, Luk 436; daß *apo makrothen* auf ein gelöstes Jüngerverhältnis und eine beendete Nachfolge hinweise (so K. H. Rengstorf, Luk 265), ist durch den Ort des Satzes wie durch den Kontext ausgeschlossen.

656 E. Klostermann, ebd.; W. Grundmann, ebd.; J. Finegan 33 A. 2 mit Verweis auf M. Goguel; J. Schreiber 60.

Apg 1,21 f.)[657]: „Die erwählten Apostel waren immer dabei, auch in der Stunde der Kreuzigung."[658] Daß bei *pantes hoi gnōstoi* vor allem an die Jünger gedacht ist, zeigt auch die davon abgehobene Erwähnung der Frauen (*kai hai gynaikes*),[659] die Lukas wieder von Markus übernommen hat.

„Vers 49b ist eine Wiedergabe des markinischen Verses 41 in abgekürzter Form, ähnlich wie bei Matthäus. Markus Vers 41 hat Lukas schon 8,2 f. benutzt. Hier Vers 49 und dann auch 23,55; 24,1 sind die Namen ausgelassen, und sie kommen erst 24,10 vor."[660] Die Frauen stehen neben den Jüngern als weitere Zeugengruppe, nicht aber statt der Jünger.[61] Beide Sätze sind auch durch den betont gleichen Jesushinweis *autō* verbunden, der besonders an der ersten Stelle bei *gnōstoi* auffällig ist, da man dort einen Gen. erwarten könnte; zwar ist der Dat. vom adjektivischen Gebrauch her möglich,[662] dennoch ist die Gleichformung beider Sätze hier nicht zu übersehen. Lukas dürfte beide Gruppen nennen, weil sie außerdem beide im Auferstehungskapitel 24 noch eine Rolle spielen. Auffallend ist auch im Vergleich mit den vorangehenden Versen 47–48, daß Lukas von ihnen eine positive Reaktion hier nicht berichtet. Damit will er sie nicht etwa als weniger glaubend als die anderen beiden Gruppen hinstellen, sondern eine Spannung erzeugen, die auf die Ostergeschichten vorweist.[663] In der Tat wird nämlich 24,9 ein entsprechendes *hypostrefein* der Frauen, 14,33 ein entsprechendes der beiden Emmausjünger und 24,52 noch einmal ein weiteres der ganzen Jüngerschar mit nachfolgender Verkündigung bzw. Gotteslob ausgesagt. Daß hier der Ausdruck *gnōstoi* für die von den Frauen abgehobene Gruppe benutzt wird, zeigt die Absicht an, außer den elf Aposteln (24,9.33) auch die anderen (24,9 *pasin tois loipois*; 24,38 *tois syn autois*) und wohl auch die Emmausjünger mit zu umfassen.

Die Frauen werden hier durch das lukanische Hapaxlegomenon *synakolou-*

657 H. Conzelmann, Mitte 82; also handelt es sich nicht um „eine typische mitleidvolle Erfindung des Luk." (so J. Finegan 33); damit wäre das eigentliche lukanische Motiv hier verkannt.

658 J. Schreiber 60; auch Joh 19,35 f. rechnet mit einer Anwesenheit von Jüngern bei der Kreuzigung (H. J. Holtzmann 420; E. Klostermann, Luk 227).

659 Da der Artikel außer bei B pc jetzt auch in p75 belegt ist, dürfte er wohl ursprünglich sein, so daß es sich nicht um die in hellenistische Zeit beliebte schriftstellerische Eigenart der nachträglichen Setzung eines Artikels erst beim attributiven Zusatz handelt (Bl-Debr 270,3). Diese Tendenz dürfte bei dem weglassenden Abschreiben am Werke gewesen sein, falls man die Auslassung nicht einfach als Lesefehler ansehen will, der das zweite *ai* übersah (gegen E. Klostermann, ebd.).

660 J. Finegan 34; vgl. E. Klostermann, Luk 227.

661 So zu Unrecht H. J. Holtzmann 420.

662 Bauer WB 325 f.

663 Vgl. zu dieser Eigenart des Lukas auch meine Analyse von 24,23 ff. in Theologische Versuche II, 1970, 79–81.

*thein* näher gekennzeichnet, das wohl aus dem markinischen *akolouthein* und *synanabainein* entstanden ist, denn bei Mark 5,37; 14,51 hatte Lukas das Kompositum nicht übernommen. Damit ist das markinische Motiv der Anabasis und der speziellen Kreuzesnachfolge beseitigt[664] zugunsten des Zeugenmotivs. Die Nachfolge dient der Zeugenschaft als untergeordnetes Motiv; statt *en* setzt Lukas *apo*, das wohl mehr zeitlich zu verstehen ist: „seit" Galiläa sind sie dabeigewesen[665] und so kontinuierlich Zeugen des ganzen Weges, wie es 24,48 und Apg 1,21 f. voraussetzt; auch sie haben alles mit angesehen; *horan* ist von Lukas aus Mark 15,40 hierher versetzt und zur Abwechslung statt *theōrein* gebraucht.[666] Nach der femininen Form des Part. ist es speziell auf die Frauen bezogen, nicht auch auf die *gnōstoi* (vgl. V. 27), was wiederum die klare Differenzierung der Gruppen zeigt. Der Zusatz des Demonstr. *tauta* ist wiederum für den lukanischen Stil ausweisend (s. o. zu V. 35).

Zusammenfassung: Die lukanische Kreuzigungsdarstellung ist eine kunstvolle Komposition, die sich durch Übergänge, Vorverweise und spätere Lösungen der vorher geschaffenen erzählerischen Spannungen auszeichnet, so daß sie schwer zu perikopisieren und schematisch zu gliedern ist. Gegenüber diesem Produkt einer ausgesprochen literarischen Gestaltung versagen formgeschichtliche Kategorien weitgehend den Dienst, den sie in bezug auf die Gemeindeüberlieferung leisten. Eine Erfassung der lukanischen Kreuzigungsdarstellung wird sich deshalb bemühen müssen, die schriftstellerische Intention des Lukas herauszuarbeiten.

Lukas hat durch seine starken Eingriffe, die in Umstellungen, Auslassungen und Zufügungen bestehen, eine seiner vergleichsweise disparaten Markusvorlage gegenüber sehr einheitliche und glatte Darstellung geschaffen. Die Glättung wird vor allem dadurch erreicht, daß ursprünglich isolierte Züge wie der titulus und die Tränkung durch eine souveräne Umstellung der Spottszene eingeordnet (V. 36.38) und damit neu gedeutet werden. Indem das Spottmotiv so angereichert und in seinem Gewicht vergrößert wird, wird durch die Konzentration zugleich eine Vereinheitlichung durchgeführt. Dieser Zug zur Vereinfachung wird weiter durch Auslassungen verstärkt. Durch solche Glättungen erreicht Lukas unbeabsichtigt an drei Stellen eine überraschend große Nähe zu den ursprünglichen Darstellungen in den vormarkinischen Traditionsstücken (V. 33 Kreuzigung mit den beiden anderen; V. 38 titulus als Spott wie in der Sieben-Stunden-Apokalypse; V. 46 Schrei), an anderen Stellen dagegen entfernt er sich weit davon (z. B. V. 36 die Tränkung als Spott und die Zufügung der drei Worte Jesu wie der beiden Dialoge)! Das alles ist als Niederschlag des lukanischen Pragmatismus zu betrachten, „der, im Zusammenhange erzählend,

664 Auch an anderen Stellen vgl. J. Schreiber 61.
665 J. Schmid, Matth und Luk 163.
666 E. Klostermann, Luk 227.

geschichtliche Möglichkeit und angemessene Darstellung klug erwägt".[667] Daß er dabei gelegentlich ungefähr das historisch Richtige trifft, darf nicht dazu verleiten, ihm größeren historischen Wert beizumessen, weil er aus ebendemselben Grunde mit seinem Pragmatismus kühn konstruieren und historisch sehr danebentreffen kann.[668] Der lukanische Pragmatismus tritt hier besonders augenfällig in der Rationalisierung der Finsternis zu einer Sonnenfinsternis zutage (V. 44 f.) wie auch in der Gestaltung des letzten Wortes Jesu (V. 47), das nicht nur als alttestamentlicher Anklang zu bewerten ist, sondern auch als allgemeinverständliches Sterbewort, das man auch ohne Wissen um den alttestamentlichen Anklang versteht. Seinen theologischen Ausdruck hat dieser Pragmatismus außer in der lukanischen Vorsehungstheologie auch in seinem Apostelbegriff gefunden, der sich innerhalb seiner Kreuzigungsdarstellung in dem Zeugenmotiv (V. 49) manifestiert.

Besonders gewichtig sind unter den Zufügungen des Lukas die drei Jesusworte, die jeweils an zentraler Stelle stehen (V. 28–31.43.46); Lukas schafft hier letztlich drei Teile, die jeweils auf ein Wort Jesu hinlaufen (so in den ersten beiden Fällen) bzw. in deren Zentrum eins dieser Jesusworte steht (so im dritten Falle; die Abweichung ist bedingt durch den Eintritt des Todes Jesu; deutlich ist die Tendenz, das Wort soweit wie möglich nach hinten zu verlagern). Diese drei von Lukas intendierten Komplexe sind: Vers 26–32 der Kreuzweg, Vers 33–43 der Gekreuzigte und Vers 44–49 der Tod Jesu. Die zentrale Stellung der Worte Jesu wird noch dadurch unterstrichen, daß Lukas Züge des Handelns Jesu streicht (z. B. Mark 15,23b), während Matthäus sie gerade verstärkte und das gehorsame Tun Jesu hervorhob. Lukas zeigt sich auch hier wieder als der stärkere Wort-Theologe.[669] Jedesmal wird im Zusammenhang dieser entscheidenden Worte auch der Jesusname genannt (V. 28.42.46), dazu ein viertes Mal typischerweise in Anspielung auf das Wort Jesu von der Kreuzesnachfolge (V. 26). Damit wird nicht nur die Namenschristologie der Apostelgeschichte vorbereitet, sondern zugleich der enge Zusammenhang von Namen und Wort Jesu deutlich gemacht.

Die drei von Lukas geschaffenen Komplexe lassen sich jedoch nicht gegeneinander isolieren, da kunstvolle Linien übergreifende Erzählungszusammenhänge schaffen. So zielen z. B. Vers 27a und 35a auf Vers 48 hin, und die Verse 32.33 bereiten den Leser auf Vers 39–43 vor. Besonders der erste Teil insgesamt hat einen ausgesprochen spannungserzeugenden Einleitungscharakter: Das mitleidvolle Trauern der Frauen wird von Jesus untersagt; doch man fragt sich: Wie sollte man da nicht traurig sein? Dann werden sofort andeutend die

667 M. Dibelius, BuG I, 227.

668 Ebd. 222 A. 1, vgl. 280–285 .

669 Vgl. Luk 19,45 f. und dazu mein Studienheft zu sieben Texten aus dem Evangelium nach Lukas, 1968, 19 f.

beiden Mitdelinquenten eingeführt. Man fragt sich, warum eigentlich. Ist dies eine Ablenkung? Doch auf die Frage nach der Begründung für das Trauerverbot erhält man zunächst keine Antwort. Im Gegenteil – die unverhältnismäßig breit angelegte Spottszene mit sechs einzelnen Spottakten (die Abfolge von drei Handlungen und die ihnen jeweils zugeordneten drei Reden wurde deutlich kunstvoll komponiert) macht das Ganze im Grunde nur noch trauriger und verstärkt so die erzählerische Spannung: Wie sollte man da nicht erst recht traurig sein! Doch wieso hat Jesus es untersagt? Indem dann Vers 39 nur einer der Mitgekreuzigten spottet, erreicht die Spannung ihren Höhepunkt und läßt Vers 40 ff. die Lösung der Frage durch den zweiten Mitgekreuzigten bringen (V. 40–42), die dann krönend im Worte Jesu (V. 43) bestätigt wird. Was der dritte Teil bringt, ist faktisch nur noch Nachspiel dazu. Die kosmische Bestätigung durch die Wunderzeichen (V. 44 f.) weist auf die weltweite Bedeutung Jesu hin. Sein betendes Sterbewort (V. 46) erinnert und bestätigt den entscheidenden Jesussatz aus Vers 43. Die Bekehrungsreaktion des einzelnen (V. 47) wie der Menge (V. 48) ist eine Wiederholung der Reaktion des zweiten Schächers in Vers 42. Das Zeugenmotiv (V. 49) schließt ab und leitet zugleich zum Folgenden über und hat klar einen Verbindungscharakter zu den Auferstehungsgeschichten hin, die für Lukas das eigentliche Heilsereignis der göttlichen Bestätigung des Anspruchs Jesu darstellen. Der Tod ist für Lukas Durchgang zur Auferstehungsherrlichkeit.

Wie bei Matthäus, so hat man auch bei Lukas zwischen Leiden und Tod Jesu zu unterscheiden, doch sind beide Einzelakte hier anders interpretiert als bei Matthäus. Diese Unterscheidung wird aber versäumt, wenn man die lukanische Kreuzigung nur pauschal als Martyriumsdarstellung charakterisiert. Es ist deutlich, daß Lukas Züge der Märtyrertopik benutzt hat (trauernde Anteilnahme, Unschuldserweise, Gebet des Sterbenden, Wirkung auf die Anwesenden). Doch schon der Kernsatz der ersten großen Einschaltung (V. 27–31) macht durch seinen Inhalt (Weint nicht über mich – Weint über euch) deutlich, daß man mit dieser Charakterisierung nicht auskommt. Das ist das Unbefriedigende an der reinen Märtyrerdeutung. Vielmehr wird durch den Verbindungsvers 32 das Vorangehende auf die Verse 40–43 hin orientiert, in denen klar wird, daß Jesu Tod anders als jeder andere Tod der Eingang in seine Herrschaft ist. Darin ist Jesus nicht nur Märtyrer. Eine reine „Vermenschlichung" Jesu hat Lukas weder beabsichtigt noch dargestellt. Dieses Mißverständnis beruht auf einer weitgehenden Fehldeutung des Verses 47. Das *dikaios* dieses Verses will nicht sagen: „Das ist wirklich ein frommer Mensch gewesen,"[670] da *dikaios* nicht gegen *hyos* steht, sondern neben ihm; *hyos* ist nach Vers 35 vorgezogen und wird Vers 46 durch das dem Psalmwort zugesetzte *pater* auf Vers 47

---

[670] So E. Haenchen, Weg 530.

hin erinnert. Doch gegen eine rein innermenschliche Auslegung des Hauptmannswortes sperrt schon die Einleitung dieses Satzes einen Riegel vor.

Jesu Tod als solchem wird keine spezifische Heilsbedeutung zugesprochen. Daß er christologisch relevant für den Eingang in sein Reich ist, wird von den Erscheinungen des Auferstandenen her deutlich. Die lukanische Leidensgeschichte ist mehr an der Tötung als an seinem Tod orientiert und betont sehr stark die Unschuld dieses Leidens und damit die Schuld der Tötung. Wenn dagegen gerade die Kreuzigungsdarstellung verstärkt soteriologische Züge aufweist, so unterscheiden sie sich darin nicht von anderen Bekehrungsgeschichten des Lukas-Evangeliums wie der Apostelgeschichte. Unter dem Kreuz wie an der Krippe, unter der Verkündigung und den Machttaten Jesu wie seiner Zeugen kommen Menschen zur Umkehr.[671] In der Kreuzigungsgeschichte wird deutlich wie auch sonst, daß die *sōtēria* nicht mirakelhaft geschieht (V. 35–40 der Spott!), sondern dadurch, daß man Gott fürchtet (V. 40), sich bittend Jesus zuwendet (V. 42), ein Gott Lobender wird (V. 47) und Reue bezeugt (V. 48). Der Zug zu einer Individualisierung[672] ist dabei unverkennbar, doch sollte man dies nicht verabsolutieren und dies nur so benennen, wenn man sich gleichzeitig darüber im klaren ist, daß es Lukas nicht nur auf einzelne, sondern auch auf Gruppen ankommt, wie der redaktionelle Chorschluß Vers 48 zeigt.

Der Schriftbezug wird teils beibehalten (V. 34; abgeschwächt V. 36), teils werden neue Schriftanklänge gelegentlich eingeführt (V. 27.30.35a.b.46.49). Lukas scheut aber auch nicht davor zurück, Schriftanklänge zu beseitigen, wenn sie in Zusammenhängen stehen, die er aus anderen Gründen wegläßt (so entfallen z. B. Mark 15,29.34 bei ihm). Der Schriftbezug hat nicht ein so starkes Gewicht, daß Lukas ihn auf alle Fälle beibehält. Ein direkter Schriftbeweis de verbo wird in der lukanischen Kreuzigungdarstellung ebensowenig geführt wie bei den anderen Synoptikern. Wohl aber wird im Unterschied zu ihnen Vers 46 ein alttestamentliches Gebetswort zur allerletzten Äußerung gemacht und zur Deutung des Todes Jesu benutzt.

So will Lukas mit dieser Perikope deutlich machen: Der unschuldig am Kreuz leidende und sechsfach verspottete Jesus ist nicht zu beweinen, weil er den von Gottes bestätigender Vorsehung geplanten Weg geht, der durch den Tod in sein Reich führt, in welches hinein er die Menschen rettet, die sich ihm bittend, lobend, leidend und nachfolgend zuwenden. Zu beweinen sind aber die Menschen, die sich von dem an Jesus sich vollziehenden Geschichtsplan Gottes nicht überführen lassen, sondern in verblendetem Spott sich selbst verhaftet bleiben.

---

671 Gegen E. Haenchen ebd. sollte man darum nicht hier vom „Christus in cruce regnans" sprechen.

672 R. Bultmann, Tradition 337; J. Schreiber 59.

## 1.7 Die johanneische Redaktion (Joh 19,16b–37)

Man wird sich zunächst über den *Umfang* der johanneischen Kreuzigungsperikope einigen müssen. Daß sie mit Vers 16b einsetzt, ist deutlich, weil der Satz syntaktisch eng mit Vers 17a zusammenhängt.[673] Auch das *parelabon oun* „markiert nach johannäischem Sprachgebrauch einen Absatz".[674] Dagegen ist die Abgrenzung gegenüber der nachfolgenden Begräbnisperikope umstritten. E. Haenchen zieht die Verse 31–37 zur Begräbnisperikope[675] und läßt die Kreuzigungsdarstellung schon mit Vers 30 enden.[676] Damit wäre die johanneische Kreuzigungsdarstellung kürzer als die drei vorgenannten Redaktionen und würde nur 15 Verse umfassen mit 284 Worten; bis Vers 37 dagegen sind es 407 Worte (Zählung nach Nestle). Doch ist dieser verkürzenden Entscheidung schwerlich zuzustimmen. In ihrem Hintergrund steht das Verständnis der Verse 31–37 als Kreuzabnahme.[677] Unter dieser Voraussetzung erscheinen allerdings die Verse 31–37 und 38–42 andererseits als Dubletten, die „in einer gewissen Konkurrenz" stehen, „sofern die Abnahme Jesu vom Kreuz nach Vers 31–37 durch die römischen Soldaten vollzogen wird, während nach Vers 38 Joseph von Arimathäa Jesus vom Kreuz nimmt".[678] Dieser Voraussetzung aber ist zu widersprechen. R. Bultmann selbst muß zugeben, daß eine Kreuzabnahme durch die Soldaten nicht wirklich ausgesagt ist. Seiner Meinung nach sei sie aber vorausgesetzt.[679] Doch auch diese Sicht dürfte dem johanneischen Text nicht gerecht werden. Grundlage für die genannte Meinung ist nur der zweite Teil des einleitenden Verses 31: Die Juden bitten, daß allen drei Gekreuzigten die Schenkel zerschmettert und sie danach herabgenommen werden. Die nachfolgende Darstellung zeigt, daß bei Jesus beides so nicht zum Vollzuge kommt: Sowenig wie Jesus die Schenkel zerschmettert werden, sowenig wird er der Judenbitte entsprechend abgenommen – vielmehr erst entsprechend der speziellen Bitte Josephs Vers 38. Man ist also im Unrecht mit dem Schluß, daß Vers 31b eine damit widersprechende Kreuzabnahme voraussetze. Es handelt sich dort erstens nur um eine Bitte, und dieser Einleitungsvers hat zweitens

---

673 W. Bauer, Joh 215; R. Bultmann, Joh 517.

674 R. Bultmann, ebd. A. 2; die Textänderungen in verschiedenen Handschriften dagegen verbinden V. 16b mit V. 16a.

675 E. Haenchen, Weg 543 f.

676 Ebd. 527–529; vgl. ders., Bedeutung 77–79.

677 R. Bultmann, Joh 523.

678 Ebd. 516; vgl. E. Haenchen, Weg 544 A. 10, der meint, „daß hier zwei verschiedene Gedanken nicht zur völligen Einheit kommen, beweist die Wiederholung von *airein*".

679 Ebd. 516 A. 3 im Anschluß an Wellhausen und Delafosse; spezielle literarkritische Konsequenzen zieht Bultmann daraus aber nicht; keins von beiden Teilen ist seiner Meinung nach dem Evangelisten zuzuschreiben. Sie hätten schon in der Quelle nebeneinander gestanden.

Dispositionscharakter, der das Kommende vorbereiten soll. Die Doppelbitte der Juden aber wird so an Jesus nicht ausgeführt, wie dann Vers 32–37 einerseits und Vers 38–42 andererseits deutlich machen. Damit besteht natürlich auch ein Zusammenhang zum Folgenden, doch Vers 31–37 ist nicht als Kreuzabnahme zu bezeichnen, sondern als formale „Feststellung des Todes Jesu".[680] Damit aber ist der Abtrennung der Verse von der Kreuzigungsperikope der entscheidende Grund entzogen. Nun dienen aber über diese formale Kennzeichnung hinaus diese Verse inhaltlich dem Erweis des Todes Jesu als des Todes des eschatologischen Passalammes.[681] Von diesem Sachgesichtspunkt her sind die Verse 31–37 nicht vom Ereignis des Todes Jesu abzutrennen, denn sie geben damit nicht einen unjohanneischen Gedanken der Gemeindetradition weiter, wie Bultmann meinte,[682] sondern sind Ausdruck der spezifisch johanneischen Deutung des Todes Jesu, die die gesamte Komposition der Leidensgeschichte bei Johannes auch über die Chronologie hinaus entscheidend bestimmt, wie M. Weise in seiner Jenaer Antrittsvorlesung überzeugend gezeigt hat.[683] Damit ist der positive Grund gegeben, die Verse der Kreuzigungsdarstellung zuzurechnen. Mit Recht hat schon J. Finegan den Eindruck ausgedrückt: „Das Geschehen Vers 33 f. gehört eigentlich zur Darstellung des Todes Jesu."[684] Das aber bedeutet eine entscheidende Modifizierung der Bultmannschen Sicht des johanneischen Verständnisses des Todes Jesu! Nicht schon das formale *tetelestai* von Vers 30 gibt die entscheidende Deutung des Todes Jesu bei Johannes, sondern erst die inhaltliche Füllung dieses formalen *tetelestai* durch das Schriftwort Vers 36. Ebensowenig wie bei den drei anderen Evangelisten ist bei Johannes die Todesnotiz als solche schon der Abschluß der Kreuzigungsperikope.

Nachdem so der Bestand der Perikope festgestellt ist, haben wir nach ihren *traditionsgeschichtlichen Voraussetzungen* zu fragen. Bultmann, der von der Annahme ausgeht, daß Johannes neben der Offenbarungsreden- und der Semeia-Quelle als dritte Quelle auch noch eine Sammlung von Leidens- und Auferstehungsgeschichten vorgelegen hat,[685] spricht in unserem Abschnitt folgende Stücke dieser Quelle zu:[686] Vers 16b–19.23a α.b.24a.b.26a α.b.28a.b.29.(30).25. 31–34a.36.37. Dahinzu habe der Evangelist folgende Zusätze gemacht: Vers

680 So mit Recht J. Finegan 47.

681 Ebd. 47, 51; vgl. zuletzt M. Weise, KuD 12, 1966, 51.

682 R. Bultmann, Joh 516.

683 M. Weise, Passionswoche und Epiphaniewoche im Johannesevangelium, KuD 12, 1966, 48–62, vor allem 50–54.

684 J. Finegan 47.

685 R. Bultmann, Joh 491 f.; vgl. ders., RGG³ III, 843; ebenso M. Dibelius, BuG I, 231 ff.; vgl. die Zusammenstellung der Bultmannschen Vorlage bei E. Ruckstuhl 31.

686 Ebd. 515 f.

20–22.[687] 23a β (hote estaurōsan ton lēsoun zur Wiederherstellung des durch den Einschub von V. 20–22 gestörten Anschlusses an V. 19). 24c: hoi men oun stratiōtai tauta epoiēsan, weil der Evangelist V. 25 vorgezogen habe, und das sei geschehen, um V. 26 f. zuzufügen. Auch V. 28a β (eidōs ho lēsous hoti ēdē panta tetelestai) fällt als Dublette zum Motiv der Schrifterfüllung dem Evangelisten zu, ebenso das tetelestai als Inhalt des letzten Jesuswortes Vers 30. Der dritten und jüngsten Schicht der „kirchlichen" Redaktion spricht Bultmann die Verse 34b.35 zu.[688]

Wenngleich man Bultmann gern zugestehen wird, daß er sich „der undankbaren Mühe unterzogen" hat, „das Ineinander von Tradition und spezifisch johanneischer Erzählung zu entwirren",[689] so wird man wohl in der Nachprüfung seiner Ergebnisse zu dem Urteil kommen, „daß eine bloß literarkritische Methode nicht zureicht".[690] Doch auch literarkritisch ergeben sich Bedenken. Schon eine stilistische Überprüfung zeigt, daß die stilistische Formung des Abschnitts ziemlich gleichförmig ist. Da E. Schweizer und E. Ruckstuhl die johanneische Stilkritik durch Einführung einer gestuften Wertigkeit auf eine wissenschaftliche Stufe gestellt haben, so kann mit diesen Kriterien durchaus gearbeitet werden. Das für Johannes charakteristische oun-historicum (johanneisches Vorzugswort: 194mal,[691] davon 146mal als oun-historicum; Kennzeichen Nr. 3 bei E. Schweizer, Nr. 2 bei E. Ruckstuhl)[692] findet sich 11mal in gleichmäßiger Verteilung (V. 16b.20.21.23.24a.c.26.29.30.31.32; dabei V. 30 sogar in der singulären und gesteigerten Verbindung hote oun). Pilatus (Vorzugswort 20mal; vgl. Mark 10mal, Matth 9mal, Luk 12mal)[693] findet sich im Gegensatz zu den Synoptikern nur bei Johannes auch im Kreuzigungsbericht, und zwar 4mal (V. 19.21.22.31), und verbindet gegen Bultmann z. B. Vers 19 mit 21 f. Auffallend oft und gleichmäßig über die von Bultmann getrennten Verse verteilt, findet sich auch der Jesusname, der gleichfalls ein johanneisches Vorzugswort ist (237mal; vgl. Mark 81mal, Matth 150mal, Luk 89mal),[694] hier 10mal (V. 17.18.19.20.23.25.26.28. 30.33; – dagegen in den Kreuzigungsperikopen des Mark 2mal, des Matth 5mal, des Luk 4mal). Ein besonders gutes Kriterium wie ekeinos als selbständiger personal. Sing. (47mal, Johannesbriefe 6mal, übriges NT 11mal; Kennzeichen Nr. 6 bei Schweizer, Nr. 17 bei Ruckstuhl)[695] findet sich sowohl Vers 21 wie

---

687 Ebenso E. Haenchen, Bedeutung 78 A. 38.

688 Für V. 35 auch J. Jeremias, ThBl 20, 1941, 43 f.; E. Haenchen, Bedeutung 79 A. 46, rechnet damit, daß auch V. 28 f. „ad vocem teleo nachträglich eingefügt sein" könnte.

689 E. Haenchen, Bedeutung 65 A. 24.

690 Ebd., 64 A. 21.

691 R. Morgenthaler 182.

692 E. Schweizer, Ego 89 f.; E. Ruckstuhl 194, 203.

693 R. Morgenthaler 182.

694 Ebd.

695 E. Schweizer 90 f.; E. Ruckstuhl 194, 204.

Vers 35. Der Gen. ist 4mal vom zugehörigen Nomen getrennt (V. 20.20.32.35; Kennzeichen Nr. 12 und 32 bei Schweizer, Nr. 10 bei Ruckstuhl). 6mal ist *hoi Ioudaioi* (Vorzugswort 71mal; vgl. Mark 6mal, Matth 5mal, Luk 5mal)[696] zu lesen (V. 19.20.21.21.21.31), das bei den anderen Evangelisten hier nur im titulus erschien. Weiter ist zu verweisen auf *hopou* (V. 18.20; 30mal; vgl. Mark 15mal, Matth 13mal, Luk 5mal), *enteuthen* (V. 18.18; 6mal; sonstiges NT nur 4mal), *grafein* (V. 19.19.20.21.22.22; 21mal, vgl. Mark und Matth je 10mal, Luk auch 21mal), dazu *grafē* (V. 24.28.36.37; 12mal, vgl. Mark 3mal, Matth und Luk je 4mal), *eggys* (V. 20; 11mal, vgl. Mark 2mal, Matth und Luk je 3mal), *apokrinein* ohne ein weiteres verbum dicendi (V. 22; 45mal, sonst nur Apg 9mal), *hote* (V. 23.30; 21mal, vgl. Mark, Matth und Luk je 4mal), *hoti* (V. 20.21.28. 35; 271mal, vgl. Mark 101mal, Matth 141mal, Luk 173mal), *poiein* (V. 23.24; 110mal, vgl. Mark 47mal, Matth 84mal, Luk 88mal), *anōthen* (V. 23; 5mal, vgl. die anderen Evangelien nur 1mal), *allēlous* (V. 24; 15mal, vgl. Mark 5mal, Matth 3mal, Luk 11mal), *alla* (V. 21.24.33; 101mal, vgl. Mark 43mal, Matth 37mal, Luk 35mal), *hina* (V. 24.28.31.31.35.36; 147mal, vgl. Mark 65mal, Matth 41mal, Luk 46mal), *plēroun* (V. 24.36; 15mal, ähnlich gesteigert wie bei Matth 16mal, vgl. Mark 2mal, Luk 9mal), *horan* (V. 26.33.35.37 Zitat; 31mal, vgl. Mark 7mal, Matth 13mal, Luk 14mal), *mathētēs* (V. 26.27.27; 78mal, vgl. Mark 46mal, Matth 73mal, Luk 37mal), *agapan* (V. 26; 36mal, vgl. Mark 5mal, Matth 8mal, Luk 13mal), *gynai* als Anrede an die Mutter Jesu (V. 26, Kennzeichen Nr. 27 bei Ruckstuhl), *ide* (V. 26.27 statt *idou* 15mal; vgl. Mark 9mal, Matth 4mal), *eita* (V. 27; 3mal, vgl. Mark 2mal, Luk 1mal), ekeinos (V. 27.31; 70mal, vgl. Mark 23mal, Matth 54mal, Luk 33mal), *hora* (V. 27; 26mal, vgl. Mark 12mal, Matth 21mal, Luk 17mal), *ta idia* (V. 27; 15mal, vgl. Mark 8mal, Matth 10mal, Luk 6mal; als Subst. gebraucht, ein johanneischer Zug: 7mal, vgl. Luk 1mal, Apg 4mal), *meta touto* (V. 28 ein ungewöhnlicher Sing., Kennzeichen Nr. 43 bei Ruckstuhl), *oida* (V. 28.35; 85mal, vgl. Mark 22mal, Matth und Luk je 25mal), *ēdē* (V. 28.33; 16mal, vgl. Mark 8mal, Matth 7mal, Luk 10mal), *keisthai* (V. 29; 7mal, vgl. Matth 3mal, Luk 6mal), *oxos* (V. 29a.b.30; 3mal, vgl. die Synoptiker nur je 1mal), *mestos* (V. 29; 3mal, vgl. Matth 1mal), *paraskeuē* (V. 31; 3mal, vgl. die Synoptiker nur je 1mal), *menein* (V. 31; 40mal, vgl. Mark 2mal, Matth 3mal, Luk 7mal), *erōtan* (V. 31; 27mal, vgl. Mark 3mal, Matth 4mal, Luk 15mal), *katagnynai* (V. 31.32.33; sonst nur Matth 1mal), *skelos* (V. 31.32.33 im NT nur hier), *airein* (V. 31 und dann die bewußte Aufnahme V. 38 bis; 26mal, vgl. Mark und Luk je 20mal, Matth 19mal), *erchesthai* (V. 32.33; 156mal, vgl.Mark 86mal, Matth 111mal, Luk 100mal), *allos* (V. 18. 32; 34mal, vgl. Mark 22mal, Matth 19mal, Luk 11mal), *stratiōtēs* (V. 23.23.25. 32.34; 6mal, vgl. Mark 1mal, Matth 3mal, Luk 2mal), *logchē* (V. 34, ntl. Hap. leg.), *pleura* (V. 34; 4mal, sonst nur Apg 1mal), *nyssein* (V. 34, ntl. Hap. leg.),

696 R. Morgenthaler 182.

*hydōr* (V. 34; 21mal, vgl. Mark 5mal, Matth 7mal, Luk 6mal), *martyrein* (V. 35; 33mal, vgl. Matth und Luk nur je 1mal), *martyria* (V. 35; 14mal, vgl. Mark 3mal, Luk 1mal), *alēthinos* (V. 35; 9mal, vgl. Luk 1mal), *alēthēs* (V. 35; 14mal, vgl. Mark und Matth je 1mal), *pisteuein* (V. 35; 98mal, vgl. Mark 14mal, Matth 11mal, Luk 9mal), *palin* (V. 37; 43mal, vgl. Mark 28mal, Matth 17mal, Luk 3mal).

Die durch diese Aufstellung belegte Häufigkeit wie gleichmäßige Verteilung von typischen Stilmerkmalen und Vorzugsworten des vierten Evangeliums stellen Bultmanns Analyse des Abschnitts in Frage, weil sie sich sowohl in den von ihm der Quelle wie dem Evangelisten und auch der nachträglichen Redaktion zugewiesenen Versen finden. Nun wird man mit Wortstatistik und Stilkritik allein nicht jedes literarische Traditionsproblem klären können. Andererseits darf man aber auch nicht ungeschoren daran vorbeigehen oder sich gar darüber hinwegsetzen. Das darf um so mehr hier angewendet werden, als Bultmann diese Arbeitsweise durchaus anerkennt und sich selbst begründend ihrer bedient.[697] Man wird hinsichtlich des Ergebnisses an unserer Stelle eher geneigt sein, E. Haenchen zuzustimmen, wenn er urteilt: „Der Evangelist schreibt nicht (umarbeitend) eine Quelle aus, sondern erzählt eine – vielleicht nur vom Hörensagen ihm bekannte – Geschichte neu auf seine Weise."[698] Man wird dieses Urteil nach seiner negativen Seite hin aufnehmen können. Eine besondere Passionsquelle ist für das vierte Evangelium nicht anzunehmen.

Doch wie und woher ist Johannes diese Geschichte bekannt? Wenn man für ihn keine besondere Passionsüberlieferung im Sinne Bultmanns nachweisen kann, so stellt sich die Frage nach dem Verhältnis des Johannes zu den Synoptikern neu. Mit der synoptischen Überlieferung stimmen bis Vers 30 folgende acht Züge überein:[699] Vers 17.18a das Hinausgehen und die Kreuzigung an der Schädelstätte (Mark 15,20b.22.24a), Vers 18b zwei Mitgekreuzigte (Mark 15,27), Vers 19 der titulus (Mark 15,26), Vers 23a.24b die Kleiderverteilung (Mark 15,24), Vers 25 die Frauen (Mark 15,40), Vers 29 die Tränkung am Kreuz (Mark 15,36) und der Tod Vers 30 (Mark 15,37). Es fällt auf, daß die mit Markus übereinstimmenden Züge alle der von Bultmann vermuteten Quelle zugehören. Da aber Johannes andererseits keine Entsprechungen zu den Besonderheiten von Matthäus (27,51b–53) und Lukas (23,27–31.40–43) aufweist,[700] so

697 R. Bultmann, Joh 516 A. 5 z. B.: *Ioudaioi* V. 31 deutet auf den Evangelisten.
698 E. Haenchen, Bedeutung 65 A. 24; Haenchen geht dabei weniger von stilistisch-formalen, sondern von Sachgesichtspunkten aus; daß die johanneische Darstellung auf mündlicher Weiterverkündigung beruht, nimmt auch N. A. Dahl, NTS 2, 1955, 21 (im Anschluß an B. Noack, Zur johanneischen Tradition, 1954) an; vgl. weitere Vertreter für diese gegenwärtig herrschende Auffassung, daß zwischen Johannes und den Synoptikern keine literarische Beziehung, sondern nur eine teilweise Berührung gemeinsamer Tradition vorliege, bei W. G. Kümmel, Einleitung 136 f. und dazu zuletzt noch R. Schnackenburg, Joh 22 f., 26, 30.
699 Vgl. R. Bultmann, Joh 516.
700 Ebd.; mit Matth 27,37 stimmt nur die Zufügung des Jesusnamens in den titulus

legt sich die Frage nahe, ob nicht doch Markus für Johannes diese Quelle gewesen sein kann. Die Frage verstärkt sich, wenn man noch auf die beiden weiteren Entsprechungen achtet, die Johannes in dem Abschnitt Vers 31 ff. zum Markustext hat: „Mit *epei paraskeuē ēn* Vers 31 stützt sich Johannes wörtlich auf Mark 15,42 . . ., für *eidon ēdē auton tethnēkota* Vers 33 hat Johannes Unterstützung bei Mark 15,44 *ēdē tethnēken.*"[701] Für beide Anklänge ist festzustellen, daß sie spezielle Berührungen zwischen Johannes und Markus sind, da der synoptische Vergleich zeigt, daß Matthäus und Lukas diese Stellen aus dem Markustext ausgelassen haben. Überblickt man die Gesamtheit der beiderseitigen Berührungspunkte, so erkennt man weiterhin, daß sich Johannes nicht nur mit Zügen der beiden vormarkinischen Kreuzigungstraditionen trifft,[702] sondern auch mit Bestandteilen der markinischen Redaktion, was wiederum auf ein besonderes Verhältnis zwischen Markus selbst und Johannes hindeutet.[703]

Wenn also eine Beziehung des vierten Evangeliums zur Kreuzigungsdarstellung des Markus nicht geleugnet werden kann, so ist zu fragen, welche Absicht Johannes mit seiner Neufassung verfolgt hat. Diese Frage hat man sich sehr früh gestellt, denn einige Kirchenväter vertreten bereits die Ansicht, daß Johannes die anderen Evangelien habe ergänzen wollen.[704] Die Ergänzungshypothese ist auch in neuerer Zeit noch vertreten worden.[705] Da das einem kritischen Bewußtsein als falsche Apologetik erschien, hat F. Overbeck dem die Meinung entgegengestellt, daß Johannes die Synoptiker überbieten wolle.[706] H. Windisch hat den damit mehr implizit gesetzten kritischen Akzent dahingehend verstärkt, daß er die These vertrat, daß Johannes die Synoptiker verdrängen und ersetzen wollte.[707] Die psychische Konstellation des vierten Evangelisten bei seiner

Joh 19,19 zusammen, was nicht auf Abhängigkeit, sondern auf parallele Weiterentwicklung hindeutet (N. A. Dahl, NTS 2, 1955, 32, vgl. auch 21).

701 J. Finegan 47.

702 J. Schreiber 71 betont, „daß die beiden Kreuzigungstraditionen des Markus die Grundlage aller ‚historischen' Berichterstattung über die Kreuzigung Jesu sind" und daß auch die johanneische Darstellung „ohne die Kenntnis der beiden Traditionen nicht hätte geschrieben werden können".

703 Daß die johanneische Leidensgeschichte Markus (und dazu Lukas) voraussetzt, nimmt auch W. G. Kümmel, Einleitung 147 im Anschluß an C. Barret, Joh 18 an.

704 Z. B. Clemens von Alexandrien, Origenes, Euseb, Epiphanius, Augustin (vgl. R. Schnackenburg, Joh 15 A. 1).

705 Z. B. von Th. Zahn, Einleitung II³, 513; vgl. auch E. Ruckstuhl 130 hinsichtlich der mündlich gedachten Überlieferung.

706 F. Overbeck, Das Johannesevangelium, 1911.

707 H. Windisch, Johannes und die Synoptiker, Leipzig 1926; vgl. auch W. Bauer, Joh 239, der diese johanneische Absicht gegenüber der gesamten vorjohanneischen Überlieferung am Werke sieht und sie nicht nur auf die Synoptiker beschränkt sehen möchte. Er meint, daß Johannes „unter Benützung des Verwendbaren aus der älteren Zeit ein neues

Arbeit wurde dann wie folgt gesehen: „Wie kümmerlich und kläglich verzeichnet muß ihm mit seinem Glauben an Christus als den ewigen Logos, den himmlischen Gesandten, den Entschleierer der heiligsten und verborgensten Geheimnisse, den Gott, doch das Lebensbild Jesu etwa im Markusevangelium vorgekommen sein! Oder sollte er wirklich zugestanden haben, daß das auch der echte Jesus war, der vom Teufel versucht worden ist, das Beiwort gut von sich ablehnte, sich in den Dämonenaustreibungen, was die Machtentfaltung angeht, nicht über die Söhne der Pharisäer erhob und in Gethsemane angstvoll gerungen hat, um dann mit dem Ruf: Mein Gott, mein Gott, warum hast du mich verlassen! zu sterben?"[708] Hier erscheint Johannes allzusehr vom Typ des modernen Gelehrten her analogisiert und als eine Art von Schreibtischgenie gesehen, der eine neue und bessere Darstellung aufbauen will. Dem entgegen steht darum in der Folgezeit der letzten Jahrzehnte ein Verzicht auf den Versuch, die Absicht des vierten Evangelisten mit Beziehung auf die Synoptiker überhaupt zu formulieren. Man nimmt an, daß Johannes nicht direkt literarisch umarbeitet, sondern seine Traditionen nur gelegentlich und aus dem Gedächtnis her verwendet hat.[709] Methodisch wichtig ist an diesem letzten Stück Forschungsgeschichte die Erkenntnis, daß wir möglicherweise zwischen Kenntnis und Benutzung von Traditionen unterscheiden müssen. Daß die Gründe zur Behauptung einer literarischen Benutzung eventuell nicht ausreichen, muß also noch nicht bedeuten, daß man die in Frage stehende Vorlage nicht gekannt hat.

Das Widereinander von Benutzung der Synoptiker oder anderer Tradition, von literarischer Quelle oder mündlicher Überlieferung, von Kenntnis oder Benutzung, von Ergänzung oder Verdrängung zeigt, wie wenig man hier auf einem gesicherten Boden der Forschung steht. Ein Fortschritt dürfte sich nach Lage der Dinge nur aus einer neuen Art von Fragestellung gewinnen lassen, die fähig ist, aus einigen dieser Antinomien herauszuführen. Ein fruchtbarer Vorstoß in diese Richtung liegt in der Studie F. Neugebauers „Die Entstehung des Johannesevangeliums" vor.[710] Ihre Hauptthese, die die Studie von den Täufer-Stellen her überzeugend begründet, so daß sie für eine Arbeitshypothese brauchbar wird, lautet: Das vierte Evangelium setzt das Markus-Evangelium voraus; das Markus-Evangelium aber wird von Gnostikern für die Begründung ihrer christologischen Häresien mißbraucht; darum ist Johannes gezwungen, in dieser antihäretischen Frontstellung (speziell gegen Kerinth, wobei bei Neugebauer allerdings immer die Nikolaiten mitgemeint sind, was wichtig ist, da Kerinth

Leben Jesu zu schaffen meinte, das alle früheren weit hinter sich ließ". Ebenso auch W. Marxsen, Einleitung 217.

708 W. Bauer, Joh 239.

709 So J. Finegan 50; W. G. Kümmel, Einleitung 138.

710 F. Neugebauer, Entstehung des Johannesevangeliums; die Rezension von G. Haufe, ThLZ 94, 1969, 914 f. würdigt diese entscheidende Stoßrichtung des von Neugebauer gezeigten Ansatzes meines Erachtens nicht genügend.

erst Zeitgenosse Polykarps von Smyrna ist)[711] sein neues Evangelium zu schreiben.[712] Der Fortschritt gegenüber den bisherigen Fragestellungen besteht wesentlich darin, daß hier nicht mehr statisch ein Evangelienbuch mit dem anderen – sei es positiv oder negativ – verglichen wird, sondern daß ein Teil der frühen Weiterüberlieferungsgeschichte des Markus-Evangeliums in die vergleichende Betrachtung einbezogen wird. Daß diejenigen, die „Jesus von Christus trennen und sagen, daß Christus leidenslos geblieben sei, Jesus dagegen gelitten habe", „das Evangelium nach Markus vorziehen", kann sich auf den Bericht des Irenäus, Adv. haer. III,11,7 stützen.[713] War dies schon die Situation des vierten Evangelisten, so läßt sich die Entstehung seines Evangeliums von daher bedenken. Der Vorzug dieser Arbeitshypothese besteht darin, daß sie imstande ist, das Widereinander von Ergänzungs- und Korrekturhypothese aufzuheben und einander Widersprechendes beider Erklärungsversuche sinnvoll zu verbinden. Auch die Differenzierung von Kenntnis oder Benutzung erweist sich von da aus als zu eng, und die Bestreitung der Kenntnis des Markus-Evangeliums durch Johannes wird nicht mehr unter Absehung von dieser neuen Fragestellung diskutiert werden können. Auch beim vorliegenden Passionstext ist die Arbeitshypothese von der Ersetzung des gnostisch besetzten Markus-Evangeliums als ein Erklärungsversuch für Teilaspekte im Auge zu behalten. Ihr kommt ohne weiteres zustatten, daß sich schon abgesehen von ihr beim Textvergleich eine Benutzung des Markus-Evangeliums durch Johannes nicht ausschließen ließ.

Zu fragen wäre insbesondere, ob und inwieweit sich etwas von den Abweichungen der johanneischen Kreuzigungsdarstellung aus dem Horizont einer notwendigen neuen Darstellung als Entgegnung und Korrektur auf das gnostisch mißdeutete Markus-Evangelium verstehen läßt. Aus der Markusdarstellung fehlen bei Johannes folgende Züge:[714]

711 Ebd. 28 f., 34, ausgehend von dem bei Irenäus, Adv. haer. III, 11,1 ff. genannten Zusammenhang beider (vgl. den bequem zugänglich gemachten Textabdruck bei K. Aland, Synopsis 534 f.). Dies verkennt der Einspruch G. Haufes (a. a. O., 915) gegen die Heranziehung Kerinths. Die legendäre Begegnung zwischen Kerinth und Johannes im Bad zu Ephesus (Irenäus, Adv. haer. III, 3,4) wird von Neugebauer 29 darum mit Recht nicht historisch gewertet. Dagegen sind die Nikolaiten Apk 2,6.15 für das Ende des ersten Jahrhunderts gesichert erwähnt, und ihre Ableitung von Nikolaos von Antiochien (Irenäus, Adv. haer. I, 26,3), einem der sieben Führer der hellenistischen Urgemeinde von Jerusalem (Apg 6,5), hat sicher „einen historischen Kern" (G. Kretschmar, Art. Nikolaiten, RGG³ IV, 1485 f.). Literatur über Kerinth s. bei Neugebauer 28 ff.; die RGG³ III, 1250 läßt leider einen Artikel über Kerinth vermissen. Zur Lehre des Kerinth ist die Kernstelle Irenäus, Adv. haer. I, 26,1 (bei Neugebauer 29, Zeile 6 leider der Druckfehler III, 26,1).

712 Vgl. zusammenfassend den Schluß der Studie, ebd., 38 f.

713 Vgl. die Textwiedergabe bei K. Aland, Synopsis 535 und dazu F. Neugebauer 35.

714 J. Finegan 57; R. Bultmann, Joh 516; E. Haenchen, Bedeutung 79.

(1.) Simon von Kyrene Mark 15,21; statt dessen heißt es ausdrücklich, daß Jesus selbst sein Kreuz trug. Hier scheint eine Korrektur vorzuliegen. Daß Joh 19,17 einer anderen Tradition folgt,[715] ist nach dem Bisherigen, das keinen Anhalt dafür bot, unwahrscheinlich. Daß gar die Intention dieser Tradition die sei, daß sie von einer Schwäche Jesu nichts wissen wolle und daß sie außerdem paränetisch ausgerichtet sei (jeder Christ soll sein Kreuz so wie Jesus tragen), scheint beides fraglich. Die paränetische Ausrichtung ist im Vergleich mit Markus gerade nicht übernommen. Gegen die Annahme, die dies dennoch behauptet,[716] ist darauf zu verweisen, daß bei Johannes das Logion mit dem Bild vom Kreuztragen für die Nachfolge (Mark 8,34f. parr.) gerade nicht verwendet wird, was um so auffallender ist, als das im synoptischen Kontext nachfolgende Logion in Joh 12,25 sehr wohl Verwendung findet. Dagegen muß beachtet werden, daß Joh 19,17 das eigene Kreuztragen Jesu mit *heautō*[717] (sich selbst und allein) „so betont aus(spricht), daß es bewußter Widerspruch gegen eine abweichende Überlieferung sein kann, nämlich gegen die über Simon von Kyrene"; das hat E. Haenchen richtig empfunden, jedoch nicht aus dem Grunde, den er annimmt, daß nämlich Johannes diese Überlieferung „als Jesus entwürdigend ansieht".[718] Eher kann man versuchen, diesen Zug aus der antignostischen Frontstellung des vierten Evangeliums heraus zu verstehen. Er kann damit die gnostische Meinung bekämpfen, die behauptet, daß Christus leidenslos geblieben sei. Vergegenwärtigt man sich weiter, daß nach Irenäus die Gnostiker, die das Leiden Christi leugneten, das Markus-Evangelium bevorzugt verwendeten, so wird hier eine bewußte Korrektur verständlich. Nur handelt es sich nicht direkt um die Kritik einer Überlieferung, sondern um die Kritik der Verwendung einer bestimmten Überlieferung. Wir wissen nun weiter aus Irenäus, Adv. haer. I,24,4, daß speziell Basilides, der zwischen 117 und 161 in Alexandrien wirkte,[719] diesen markinischen Zug hier benutzte, um zu belegen, daß Jesus mit Simon die Gestalt getauscht habe, und so sei als vermeintlicher Jesus in Wahrheit Simon von Kyrene gekreuzigt worden. Eine solche gnostische Deutung der markinischen Darstellung ist auch schon vor Basilides möglich, und es ist nicht ausgeschlossen, daß der vierte Evangelist die Gestalt des Simon eben darum ausgelassen hat, weil er einer gnostischen Leugnung des Leidens Jesu die Grundlage entziehen wollte.[720]

---

715 So R. Bultmann, Joh 517 A. 14; E. Haenchen, Weg 525, 527.

716 So W. Bauer, Joh 215; E. Haenchen, Weg 525; dagegen mit Recht R. Bultmann, ebd.

717 L. Radermacher 129, was Bultmann ebd. zu Unrecht bestreitet.

718 E. Haenchen, Weg 527 A. 1.

719 Vgl. H. M. Schenke in Umwelt I 403.

720 So schon O. Pfleiderer, Das Urchristentum, 1902², II, 384; E. Schwartz, Aporien im vierten Evangelium II, Nachrichten der Göttinger Gesellschaft der Wissenschaften, Göttingen 1908, 141 f.; nachdem sich E. Klostermann, Mark 163; W. Bauer, Joh 215; R. Bultmann, Joh 517 A. 4 dagegen ausgesprochen haben, gewinnt diese Deutung in jüngster Zeit

Die weiteren Differenzen dürften sich vordergründiger erklären lassen. So fehlt (2.) die Tränkung vor der Kreuzigung (Mark 15,23), die auch Lukas hier ausließ; sie dürfte auch von Johannes als Dublette beseitigt sein. Daß (3.) die Stundenangaben aus Mark 15,25.33.34 fehlen, ist eine Konsequenz der besonderen johanneischen Chronologie, insbesondere von Joh 19,14. (4.) Der ganze Spottabschnitt Mark 15,29–32 fehlt ebenso wie (5.) die darauffolgende Finsternis Mark 15,33 und (6.) die durch sie damit engstens verbundene nachfolgende Szene mit dem Eloi-Ruf und der sich daran anschließenden Wundererwartung Mark 15,34–36. Die Folgen des Todes Jesu wie (7.) das Zerreißen des Tempelvorhangs und (8.) das Bekenntnis des Centurio Mark 15,38 f. fehlen infolge der johanneischen Abänderung des apokalyptischen Schreis zu einem Jesuswort. An die Stelle dessen tritt die Feststellung des Todes Jesu in passatypologischer Stilisierung. „Johannes kennt keine begleitenden Zeichen, sondern nur begleitende Handlungen von Menschen."[721] Nicht ausgeschlossen ist jedoch, die antignostische Tendenz auch bei der Auslassung aller der Züge anzunehmen, die der apokalyptisch-gnostischen Kreuzigungtradition zugehören und die trotz aller Uminterpretation bei Markus ihre spezifische Herkunft noch deutlich verraten und darum suspekt waren. Natürlich ist als auswählender Faktor vor allem die Struktur der Komposition des Evangelisten anzunehmen, die nur das aufnahm, was sie zur Geltung bringen wollte. Darum ist die Erfassung des Kompositionsprinzips dieses Abschnitts besonders wichtig.

Man erkennt das Kompositionsprinzip am besten, wenn man bei der Beobachtung Conzelmanns anknüpft, daß die begleitenden Handlungen der Menschen in der johanneischen Kreuzigungsdarstellung dominieren. Sieht man sie sich genauer an, so erkennt man, daß sie aus fünf geschlossenen Handlungskomplexen besteht (V. 16b–22.23–24.25–27.28–30.31–37). Überraschend ist dabei die Erkenntnis, daß die aus Markus übernommenen Züge jeweils dazu dienen, als Anknüpfungspunkte für die Einzelszenen zu dienen. Das also dürfte das formale Auswahlprinzip gegenüber dem Markustext letztlich gewesen sein. Die Markuszüge dienen als Text, über die Johannes szenisch predigt. So ergibt sich folgendes Bild:

Im ersten Komplex Vers 16b–22 dienen die aus Markus übernommenen Überlieferungen der Kreuzigung und des titulus der von Johannes komponierten Diskussion um den titulus, auf den Johannes darum mit Auswahl aus der vorgegebenen Überlieferung so schnell wie möglich lossteuert. Dieser titulus (so die ausdrückliche Bezeichnung nur bei Joh!) dient nicht mehr wie bei Markus zur Angabe des Verurteilungsgrundes (*aitia* fehlt bezeichnenderweise!),[722] son-

wieder an Überzeugungskraft und wird vertreten von P. Benoit, Exegese und Theologie, 1965, 189 f., dem J. Blinzler, Prozeß 363 f. A. 32 zustimmt, wie ich nachträglich sehe.

721 H. Conzelmann, ThW VII, 440,17 f.

722 E. Haenchen, Bedeutung 78.

dern ist als Jesu Würdeprädikat verstanden, wie die Zufügung des Jesusnamens zeigt. Die betonte Dreisprachigkeit macht Jesu weltweite Bedeutung bekannt.[723] Daß es wirklich um den Menschen Jesus geht, macht der Zusatz *ho Nazaraios* deutlich, den Johannes sonst nur noch 18,5.7 gebraucht und der nach 1,46f. als Herkunftsbezeichnung Jesu verstanden werden soll.[724] In der sich anschließenden Auseinandersetzung um die Würde Jesu „behält Pilatus" als „der Anwalt Jesu das letzte Wort. Aller Einspruch der Hohenpriester kann nicht hindern, daß die ganze Welt die wahre Würde Jesu erfährt. Das will der Evangelist hier ausdrücken."[725] Darüber hinaus fällt dabei ein besonderes Gewicht auf das Geschriebensein: „Was ich geschrieben habe, habe ich geschrieben" ist Vers 22 charakteristischerweise das Schlußwort dieser ersten, einleitenden Szene. Daß darin *grafein* besonders betont ist, ergibt sich nicht nur aus der Doppelung am Ende, sondern auch daraus, daß das johanneische Vorzugswort in dieser ersten Szene überaus häufig steht, nämlich 6mal (schon V. 19a.b.2c.21). Das dürfte schwerlich ohne jede weitere Absicht geschehen sein.

Vielmehr wird damit zum zweiten Komplex vorbereitend übergeleitet (V. 23–24), an dessen Schluß ja Vers 24b betont mit dem johanneischen Vorzugswort *grafē* anknüpfend ein Schriftbeweis de verbo steht, der mit der Erfüllungsformel *hina hē grafē plērōthē* eingeleitet wird. Das ist gegenüber der einfachen Anspielung in der synoptischen Vorlage eine starke Akzentverlagerung. „Der Akzent liegt" bei dieser jüngsten Stufe neutestamentlicher Schriftbenutzung „eindeutig auf der Schrift, die die in der Vergangenheit laut gewordene Ansage der Zukunft enthält. So ist es kein Wunder, wenn bei dieser Benutzung der Schrift diese nicht nur mit gegenwärtigem Geschehen zusammengebracht wird, sondern selbst gegenwärtiges Geschehen oder zumindest den Bericht darüber hervorbringt."[726] Schon der erste Komplex hatte hier sehr stark den Wert des Geschriebenen betont. Wenn schon das von Pilatus Geschriebene unumstößlich ist, dann erst recht das, was in der *„Schrift" kat' exochen* steht. Johannes ist nicht nur der erste, der in seiner Kreuzigungsdarstellung den Schriftbeweis de verbo im Schema von Weissagung und Erfüllung hat, sondern man beachte, daß er ihn hier zugleich gehäuft dreimal (V. 24.28.36 f.) bietet. An dieser ersten Stelle ist er aus der Anspielung des Markus hervorgewachsen, und er hat diese kurze Erwähnung dort zu einem ganzen Szenenkomplex hier werden lassen, wobei das Mißverständnis des jüdischen Parallelismus membrorum in dem wörtlich nach der Septuaginta wiedergegebenen Zitat[727] eine produktive

723 E. Haenchen, Weg 528 A. 2; vgl. Parallelen für die Mehrsprachigkeit, vor allem bei Josephus, bei A. Schlatter, Joh 348.

724 R. Bultmann, Joh 494 A. 12.

725 E. Haenchen, Bedeutung 78.

726 M. Rese 42 gibt diese ausgezeichnete Kennzeichnung des Schriftbeweises im Schema von Weissagung und Erfüllung.

727 Bill. II, 574; R. Bultmann, Joh 519 A. 5.

Rolle gespielt hat. Dieses Mißverständnis ist nämlich verantwortlich zu machen für die Entstehung der Verlosung des ungenähten Rockes.[728] Aber Johannes ist trotz aller Ausführlichkeit nicht an der Handlung als solcher interessiert. Es geht ihm weder um die Reliquie des Rockes noch darum, daß Jesus hier so behandelt wird, als wäre er schon gestorben.[729] Das ist nicht die Absicht der johanneischen Neufassung. Vielmehr dient die Handlung in erster Linie dem Erweis der Schrifterfüllung im ganzen. Insofern hat auch der zweite Komplex ebenso wie der erste im wesentlichen vorbereitenden Charakter, der auf den Höhepunkt der Passatypologie hinführt. Möglicherweise dient der quantitativ wie qualitativ gesteigerte Schriftbezug auch antignostischer Polemik, denn parallel dazu hebt Irenäus für Markus gegen die Gnostiker heraus, daß er sein Evangelium mit einem Wort des Propheten beginne wie auch beende (mit Verweis auf Mark 1,2 ff. und den schon vorausgesetzten sekundären Schluß 16,19).[730]

Der dritte Komplex (V. 25–27) schließt wiederum an einen markinischen Splitter an. Johannes hat die Frauen aus der Schlußposition der Markusdarstellung hervorgeholt und die Namen variiert (nur Maria Magdalena stimmt überein),[731] um Jesus vom Kreuz aus seine Mutter und den geliebten Jünger aneinander weisen zu lassen.[732] Eine enge und wohl antithetisierende Verbindung zum voraufgehenden Komplex ist dadurch gegeben, daß den vier Soldaten dort hier ebenfalls vier Personen gegenüber treten.[733] Geht es aber in dem voranstehenden Abschnitt wesentlich um die Schrifterfüllung, so ist eine ähnliche Aussagerichtung auch von dieser Szene anzunehmen. Das ist für die schwierige Frage, was die entscheidenden Figuren hier eigentlich repräsentieren, von großer Wichtigkeit. Man vermutet meistens, daß Mutter und geliebter Jünger Judenchristentum und Heidenchristentum repräsentieren sollen;[734] wie schon 10,16; 17,11.20 f., so weise Jesus auch hier „sterbend die beiden in der Urchristenheit widerstrebenden Teile der Kirche aneinander".[735] Dagegen meldet sich der Einwand, daß das Verhältnis von Judenchristen und Heidenchristen zur Zeit des Johannes so nicht mehr aktuell war.[736] Darum ist diese

---

728 R. Bultmann, Joh 519; E. Haenchen, Bedeutung 78; den ungenähten Rock Jesu als Reliquie besitzen zu wollen ist darum absurd (E. Haenchen, Weg 528 A. 3).

729 So zu Unrecht E. Flesseman-van Leer, Bedeutung 95.

730 Irenäus, Adv. haer. III, 10,6.

731 R. Bultmann, Joh 520.

732 J. Finegan 47.

733 Darauf verweist H. Schürmann, Jesu Wille 105–123, 118.

734 R. Bultmann, Joh 521 nach W. Bauer und W. Heitmüller z. St.

735 So G. Friedrich, GPM 9, 1954/55, H. 2, 42.

736 Darum lehnt L. Goppelt, Christentum und Judentum 254 A. 3 diese Deutung mit Recht ab.

Erklärung zu modifizieren. Das wird auch vom Text her nahegelegt: Die spezielle Art der Gegenüberstellung als Mutter und Sohn weist nicht nur in die Gegenwart wie die Zusammenweisung als solche, sondern scheint auch noch eine Kontinuität der Tradition in der Geschichte zu betonen. Man könnte denken, daß die gegenwärtige Gemeinde, die der Lieblingsjünger in irgendeiner Weise repräsentiert, als legitime Fortsetzung (Sohn) der judenchristlichen Gemeinde als der Mutter sei. Doch dabei wäre nur wieder die Gegenüberstellung in ihrer besonderen Art bedacht, nicht aber die Zusammenweisung, die ja darin ein bestimmtes Gefälle hat, daß die Weisung zuerst an die Frau gegeben wird und dann in steigernder Weise an den Lieblingsjünger, was dadurch unterstrichen wird, daß Vers 27 der Vollzug der Aufnahme nur von dieser zweiten Seite ausgesagt wurde.[737] Vielleicht läßt sie sich auch nur von dieser Seite aussagen?! Um das zu klären, muß man sich die Funktionen der beiden Gestalten im Evangelium vergegenwärtigen. Für den Lieblingsjünger steht bei allen Differenzen und Nuancen des Verständnisses fest, daß er vor allem Repräsentant des vierten Evangeliums selbst ist. „Jesus selbst erklärt vom Kreuz her dieses Evangelium gewissermaßen als ‚kanonisch‘ und für die Kirche verbindlich."[738] Hinsichtlich der Mutter Jesu ist auffallend, daß der Name Maria nicht verwendet wird. Das verbindet die Perikope außerdem mit der anderen, in der diese Gestalt auftaucht, der Kanahochzeit 2,1 ff. Auch dort heißt sie 2,1.3.5 Mutter wie hier. Auch dort wird sie von Jesus wie hier *gynai* angeredet, was wiederum die Verbindung unterstreicht. Anfang und Schluß des Evangeliums werden also deutlich in Entsprechung zueinander gesetzt.[739] Man wird die Gestalt hinsichtlich ihrer Funktion im Zueinander beider Rahmenerwähnungen bestimmen müssen. In der Kanageschichte sehen wir: „Sie ist die erste, die den Mangel derer, die feiern wollen, konstatiert und damit – indirekt – den ‚Wein‘ erbittet...; darüber hinaus noch verweist sie vertrauensvoll auf die zu erwartende Gabe Jesu (V. 5)."[740] H. Schürmann hat sie darum mit Recht als Repräsentantin der Erwartung gekennzeichnet.[741] Doch wird man das nicht in dieser Allgemeinheit belassen können. Man muß bedenken, daß sie 2,5 mit alttestamentlichen Worten redet. Über das Fehlen des Mariennamens hinaus hat A. Schlatter auf das Gefälle aufmerksam gemacht, das darin liegt, daß, nachdem sie hier 19,25 als „seine Mutter" eingeführt worden war, das Personal-

737 H. Schürmann, Jesu Wille 107 f. „Nicht also begibt sich der Jünger in die mütterliche Obhut Mariens, vielmehr nimmt dieser Maria auf" (108).

738 Ebd. 119 f.; vgl. ausführlich 111–114; vgl. auch die Überblicke bei W. G. Kümmel, Einleitung 161-172; R. Schnackenburg, Joh 81-85; W. Grundmann, Johannes-Evangelium 16-20.

739 H. Schürmann, Jesu Wille, 114.

740 Ebd. 115.

741 Ebd. 114–117, 119 f.

pronomen Vers 26 weggelassen wird.[742] „Mutter" aber war in der rabbinischen Deutung für die Tora gebräuchlich (schon Targum Spr 2,3).[743] Nun fehlt in diesem dritten Komplex im Unterschied zu dem vorangehenden und den beiden nachfolgenden auffälligerweise der Hinweis auf das Alte Testament anscheinend, der doch die ganze Kreuzigungsdarstellung entscheidend bestimmt. Dieses Problem löst sich, wenn wir hierin einen verschlüsselten Hinweis auf den Gebrauch des Alten Testament sehen können. Das Alte Testament ist die Mutter Jesu. Der Lieblingsjünger als Repräsentant des Evangeliums nimmt es auf, wie gerade die Kreuzigungsperikope entscheidend zeigt. Vielleicht hat das auch wiederum einen antihäretischen Akzent: Die rechtgläubige Gemeinde des vierten Evangelisten bedient sich des Alten Testaments mit Recht gegen die Häretiker und ihr Christusverständnis. Für die getroffene Zuordnung spricht auch die Wiederholung des Lieblingsjüngers als des eigentlichen Zeugen in Vers 35 und die anschließende Bestätigung durch das Alte Testament in den Versen 36 f. Die johanneische Kreuzigungsperikope erweist sich so nicht nur materialiter durch die Erfüllungszitate bestimmt, sondern reflektiert zugleich entscheidend diese hermeneutische Frage theologisch.

Auch im vierten Komplex (V. 28–30), der den Tod Jesu zum Inhalt hat, wird als Ausgangsbasis wieder ein Stück aus dem Markustext aufgenommen. Dieses ist zugleich (V. 29) ein Schriftanklang (*oxous* Mark 15,36; LXX-Ps 68,22). Wie beim zweiten Komplex, so wird auch hier gerade der Schriftbezug materialiter Vers 28 durch *dipsō* erweitert (LXX-Ps 68,22 *eis tēn dipsan mou*)[744] und zu einem regelrechten Schriftbeweis mit Erfüllungsformel umgewandelt. Die Besonderheit und die Steigerung gegenüber dem ersten Schriftbeweis (V. 24b) liegt in Vers 28 darin, daß nicht ein Nebenbezug, sondern eine Handlung Jesu selbst geschieht, „damit die Schrift erfüllt wird". Statt des sonst seit 12,38 üblichen Ausdrucks *hina plērōthē* (vgl. 13,18; 15,25; 19,24.36 – erstaunlicherweise auf den Passionswochen-Komplex beschränkt und vor 12,38 nicht verwendet!) wird hier das Verb *telein* (und bei Johannes nur hier; das Verb ist auf diese beiden Belege beschränkt) verwendet. Es handelt sich um eine ad-hoc-Bildung. Die Verwendung geschieht in gleicher Bedeutung wie *plēroun*,[745] doch in der besonderen Absicht, das absolute *tetelestai* im Mund Jesu (V. 30) vorzubereiten und auch hier eine Verbindung herzustellen, die auf die letzte

---

742 A. Schlatter, Joh 350.

743 Bill. III, 107, 574.

744 Bill. II, 580; LXX-Ps 21,16 kommt (gegen J. Finegan 47 und auch Nestle-Aland am Rande) kaum in Frage (dagegen mit Recht R. Bultmann, Joh 522 A. 3; E. Flesseman-van Leer, Bedeutung 96 – dagegen denkt E. Haenchen, Bedeutung 79 zu Unrecht an beide Stellen).

745 R. Bultmann, Joh 522 A. 3 mit Recht gegen H. J. Holtzmann und W. Bauer, die hierin zu Unrecht die Besonderheit einer generellen Schrifterfüllung ausgedrückt sehen.

Schriftdeutung in Vers 36 f. vorweist. Das *tetelestai*, das Jesus spricht, wird von der Schrift her mit Inhalt gefüllt: Jesus ist als der Gekreuzigte das eschatologische Passalamm. An diese Passatypologie wird hier ebenfalls durch die Nennung des Ysop (V. 29) vorbereitend erinnert, das den *kalamos* von Mark 15,36 ersetzt. Diese Büschel sind in der Tat für eine Darreichung des Weines so wenig geeignet,[746] daß man „auf einer Lanze" (*hyssō*) konjiziert hat, doch zu Unrecht;[747] Johannes ist hier ganz im Gegensatz etwa zu Lukas nicht pragmatisch am historisch Denkbaren, Möglichen und Anschaulichen interessiert, sondern allein an der theologischen Deutung, und so soll der Ysop sicher nach Exod 12,22 durch seine Beziehung auf seine Verwendung beim Passa auch hier an diese Deutung des Todes Jesu anspielen und sie unterstützen.[748]

Auch der fünfte Komplex (V. 31–37) gestaltet im Anschluß an Markuszüge (15,42 in V. 31; 15,44 in V. 33) eine neue Handlungsszene, in deren Mittelpunkt die Unterlassung des Crurifragiums (V. 33) und der Lanzenstich (V. 34) stehen. Beide Züge werden wieder am Schluß der Perikope mit alttestamentlichen Stellen in der Erfüllungsformel gedeutet. Die Einleitungsformel Vers 36a bezieht sich mit dem pluralischen *tauta* auf beide Handlungen,[749] woraus sich ergibt, daß die Erfüllungsformel sachlich auf beide Zitate angewendet werden muß. Bei der erstgenannten Schriftstelle ist der passabezogene Text LXX-Exod 16,46 gemeint (*kai ostoun ou syntripsete apo autou*, vgl. Exod 12,10 LXX; Num 9,12).[750] Die Zufügung eines zweiten Zitats (V. 37) erinnert an die Verwendung eines Doppelzitats am Beginn der Passionsgeschichte 12,38.40, wo auch die hier Vers 36a letztmalig gebrauchte Erfüllungsformel *hina plērōthē* erstmalig auftauchte. Damit hat der Evangelist wieder eine seiner auffallenden Rahmenentsprechungen geschaffen und die Passawoche auch von dieser Seite

---

746 Bill. II, 581 hilft sich mit der holzartigen Beschaffenheit des Stengels! Auch A. Schlatter, Joh 351 historiert diesen Zug: also war das Kreuz nicht als hoch gedacht.

747 R. Bultmann, Joh 522 A. 4.

748 M. Weise, KuD 12, 1966, 51 im Anschluß an J. Jeremias, Abendmahlsworte 76 A. 7 und W. Wilkens, Entstehungsgeschichte 86 A. 326; das wird von R. Bultmann, Joh 522 A. 4 zu Unrecht bestritten.

749 R. Bultmann, Joh 524 A. 8.

750 So W. Bauer, Joh 219; J. Finegan 47; M. Weise, KuD 12, 1966, 51; R. Schnackenburg, Joh 104; E. Flesseman-van Leer, Bedeutung 88; – das wird von R. Bultmann, Joh 524 A. 8 für den Evangelisten zugestanden, aber für die von ihm angenommene Quelle bestritten; wegen des Passivs bei Johannes und der häufigeren Verwendung der Psalmen in der Passionstradition möchte er an LXX-Ps 33,21 denken. Doch ist für Johannes die Passatypologie bestimmend und eine besondere Vorlage nicht nachzuweisen. Darum ist auch die Erwägung von E. Flesseman-van Leer, ebd. A. 17 abzuweisen, die meint, daß man von der Psalmstelle her an die „Fürsorge Gottes für die Seinen" denken könnte. Das ist ohnehin sinnlos, da es sich hier um einen Gestorbenen und nicht um einen Lebenden handelt.

her deutlich hervorgehoben. Die Zitationsformel des zweiten Zitats ist bei Johannes singulär,[751] aber nicht ohne Entsprechung zu ihrer wichtigen Parallele 12,39b (*palin eipen Esaias*). Gemeint ist mit dem Zitat hier Sach 12,10. Der Text weicht zwar von der Septuaginta ab,[752] doch ist anzunehmen, daß Johannes alle alttestamentlichen Stellen ohne direkte Textvorlage aus dem Gedächtnis zitiert.[753] Neben das Zeugnis der Schrift tritt Vers 35 das des genannten Jüngers. Gegen die Zuweisung dieses Verses an eine spätere Redaktion sperren sich die aufgezeigten sprachlichen Indizien. Als Ziel des Zeugnisses wird angegeben: „damit auch ihr im Glauben bleibt";[754] das Präs. *pisteuēte* ist auffallend und stimmt in der Tendenz mit der generellen Zielangabe 20,30f. überein, wonach es nicht missionarisch um ein Zum-Glauben-Kommen, sondern um ein Im-rechten-Glauben-Bleiben geht: „Das ist geschrieben, damit ihr daran glaubend bleibt, daß Jesus der Christus, der Sohn Gottes ist und damit ihr als glaubend Bleibende in seinem Namen das Leben behaltet."[755] Wie diese Schlußnotiz, so hat auch das Präs. von *pisteuein* in 19,35 den Sinn, als Ziel der Darstellung die Bewahrung der Gemeinde vor verkehrtem Glauben auszusprechen. Dafür wird die Gemeinde an das Evangelium gewiesen, für das der Lieblingsjünger der wahre und damit zuverlässige Repräsentant ist, der sich dazu des Beistandes der Schrift des Alten Testaments bedient.

Daß also die alttestamentlichen Zitate das auffälligste Kennzeichen der johanneischen Kreuzigungsdarstellung sind, geht nicht nur aus der Tatsache hervor, daß von nur neunzehn als solchen gekennzeichneten alttestamentlichen Zitaten sich vier in dieser Kreuzigungsperikope finden (20,84 %),[756] sondern daß das auch die einzigen alttestamentlichen Zitate in den beiden Kreuzigungskapiteln Joh 18–19 überhaupt sind. Von daher verstärkt sich die Annahme, daß auch die beiden zitatfreien Komplexe dieser Kreuzigungsdarstellung (Pilatusszene und Zuweisungsszene) nicht ohne Bezug zu den alttestamentlichen Bezügen sind, sondern daß das gehäufte *grafein* Vers 19–22 ebenso darauf vorbereitet, wie die Nennung der Mutter eine Anspielung auf das Alte Testament als die vom Evangelium aufgenommene Mutter enthält. Somit sind also die alttestamentlichen Bezüge nicht nur ein auffälliges Kennzeichen, sondern das

751 R. Bultmann, Joh 524 A. 9.

752 Der Text stimmt mit Aquila und Theodotion zusammen: R. Bultmann, ebd.; R. Schnackenburg, Joh 104; E. Flesseman-van Leer, Bedeutung 97; Übersetzung aus dem Hebräischen ist gegen W. Bauer z. St. und J. Finegan 47 nicht zu denken.

753 So das Ergebnis der Untersuchung von B. Noack, Zur johanneischen Tradition 71–89, dem R. Bultmann in seiner Rezension ThLZ 80, 1955, 524 zustimmt; vgl. auch R. Schnackenburg, Joh 105.

754 Th. Zahn, Joh 669, betont das zu Recht.

755 Vgl. dazu insgesamt die gründliche Analyse von F. Neugebauer, Entstehung 10–13.

756 R. Schnackenburg, Joh 103.

zentrale Gestaltungsmittel und Ziel aller fünf von Markusreminiszenzen ausgehenden Einzelszenen, die sich bis zur fünften und letzten hin steigern und in der Passatypologie gipfeln. Daher kann nicht Vers 30 mit dem Jesuswort isoliert zur zentralen Aussage über den Tod Jesu erklärt werden,[757] sondern das letzte Kreuzeswort Vers 30 muß inhaltlich Vers 36 mit aufnehmen und als seine Mutter anerkennen, indem es die dort gegebene Deutung in die Interpretation des Todes Jesu einbezieht. Damit liegt hier auch die erste Kreuzigungsperikope vor, die auf die Heilsbedeutung des Todes Jesu ausgerichtet ist. Diese Heilsbedeutung wird schriftgelehrt mittels der Passatypologie konstruiert. Die Frage nach der theologischen Rezeption dieser Deutung in der Kirche der Gegenwart wird vorbedenken müssen, wieweit sie das dabei benutzte späte Schriftgebrauchsschema von Weissagung und Erfüllung übernehmen will. Weiter muß man sich klarmachen, daß das Interpretament des Passalammes „die Heilsbedeutung des Todes Jesu ohne Bezugnahme auf die Auferstehung herausstellt".[758]

757 Gegen E. Haenchen, Weg 529.
758 Darauf verweist mit Recht E. Flesseman-van Leer, Bedeutung 88.

## 2. Die Frage nach dem Beginn der Leidensgeschichte

Es ist deutlich, daß bei Markus die Passionsdarstellung mit dem Einzuge in Jerusalem (11,1) einsetzt (eventuell will Markus schon 10,46 ff. diesem ersten Tage zugerechnet wissen).[759] Das wird besonders daran deutlich, daß Markus die Ereignisse von 11,1–16,8 in einem Wochenschema erzählt.[760] Matthäus und Lukas haben dieses Wochenschema nicht übernommen. Johannes dagegen bietet es in fragmentarischer Gestalt und gemäß seiner Passachronologie modifiziert. Daß nicht alles, was zwischen Mark 11,1 und 16,8 steht, zu einem ursprünglichen Traditionszusammenhang gehört, wird an verschiedenen Spannungen deutlich, die zwischen einzelnen Texten bestehen. Einhellig wird gesehen, daß die Salbungsgeschichte Mark 14,3–9 den Zusammenhang von 14,1 f. und 14,10 f. zerreißt und darum nachträglich eingefügt ist.[761] Ähnlich wird oft die Perikope von der Zurüstung zum Passamahl (14,12–18) als ein eigenständiger Komplex mit aufweisbaren Eigenheiten und Spannungen zum Kontext angesehen.[762] Daß die Leidensgeschichte schon sehr früh zusammenhängend erzählt wurde, wird zu Recht allgemein angenommen. Die Frage nach dem Bestand eines alten „Kurzberichtes" ist aber ebenso umstritten wie die Frage, wo dieser eigentlich beginnt. Bultmanns Analyse der synoptischen Texte hat ihn zu der Vermutung geführt, daß es „einen alten Bericht gab", der „ein in kurzen Angaben verlaufender Geschichtsbericht" war, „der ganz kurz Verhaftung, Verurteilung durch das Synhedrium und Pilatus, Abführung zum Kreuz, Kreuzigung und Tod erzählte" (14,43–52.53a.65; der Grundbestand von 15,1–5.15b.20b–24a.27?.37).[763] Daß ein alter Kurzbericht Mark 14,43 mit der Verhaftung Jesu begann, ist auch die Überzeugung von J. Jeremias, für den vor allem wichtig ist, daß Joh 18,1 ff. mit der Verhaftung einsetzt und von da an mit den Synoptikern in der Anordnung der Perikopen parallel läuft.[764] Die gleiche Ansicht begründet E. Lohse von dem Inhalt der Leidensansagen, vor allem von den Erwähnungen der Einzelheiten in Mark 10,33 f. her (vgl. 8,31; 9,31),[765] und er sieht das in den be-

---

759 Vgl. R. Pesch 62 f.

760 R. Bultmann, Tradition 365; M. Dibelius, Formgeschichte 225 A. 1; E. Klostermann 110 f.; E. Lohse, Geschichte 28; M. Weise, KuD 12, 1966, 48 f.; E. Schweizer 164; J. Schreiber 119; in den Einzelheiten bestehen Differenzen, besonders zwischen M. Weise einerseits und J. Schreiber andererseits.

761 R. Bultmann, Tradition 283, 299 f.; M. Dibelius, Formgeschichte 178 f.; J. Jeremias, Abendmahlsworte 84 A. 5; E. Lohse, Leiden 24 f.; E. Schweizer 163, 167.

762 R. Bultmann, Tradition 283 f., 300; M. Dibelius, Formgeschichte 182, vgl. ders., BuG I 256 ausführlich; J. Jeremias, Abendmahlsworte 86 f.; E. Schweizer 163, 169.

763 R. Bultmann, Tradition 298, 301 f.; ihm folgt K. G. Kuhn 261 f.

764 J. Jeremias, Abendmahlsworte 87–90.

765 E. Lohse, Leiden 18–21; ihm folgt W. Trilling, Christusverkündigung 206; vgl. im

treffenden Aussagen der Missionsreden der Apostelgeschichte ebenso bestätigt[765] wie in den für Jeremias ausschlaggebenden Beobachtungen an der johanneischen Leidensgeschichte.[767]

Gegen alle die Argumente aber machen sich nicht zu verschweigende Bedenken geltend. Die Begründung von den Leidens- und Auferstehungsansagen her ist zu kritisieren, da ein analysierender Vergleich der drei markinischen Leidensansagen zu dem Ergebnis führt, daß wohl die erste (8,31) als vormarkinischer Bestandteil der Perikope vom Christusbekenntnis anzusehen ist, die dritte dagegen ist klar redaktionell gestaltet und von der Passionserzählung des Evangelisten her mit sechs Stationen der Passion nach Mark 14,43–16,8 erweitert (10,32-34).[768] Infolge dieser Abhängigkeit fällt Mark 10,32-34 als selbständiger Zeuge für die Frage nach dem Beginn und dem Bestand der alten Passionsüberlieferung aus.

Dasselbe gilt für die Heranziehung des vierten Evangelisten. Wenn die johanneische Passionsgeschichte von Markus abhängig ist und für sie keine besondere Quelle aufgewiesen werden kann, so ist von vornherein von ihr aus in dieser Frage nicht zu argumentieren. Aber auch eine innerjohanneische Analyse der Passionsdarstellung, die von dieser Vorentscheidung absieht, kommt zu dem gleichen Ergebnis, da sie darauf geführt wird, daß die Voranstellung der Salbung vor den Einzug und die damit gegebenen chronologischen Angaben in Joh 12,1-8.12 ff. ganz und gar von der im wesentlichen chronologisch ausgedrückten Passatypologie her bestimmt sind.[769] Weil von der Verhaftung Joh 18,2 ff. an „die Passalamm-Typologie nicht mehr kompositionell, d. h. durch Umstellung von Perikopen, wirksam zu werden braucht, sondern sich „auf Umformungen innerhalb des festen Aufrisses der Passionsgeschichte" beschränken kann, entfällt die johanneische Perikopenanordnung „als Beweis für einen älteren, erst mit der Verhaftung Jesu einsetzenden Passionsbericht".[770] Mit diesem Aufweis der gestaltenden Kraft der johanneischen Passatypologie entfällt also eine weitere grundlegende und maßgebliche Stütze dieser Kurztext-Hypothese. Auch bei der Argumentation von den Reden der Apostelgeschichte her ist Vorsicht geboten, da sie ja die Kenntnis der markinischen Komposition voraussetzen.

Damit aber ist die Untersuchung der ältesten Passionsüberlieferung und insbesondere die Frage nach deren Einsatzpunkt ganz auf die innermarkinische

Ansatz schon R. Bultmann, Tradition 297 f.; J. Jeremias, Abendmahlsworte 88 f.; E. Schweizer 163.

765 Ebd. 21-23.

767 Ebd. 23 f.

768 Vgl. den Nachweis von G. Strecker, Leidens- und Auferstehungsvoraussagen 16-39, vor allem 24, 30 f.

769 Wie M. Weise 51-53 gezeigt hat.

770 Ebd. 54.

Analyse zurückgewiesen. Das bedeutet aber nicht, daß man dann dem Ergebnis Bultmanns zustimmen müßte, da andere Forscher von den gleichen Voraussetzungen her zu anderen Ergebnissen gekommen sind. Insbesondere ist M. Dibelius dieser Frage in Auseinandersetzung mit H. Lietzmann nachgegangen und zu der Überzeugung gelangt, daß der Anfang der ältesten Passionsüberlieferung nicht erst Mark 14,43, sondern schon in Mark 14,1–2.10–11 zu sehen ist.[771] Auch er hat bis in die Gegenwart hinein darin Zustimmung gefunden.[772] Dibelius hat erkannt, daß die vier Verse 14,1–2.10–11 nicht nur zusammengehören, sondern daß sie in sich nicht selbständig gewesen sein können. Ihnen „fehlt alles, was für eine Geschichte wesentlich ist: es fehlt Situation, Szene und Pointe; es fehlt eigentlich auch der Abschluß, denn die Schlußworte sind sinnlos und nutzlos, wenn nicht die Fortsetzung folgt".[773] Sie sind als Einleitung aus dem folgenden Passionsgeschehen erschlossen und auf diese Fortsetzung hin angelegt. Dibelius sieht sie in der Verratsprophezeiung (V. 18–21), einer Vorform der Mahlszene (V. 22–25), Weg nach Gethsemane (V. 26–31), Gefangennahme (V. 43–52), Verleugnung des Petrus (V. 54.66 ff.), Synhedriumsbeschluß (15,1), Verurteilung durch Pilatus (15,2–4) und Zug zum Kreuz mit Kreuzigung (15,20b ff.). Zu einem davon wiederum abweichenden, doch ähnlichen Ergebnis gelangte Finegan: 14,1 f. (Datierung). 22 f.25 (Mahl). 32.37a (Gethsemane). 43.46.50 (Gefangennahme). 53a (Synhedrium). 54a.c.66–72 (Petrus). 15,1 (Übergabe an Pilatus). 21 (Todesgang). 22a.24a.26.37.40 f. (Kreuzigung und Tod). 42a.43.45b.46 (Begräbnis).[774]

Die Differenzen der Analyse, wie sie beispielhaft am Vergleich der Ergebnisse von Bultmann, Dibelius, Lietzmann und Finegan deutlich werden, nötigt zu einer erneuten Überprüfung und Suche nach den vormarkinischen Bestandteilen der Passionstradition. Dabei ist angesichts der in der Kreuzigungsperikope vorliegenden doppelten Tradition damit zu rechnen, daß beide Stränge dort Fortsetzungen von schon in den voranstehenden Texten verwendeten Traditionen sind. Als Einsatzpunkt empfiehlt sich Mark 14,1 f.10 f.

771 M. Dibelius, Das historische Problem der Leidensgeschichte, BuG I, 248–257 (zuerst veröffentlicht ZNW 30, 1931, 193 ff.); vgl. ders., Formgeschichte 180–184; H. Lietzmanns vorangehende Studie „Der Prozeß Jesu" erschien SBA 14, 1931, 313–322 (jetzt: Kleine Schriften II, 251–263; vgl. ebd. 264–268 die Replik auf Dibelius [= ZNW 30, 211–215]. Lietzmann sah den vormarkinischen Bericht in Mark 14,26–54.66–72 und wollte vor allem nachweisen, daß der Synhedriumsprozeß nicht stattgefunden hat. Ab 15,1 hält er den Bericht für im wesentlichen dem Geschehensverlauf entsprechend.

772 Vgl. zuletzt E. Schweizer 163.

773 M. Dibelius, BuG I, 250, vgl. Formgeschichte 181; auch R. Bultmann, Tradition 282, 300, stimmmt der Analyse zu, sieht in den Versen aber eine sekundäre vormarkinische Einleitung zu einer umfangreicheren vormarkinischen Sammlung von Passionsüberlieferung.

774 J. Finegan 82; vgl. den zusammenhängenden Abdruck des so rekonstruierten Textes 84 f.

## 2.1. Die definitive Tötungsabsicht und die Möglichkeit ihrer Verwirklichung (Mark 14,1f.10f.)

Der Zusammenhang dieser beiden Stücke ist evident. Sie gehören thematisch zusammen und werden durch das anders thematisierte Stück der Salbungsgeschichte (V. 3–9) getrennt.[775] Lukas hat dann auch den vormarkinischen Zusammenhang durch die Auslassung der Salbungsgeschichte an dieser Stelle in sekundärer Historisierung wiederhergestellt.[776] Matthäus dagegen hat durch Erweiterungen aus dem Ganzen zwei für sich stehende Szenen komponiert, vorallem, indem er die berichtende markinische Notiz (14,1 f.) zu einer regelrechten Beratungsszene erweiternd ausgestaltet hat (Matth 27,1–5).[777]

Daß Perikopenverschränkungen ein für Markus typisches Stilmittel sind, um den Eindruck eines Handlungs- und Geschehensablaufs zu erwecken, ist wiederholt zu sehen: 5,21–43 (blutflüssige Frau und Tochter des Jairus); 6,7–30 (Enthauptung des Täufers in Aussendung und Rückkehr der Jünger); 11,12-21 (Tempelreinigung in Feigenbaumverfluchung); 14,53–72 (Verurteilung Jesu in Petrusverleugnung).[778] J. Lamprecht nennt dieses chiastische Schema A-B-A „Schwalbenschwanzstruktur". /

Als weiterer wichtiger Grund für den vormarkinischen Charakter dieser vier Verse wird bei Dibelius die Zeitangabe (V. 1) genannt,[779] weil sie der markinischen Datierung von Vers 12 ff. widerspreche. Nach der Meinung des Markus hält Jesus am Abend vor seiner Verhaftung das Passamahl. Nach der Meinung von Vers 1 aber soll die Gefangennahme noch vor dem Passafest erfolgt sein. Nun wäre gewiß ein chronologischer Widerspruch ein willkommener Ansatzpunkt für die Scheidung von Tradition und Redaktion. Aber liegt ein solcher Widerspruch hier wirklich vor? Das ist ja nicht allgemein anerkannt. Bultmann hält die Vermutung der Verhaftung und Hinrichtung vor dem Passa für historisch richtig, bestreitet aber, daß man sich dafür wie Dibelius auf Mark 14,1 f. berufen kann.[780] Woran liegt das? Hinter dieser Differenz steht offenkundig eine unterschiedliche Interpretation der Figur *meta dyo hēmeras*. „Das Passa beginnt mit dem Sonnenuntergang ... vor der ersten Vollmondnacht nach der Frühlings-Tagundnachtgleiche am 15. Nisan jüdischer Rechnung."[781] Markus

---

775 M. Dibelius, Formgeschichte 179; BuG I, 250; E. Klostermann 129; R. Bultmann, Tradition 282.

776 Gegen W. Grundmann 275 ist aber nicht zu meinen, daß beides bei Lukas „noch" zusammensteht, als läge hier ein unabhängiger Zeuge für den Zusammenhang vor.

777 M. Dibelius, BuG I, 250 A. 2.

778 J. Roloff, EvTh 29, 1969, 79 f.; vgl. weitere Belege bei J. Lamprecht, Die Redaktion der Markusapokalypse, Rom 1967, 61, 286.

779 M. Dibelius, Formgeschichte 181, vgl. BuG I, 250, 255.

780 R. Bultmann, Tradition 300.

781 E. Schweizer 165; E. Klostermann 111; J. Jeremias, Abendmahlsworte 11.

dagegen bietet in 14,12 eine doppelte Zeitbestimmung, die insofern inkorrekt ist, als sie die am Nachmittag vor dem Passamahl stattfindende Passalamm- schlachtung als „am ersten Tage der ungesäuerten Brote" stattfindend angibt. „Kein irgendwie gesetzkundiger Jude hätte vom ersten Feiertage geredet, wo es sich um den Rüsttag des Festes handelte."[782] Markus steht also in einem ge- wissen Abstand zu den gesetzeskundigen Juden. Man wird für ihn die Zählung nach den Tagen des Monats Nisan nicht rein durchführen können. Man wird also nicht sagen dürfen, daß er schon den 14. Nisan als ersten Feiertag be- zeichne. Offenkundig überspringt er den Unterschied von Lammschlachtung am Nachmittag (= noch 14. Nisan) und Passamahlzeit nach Sonnenuntergang am Abend (= schon 15. Nisan) und rechnet so den 14. Nisan in seinem zweiten Teil und den Anfang des 15. Nisan als einen Tag, den er von der Festmahlzeit her als ersten Feiertag bezeichnet. Alle diese Ereignisse spielen am Donners- tag, und das ist in der unjüdischen Vorstellung des Markus ein einziger Tag, wie er in der ganzen Chronologie der Passionswoche immer einen Tag vom Morgen bis zum Abend rechnet: 11,11 Abend des Sonntags, dagegen zählt er den nächsten Morgen 11,12 unjüdisch als *epaurion,* als nächsten Tag gegenüber 11,1 ff. – also Montag –, der wieder 11,19 abends endet, und 11,20 setzt mit *prōi* der Dienstag ein. Daß er 11,12 *epaurion* und 11,20 parallel dazu *prōi* sagen kann, zeigt, daß er die Tage nicht nach jüdischer Festlegung zählt, son- dern so, wie es nach dem Brauch der Griechen und Römer auch unserem Emp- finden entspricht, vom Morgen bis zum Abend.[783] Von daher erklärt sich auch die mit den jüdischen Festbegriffen arbeitende Angabe 14,12 und ihre un- jüdische Ausdrucksweise. Ein Übersetzungsfehler aus dem Aramäischen, wie Jeremias ihn postuliert, muß darum hier nicht zur Erklärung angenommen wer- den.[784] Mark 14,12 ist ein redaktioneller Einleitungsvers des Markus im Zu- sammenhang seiner Wochenchronologie und als solcher zu werten. Er bezeichnet zusammenfassend die folgenden Vorgänge als im Verlauf des Donnerstag ge- schehend.

Ebenso hat nun die Angabe 14,1 ihre Funktion in der Wochenchronologie des Markus. Da Markus die Ereignisse von Tag zu Tag markiert, so ist aus den chronologischen Angaben hier nur zu erheben, daß Markus den 14,12 ff. vorangehenden Tag bezeichnen will, also den Mittwoch. Am Mittwoch ereignen sich nach ihm die letzte und definitive Äußerung der Tötungsabsicht durch die jüdischen Autoritäten, die Salbung Jesu und das Auslieferungsangebot des Judas. Diese Angabe wird im Hinblick auf 14,12 mit den Worten gemacht *ēn de to*

782 G. Dalman, Jesus-Jeschua 97; Bill. II, 813 f. und J. Jeremias, Abendmahlsworte 11 A. 2, der Bill. kritisch überprüft, zeigen, daß es vereinzelte rabbinische Belege dafür gibt.

783 E. Schweizer 169.

784 J. Jeremias, Abendmahlsworte 12 A. 1 im Anschluß an D. Chwolson 180 „Am Tage vor den *azyma*".

*pascha kai ta azyma meta dyo hēmeras.* Damit weist *meta dyo hēmeras* nicht auf den übernächsten, sondern auf den nächsten Tag, den Donnerstag, und ist gleich *tē erchomenē hēmera.*[785] Markus denkt also auch hier nicht jüdisch und rechnet nicht vom 15. Nisan (1. Feiertag) auf den 13. vor,[786] sondern blickt von seinem Donnerstag her, den er als ersten Feiertag versteht, auf den Mittwoch. Das entspricht präzis dem markinischen Sprachgebrauch von *meta* mit Akk., wie die Leidensansagen erweisen: *meta* mit Akk. kommt in den Evangelien nur im zeitlichen Sinne vor, und zwar bei Markus häufiger als bei seinen Seitenreferenten (9mal + 2mal im Pseudomarkusschluß, vgl. 10/12 + 29).[787] Für die Präzisierung des Gebrauchs an unserer Stelle sind die allgemeinen und relativen Angaben (mit Akk.: 13,24; 14,70; mit Inf.: 1,14; 14,28) nicht direkt verwendbar; dagegen erweisen sich die ausdrücklichen Zeitangaben in den drei Leidensansagen als vergleichbar und zugleich erhellend für unsere Stelle[788]: An allen drei Stellen hat Markus *meta treis hēmeras* zur Bezeichnung der Frist vom Tode Jesu bis zu seiner Auferweckung, also vom Freitag bis zum Sonntag (8,31; 9,31; 10,34). In allen drei Fällen haben Matthäus und Lukas die Angabe in den präpositionslosen Dat. geändert (*tē tritē hēmera* oder ähnlich, bzw. hat Lukas bei Mark 9,31 ausgelassen). Bezeichnet aber die markinische Angabe „nach drei Tagen" den übernächsten Tag, so ist dementsprechend die Formulierung „nach zwei Tagen" auf den nächsten Tag zu beziehen. Mark 14,1a besagt dann: „Es war aber der Tag vor dem Passa-Mazzoth-Fest."[789]

Ist so der erste Satz von Mark 14,1 aber für die Redaktion der markinischen Passionsgeschichte wichtig, dann läßt sich die Frage nicht unterdrücken, ob der Einleitungssatz nicht nur eine redaktionelle Funktion hat, sondern vielleicht sogar überhaupt als redaktionelle Bildung des Evangelisten zu beurteilen ist. Diese Frage legt sich nahe, nachdem das temporale *meta* mit einer präzisen Zeitangabe sich für Markus als kennzeichnend erwies. Weiter ist die hier vorliegende Doppelbezeichnung des Festes[790] im Hinblick auf Mark 14,12.14.16

785 So mit Recht J. Finegan 62 f.

786 Gegen E. Klostermann 140.

787 Die statistischen Angaben werden im folgenden aus der Arbeit Morgenthalers übernommen, ohne daß dies immer neu angemerkt wird. Dabei nennt die Vergleichszahl vor dem Schrägstrich die matthäische Summe, die dahinter die lukanische, eventuell durch Plus angegeben die Apostelgeschichte. Folgt ein zweiter Schrägstrich, so steht dahinter die johanneische Summe.

788 Bauer WB 1008 f.; die fünfte ausdrücklich konkrete Zeitangabe 9,2 datiert die Verklärung „nach sechs Tagen", was Matthäus 17,1 übernimmt, Lukas dagegen in „ungefähr acht Tage" abändert.

789 So mit J. Finegan 62 f. gegen E. Klostermann 140.

790 Vgl. dazu 3 Esra 1,17; Bill. I, 987 f.; E. Klostermann 140; jedoch wird in jüdischen Quellen noch stärker das Nacheinander beider Feste sichtbar, während Markus sie klar identifiziert durch die Zeitangabe; gegen E. Haenchen 461 nicht erst Lukas, der nur noch stärker die schon bei Markus vorliegende Identifizierung ausdrücklich benennt.

nicht von dem Verdacht freizusprechen, markinische Formulierung zu sein, zumal Markus Doppelungen außerordentlich liebt. Schließlich wäre auch noch auf das *de* zu achten, das redaktionelle Zusätze einleitet oder von der Redaktion zur Tradition zurücklenkt. Und gerade als stilistisches Element zur Einleitung eines neuen Abschnitts erscheint es bei Markus mehrfach (7,24; 10,32).[791] So findet sich im ersten Satz von Mark 14,1 nichts, was sich mit Sicherheit der Tradition zurechnen ließe. Es ist „eindeutig Eigentum des Evangelisten, der seine Konstruktion der zeitlichen Abfolge des Ereignisses darin zum Ausdruck bringt".[792]

Weiter hat man es bei der Behauptung des globalen Traditionscharakters von 14,1 f. unterlassen,[793] das Verhältnis dieses Stückes zu 11,18 zu bestimmen. Auf die nahe Verwandtschaft beider Stellen haben Finegan und Bartsch aufmerksam gemacht.[794] Mark 11,18a.b schließt die Tempelreinigung mit den Worten *kai ēkousan hoi archiereis kai hoi grammateis kai ezētoun pōs auton apolesōsin – efobounto gar auton.* „Dieser Abschluß wird fast wörtlich in 14,1 wiederholt"[795]: *kai ezētoun hoi archiereis kai hoi grammateis pōs auton en dolō kratēsantes apokteinōsin.* Das Verhältnis beider Stellen zueinander wird im Hinblick auf die Fragestellung nach Tradition und Redaktion von den beiden Forschern, die ihren Zusammenhang überhaupt erkannt haben, gegensätzlich beurteilt. Während Finegan Mark 14,1b.c als markinische Formulierung ansah, indem er sie als „eine lebendige Darstellung, die wesentlich 11,18 wiederholt", bezeichnete,[796] urteilt Bartsch umgekehrt: „Die konkrete, auf das im folgenden Berichtete bezogene Aussage in 14,1 dürfte im Zusammenhang der Leidensgeschichte gegenüber der allgemeineren von 11,18 ursprünglich sein."[797]

Da beide gegensätzlichen Urteile ihre Begründung mit dem Verhältnis von allgemein und konkret führen, so ist deutlich, daß diese formalen Erwägungen hier nicht ausreichen und stilkritisch nachgeprüft werden müssen. Der Hauptunterschied besteht im Gebrauch von *apollynai* in 11,18 gegenüber *kratein* und *apokteinein* in 14,1. Schon die Wortstatistik ergibt, daß *apollynai* für Markus nicht typisch ist (10mal, vgl. 19/27). Auch läßt eine Durchsicht der markinischen Stellen (1,24; 2,22; 3,6; 4,58; 8,35 bis; 9,22.41; 11,18; 12,9) erkennen, daß das

---

791 Von daher ist es auch in den Lesarten von 14,1 als ursprünglich anzunehmen, obwohl B und D es nicht bieten; vgl. R. Pesch 61 A. 91.

792 H. W. Bartsch, ThZ 20, 99; auch J. Finegan 61 bestimmt die Datierung als „schriftstellerische Bildung des Markus", hält sie aber dessenungeachtet für den „Rest einer ursprünglichen, historischen Tradition", die ursprünglich die Mahlszene V. 22 ff. einleitete. Doch ist diese Vermutung zu phantastisch, um beweisbar zu sein.

793 So neben Dibelius und Bultmann auch W. Grundmann 275.

794 J. Finegan 61; H. W. Bartsch, ThZ 20, 101.

795 H. W. Bartsch, ebd.

796 J. Finegan 61.

797 H. W. Bartsch, ThZ 20, 101.

Wort für die Passionstheologie des Markus nicht typisch ist. Mit 11,18 ist nur 3,6 vergleichbar, die erste Erwähnung des Todesbeschlusses bei Markus. 3,6 ist deutlich redaktionell und offensichtlich von 11,18 her und im Hinblick auf diese Stelle hin komponiert. Dagegen ist *apokteinein* nicht nur bei Markus relativ häufiger als bei den Seitenreferenten (11mal, vgl. 13/12), sondern auch sichtbar auf die Passionsaussagen bezogen. Es wird viermal in den drei Leidensansagen verwendet (8,31; 9,31 bis; 10,34), was die beiden synoptischen Nachfolger in dieser Stereotypie nicht beibehalten, sondern variierend verändern. Es findet sich außerdem viermal ebenso stereotyp in dem für die Passionsaussagen wesentlichen Weingärtnergleichnis (12,5bis; 7.8). In deutlichem Anklang an die Stellen, die von der Tötungsabsicht gegenüber Jesus sprechen, ist 6,19 die Tötungsabsicht des Herodes für den Täufer formuliert, und schließlich ist auch die Formulierung in der Frage Jesu bei der Sabbatheilung 3,4, ob es erlaubt sei, an diesem Tage ein Menschenleben zu retten oder zu töten, deutlich im Zusammenhang mit und zu der Vorbereitung auf den ersten Todesbeschluß 3,6 hin formuliert. Somit stehen alle markinischen Belegstellen in einer einheitlichen Ausrichtung und erweisen sich sowohl formal als auch inhaltlich als markinisch. Dem tritt bestätigend zur Seite, daß das damit im markinischen Part. conj. zusammengebundene *kratein* ein markinisches Vorzugswort ist (15mal, vgl. 12/2). Von den 15 markinischen Stellen hebt sich deutlich eine Gruppe von acht Belegen heraus, die das Wort im Sinne einer Bemächtigung und Gefangennahme verstehen; so bei der Gefangennahme Jesu (14,44.46.49) und des dort ergriffenen jungen Mannes (14,51). Zwischen 11,18 und unserer Stelle schlägt 12,12 eine Brücke (zusätzlich *ezētoun!*) mit dem redaktionellen Perikopenschluß zum Winzergleichnis, der aussagt, daß sie Jesus zu „ergreifen versuchten"; wiederum auf den Täufer angewendet wird es 6,17 in der Perikopeneinleitung, die sein Ende berichtet.[798] Auch *en dolō* könnte sich gut als sekundäre markinische Erweiterung zur weiteren novellistischen Ausgestaltung erklären lassen. Das Wort findet sich bei Markus noch ein zweites Mal im Lasterkatalog 7,22, bei Lukas dagegen nur Apg 13,10 und bei Matth 26,4 nur in der Übernahme der vorliegenden Markusstelle. Außerdem steht es in sachlichem Widerspruch zu der ursprünglichen Perikopenfortsetzung (V. 10f.), sofern die Oberpriester die Erfüllung ihrer Absicht auf die Gefangennahme Jesu nicht einer List, sondern einem glücklichen Zufall verdanken. Auch darin scheint 11,18 ursprünglicher, als es nur die ratlose Absicht nennt, die dann im Kommen des Judas ihren Ausweg findet. Von einer List kann in dem Zusammenhang ursprünglich nicht die

798 Vgl. J. Schreiber 111 f.; er sieht dazu die beiden anderen Anwendungsgruppen des Wortes in einer antithetischen Entsprechung: Das Für-sich-Festhalten des Wortes (7,3.7.8; 9,10) geht dem Gefangennehmen Jesu direkt parallel, während das rettende Handergreifen Jesu bei Heilungen (1,31; 5,41; 9,27) die soteriologische Antithese darstellt. Doch erscheint dies doch wohl als zu künstlich konstruiert.

Rede gewesen sein. Ihre Einführung verstärkt das Spannungsmoment zwischen ihren Vernichtungsbemühungen und deren Realisierung. Somit erweist sich Mark 14,1b.c als eine redaktionell gestaltete Dublette zu 11,18.[799] Sie dient Markus dazu, seinen 11,18 offenbar verlassenen Traditionsfaden wieder aufzunehmen.[800] Damit ist zugleich der Ansicht der Formgeschichtler widersprochen, die 11,18 für eine redaktionelle Zutat erklärt haben.[801]

In 14,2 wird die Tradition, nachdem die redaktionelle Dublette 14,1 den Anschluß geschaffen hatte, wieder aufgenommen. Die vier entscheidenden Vokabeln (*heortē, mēpote, thorybos, laos*) kommen bei Markus nur je zweimal vor. Das ist beim zweiten und vierten Wort im Vergleich mit den beiden Seitenreferenten besonders auffällig.[802] Somit scheint Mark 14,2 „die Aussage über die Furcht vor dem Volk zur alten Leidensgeschichte gehört zu haben", genauer wird man sagen müssen, zu einer älteren Tradition.[803] Damit bleibt zugleich der Rest – nun nicht unbedingt der, sondern – einer „älteren Datierung".[804] Indem Vers 2 somit gegenüber Vers 1 selbständig und älter ist, ist die Figur *en tē heortē* temporal zu fassen. Die Notwendigkeit, die beiden in Spannung stehenden Zeitaussagen von Vers 1 und Vers 2 zu harmonisieren, indem man die Präpositionalwendung des zweiten Verses lokal interpretiert („in der Festmenge"),[805] besteht somit nicht mehr. Zwar hat offenkundig schon Lukas hier so interpretiert, indem er 22,6 *ater ochlou* schrieb („wenn Jesus nicht von einer Menge umgeben wäre"), und für den vierten Evangelisten ist dieser Sprachgebrauch von *heortē* als Fest-

799 Der gegenteiligen Entscheidung von H. W. Bartsch (s. o. A. 797) ist also begründet zu widersprechen. Sein Argument, daß das Konkretere hier urspünglich sei, erwies sich als nicht stichhaltig.

800 Ein weiteres Argument für markinische Verfasserschaft läge vor, wenn 14,1 eine Anspielung auf LXX-Ps 30,14 sein sollte (so S. Schulz, Stunde 122). Doch nichts im Markustext deutet darauf hin, denn erst Matthäus hat die verbindenden Stichworte „versammeln" und „beschließen" eingebracht.

801 R. Bultmann, Tradition 36, 365; M. Dibelius, Formgeschichte 42.

802 *Mēpote* nur noch Mark 4,17 (Zitat Jes 6,10), vgl. 8/7; *laos* nur noch Mark 7,6 (Zitat Jes 29,13), vgl. 14/36, dagegen steht in den redaktionellen Parallelen 11,18c und 12,12 *ochlos*! *Heortē* nur noch 15,6; *thorybos* nur noch 5,38 (+ V. 39 das Verb als markinisches Hapaxlegomenon).

803 H. W. Bartsch, ThZ 20, 99.

804 J. Finegan 62.

805 Diese von G. Bertram 13 begründete Deutung ist vor allem von J. Jeremias, Abendmahlsworte 65–67 entschieden vertreten worden; W. Grundmann 275 und E. Haenchen 462 stimmen ihr zu; vgl. dagegen M. Dibelius, Formgeschichte 181 A. 2 und ThR NF 1, 1929, 193 A. 1; R. Bultmann, Ergänzungsheft 41. Gut hebt E. Schweizer 165 den redaktionellen Sinn im jetzigen Zusammenhang heraus: Markus will sagen, „daß gerade das, was die Menschen verhindern wollen, von Gott her geschehen muß: Genau am Fest wird er – jedenfalls nach Markus – hingerichtet."

menge ebenfalls bezeugt (7,11, vgl. 2,23),[806] doch bei Markus ist das Wort an der einzigen Stelle, an der es sich noch findet (15,6), temporal gemeint. Außerdem dürfte die lukanische Auslassung, Umformulierung und Umstellung zeigen, daß er „die Worte so verstanden und wegen ihres Widerspruches zu der Passa-Datierung weggelassen" hat.[807] Die Differenzierung zwischen Tradition und Redaktion erübrigt auch den verzweifelten, aber die Spannung des jetzigen Textes gut verdeutlichenden Interpretationsversuch derjenigen, die hier ausgesagt fanden, Jesus solle erst nach dem Fest verhaftet werden.[808] Ebenso erklärt das literarkritische Ergebnis die von Bultmann stark empfundene Sinnlosigkeit der Motivierung im jetzigen Zusammenhang.[809]

Mark 14,10 erweist sich sachlich als unmittelbare Fortsetzung von 14,2, da es die Ratlosigkeit löst, die 14,2 formulierte, und zwar gerade auf 14,10 hin formulierte; denn daß der in wörtlicher Rede formulierte Satz 14,2 auf Ohrenzeugen zurückgehe, wird man kaum annehmen können. Wenn aber Vers 2 zu einer vormarkinischen Tradition gehört, so müßte auch Vers 10 als traditionell zu erweisen sein. Judas Ischarioth wird wie 3,19 als Doppelname und in der semitischen Namensform genannt; das weist auf den altertümlichen Charakter der Formulierung. Die kurze Apposition „der eine der Zwölf" ist durch den Artikel auffällig, der ihn wohl „als den bekannten Verräter" vorzustellen scheint.[810] Zweifel an der Ursprünglichkeit dieser Apposition erheben sich zusätzlich, weil sie Vers 43 wiederholt wird und Judas dort als *heis tōn dōdeka* neu eingeführt wird, und zwar ohne Artikel. Während Bultmann daraus schließt, daß Vers 10 f. nicht zum ältesten Bestand gehörte, dem aber Vers 43 ff. zuzurechnen sei,[811] hält Klostermann die Apposition an unserer Stelle für einen redaktionellen Zusatz zur Tradition,[812] wohl mit Recht, weil der Artikel eine auffallende Betonung darstellt und außerdem Markus die Wendung *heis tōn dōdeka* schon als solche hervorheben will und sie allgemein ohne Namensnennung auch Vers 20 wiederholt. Dort ist sie offenkundig redaktionell und deutlich literarisch auf die Leser berechnet, denn Jesus sagt zu den Zwölfen

806 R. Bultmann, Joh 222 A. 2; J. Jeremias, ebd. 66 f.

807 M. Dibelius, Formgeschichte 181 A. 2.

808 So H. J. Holtzmann 171; Th. Zahn 679; G. Dalman, Jesus 91; A. Schlatter 249 f.; E. Lohmeyer 290 f.; dagegen R. Bultmann, Tradition 282; J. Jeremias, Abendmahlsworte 66.

809 R. Bultmann, Tradition 282 und Ergänzungsheft 41.

810 E. Lohmeyer 296; er verweist A. 2 auf Hen 20,1 ff. „der eine der heiligen Engel". Daß der zweite Artikel *tōn* die Wendung „einer der Zwölf" „als Würdeprädikat von formelhafter Prägung" erweise (G. Schille, Kollegialmission 118), ist eine nicht nachzuvollziehende Überinterpretation, die auch durch den Hinweis auf den Gebrauch in Joh. 20,24 (Thomas) nicht einleuchtender wird.

811 R. Bultmann, Tradition 300.

812 E. Klostermann 143.

(V. 17!): einer von den Zwölfen, statt des zu erwartenden: einer von euch (so V. 18). Man wird also nicht sagen können, daß die Bezeichnung „einer von den Zwölfen" fest in der Tradition sitze.[813] Ohnehin ist *dōdeka* markinisches Vorzugswort (15mal, vgl. 13/12). Auch Vers 17 sind die Zwölf offensichtlich redaktionell; da Vers 13 schon zwei Jünger zur Vorbereitung abgeordnet werden, kann Jesus nicht gut Vers 17 mit den Zwölfen kommen, sondern höchstens noch mit den restlichen Zehn.[814] So dürfte die Nennung der Zwölf wohl überall in der Passionsgeschichte markinische Redaktion sein. Markus will betonen, daß der, der Jesus auslieferte, einer aus dem engsten Jüngerkreis war, und versetzt dabei den nachösterlichen Zwölferkreis (1 Kor 15,5 als solcher alt bezeugt) in das Leben Jesu zurück![815] Das dürfte dem literarischen Befund eher entsprechen als die neuerlich verschieden vertretene Hypothese, daß Judas dem nachösterlichen Zwölferkreise angehörte, dann aber abgefallen sei und daß dieser Abfall dann in das Leben Jesu zurückprojiziert wurde.[816] Die redaktionelle „Aufnahme des Judas in die Zwölferliste reklamiert ihn ausdrücklich als Jesusjünger".[817]

Das Verb des Satzes *aperchesthai* (35mal, vgl. 23/19) spricht für Markus, doch weist nur das Präfix auf die eingeschaltete Geschichte Vers 3–9 zurück. Darum ist hier das Simplex für die Vorlage anzunehmen, denn die Konstruktion mit *pros* statt des auch bei Markus häufigeren *eis* (1,35; 6,32.36.46; 7,24.30; 8,13) macht einen altertümlichen Eindruck (vgl. 3,13; Joh 20,10; Apk 10,9).[818] Der Nebensatz wird mit einem finalen *hina* eingeleitet, das auch 15,20f. (s. o.) Indiz für vormarkinische Ausdrucksweise war und das beide Seitenreferenten auch hier nicht übernehmen. Ebenso wird von beiden das parataktische *kai* am Versanfang abgeändert.

Anders liegen die Dinge in Vers 11a. Das einleitende *de* läßt wieder einen redaktionellen Zusatz vermuten. In der Tat fällt die bessere literarische Stilisierung durch das Part. conj. auf, und der Nebensatz hat im Gegensatz zu Vers 10 den literarisch besseren finalen Inf. statt des weniger literarischen *hina*, das man auch hier erwartet, wenn man von Vers 10 herkommt. So scheint dieser Zusatz stilistisch deutlich vom Evangelisten geformt, auch wenn dieses stilkritische Urteil von der Vokabelstatistik her keine zusätzlichen verstärkenden Belege bekommt: *akouein* findet sich bei allen Synoptikern gleich häufig (44mal,

813 Gegen E. Schweizer 168.
814 Ebd. 169.
815 So auch P. Vielhauer, Aufsätze 68 ff.; E. Linnemann, ZThK 63, 1966, 31 A. 108 und dies., Passionsgeschichte 112 A. 118; G. Schille, Kollegialmission 119 ff., 147 f.
816 So E. Barnikol, Das Leben Jesu der Heilsgeschichte, Halle 1958, 332 f.; G. Klein, Die zwölf Apostel 36 und ZThK 58, 1961, 309; W. Schmithals 58 f., dagegen E. Linnemann, ebd.
817 G. Schille, Kollegialmission 148.
818 Bauer WB 167.

vgl. 63/65; hier erklärt es sich als redaktionelle Aufnahme und Angleichung an 11,18); *chairein* findet sich in einer eigentlichen Bedeutung bei Markus nur hier (15,18 dagegen als Grußwort, vgl. 6/12); *epaggellesthai* ist ebenso markinisches Hapaxlegomenon wie *argyrion* (vgl. 9/4). Man kann natürlich auch im Vorkommen einiger Worte, die später von Matthäus und Lukas verstärkt gebraucht werden, bei Markus schon einen Ansatz in dieser Richtung sehen, also auf Redaktion weisend. Wichtiger aber ist eine noch hinzutretende sachliche Erwägung: Vers 11a unterbricht nicht nur den straffen Zusammenhang von Vers 10 und Vers 11b, sondern führt auch noch ein neues Motiv ein. Dieses Motiv des Honorarversprechens ist aber ebenso novellistischer Art wie die markinische Einfügung der „List" in Vers 1b. Insofern entsprechen sich beide Zusätze. Hinzu kommt weiter die Motivverbindung mit den Gedanken an Geld in der redaktionell dazwischengesetzten Salbungsgeschichte Vers 3–5. Das dürfte präzis die Ursache für den Zusatz Vers 11a gewesen sein. Markus hat also die Perikopen nicht nur verschränkt, sondern auch inhaltlich antithetisch miteinander verbunden.

Vers 11b führt die Tradition fort; *zētein pōs* wird dabei in klarer Wiederaufnahme von 11,18 formuliert. Die Lösung der Terminfrage von 14,2 wird deutlich mit dem synoptischen Hapaxlegomenon *eukariōs* gegeben. Der damit gegebene schlechte Stil in der Nebeneinanderstellung zweier Adverbien wird von beiden Seitenreferenten substantivisch verbessernd aufgelöst[819] und ist so Indiz für den urtümlichen Charakter der vorliegenden Formulierung.

Die Untersuchung hat somit erbracht, daß in Mark 14,1–2.10–11 wohl eine zusammenhängende vormarkinische Tradition zugrunde liegt, daß sie jedoch nur Vers 2.10.11b umfaßt und durch markinische Zusätze in Vers 1.10a.11a erweitert worden ist. Gleichzeitig hat sich gezeigt, daß hier nicht der Anfang einer Passionstradition vorliegt, sondern daß die Dublette 14,1 auf 11,18 zurückführt. Somit muß der Anfang der hier vorliegenden Passionstradition noch weiter zurückliegen. Diesem Zusammenhang gilt es weiter nachzugehen. Vermerkt sei auch, daß hier kein Praes. hist. in den Blick kam.

## 2.2. Die eschatologische Kultunterbindung im Tempel (Mark 11, 15–19)

Der Abschlußvers 19 ist Überleitung des Evangelisten zum Folgenden.[820] Der Vers erweist sich durch die Zeitangabe im Hinblick auf Vers 20 gebildet und ist Bestandteil der markinischen Wochenchronologie. Er schließt den Montag (V. 12–19) ab.[821] Seine Sprachgestalt ist für den Evangelisten typisch: *hotan*

---

819 J. Schmid, Matth und Luk 153.
820 H. W. Bartsch, ThZ 20, 101 A. 25.
821 E. Klostermann 111; M. Weise, KuD 12, 48 A. 6.

verwendet Markus relativ am häufigsten (21mal, vgl. 19/29), *opse* ist Vorzugswort (3mal, dazu 5mal *opsia*), *ebenso ekporeuesthai* (11mal, vgl. 5/3) und *exō*
(10mal, vgl. 9/9); die Verbindung beider ist gleichfalls Ausdruck für die typisch
markinische Wiederholung der Präp. nach dem entsprechenden Kompos. Nur
für *polis* (8mal, vgl. 26/39) ist diesbezüglich keine Deutlichkeit zu gewinnen,
doch legt es sich vom Kontext her sachlich nahe.

Daß Vers 18a.b Bestandteil vormarkinischer Tradition ist, wurde von 14,1
her deutlich. Da der markinischen Überarbeitung aber der Gedanke der Lehre
wichtig ist und in der Fortsetzung 14,10 nur die Oberpriester erwähnt sind, so
dürften die Schriftgelehrten hier wie 14,1 in antithetischer Entsprechung zum
Lehr-Gedanken nachträglich eingeführt sein; Markus hat sie ohnehin relativ
am häufigsten (21mal, vgl. 22/14) erwähnt. Vers 18c ist ein Perikopenschluß des
Evangelisten, den man mit der verwandten redaktionellen Bildung 12,12 vergleichen kann: *ochlos* ist relativ am häufigsten (38mal, vgl. 49/41) verwendet,
*ekplēssein* ist ein Vorzugswort (5mal, vgl. 4/3), das wohl an allen Stellen redaktionell ist, ebenso wie *didachē* (5mal, vgl. 3/1), das auch 1,22.27; 4,2; 12,38
redaktionell eingebracht ist. „Die Bemerkung über das Erschrecken des Volkes
über seine Lehre (!) ist eine stehende Formel des Evangelisten" (vgl. 1,22;
6,2).[822]

Da Vers 18c deutlich an Vers 17 anknüpft, so ist auch dieser Vers als Zusatz
des Evangelisten zu erweisen: Das Häufigkeitswort *didaskein* (17mal, vgl.
14/17) wird überwiegend redaktionell verwendet.[823] Die Anreihungsformel *kai
elegen autois* ist als typisch markinisch erwiesen.[824] Wie hier begegnen beide,
typisch markinisch pleonastisch verbunden, auch in den Versen 4,2 und 9,31, die
Bildungen des Evangelisten sind. Die schlichte und rein hinweisende Zitatein-
führung mit *gegraptai* ist Markus selbst zuzuweisen (1,2; 7,6; 9,12 f.; 14,21.27).
Sie gibt nicht einen Schriftbeweis, sondern nur einen Schrifthinweis.[825] Das *hoti*-
recitativum hat Markus mit 50 Belegen am häufigsten.[826] Schließlich weist auch
wieder das von der Zitatvorlage nicht gedeckte *de* auf redaktionelle Formulierung. Die Beobachtung der Stellung dieses Verses im Kontext bestätigt die
Analyse: „Dieses Jesus in den Mund gelegte Deutewort sprengt die Situation.
Im Anschluß an die Tempelreinigung paßt allenfalls der Vorwurf, die Juden
hätten den Tempel zu einer Räuberhöhle gemacht... Was aber soll die Rede
vom Bethaus für alle Völker?"[827] Darum ist die Annahme, daß nur die Einleitung markinisch, das Zitat dagegen in dem Zusammenhang vormarkinisch

822 H. W. Bartsch, ThZ 20, 101 A. 25.
823 R. Bultmann, Tradition 367; A. Suhl 142.
824 J. Jeremias, Gleichnisse 10; A. Suhl 73, 79 ff., 142; W. Marxsen, Aufsätze 16 f.
825 A. Suhl 159 f.
826 W. Larfeld 262.
827 A. Suhl 143; vgl. schon A. Schlatter, Matthäus 612 f.

sei,[828] zurückzuweisen. Auffallend ist im Zusammenhang auch, daß nicht klar ist, wer das Objekt der Belehrung von Vers 17 sein soll (vgl. die glättende Streichung von *autois* bei B!). Dem entspricht weiter, daß das Hören der jüdischen Autoritäten Vers 18 objektlos ist, sich also nicht auf die Worte von Vers 17 bezieht, sondern auf die Vers 15 f. geschilderten Vorgänge (mit Recht übersetzt Klostermann: Als sie „davon" hörten).[829] So ist also in diesem Vers eine kerygmatische Neuinterpretation des Tempelvorgangs durch den Evangelisten zu sehen.

Der erste Satz der Perikope Vers 15a ist wohl als Einleitungsvers redaktionell vom Evangelisten hierher gestellt. Doch redaktionelle Bildung ist er wegen des Praes. hist. nicht.[830] Er gehört wohl ursprünglich zur Einzugsgeschichte. Hier wiederholt er jetzt Vers 11a und verklammert so gemäß dem markinischen Schema des täglichen Wechsels von der Stadt und in die Stadt die einzelnen Vorgänge.[831] Zwar ist *erchesthai* markinisches Häufigkeitswort (86mal, vgl. 111/100), und die griechische Namensform der Hauptstadt findet sich bei Markus immer (10mal, darunter 10,33 in einem Worte Jesu), doch ist beides hier wohl traditionell.

Der Anfang des zweiten Satzes Vers 15b trägt Spuren markinischer Überarbeitung: Das Part. conj. ist schriftstellerische Gestaltung; *archesthai* mit Inf. ist für markinischen Stil bezeichnend, und *eis to hieron* macht das folgende, wohl vorgegebene *en tō hierō* fast überflüssig, steht also in Dublette dazu in der Art der Wiederholungen, wie Markus sie liebt. Die Wiederholung der Präp. nach dem Kompos. findet sich auch hier. Als Traditionsbestand der Perikope bleiben dann 11,15b.c.16.18a.b; 14,2.10.11b abzüglich einzelner kleinerer Erweiterungen. Hier in Vers 16 findet sich wieder die abgeblaßte, unliterarische *hina*-Konstruktion, die wie 14,10; 15,20 f. Kennzeichen einer vormarkinischen Tradition ist und die 0188 in den besseren A.c.I. abändert.[832] *Afienai* wird wohl von Markus häufiger verwendet (s. o. zu 15,36), doch ist die Verbindung mit *hina* vormarkinisch. Hapaxlegomena sind hier *kollybistēs, kathedra, katastrefein* (V. 15) und *diaferein* (V. 16); außer an dieser Stelle findet sich nur noch an einer anderen bei Markus *pōlein, trapeza* und *peristera*.

Das Ergebnis der Analyse klärt auch die schwierige Frage nach dem Charakter der Erzählung von der Tempelhandlung. Die Vermutung, daß Vers 15 f. eine ideale Szene sei, die aus Vers 17 herausgesponnen sei, hat schon Bultmann mit Recht abgewiesen, da sich von Vers 17 her höchstens Vers 15, nicht aber

828 E. Schweizer 131.
829 E. Klostermann 116, 118.
830 R. Bultmann, Tradition 36; E. Klostermann 117; A. Suhl 142 sehen ihn als redaktionelle Bildung an; doch gilt das nur hinsichtlich seiner Stellung; diese ist redaktionell.
831 J. Jeremias, Abendmahlsworte 85 A. 1.
832 Bauer WB 745 f.

Vers 16 erklären ließe.[833] Es ist auch nicht ein katechetisch-paränetisches Lehr-beispiel mit abschließendem alttestamentlichem Lehrsatz, wie E. Lohmeyer meinte.[834] Auch für ein Apophtegma fehlt der Perikope das Wort, auf das sie hinläuft;[835] daß es durch Vers 17 verdrängt worden sei, wäre eine zu starke Verlegenheitsauskunft, die zudem nach der Erkenntnis des Perikopenfortgangs über Vers 18 hinaus nach 14,2 nicht mehr nötig und möglich ist. Die weitver-breitete Annahme schließlich, daß Vers 15 f. die ursprüngliche Einleitung zur Vollmachtsfrage 11,27b ff. gewesen sei,[836] ist von Joh 2,18 her entworfen und darum mit Recht abgewiesen worden.[837] Sie scheitert letztlich daran, daß sie auf Grund ungenügender Analyse Vers 18 insgesamt dem Evangelisten zu-sprach, was aber, wie wir gesehen haben, nicht möglich ist. Außerdem enthält die Vollmachtsfragenperikope Spuren des Praes. hist. (V. 27.33), was auf eine ganz andere Traditionsschicht deutet. Man wird vielmehr mit Finegan und Bartsch die Beziehung zu 14,1 f.10 f. zu berücksichtigen haben, und damit wird eine alte Traditon aufgewiesen, die „in der Tempeldemonstration Jesu den konkreten Anlaß für den Todesbeschluß" gegeben sieht.[838] Da die apokalyp-tische Kreuzigungstradition das Ende des Tempels als Folge des eschatologi-schen Schreis Jesu beschrieb, so dürfte hier ein Sach- und Traditionszusammen-hang bestehen, der sich über Tempelanklage und Tempelspott kontinuierlich fortsetzt. Doch kann die Beantwortung dieser Frage für unseren Text nur seine Interpretation erbringen, der wir uns deshalb zuwenden müssen.

Kaum ein synoptischer Text ist in der Erfassung seiner Aussageintention so unbestimmt und umstritten wie diese sogenannte Tempelreinigung. Das hat seinen Grund wesentlich darin, daß man hier ohne eine gesicherte literarische Analyse interpretierte. Das wird besonders augenfällig an der jüngsten aus-führlichen Diskussion dieses Textes bei E. Haenchen,[839] der unter Verzicht auf eine Traditionsanalyse[840] nach dem Sinn des Geschehens fragt, und nach-dem er das Ungenügen der Deutungen in den Kommentaren aufgezeigt hat, selbst nur Aporien konstatieren kann: „Von dem, was Jesu Aktion im Vorhof

---

833 R. Bultmann, Tradition 36; E. Klostermann 117.

834 E. Lohmeyer 235, 237.

835 R. Bultmann, ebd.

836 So J. Sundwall 71 f.; J. Jeremias, Abendmahlsworte 85; A. Suhl 142 f.; E. Schweizer 132, 135; C. Hunzinger, ThW VII, 756 A. 47.

837 So schon von R. Bultmann, Tradition 18 f., 36 und Ergänzungsheft 7,11; M. Dibelius, Formgeschichte 42 A. 1 und ausführlich M. Goguel, Leben Jesu 274–276.

838 H. W. Bartsch, ThZ 20, 101: „Alles zwischen 11,18 und 14,1 Berichtete ist erst mit der Formung des Evangeliums eingefügt worden."

839 E. Haenchen 382–389.

840 Ebenso E. Lohmeyer 235 f.; W. Grundmann 230.

der Heiden wirklich bezweckte, wissen wir nichts; wir können nur Vermutungen anstellen. Aber sie bringen keine einleuchtende Lösung."[841]

Eine Interpretation der analysierten Tradition führt uns über dieses Ignoramus hinaus. Weil wir nach dem Ausfall von Vers 17 „kein authentisches Jesuswort" besitzen, „das seine Tat erklärte oder begründete",[842] so gewinnen zwei rabbinische Vergleichstexte an Bedeutung, die auch schon wiederholt zu unserer Geschichte herangezogen worden sind.[843] Zu Vers 15 ist aus dem Jerusalemer Talmud zu vergleichen Jom tob 2, 61c, 13:

„Es war daselbst Baba b. Buta (Zeitgenosse Herodes' des Großen) von den Schülern der Schule Schammais; der wußte, daß die Halacha war wie die Meinung der Schule Hillels. Einmal betrat er den Vorhof und fand ihn verödet (weil niemand mehr auf Grund der Schammaitischen Lehrmeinung an einem Feiertag ein Opfer darbrachte). Da sprach er: Mögen veröden die Häuser derer, die das Haus unseres Gottes verödet haben! Was tat er? Er ließ 3000 Stück Kleinvieh vom Kleinvieh Qedars kommen und untersuchte sie betreffs (etwaiger) Leibesfehler und stellte sie auf dem Tempelberg auf... In jener Stunde wurde die Halacha festgelegt nach der Meinung der Schule Hillels, und niemand sagte ein Wort." Dieser Text macht deutlich, daß die Handlung Jesu im Kontrast zu der Handlung des frommen Rabbinen steht. Während hier eine kultfördernde Maßnahme berichtet wird, erscheint Jesu Handeln als kulthindernd – ja in ihren zwei das Tieropfer betreffenden Zügen geradezu als kultunterbindend.

Zu dem letzten und dritten Akt der Handlung Jesu in Vers 16 ist eine öfter überlieferte Bestimmung zu vergleichen, die Berakoth 9,5 so lautet[844]: „Man gehe nicht auf den Tempelberg mit einem Stock, nicht mit seinen Schuhen, nicht mit seiner Geldkatze, auch nicht mit Staub auf seinen Füßen. Man mache ihn nicht zu einem Richtweg, um sich den Weg abzukürzen, und das Ausspeien ist erst recht verboten."[845] Um der stetigen Heilighaltung der Kultstätte willen wird hier also verboten, sie für abkürzende Durchgangswege zu benutzen.[846] Ist diese Anweisung nun in Analogie oder in Antithese zu Jesu Handeln im Tempel zu sehen? Ihre Heranziehung als Analogie hat deutlich zu Aporien geführt. So konstatiert E. Schweizer: „Seltsam ist freilich Vers 16, in dem Jesus wie ein

841 E. Haenchen 388.

842 Ebd. 386.

843 Bill. I 852; A. Schlatter, Matth. 512 f.; E. Klostermann 117; W. Grundmann 231; E. Schweizer 131, 133; E. Haenchen 382, 384.

844 Vgl. ähnlich Ber. 62b Bar; Sifr. Lev. 19,30 (361a); Jeb 6b.

845 Bill. II, 27, vgl. ebd. weitere Belege für Synagogen, auch für zerstörte, deren Heiligkeit ebenso gewahrt wurde.

846 E. Klostermann 117.

bloßer Reformer erscheint, der jüdische Heiligkeitsvorschriften verteidigt."[847] Das sieht auch E. Haenchen[848]: so etwas sei „bei Rabbinen vollauf verständlich ..., aber gerade nicht bei Jesus" – man denke nur an die Sabbat-Streitgespräche und an den Streit um die Reinigung. Weiter wäre gegen das Verständnis Jesu in Analogie dazu einzuwenden, daß, wenn man auf den Inhalt der Bestimmung blickt, es sich ergibt, daß Jesus mit seiner Anordnung noch weit hinter den rabbinischen Geboten zurückbleibt.[849] Darum muß Jesu Verbot, Geräte durch den Tempel zu tragen, nicht in Analogie, sondern in Antithese zu den rabbinischen Bestimmungen verstanden werden, was sich auch dadurch nahelegt, daß es sich bei dem vorgenannten Vergleichstext um einen Kontrast handelte. Das hat H. W. Bartsch erkannt, wenn er postuliert: „Dieses Verbot Jesu (Mark 11,16) ist nur sinnvoll, wenn damit Kultgeräte gemeint sind."[850] Nur so wird dieser letzte Zug in Übereinstimmung mit den beiden vorgenannten und den synoptischen Streitgesprächen verstehbar. Das ist auch vom Wortgebrauch her nahegelegt; von den über 300 Stellen, an denen die Septuaginta *skeuos* gebraucht,[851] meint „ein gutes Drittel aller Stellen" die „heiligen Gerätschaften der Stiftshütte, des Tempels und dessen Altar";[852] und auch „Philo und Josephus brauchen *skeuos* u. ä. für die Tempelgeräte".[853] Darum dürfte sich hier der absolute Gebrauch damit am besten erklären lassen, daß Kultgeräte gemeint sind. Damit entfällt auch die Verlegenheitsauskunft, daß *skeuos* hier „völlig unbestimmt" gebraucht sei und „im abgegriffenen Sinne = etwas" bedeute,[854] zumal dafür keine weiteren Belege geboten werden. Bei Markus wird *skeuos* nur noch 3,27 gebraucht, steht dort ebenfalls absolut und ist durch den Kontext als „Hausrat" zu bestimmen. Analog dazu legt sich auch hier die Bestimmung vom Kontext und dem darin genau benannten zugehörigen Ort her nahe – also „Tempelgerät".

Somit erweist sich die Handlung Jesu in der Darstellung der vormarkinischen Überlieferung nicht als ein Akt zur Wahrung der „Würde des Hauses",[855] sondern als ein apokalyptisches Handeln, das den Tempeldienst gewaltsam unterbindet und dadurch den Kult radikal beendet.[856] Mit Recht bemerkt Haenchen,

847 E. Schweizer 133.
848 E. Haenchen 387 f.
849 H. W. Bartsch, ThZ 20, 100.
850 Ebd.
851 Hatch/Redpath 1269–1271 – etwas über vier Spalten.
852 C. Maurer, ThW VII, 360,1 f.
853 Ebd. 360,39 f., vgl. weiter auch den christlichen Sprachgebrauch Hebr 9,21; POxy V 840,14.21.29 f. (Maurer, ebd. 359,17).
854 Ebd. 362,33–36 und A. 26.
855 So E. Klostermann 117.
856 H. W. Bartsch, ThZ 20, 100 f.

daß man diese Handlung nicht als Tempel-„Reinigung" bezeichnen kann; „diesen Begriff hat erst die Exegese eingetragen".[857] Doch wird man sein Urteil insofern zu ergänzen haben, als es schon die matthäische wie lukanische Redaktion gewesen ist, die diese Exegese vollzogen hat, indem sie Vers 16 ausließ (Lukas darüber hinaus auch noch den größten Teil von Vers 15) und aus der markinischen Interpretation Vers 17 *pasin tois ethnesin* strich und damit das Ganze als eine Reinigung des damaligen, zu ihrer Zeit aber bereits zerstörten jüdischen Tempels verstand.

Daß es gerechtfertigt ist, dieses gewaltsame Beenden des Kultdienstes als apokalyptisch zu verstehen, beweist die Parallele aus der Tiersymbolapokalypse, der zweitältesten Schicht des aeth. Henoch (Kap. 85–90).[858] In das Gericht, das bei den Sternen beginnt und sich über die 70 Hirten und die verblendeten Schafe ausweitet, kommt dann auch der Tempel hinein 90,28[859]:
„Ich stand auf, um zu sehen, bis daß er jenes alte Haus[860] einwickelte. Man schaffte alle Säulen hinaus; alle Balken und Verzierungen jenes Hauses wurden mit ihm eingewickelt. Man schaffte es hinaus und legte es an einen Ort im Süden des Landes.
(29) Ich sah, bis daß der Herr der Schafe ein neues Haus brachte, größer und höher als jenes erste, und es an dem Ort des ersten aufstellte, das eingewickelt worden war. Alle seine Säulen waren neu, auch seine Verzierungen waren neu und größer als die des ersten alten, das er hinausgeschafft hatte; und der Herr der Schafe war darin.
(30) Und ich sah, wie alle übriggebliebenen Schafe und alle Tiere auf der Erde und alle Vögel des Himmels niederfielen, jene Schafe anbeteten, sie anflehten und ihnen in jedem Worte gehorchten."[861]

In Analogie zum apokalyptischen Ende des alten Tempels in dieser Vision ist Jesu Tempelhandlung zu verstehen. Von diesem Hintergrund her erklärt sich auch, warum Markus hier ein Wort zugefügt hat, das den Anfang des neuen Tempels (= der Gemeinde) beschreibt, wie Hen 90,28–30 dies auch zusammenhängend tut (vgl. auch Ps Sal 17,30, wo es zwar nicht bezüglich des Tempels, aber der Tempelstadt heißt: „...und er wird Jerusalem rein und heilig machen, wie es zu Anfang war, (31) so daß Völker vom Ende der Erde

857 E. Haenchen 388.

858 Zweite Hälfte des zweiten Jahrhunderts v. Chr. oder Übergang vom 2./1. Jahrhundert; eine genaue Datierung ist erschwert, solange man nicht sicher entscheiden kann, welche Makkabäer man die Böckchen mit den Hörnern zu beziehen hat (O. Eißfeldt, Einleitung 765; J. Schreiner, Apokalyptik 1969, 31).

859 Darauf verweist mit Recht E. Schweizer 132.

860 Daß damit der Tempel gemeint ist, zeigt die 89,36.50 f.54.56.72 f. ablesbare Geschichte „jenes Hauses".

861 Kautzsch II 297.

kommen, seine Herrlichkeit zu sehen").[862] Für die vormarkinische Tradition indes war der Blick auf den neuen Tempel hier noch nicht gesetzt, sondern zunächst gibt sie „in der Tempeldemonstration Jesu den konkreten Anlaß für den Todesbeschluß" an (V. 18a.b).[863] Da sich außerdem ein Bogen von dieser Stelle über die Anklage 14,58 bis hin zum Zerreißen des Tempelvorhangs 15,38 spannt, so dürfte hier in der Tat ein Traditionszusammenhang bestehen. Jesu kultunterbindendes Handeln hebt an mit einer Handlung im Tempel und endet mit dem den Tempelvorhang zerstörenden eschatologischen Todesschrei. Man tötet ihn, weil er den Tempelkult zerstört, hindert damit aber nicht sein Handeln, sondern unterstützt es, ohne es zu wollen, indem man diese definitive Wirkung durch die erste Folge seines Todes selbst mit herbeiführt. Auf einen Zusammenhang mit der Tradition der Kreuzigungsapokalypse weist auch das Fehlen des für die erste Kreuzigungstradition charakteristischen Praesens historicum in unserem Traditionsstück 11,15b.c.16.18a.b; 14,2.10.11b. Es gehört sicher zum Einleitungsteil einer vormarkinischen Passionstradition, die durch apokalyptisches Denken geprägt ist. Ob hier der direkte Anfang dieses Traditionsstranges vorliegt, muß geklärt werden, da H. W. Bartsch, der uns auf diese Fährte gebracht hat, den Einsatz der ursprünglichen Leidensgeschichte nicht mit 11,15, sondern mit 11,1 annimmt.[864] Darum sind nun auch die beiden voranstehenden markinischen Perikopen vom Feigenbaum 11,12–14 und vom Einzug 11,1–11 auf ihren Traditionsgehalt und dessen Charakter hin zu befragen.

## 2.3. Das apokalyptische Feigenbaumwort (Mark 11,12–14.20f.)

In der für Markus typischen Weise der Verschachtelung umrahmt dieser Text die Tempeldemonstration Jesu[865] und wird so zur Rahmengeschichte für jene. Die Verse 22–25 sind eine von Markus sekundär angehängte Deutung des Vorgangs, die ihn als Ausdruck des Gebetsglaubens deuten.[866] Die restliche Perikope selbst aber scheint mehr Fragen zu stellen, als wir beantworten können: Sie ist das einzige „Wunder" Jesu in Jerusalem und überhaupt das einzige „Strafwunder" Jesu![867] Und wieso hat Jesus Hunger, wenn er von Bethanien

862 Ebd. 146; vgl. E. Schweizer 132 f.

863 H. W. Bartsch, ThZ 20, 101; da für den vierten Evangelisten die Auferweckung des Lazarus als der eigentliche Grund des Todesbeschlusses genannt wird (Joh 11,47–57; 12,10.18 f.), so erklärt das u. a. die Umstellung der Tempelszene in den Anfangsteil des Evangeliums (E. Haenchen 389).

864 H. W. Bartsch, EvTh 22, 1962, 450 A. 5; ZNW 53, 1962, 260; ThZ 20, 101.

865 R. Bultmann, Tradition 232 f.; E. Schweizer 131; H. W. Bartsch, „Verfluchung" 256.

866 R. Bultmann, Tradition 233; E. Klostermann 116; H. W. Bartsch, ZNW 53, 256 f.; E. Haenchen 281 f.

867 E. Klostermann 116; E. Lohmeyer 234; W. Grundmann 228; E. Schweizer 131.

kommt, wo er gerade „Gastfreundschaft genossen hat"?[868] Und „nur nebenbei sei gefragt: Hat nur Jesus Hunger, aber die Jünger nicht?" (V. 12.)[869] – Was besagt die Notiz Vers 13a, daß Jesus den Blätterschmuck sieht? „Entweder kann es nur heißen, Jesus habe ‚von fern' an den Blättern des Baumes erkannt, daß es ein Feigenbaum war – was aber nicht dasteht –, oder die Bemerkung ist überflüssig und irreführend; denn ob der Baum auch Feigen trägt, richtet sich u. a. nach der Jahreszeit."[870] Endlich macht die Zwischenbemerkung Vers 13d, es sei nicht die Zeit der Feigen gewesen, „Jesu Suchen unsinnig".[871] Denn „war sie noch nicht da, so kann ein in Palästina aufgewachsenes Landkind wie Jesus auch keine Feigen von dem Baum erwarten".[872] Gerade der Feigenbaum hat seine Blätter etliche Wochen vor der Fruchtreife im Juni (etwa 40–50 Tage davor),[873] „so daß man aus dem Vorhandensein von Blättern nicht auf das von Früchten schließen darf".[874] Daß es restliche Winterfeigen vom Vorjahr gewesen sein sollen,[875] ist als Verlegenheitsauskunft, da sie die Erwähnung der Jahreszeit und der Blätter durchaus nicht erklärt, mit Recht zurückgewiesen.[876] Handelt es sich dann aber um die irrige Glosse eines späteren Abschreibers[877] oder um eine redaktionelle Bemerkung zur Einordnung der Perikope in die Passazeit und den Passionszusammenhang?[878] Aber noch sonderbarer erscheint die Reaktion Jesu Vers 14a: „Als Jesus keine Frucht findet, da verflucht er den Baum, der doch keine Schuld daran hat, daß er nicht vorzeitig Früchte trägt! ... Diese Geschichte widerspricht völlig dem Geiste Jesu, der nicht einmal die Samariter bestraft wissen wollte, die ihm die Aufnahme verweigerten (Luk 9,51–56). Wie soll er da einen Baum verflucht haben, an dem er keine Frucht fand? Jesus ist doch kein Kind, das den Schemel schlägt, der ihm wehgetan hat; er weiß, daß ein Baum keine Person ist, die schuldig werden kann."[879] Nicht weniger seltsam ist der Schlußsatz Vers 14b, daß seine Jünger es hörten;

868  W. Grundmann, ebd. nach F. Hauck 134; H. W. Bartsch, ZNW 53, 257.

869  E. Haenchen 380.

870  E. Lohmeyer 234.

871  E. Schweizer 131.

872  E. Lohmeyer 234.

873  Bill. I, 856 f.; A. Schlatter, Matth 618.

874  E. Haenchen 380.

875  So Bill. I 857; E. Hirsch I 124 f.; W. Grundmann 229.

876  So von E. Klostermann 116; E. Lohmeyer 234; E. Haenchen 380; C. Hunzinger, ThW VII, 756 A. 48.

877  So F. Hauck 133 nach Merx II 133; E. Lohmeyer 234; als Frage auch E. Klostermann 116.

878  So mit Bestimmtheit E. Schweizer 132 und C. Hunzinger, ThW VII 756 A. 49 – als Frage schon E. Lohmeyer 234.

879  E. Haenchen 380.

„denn es kommt nicht darauf an, daß die Jünger die Worte Jesu akustisch ver-standen, sondern daß sie über das Gehörte nachsannen".[880]

Entsprechend der Vielfalt der zu diesem Text sich meldenden Fragen gibt es eine differierende Vielzahl von sich widersprechenden, ja gegenseitig aus-schließenden Interpretations- und Ableitungsversuchen für die Feigenbaum-perikope: Man hat in ihr eine Ätiologie für einen verdorrten Feigenbaum in der Nähe Jerusalems vermutet,[881] ohne allerdings überzeugen zu können.[882] Andere Forscher haben hier eine symbolische Gleichnishandlung gesehen, die sich tatsächlich so ereignet habe, nur sei damit eigentlich Jerusalem gemeint gewesen.[883] Doch kommt man damit nicht um die aufgewiesenen Aporien her-um.[884] Zu dem gleichen Effekt einer symbolischen Deutung kommt eine dritte Ableitung, auf die sich gegenwärtig die meisten Forscher festlegen. Sie sieht nicht eine Symbolhandlung zugrunde liegen, sondern ein Wort Jesu, das „in Geschichte umgesetzt worden" sei, entweder das Gleichnis vom Feigenbaum Luk 13,6–9 oder ein ähnliches alttestamentliches Wort.[885] Doch steht dem ent-gegen, daß im Feigenbaumgleichnis Israel noch eine Umkehrfrist gegeben wird, hier dagegen nicht, und daß eine Symbolisierung Jerusalems oder dergleichen nicht angedeutet ist.[886] Darum hat man empfohlen, sich damit zu begnügen, unter Verzicht auf Entscheidung für eine bestimmte Ableitung wenigstens Mar-kus durch die mit der Verschachtelung mit der Tempelreinigung gegebene nach-trägliche Kerygmatisierung eine symbolische Deutung auf die Gerichtsverfallen-heit des Volkes zuzusprechen.[887] Doch scheitert dies wieder daran, daß Markus selbst ja Vers 21 ff. klar und deutlich „die Geschichte als Erweis des alles ver-mögenden Glaubens" auslegt.[888] Darum wird man also mit einer vorschnellen Kerygmatisierung aller Züge der Komposition sehr vorsichtig sein müssen und

880 E. Lohmeyer 234.

881 So E. Schwartz, Der verfluchte Feigenbaum, ZNW 5, 1904, 80–84; E. Hirsch I 123; E. Lohmeyer 234 f.

882 Dagegen E. Klostermann 116 f.; H. W. Bartsch, ZNW 53, 256; E. Haenchen 381; Klostermann verweist auch darauf, daß die Etymologie von Bethphage = Feigenhaus hier nicht vorliegen kann, denn V. 12 nennt anders als V. 1 nur Bethanien.

883 So B. Weiß-J. Weiß 192; T. Zahn, Matth 625, der gegen B. Weiß eingrenzt: nicht Israel, sondern nur Jerusalem; A. Schlatter, Matth 618; J. Schniewind 148; W. Grund-mann, Luk 229 unter Berufung auf K. Bornhäuser, Sondergut 100 f.

884 Dagegen mit Recht E. Klostermann 116; E. Lohmeyer 235; H. W. Bartsch, ZNW 53, 256; E. Haenchen 380.

885 So R. Bultmann, Tradition 246; M. Dibelius, Formgeschichte 103 und BuG I 351; E. Klostermann 116; L. Brun, Segen 72 f.; G. Bornkamm, Jesus 189 A. 24; E. Lohse, Lei-den 35 f.; E. Schweizer 131; C. Hunzinger, ThW VII, 757.

886 Dagegen mit Recht H. W. Bartsch, ZNW 53, 256; E. Haenchen 381.

887 So E. Lohmeyer 235; E. Schweizer 131.

888 So mit Recht E. Haenchen 381 A. 3; vgl. R. Bultmann, Tradition 233.

hier wie sonst die Schachtelung eher als Vollzug einer markinischen Historisierung stärker denn als Kerygmatisierung ansprechen dürfen (s. o. zu 14,1 f. 10 f.). Soll man sich nun wirklich damit bescheiden, daß wir die Vorlage der Geschichte „nicht mehr sicher zu deuten" vermögen und „ihr Sinn . . . kaum noch sicher zu bestimmen ist[889] und daß wir nur noch versuchen können, die markinische Auslegung zu erfassen?[890]

Der Versuch einer Traditionsanalyse ist auf jeden Fall zu machen, wenngleich die Unsicherheit, mit der selbst Bultmann die Perikope analysiert hat, wohl die meisten neueren Exegeten von der Unlösbarkeit dieser Frage so sehr überzeugt zu haben scheint, daß sie auf ein solches, anscheinend keinen Erfolg versprechendes Unternehmen durchweg verzichten. Bultmann klassifiziert die Geschichte als Naturwunder, was sie zweifellos in ihrer markinischen Gestalt selbst in der durch die Schachtelung getrennten Form Vers 12–14.20 ist. Bultmann hält eine dem Matthäustext analoge Form ohne die Schachtelung für ursprünglich,[891] d. h., er hält Vers 20 für den vormarkinischen Perikopenschluß (unter dem Vorbehalt: „vielleicht"!), ebenso Vers 14b (ebenso unter dem Vorbehalt: „kann"!). Als redaktionelle Arbeit bestimmt Bultmann nur die Einleitung von Vers 12, „ohne daß sie mit Sicherheit abgegrenzt werden könnte" (ebd.).

Es ist das Verdienst W. H. Bartschs, der Frage in dem genannten Aufsatz nicht weiter ausgewichen zu sein, sondern entschlossen den „Stier bei den Hörnern gepackt" und die Traditionsanalyse m. E. erfolgreich weitergeführt zu haben. Ebenso kann nicht genug an den neusten Markus-Kommentaren von Haenchen und Schweizer bedauert werden, daß sie an dieser Analyse stillschweigend vorübergegangen sind. Bartsch geht im Ansatz insofern über Bultmann hinaus, als er nicht nur die „kleine Spruchsammlung" Vers 21–26 für eine sekundäre Erweiterung der Feigenbaumgeschichte ansieht, sondern daß er erkennt, daß diese Entscheidung zu der Konsequenz führt, dann auch die Verse 14b und 20 als redaktionelle Überleitung, die „der Lokalisierung und Anknüpfung der Spruchzusammenstellung" dient, anzusprechen.[892] Dieser Ansatz läßt sich durch weitere Beobachtungen ergänzen. Wenn Bultmann z. B. die Zeitangabe in Vers 12 für redaktionell halten will, so gilt das wegen der markinischen Passionswochenchronologie noch eher für Vers 20, zumal *prōi* markinisches Vorzugswort (5mal, vgl. 3/0), *epaurion* dagegen markinisches Hapaxlego-

---

889 E. Lohmeyer 233 f.

890 Ebd. 235; E. Schweizer 131; E. Haenchen 381 f. – dann allerdings dürfte Haenchen eher recht zu geben sein, und die von Lohmeyer wie Schweizer vollzogene symbolische Kerygmatisierung wäre abzulehnen.

891 R. Bultmann, Tradition 232 f.; etwas ungenau und mißverständlich referiert H. W. Bartsch, ZNW 53, 256 f., Bultmann halte die „Matthäus-Form für ursprünglich", um dies erst später genauer zu präzisieren.

892 Ebd. 257; vgl. schon F. Hauck 134, 137.

menon (vgl. 1/o) ist und darum vormarkinisch sein kann. Vielleicht hat dieses Wort die markinische Wochenchronologie erst angeregt. Bultmanns Literarkritik erweist sich in der Frage als inkonsequent, und wir hätten eine erste Bestätigung für die Richtigkeit des Bartschschen Ansatzes.

Die mit Recht als merkwürdig empfundene Aussage, daß seine Jünger (die Wendung ist oft markinischer Sprachgebrauch)[893] es hörten (V. 14b), erklärt sich gut als redaktionelle Parallelbildung zu der benachbarten Notiz in der überlieferten Tempelperikope vom Hören der Oberpriester (V. 18). Wie aber die Tempelperikope durch Markus mit Vers 18c einen uminterpretierenden Wunderschluß erhielt, so macht auch in gleicher Weise Markus durch einen anderen Wunderschluß (Feststellung des Ereignisses) Vers 20 f. das Feigenbaumwort erst zu einer Wundergeschichte. Dafür war Vers 14b als Vorbereitung und Überleitung nötig. Beide Male ist hier also dieselbe redaktionelle Arbeitsweise erkennbar. Weiter ist Vers 20 f. sprachlich deutlich markinisch bestimmt: *paraporeuesthai* hat im Neuen Testament nur Markus (4mal – davon einmal von Matthäus übernommen); es steht im Part. conj. zu *eidon*, das seinerseits wiederum in redaktionellen Zusätzen typisch ist (s. o. 15,32.36.39); über das schon genannte *prōi* hinaus ist auch *xērainein* als Vorzugswort (6mal, vgl. 3/1) zu nennen, das erst hier in diesem Zusammenhang eingeführt und durch die doppelte Verwendung zugleich hervorgehoben wird; für den verstärkenden Zusatz von *ek* hat Markus eine gewisse Vorliebe; *anamimnēskein* hat von den Evangelisten nur Markus 2mal; *rhiza* ist relativ am häufigsten (3mal, vgl. 3/2), ebenso *sykē* (4mal, vgl. 5/3) und *Petros* (19mal, vgl. 23/18); noch deutlicher ist wiederum *ide* (9mal, vgl. 4/o). Das aber bedeutet, daß erst Markus die Verfluchung des Feigenbaums als Verfluchung (V. 21, wenngleich das Wort bei ihm wie bei den anderen Evangelisten Hapaxlegomenon ist) erfunden hat,[894] und man kann darum eigentlich nur noch von einer „sogenannten" Verfluchung des Feigenbaums[895] reden.

Ist aber die Verfluchung ein markinisches Interpretament, so erweist sich auch die merkwürdige Motivierung dieser durch den singulären und unverständlichen Hunger Jesu (V. 12) als redaktionelle Vorbereitung. Als Bestand der ursprünglichen Tradition nimmt Bartsch darum nur die Verse 13 und 14a an, ein pointierter Ausspruch mit einer kurzen vorbereitenden Situationsschilderung als eine „nach der Art der Chrie[896] gebildete Perikope".[897] Inhaltlich handelt es sich um ein ursprünglich „apokalyptisches Wort, das die unmittel-

893 R. Bultmann, Tradition 368; R. Pesch, Naherwartungen 85 A. 15.

894 Vgl. die gegenteilige Wundergeschichte Taan. 24a (Bill. II 26), wo ein Jude vor der Zeit Früchte von einem Feigenbaum darbringen läßt.

895 H. W. Bartsch, Wachet 109 A. 151.

896 Vgl. M. Dibelius, Formgeschichte 150 ff. zu dieser Formgattung.

897 H. W. Bartsch, ZNW 53, 257.

bar bevorstehenden Ereignisse im Auge hat: Mit dem Leiden, Sterben . . . Jesu brechen die Endereignisse herein. Das wird so bald geschehen, daß der Feigenbaum keine Frucht mehr tragen wird" (ebd.). Noch ehe die Zeit der Feigen um die Sommersonnenwende[898] kommen wird, wird das Ende dieser Welt kommen.

Grundsätzlich dürfte dieser Analyse zuzustimmen sein, doch erscheinen im einzelnen einige Modifikationen nötig. Wir stießen schon darauf, daß *epaurion* Vers 12 markinisches Hapaxlegomenon ist und auch kein Wort, das die späteren Redaktoren bevorzugt verwenden. So dürfte es von Markus zwar redaktionell für das Wochenschema benutzt, aber nicht erst von ihm gebildet worden sein. Der Traditionscharakter dieser Wendung ist insofern wichtig, als es ein wichtiges Verbindungsglied zum Kontext darstellt. Daran kann man nicht achtlos vorübergehen, wenn man die Perikope begründet für den Zusammenhang einer Passionstradition reklamieren will, um so mehr, als manche Forscher die Feigenbaumepisode als sekundäre Unterbrechung eines angeblich ursprünglichen Zusammenhangs von Einzug und Tempelreinigung angeben.[899] Eine direkte Folge von Einzug und Tempeldemonstration ist vielmehr erst eine sekundär von Matthäus und Lukas geschaffene Verbindung.

Der Vers 12 folgende Gen. abs. ist ein deutliches Stilmerkmal redaktioneller Verknüpfung, das Markus öfter in Perikopeneinleitungen verwendet,[900] 5,2 und 6,54 sogar mit dem gleichen Verb *exerchesthai* (Häufigkeitswort: 39mal, vgl. 43/44, das Markus V. 11 im Kontext gerade erst verwendet hatte). Markus dürfte hier aber nicht frei geschaffen, sondern nur umformuliert haben; der Satz beginnt nämlich noch mit einem wohl ursprünglichen parataktischen *kai*. Der Gen. abs. ist notwendig geworden durch die markinische Zufügung von *epeinasen* (Markus nur noch 2,25, vgl. 9/5) und dürfte ein ursprüngliches Verb. finit., vermutlich *ēlthon*, verdrängt haben. Das singularische Hungern erweist sich gegenüber dem pluralischen Herausgehen, mit dem es in einer mehrfachen Spannung steht, als Zusatz. Ein ursprüngliches *ēthon* ist auch bei Markus eher vor der Präposition *apo* zu erwarten (vgl. 5,35; 7,1; 15,21),[901] das bei *exerchesthai* für Markus eine Ausnahme ist.[902] Dementsprechend dürfte auch die Ortsangabe Bethanien (4mal, vgl. 2/2) hier ursprünglich sein. Ob sie in den voranstehenden Vers 11 redaktionell ist, wird die Analyse der Einzugsgeschichte entscheiden müssen (noch 11,1; 14,3). Der ursprüngliche Satz von Vers 12 dürfte gelautet haben: „Und am nächsten Tage kamen sie von Bethanien."

Vers 13a–c kann als Ganzes ebenfalls nicht ohne weiteres der Tradition zu-

898 Bill. II 26 f.

899 So J. Jeremias, Abendmahlsworte 84 f.; E. Lohse, Leiden 35 f.; C. Hunzinger, ThW VII, 756,5 f.

900 R. Bultmann, Tradition 364; K. G. Kuhn 201 f.

901 Bauer WB 614.

902 Ebd. 543 – dagegen öfter bei Lukas 5,8; 8,29.33.35.38; 9,5; 17,29; Apg 16,40.

gesprochen werden, da das Stück formal einen überfüllten Eindruck macht: sowohl *fylla* als auch *erchesthai, heuriskein* und *autē* stehen doppelt und verursachen die erwähnte Unklarheit, daß Jesus auf Grund der Blätter nach Feigen sucht, aber nach Vers 13d und den Besonderheiten des Feigenbaums gar nicht daraufhin suchen kann. Dieser Widerspruch ist nicht damit zu beseitigen, daß man Vers 13d als Glosse oder Redaktionsbemerkung ausschaltet. Alle, die so interpretieren, legen im Grunde analog der matthäischen Redaktion aus, Matthäus tat als erster diesen Schritt und säuberte damit die markinische Fassung von einem störenden vormarkinischen Gedanken und brachte so die markinische Uminterpretation rein zur Darstellung. Natürlich erweckt ein nachgestellter Begründungssatz, da er sich bei Markus häufig findet, den Verdacht, markinische Redaktion zu sein. Doch hier stellt er sich der erkennbaren redaktionellen Uminterpretation zur Wundergeschichte entgegen. Vielleicht hat Markus nur *gar* eingebracht. Entscheidender aber ist, daß man das voranstehende Stück des Verses als überarbeitet ansehen muß. Die Ballung von sechs Verben, unter denen drei Partizipien sind, bestätigt den Eindruck der Überfüllung ebenso wie die Umständlichkeit der Abfolge von *ēlthen ... kai elthōn ... heuren,* die schon Klostermann aufgefallen war.[903] Die Lösung der Aporie ergibt sich leicht, wenn man erst einmal den redaktionellen Charakter des Hungermotivs in Vers 12 erkannt hat. Davon nämlich ist in unserem Vers eindeutig die Bemerkung abhängig, daß Jesus kommt und an dem Baum Frucht sucht (*ēlthen ei ara ti heurēsei en autē*). Im Zusammenhang damit ist auch die Nennung des Blätterschmuckes nach vorn gezogen und dublettenhaft wiederholt worden: So ist auch *echousan fylla* als markinische Erweiterung anzusprechen. Das Adverb *makrothen* ist markinisch (5mal, vgl. 2/4) und kommt immer mit dem präpositionalen Zusatz *apo* vor als Ausdruck lebhafter Schilderung (s. o. zu 15,40; vgl. 5,6; 8,3; 14,54).[904] Es ist eine novellistische Ausschmückung, die hier dazu dient, die Doppelheit der Erwähnung des Blätterschmucks verständlich zu machen. Erst wenn alle diese Zusätze ausgeschaltet sind, ist der Satz Vers 13c *ouden heuren ei mē fylla* als das eigentliche zentrale und spannungsbildende Element der ursprünglichen Erzählung deutlich, das Vers 13d erklärt wird und den entscheidenden Satz von Vers 14 vorbereitet. Somit dürfte die ursprüngliche Formulierung von Vers 13 gelautet haben: „Und er sah einen Feigenbaum, und als er zu ihm kam, fand er nichts außer Blättern. Es war noch nicht die Zeit der Feigen."

Die Redeneinleitung Vers 14 scheint ebenfalls markinisch überarbeitet zu sein. Das Part. conj. *apokritheis eipen,* wobei *apokrinesthai* semitisierend „das Wort nehmen" bedeutet, ist für Markus charakteristisch (vgl. 10,51; 14,48).[905]

903 E. Klostermann 117; er vergleicht das mit 14,12; 16,1.
904 W. Larfeld 263.
905 Ebd. 228.

In dem Worte Jesu dürfte die Doppelung der Negation als typischer Zug des Evangelisten markinisch sein,[906] zumal *mēketi* Vorzugswort (4mal, vgl. 1/1) und *mēdeis* Häufigkeitswort (8mal, vgl. 5/9) ist.[907] Weiterhin stellt der Optativ *fagoi* in dem Worte Jesu, auf das hin die ganze Szene angelegt ist, ein Problem dar. Dieser Optativ ist deutlich als redaktionell anzusprechen, weil er mit dem markinischen Verständnis dieses Satzes als Fluch (V. 21) zusammenhängt und durch das davor eingefügte Hungermotiv jetzt so und nicht anders heißen muß. Daß er redaktionell ist, geht auch daraus hervor, daß er der einzige Optativ des Wunsches im ganzen Evangelium ist.[908] Da der reine Optativ in der Koine überhaupt stark zurücktritt,[909] so ist sein Vorkommen hier eher ein Zeichen von literarischer Redaktion denn ursprünglicher Tradition. Markus wird ein ursprüngliches Fut. darum abgeändert haben. Das ist wahrscheinlicher als die Erklärung, die Bartsch unter Heranziehung des matthäischen Konj. gibt, wenn er meint, daß hier ein aramäisches Impf. verschieden übersetzt sei (ebd. 258). Matthäus ist kein selbständiger Zeuge. Seine Änderung hängt damit zusammen, daß er überhaupt nie einen reinen Opt. verwendet.[910] Das ursprüngliche Anliegen des Wortes ist immerhin auch insoweit noch deutlich, daß E. Lohmeyer feststellen konnte: „Der Fluch spricht nicht vom Verdorren, sondern nur davon, daß niemals mehr jemand an den Baum wie Jesus herantreten und von ihm Frucht essen werde."[911] An dieser hochbedeutsamen Feststellung ist zweierlei deutlich: einmal, daß die Fortsetzung Vers 20f. vom Verdorren eine unerwartete Weiterentwicklung darstellt, und zum anderen braucht man in dem Satz Lohmeyers nur das einleitende Wort „Fluch" herauszunehmen, um präzise den ursprünglichen Sinn des Wortes herausgestellt zu sehen: Niemand wird mehr von ihm Feigen essen. „Die Perikope ist dann nur innerhalb der Leidensgeschichte möglich, und zwar innerhalb eines Verständnisses des Leidens und Sterbens Jesu, das in diesen Ereignissen den Beginn des Endgeschehens sah."[912] Das korrespondiert gut mit der ursprünglichen Intention der Tempeldemonstration und der apokalyptischen Kreuzigungsdarstellung. Es ergänzt beide Perikopen insofern, als hier erstmalig ein Jesuswort erscheint, das diese Deutung angibt: Noch ehe der Sommer kommt, ist das Ende der Welt da. Die in der am Feigenbaum exemplifizierten Form der Ausdrucksweise ist von einer so harten dualistischen Apokalyptik geprägt, daß man diesen Dualismus schwerlich für den irdischen Jesus in Anschlag bringen kann. Der ursprüngliche Bestand

906 Ebd. 263.
907 Das erscheint einleuchtender als der Hinweis darauf, daß das Aramäische kein Wort für „niemals" hatte (so H. W. Bartsch, ZNW 53), was noch keine Erklärung ist.
908 J. H. Moulton, Einleitung 308.
909 Bl-Debr 384.
910 J. H. Moulton, Einleitung, ebd.
911 E. Lohmeyer 234.
912 H. W. Bartsch, ZNW 53, 258.

der Perikope umfaßt Vers 12 (teilweise). 13a (teilweise). c.d.14a. Damit könnte gut die alte Passionstradition eingesetzt haben. Da die Perikope aber mit der Zeitangabe *kai tē epaurion* begann, so ist weiter zu fragen, ob etwas aus der Einzugsgeschichte davor gestanden und darum diesen Perikopenanfang geboten haben könnte.

## 2.4. Die Einzugstraditionen (Mark 11,1–11)

Unter dem Eindruck, „daß das Ganze Mark 11,1–10 als eine einheitliche Legende anzusprechen ist",[913] ist die Literarkritik bisher an dieser Geschichte anscheinend achtlos vorübergegangen.[914] Doch der Schein trügt: „Die Geschichte ist sehr merkwürdig. Die Vorbereitung und die große Begeisterung enden in nichts. Jubelrufe erschallen, aber nur außerhalb der Stadt; ein messianisches Bekenntnis fehlt, weder wird Sach 9,9 zitiert noch deutlich darauf angespielt ... Schließlich endet alles ohne Resultat damit, daß Jesus sich wie ein Tourist den Tempel anschaut und sich daraufhin zurückzieht."[915]

Darüber hinaus fallen in dem Text noch weitere Spannungsmomente auf. Da ist zuerst die alle Exegeten quälende überfüllte Ortsangabe in Vers 1, die nach einem Verb insgesamt vier Lokalnotizen bringt: Jerusalem, Bethphage, Bethanien, Ölberg. Sowohl Matthäus als auch Lukas haben hier aufgelockert, und Matthäus hat außerdem Bethanien weggelassen. Das haben später ähnlich bei Markus auch einige westliche Textzeugen durch die Weglassung von Bethphage getan, und die Exegeten sind nur allzuleicht geneigt, hierin zu folgen.[916] Daß das sonst im Neuen Testament ungenannte Bethphage erst von Matthäus her in Markus sekundär eingedrungen sei, ist ebenso unwahrscheinlich, wie die Berufung auf die Aussage des Origenes nicht entscheiden kann, daß Matthäus nur das eine, Markus nur das andere, Lukas dagegen beides habe. Unter der Voraussetzung der bewährten Zweiquellentheorie muß Markus beides geboten haben, da sich sonst weder das Bethphage des Matthäus noch die Doppelung bei Lukas erklären läßt. Auch deutet die harte Konstruktion bei Markus auf Ursprünglichkeit.[917] Die Rechnung, daß die mündliche Tradition zunächst Beth-

913 M. Dibelius, Formgeschichte 119.

914 Weder H. J. Holtzmann 161 noch R. Bultmann, Tradition 284 unterziehen sie einer Analyse. Dagegen ist das traditionsgeschichtliche Bild, das E. Hirsch I 118–121 entwirft, wie sonst auch zu historistisch bestimmt – abgesehen von dem unerträglichen rassistischen Schluß, dessen Beibehaltung in der zweiten Auflage unerklärlich ist. W. Grundmann 225 nimmt nur bei Lukas eine Sondergutüberlieferung an (19,28.37–40), in die Vers 29 ff. die Beschaffung des Reittiers aus der Markusvorlage eingefügt sei.

915 E. Schweizer 129.

916 So E. Klostermann 113; F. Hauck 131; E. Lohmeyer 228 A. 3; E. Haenchen 373 A. 2.

917 Vgl. J. Schmid, Matth und Luk 135, der A. 4 auch auf eine analoge erleichternde

phage bot und dies später durch das den Christen wichtigere Bethanien ersetzt worden sei,[918] geht selbst dann nicht auf, wenn man die Ortsunkenntnis des Markus in Anschlag bringt, denn ein Ortsunkundiger wird von sich aus eine solche Überladenheit nicht ohne zwingende Gründe einführen. Ein zwingender Grund dafür aber kann nur in der Doppelheit einer literarischen Vorlage gesehen werden.

Bethanien lag 3 km von Jerusalem entfernt am Südostabhang des Ölberges und wurde vom damaligen Pilgerweg von Jerusalem her nicht tangiert.[919] Bethphage dagegen lag im Kidrontal am Westabhang des Ölberges, unmittelbar vor dem Nordtor Jerusalems, und wurde noch zum Stadtbereich gerechnet und lag außerdem auf der Pilgerstraße.[920] Die Nennung Bethphages vor Bethanien ist also eine geographische Unmöglichkeit,[921] der man aber nicht durch die Ausschaltung von Bethphage begegnen kann, sondern nur dadurch, daß man Bethphage zur primären Tradition des Kontextes rechnet, Bethanien dagegen zur sekundären. Die Argumentation für Bethanien wird auch dann nicht überzeugender, wenn man folgende Erwägung anstellt: „Wenn Jesus mit den Seinen durch das Dorf zieht, in dem der Esel angebunden war, wird unverständlich, warum er ihn vorher holen läßt. Das wäre nur sinnvoll, wenn das ‚Dorf vor euch' kein Ort ist, den Jesus dann durchzieht."[922] Auf diesen scharfsinnigen Lösungsversuch ist zu erwidern: Im Gegenteil – das Dorf *katenanti hymōn* dürfte hiermit als auf dem Wege liegend gekennzeichnet sein, also Bethphage meinen, nicht aber das abseits liegende Bethanien. Die Ortsangabe Bethphage scheint durch die Verbindung von Vers 1 und 2 danach mit der Tradition von der Auffindung des Reittiers zusammenzuhängen.

Eine zweite Spannung, die wieder nach einer Dublette aussieht, findet sich in den Versen 7 und 8. Dort werden die „Kleider" zweimal genannt: Vers 7 werden sie auf den Esel gelegt, Vers 8 dagegen auf den Weg gebreitet. Mit Recht bemerkt Lohmeyer dazu: „Diese kleinen Züge scheinen einen königlichen Einzug improvisieren zu sollen, aber sie wollen nicht recht zueinander stimmen."[923] Man kann dagegen nicht einwenden, daß es sich einmal um die Kleider der zwei und zum anderen um die Kleider der vielen handele, denn es kommt eine weitere Schwierigkeit hinzu: „Das Ausbreiten der Kleider ist sinn-

---

Auslassung durch westliche Texte bei Mark 2,22c verweist. Zu Origenes ist wichtig, daß er zuerst im Johannes-Kommentar die volle Lesart vertreten hat und sich erst später bei der Auslegung des Matthäus zur Kurzlesart bekannte (ebd. A. 3).

918  E. Lohse, Leiden 29; vgl. W. Grundmann 226.
919  Bill. I 855 f.; E. Klostermann 113; F. Hauck 132; E. Lohmeyer 228; W. Grundmann 226.
920  Bill. I 839 f. und die in der vorigen Anm. genannten, dazu E. Haenchen 374.
921  E. Lohmeyer 229.
922  So E. Haenchen 374 A. 4.
923  E. Lohmeyer 230.

voll auf dem *kurzen* Gang des Königs zum Thron, wie IV Regn 9,13 lehrt; es hat dann den Sinn der Einsetzung als König, aber ist als Zeichen einer Volkshuldigung nicht bezeugt.[924] Wie ist es auch vorstellbar auf einem drei Kilometer langen Landweg?"[925] Man kann auch Haenchen nicht bestreiten, daß er recht hat, wenn er feststellt: „Dieser Zug würde auch in unserer Geschichte besser passen, wenn Jesus nicht reitet, sondern *geht.*"[926] Das gilt ebenso für die Grasbüschel, über die ein Fohlen – noch dazu ein nicht eingerittenes – wohl niemals fraßlos hinweggegangen wäre. Der für die zweite Kleidererwähnung anzunehmenden Kürze des Weges entspricht weiter die Kürze des dann folgenden Akklamationsrufes. Doch was noch gewichtiger ist, ist die Feststellung: Der Esel verschwindet in der Tat mit Vers 7, um nicht wieder aufzutauchen. Ab Vers 8 ist von ihm nicht mehr die Rede. Man wird sich gegen alle ikonographische Gewöhnung den Fortgang der Geschichte ohne Reittier vorstellen müssen. Jesus erscheint hier also in der Tat als *gehend*!

Dem Verschwinden des Reittiers mit Vers 7 korrespondiert ein zweites auffälliges Verschwinden an derselben Stelle: Nach Vers 7 steht kein Praes. hist. mehr, während seine Häufung von Vers 1 an auffallend ist: *eggizousin, apostellei,* Vers 2 *legei,* Vers 4 *lyousin,* Vers 7 *ferousin* und *epiballousin.* Diese Häufung von sechmaligem Praes. hist. und dessen Abbrechen an einer bestimmten Stelle ist nicht weniger auffallend als in der markinischen Kreuzigungsperikope. So wird man auch hier mit einer ähnlichen Tradition wie dort rechnen müssen. Dabei fällt weiter auf, daß *legei* Vers 2 in der auffallenden Verbindung *kai legei autois* steht, die 4,13 als vormarkinische Anreihungsformel erscheint (vgl. 7,18; 10,11).[927]

Dem gemeinsamen Verschwinden des Esels und des Praes. hist. ist eine dritte Beobachtung zuzugesellen: Vers 1–7 ist eine in sich geschlossene Wundergeschichte[928]: Der wunderbaren Vorhersage der Findung des Reittiers in Vers 2–3 entspricht dann das Eintreten dieses Ereignisses Vers 4–7. Dieser Wundergeschichte entspricht aber in Anlage und Durchführung genau eine zweite, nämlich die der Vorhersage der Findung des Saales für das Passamahl 14,12–16.[929] Beide Male stehen die einleitenden Findungslegenden in einer gewissen Spannung zu dem Text, den sie vorbereiten. Das ist beim Passa-Abendmahl zwar schon immer gesehen worden, kann aber nach den jetzt hier aufgestellten Beobachtungen

924 Vgl. Belege bei Bill. I 844 f.

925 E. Lohmeyer 230.

926 E. Haenchen 377.

927 A. Suhl 73; W. Marxsen, Aufsätze 16 f.

928 Dies ist gesehen bei F. Hahn, Hoheitstitel 172, der allerdings ohne genauere Analyse die Verse 1b–6 als hellenistische Erweiterung der ursprünglichen Perikope ansehen will.

929 Vgl. M. Dibelius, Formgeschichte 118; R. Bultmann, Tradition 283 f.; E. Klostermann 113.

auch für diese Stelle nicht mehr bezweifelt werden.[930] Vor allem aber sollte, abgesehen von dem funktionalen Einleitungscharakter beider Perikopen im jetzigen Kontext, ihre Geschlossenheit in sich selbst beachtet werden: Das übernatürliche Vorherwissen eines besonderen Menschen wird bestätigt.

Der Abschluß dieser Einzugstradition dürfte in dem versprengten Praes. hist. Vers 15a vorliegen, der inhaltlich genau Vers 11a entspricht und von ihm dorthin abgedrängt sein dürfte. Hier wird also von einem Einzug Jesu ohne Ovationen erzählt, was Haenchen[931] richtig bemerkt und von daher er eine andere Tradition wenigstens vermutet hat. Im Zentrum dieser Geschichte steht die Auffindung des vorhergesagten Reittiers im „Vorort" Bethphage, während das Einziehen in Jerusalem wohl unbetont den Abschluß der Geschichte bildete. Ob das viermal genannte *pōlon* (V. 2.4.5.7) „ein Pferde- oder Eselsfüllen war, ist nicht gesagt; doch ist das zweite in Palästina das übliche, obwohl das Wort im Griechischen sonst ohne Zusatz ein Pferdefüllen meint".[932] Außerdem ist auffallend, daß Jesus in dieser Tradition – und zwar erstaunlicherweise im Erzähltext – Vers 3 *kyrios* genannt wird, was eine bemerkenswerte Seltenheit ist (vgl. sonst nur die Davidsohnfrage 12,36 f. und die Anrede in 7,28).[933]

Dieser Bethphage-Tradition steht offenbar eine andere gegenüber, die im wesentlichen in den Versen 8–11 überliefert ist. Sie läßt das Praes. hist. vermissen und weiß nichts von einem Reittier. Es liegt nahe, diese Tradition mit der Ortsangabe Bethanien in Vers 1 verbunden zu sehen.[934] Jesus wird bei seinem *Eintritt* in Bethanien als messianischer König proklamiert und eingesetzt. Ob diese Bethanien-Tradition außer in Vers 1 auch noch in den Versen 2–7 Spuren hinterlassen hat, wird ebenso geprüft werden müssen wie die Frage des Zusammenhangs mit den nachfolgenden apokalyptisch geprägten Stücken des Feigenbaumwortes, das ja nach Vers 12 ebenfalls in Beziehung zu Bethanien zu stehen scheint, und der anschließenden apokalyptischen Tempelkultunterbin-

---

930 Gegen M. Dibelius, Formgeschichte 119.

931 E. Haenchen 378; ähnlich E. Schweizer 129: „Der Einzug muß also... sehr unscheinbar gewesen sein."

932 E. Schweizer 129; vgl. für Pferd Bauer WB 1450; dagegen zuletzt H. W. Kuhn 82–91, der gegen W. Bauer den Esel verteidigt und die Meinung erneuert, daß hinter dem Markustext schon Sach 9,9 stehe (ihm folgen O. Michel, NTSt 6, 1959/60, 81 f. und F. Hahn, Hoheitstitel 88 A. 1, 172, 264 f.). Doch ist daran festzuhalten, daß Markus diesen alttestamentlichen Text weder zitiert noch deutlich darauf anspielt (so mit Recht E. Schweizer ebd.; vgl. E. Grässer 24 f. A. 8; A. Suhl 57 f.).

933 E. Schweizer, ebd. u. a.

934 Das hat schon K. Lake, Beginnings V, 476 erahnt, wenn er einen „Einzug in Bethanien" für ursprünglich hält (vgl. dazu zustimmend E. Lohmeyer 230 A. 6!). Nur ist dies auf die vormarkinische Tradition beschränkt und meint einen Eintritt, während Markus den Einzug nach Jerusalem im Vollsinne synthetisch produziert hat.

dung. Beide waren ebenfalls frei vom Gebrauch des Praes. hist. Nebenher läuft natürlich die Frage nach dem Umfang der erkennbaren markinischen Reaktion. In Vers 1 ist *hote* als markinisches Vorzugswort redaktionell zugefügt[935] und hat wohl die Auslassung eines parataktischen *kai* vor *apostellei* verursacht. Möglicherweise ist auch *eis Hierosolyma* (s. o. zu 11,15) Zusatz, um die kontaminierten Überlieferungen von vornherein auf dieses Zentrum auszurichten; Redaktion kann auch in *tōn mathētōn autou* (vgl. 11,14) vermutet werden. Dagegen ist die Angabe *Bēthanian pros to oros tōn elaiōn* ein Rest des Anfangs der Bethanien-Tradition. Der Rest des Verses gehört mit dem doppelten Praes. hist. klar der Bethphage-Tradition zu.

In Vers 2 sind *euthys* (42mal, vgl. 7/1) und *eisporeuesthai* (8mal, vgl. 1/5) markinische Vorzugsworte; ebenso ist die Wiederholung der Präp. des Kompos. als Ausdruck lebhafter Schilderung für Markus kennzeichnend (s. o. 11,19); weiterhin entsteht dadurch eine Part.-conj.-Verbindung. Damit dürfte der ganze Partizipialsatz *euthys eisporeuomenoi eis autēn* als markinische Erweiterung zum Zwecke novellistischer Ausschmückung anzusprechen sein.

Der Relativsatz *ef' hon oudeis oupō anthrōpōn ekathisen* sieht wie ein erklärender Zusatz zu *pōlon* aus und ist in seinem redaktionellen Charakter schon aufgefallen, allerdings für eine vormarkinische Erweiterung gehalten worden.[936] Doch die Doppelung der Negation ist Kennzeichen des Markusstils (s. o. zu 11,14), wobei das erste ein Häufigkeitswort (26mal, vgl. 19/33), das zweite ein Vorzugswort (4mal, vgl. 2/1) ist; während *anthrōpos* bei Markus nicht so deutlich hervortritt (56mal, vgl. 112/95), ist *kathizein* wieder Häufigkeitswort (8mal, vgl. 8/7). Es hat seine Entsprechung in Vers 7, wo es ebenfalls mit *epi* steht, und kann von daher hier in Anlehnung formuliert sein. Somit kann der Zusatz sprachlich als markinisch gelten. Darauf deutet auch eine sachliche Erwägung: Dieser Zug betont über seinen erklärenden Charakter hinaus wohl die Heiligkeit des Tieres und damit seine besondere Eignung für heilige Zwecke.[937] Dieser Zug wird außerdem im Folgenden „nicht mehr berücksichtigt".[938] Vor allem aber trägt er ein neues Motiv ein und lenkt damit vom Hauptmotiv des wunderbaren Vorherwissens ab und dürfte sich so als nicht ursprünglich erweisen.[939] Möglich ist, daß der Zusatz die elliptische Ausdrucksweise *pōlon* = das Junge (ergänze: des Esels)[940] veranlaßt hat, da Ellipsen für Markus kennzeichnend sind.

935 R. Bultmann, Tradition 364; J. Schreiber 190; s. o. zu 15,41.

936 E. Schweizer 129.

937 E. Klostermann verweist auf Num 19,2; Deut 21,3; 1 Regn 6,7; Homer Z 94; Horaz epod. 9.22; Ovid metam. III,11, vgl. auch H. Holtzmann und E. Schweizer z. St.

938 E. Klostermann, ebd.

939 Zu dem gleichen Urteil kam auch A. Suhl 57, vgl. 52.

940 Vgl. zuletzt M. Hengel, ZNW 60, 1969, 195 A. 65 nach H. W. Kuhn 82 ff.

Das Schlußwort des Verses *ferein* ist wohl markinisches Vorzugswort (15mal, vgl. 6/4). Es steht nochmals Vers 7 und dort wegen des Praes. hist. als Bestandteil der Tradition, wohin es auch 15,22 (s. o.) zugehörig war (vgl. auch 9,17. 19.20). Auch das koordinierende *kai* ist Zeichen eines schlichten Stils, weshalb es beide Seitenreferenten partizipial auflösen.[941]

In Vers 3 ist der Schlußsatz auffallend, sofern er mit *euthys* (s. o. V. 2) und *palin* (28mal, vgl. 17/3) zwei markinische Vorzugsworte hat. Beide lassen sich indes leicht aus dem Satz als Erweiterungen herauslösen, so daß nicht der ganze Satz redaktionell sein müßte; *apostellein* wird zwar von Markus relativ am häufigsten verwendet (20mal, vgl. 22/25), doch *hōde* nur durchschnittlich (10mal, vgl. 17/16). Sachlich könnte man gegen den Satz einwenden, daß er aus der Korrespondenz von Vorhersage und Erfüllung herausfällt, weil die Erfüllung des hier Ausgesagten nicht berichtet wird. Es könnte sich um einen Zusatz moralischer Natur handeln: Der Eigentümer soll durch die seltsame Handlung nicht geschädigt werden: Er schickt es sofort wieder hierher. Doch kann das auch zur ursprünglichen Legende gehören, die deutlich macht, daß die Vorhersage Jesu von seiner liebenden Vorsorge umschlossen ist.

In Vers 4a fällt das Fehlen des Praes. hist. auf. Da *heuriskein* für den Gang der Ereignisse konstitutiv und außerdem für Markus nicht typisch ist (11mal, vgl. 27/45), dürfte ursprünglich statt des Aor. das Praes. *heuriskousin* gestanden haben. Die Abänderung in den Aor. ist deutlich durch *apēlthon* veranlaßt. Dieser Aor. aber dürfte nicht vom Redaktor stammen, weil der nicht von sich aus das Praes. hist. unterbrochen haben wird (V. 4b steht es wieder) und die Vokabel *aperchesthai* für Markus nicht besonders typisch ist (23mal, vgl. 35/19). Außerdem hat die Einleitung von Vers 4 zweimal ein parataktisches *kai*, das beide Seitenreferenten wiederum durch die Partizipialkonstruktion ersetzen.[941] Darum sind die ersten beiden Worte hier offenbar ein Rest der zweiten Tradition, vielleicht sogar ihre Anfangsworte, die ursprünglich mit der Ortsangabe Vers 1 zusammengehörten: *kai apēlthon (eis) Bēthanian pros to oros tōn elaiōn.*

Aus der knappen Abfolge kurzer Sätze scheint dann wieder in Vers 4b die Bemerkung *exō epi tou amfodou* herauszufallen, die auch sachlich überflüssig ist und wie eine novellistische Ausschmückung erscheint; „Straße" ist zwar neutestamentliches Hapaxlegomenon,[943] aber das von Markus bevorzugt gebrauchte *exō* erwies sich auch Vers 19 als Bestandteil der Redaktion, so daß wir auch hier in der Bemerkung „draußen auf der Straße" eine markinische Ausschmückung zu sehen haben. Dasselbe ist für die voranstehende Wendung *pros thyran* anzunehmen, da das Substantiv nicht nur markinisches Vorzugswort ist (6mal, vgl. 4/4), sondern die Wendung mit *pros* redaktionell auch 1,33 und 2,2 vorliegt.

941 J. Schmid, Matth und Luk 135; vgl. auch das erste Verb des Verses!
942 Ebd.
943 Bauer WB 94.

Vers 5 dürfte unveränderter Bestandteil der Tradition sein. Er beginnt mit einem parataktischen *kai*, und das Impf. *elegon* kann ebenso wie das Praes. hist. *legei* Vers 2 Stilmerkmal der Tradition sein. In Vers 6 fällt das einleitende *de* auf, das aber hier nicht als Kennzeichen der Redaktion gewertet werden muß, weil seine Funktion zur Anzeige des Subjektwechsels der Redenden unentbehrlich ist. Sachlich ist Vers 6 nötig zur Lösung der Frage von Vers 5. Vers 7 schließlich bringt den abschließenden Endpunkt der Handlung und ist so der organische Abschluß dieses Traditionsstückes. Das wunderbar besorgte Tier wird von Jesus bestiegen, und so ziehen sie in Jerusalem (V. 15a statt V. 11a) ein.

Vers 8 setzt die Bethanientradition fort, von der schon in den Versen 4 und 1 Reste ihrer ursprünglichen Einleitung erkennbar wurden; das erste Subjekt von Vers 8, *polloi*, ist Vorzugswort (57mal, vgl. 50/51) und dürfte wohl redaktionell abgeändert sein. Das legt sich auch von inhaltlichen Erwägungen her nahe: Als der kurze Eintritt in Bethanien zum über 3 km langen Einzug von Bethanien über Bethphage nach Jerusalem durch die Kopplung beider Traditionen wurde, waren mehr Kleider nötig als die einiger Begleiter. Da sie noch nicht ausreichten, wurden Grasbüschel hinzugefügt. Für den redaktionellen Charakter von Vers 8b spricht die Einleitung mit *de*, das Häufigkeitswort *allos* (22mal, vgl. 29/11), die Vorliebe für *ek* und für Doppelungen überhaupt, die ihn die Kleider durch das Gras ergänzen ließ (dagegen ist *stibas* neutestamentliches und *koptein* markinisches Hapaxlegomenon, und auch *agros* [9mal, vgl 16/9] ist nicht beweisend).

Vers 9 gehört mit dem einleitenden parataktischen *kai* der Tradition an. Die Kenntnis der markinischen Tendenz zu Doppelungen läßt nach dem Charakter der hier vorliegenden Doppelung der Akklamierenden fragen. Nach der Vorstellung im Rahmen des Traditionsstückes vom Eintritt sind dafür die Vorangehenden (Häufigkeitswort 5mal, vgl. 6/1) eher denkbar als die Nachfolgenden (ebenso Häufigkeitswort 18mal, vgl. 25/17). Die Zufügung der Nachfolgenden könnte markinische Betonung der Nachfolge sein, die er ja gerade als Kreuzesnachfolge lehren will. Das wäre durch Einfügung in diesem Zusammenhang gut darstellbar. Außerdem wird durch Einbringung des Nachfolgegedankens aus der einmaligen messianischen Königsproklamation eine wiederholbare Akklamation gemacht. Auch dies würde der markinischen Tendenz der Uminterpretation der apokalyptischen Passionstradition entsprechen. Denn die viergliedrige, chiastische Akklamation Vers 9b.10 ist als ursprünglich anzusehen. Hier liegt Vers 9 ein anderer Kyrios-Begriff als Vers 3 vor, und die Wendung „die kommende Herrschaft unseres Vaters David" ist eine völlig singuläre Prägung.

Den Abschluß der Perikope bildet Vers 11 die Notiz vom singularischen (!) Eintritt Jesu (*kai ēlthen* – der Gebrauch des Kompositums mit Wiederholung der Präposition ist markinisch) – wozu ursprünglich *eis Bethanian* (V. 11b) gehört haben dürfte. Durch die Redaktion ist es zunächst durch *eis Hierosolyma eis to hieron* ersetzt worden, was deutlich in Spannung zu dem Singular des Verbs steht, was aber durch die Koppelung mit der Bethphage-Tradition unumgänglich war. Zum Inhalt dieses bei Markus redaktionellen ersten Jerusalem-Tempelbesuches wird Jesu *periblepesthai* (Vorzugswort 6mal, vgl. o/1, und das ist aus Markus übernommen – sonst nie im Neuen Testament!) genannt. Zur Verstärkung der Aussage dient hier wie sonst oft bei Markus *panta*.[944] Da Markus Jesus so redaktionell vorschnell nach Jerusalem gebracht hat, muß er zur Fortsetzung der Tradition (V. 12 ff.) wieder nach Bethanien kommen. Dies geschieht Vers 11b mit dem redaktionellen Häufigkeitswort *exerchesthai* (s. o. zu 11,12); dabei entsteht außerdem zwischen Vers 11a und 11b das für Markus typische Wortspiel mit dem Gebrauch verschiedener Komposita gleichen Stammes (vgl. 1,35; 2,15).[945] Ferner fügt Markus die zwölf Jünger hinzu (zuletzt 10,32 erwähnt): absolutes *hoi dōdeka* ohne nachfolgendes *mathētai* ist für Markus charakteristisch (s. o. zu 14,10).[946] Auch die Motivierung des Auszugs aus Jerusalem durch die vorgerückte Tageszeit macht klar einen redaktionellen Eindruck. Sie ist Bestandteil der markinischen Passionswoche; dabei ist *opse* Vorzugswort (s. o. zu 11,19), *ousēs tēs hōras* markinischer Gen. abs. zur Zeitbestimmung (s. o. zu 11,12)[947] und *ēdē* Häufigkeitswort (8mal, vgl. 7/10).

Somit dürfte als zweite Tradition in der Einzugsgeschichte eine Überlieferung vorliegen, die knapp und chiastisch gebildet war: Dem Gang nach Bethanien (V. 4a.1a = A) entspricht die abschließende Notiz des Eintritts in den Ort (V. 11a.c = A'). Beides umrahmt die Doppelheit von Inthronisationshandlung (V. 8a = B) und Inthronisationsakklamation (V. 9–10 = B'). Da formal das Feigenbaumwort durch den Zusammenhang von Vers 11 und Vers 12 als unmittelbare Fortsetzung erscheint, so ist auch hier nach dem Ausweis des apokalyptischen Charakters dieses Traditionsstückes zu fragen, so daß der formalen Zugehörigkeit zu dem als apokalyptisch herausgestellten Traditionsstrang auch eine inhaltlich entsprechende Evidenz zugeordnet werden kann.

Dieser Charakter ergibt sich klar aus den hier verwendeten Worten des 118. Psalms und dem Vergleich mit der eschatologischen Deutung, die gerade dieses Wort auch sonst gefunden hat. Das hat J. Jeremias am Schluß seiner Arbeit über das Herrenmahl deutlich herausgestellt: „Midr Ps 118 § 22 wird Ps 118, 24 (Dieses ist der Tag, den Jahwe gemacht hat) auf den Tag der Erlösung gedeutet, der aller Knechtschaft für immer ein Ende macht, d. h. auf die messianische Erlösung."[948] Dabei fallen in dem „Wechselchor bei der Parusie"

944 W. Larfeld 265 f.; R. Pesch 156.
945 Ebd. 263.
946 J. Jeremias, Abendmahlsworte 85 A. 1.
947 W. Larfeld 223 f.
948 J. Jeremias, Abendmahlsworte 247; vgl. den ganzen Zusammenhang ebd. 246–252.

sowohl einleitend das Hosanna (V. 25a) als auch die Eulogie-Zeile (V. 26a) dem gleichen Chor (den Bewohnern Jerusalems), denen der Chor der Bewohner Judäas jeweils korrespondiert (mit V. 25b.26b usw. bis V. 28 und abschließend beiden gemeinsam V. 29), zu.[949] Wenngleich man über das Alter dieses Midrasch nichts Sicheres sagen kann, so ist doch die eschatologische Verwendung von Ps 118,26a dadurch gesichert, daß er in einem bei Q überlieferten Logion (Matth 23,39 / = Luk 13,35b) eindeutig auf die Parusie angewendet wird,[950] und zwar hier für den Mund der Jerusalemer gedacht (so dann auch Joh 12,12 f.). Pes 119a wird der Psalm etwas anders aufgeteilt, und zwar auf David und seine Zeitgenossen, und dabei auf David gedeutet.[951] In einer noch abgewandelten Aufteilung auch Targ Ps 118, 22–29 – doch ebenfalls mit Deutung auf David;[952] diese Deutungen dürften unserem Text bekannt sein und der Doppelzeile mit der Herrschaft Davids zugrunde liegen. Was also an den beiden nächsten Parallelstellen futurisch-eschatologisch ausgesagt ist, ist nun an unserer Stelle als Einleitung einer Kreuzigungstradition als schon geschehenes Ereignis der Vergangenheit ausgedrückt. So wird also auch hier in Übereinstimmung mit dem Feigenbaumwort, der Tempeldemonstration und der Kreuzigungsapokalypse das Leiden und Sterben Jesu als Endgeschehen interpretiert.

Die hier vorliegende Art von Schriftgebrauch unterscheidet sich von den sonstigen alttestamentlichen Anspielungen dadurch, daß nicht schriftgelehrt mit alttestamentlichen Farben geschildert wird, sondern daß eine Art eschatologische Anwendung eines Schriftwortes vorliegt, die lebendig und unmittelbar ist, so wie der Psalm ja auch tatsächlich in Gebrauch war. Hier wird nicht ein Akt der Vergangenheit deutend erzählt, sondern ein Akt des Endgeschehens handelnd vollzogen. Die Besonderheit dieser Schriftverwendung ist singulär in der Tradition, wie die Art ihrer Anwendung einmalig ist. Darum ist das Psalmzitat wirklich der Tradition und nicht erst dem Evangelisten zuzusprechen.[953] Es ist nicht ein Indiz für die akute galiläische Parusieerwartung des Markus, sondern ein vormarkinisches, apokalyptisches Passionsinterpretament.

949 Bd. 248, vgl. Bill. I 850. Beide Aussagen (Hosanna wie Eulogie) sind gegen den ursprünglichen Psalmtext doxologisch zu verstehen (J. Jeremias, ZNW 50, 1959, 270–274; E. Lohse, NovTest 6, 1963, 113–119 und Leiden 30 f.; W. Schenk, Segen 111 f.); da A. Suhl 52 die Arbeiten von Jeremias und Lohse dazu nicht beachtet, hält er die hier gegebene Anwendung des Hosanna zu Unrecht für unverstanden.

950 Ebd. 249 f.; vgl. W. Schenk, Segen 107–110.

951 Bill. I 849 f.

952 Ebd. 876.

953 Gegen A. Suhl 52 f., der außer dem fehlinterpretierten Hosanna auch verkennt, daß Mark 11,1 ff. zwei ursprünglich selbständige Traditionen vorliegen. Seine Zuweisung der Worte an den Evangelisten steht außerdem stark im Banne der Marxsenschen Konzeption von der markinischen Naherwartung: „Jetzt kommt der Herr bald! Er ist ja schon als *eulogēmenos* begrüßt worden!" (ebd. 53). Die Tradenten dieser Überlieferung waren vielmehr überzeugt, schon im Eschaton zu leben.

Möglicherweise ist dafür auch noch die Nennung des Ölberges besonders heranzuziehen. Nach Sach 14,4 werden im eschatologischen Krieg Jahwes Füße auf dem Ölberg stehen, der sich daraufhin spalten wird. Dies wird nur selten in der rabbinischen Überlieferung aufgenommen (Targ Cant 8,5; Leqach tob Nu 24,17).[954] Doch nach Auskunft des Josephus (Bell. II 13,5; Ant. XX 8,6) wurde das Kommen des Messias als des Befreiers von den Römern vom Ölberg her erwartet. Der Ölberg hatte in dem Zusammenhang doch wohl „messianische Bedeutung".[955] Jedenfalls würde das dem apokalyptischen Charakter dieser Tradition hier mit der Erwähnung des Ölberges nicht widersprechen. Für das Ausbreiten der Kleider scheint sich eine typisch apokalyptische Motivierung indes nicht nachweisen zu lassen.[956]

## 2.5. Die Salbungsgeschichte (Mark 14,3–9)

Daß diese Geschichte nicht nur einen markinischen, sondern auch einen vormarkinischen Zusammenhang unterbricht, ist allgemein erkannt. Da es sich bei dem unterbrochenen Zusammenhang hier, wie inzwischen deutlich geworden ist, speziell um die apokalyptische Traditionsschicht handelt, kann die Salbungsgeschichte dieser Tradition an dieser Stelle nicht zugehört haben. Die Ortsnennung Bethanien (V. 3) könnte auf einen Zusammenhang mit ihr weisen, doch ist ihr eine so novellistische Darstellung mit Namensnennung und Personenbeschreibung, wie sie hier vorliegt, sonst nicht eigen. Diese Schicht formuliert nicht nur allgemeiner, sondern auch gewichtiger und konzentrierter. Für eine Zugehörigkeit zur durch das Praes. hist. gekennzeichneten Schicht, zu der die Perikope wegen ihres anekdotenhaften Charakters gehören könnte, läßt sich aber andererseits auch kein festes Indiz finden. So dürfte sie, wenn man den sekundären Charakter von Vers 8b anerkennt, überhaupt nicht zu irgendeiner Passionstradition gehören. Erst diese Sätze stellen einen Zusammenhang zur Passion her. Die meisten Exegeten scheiden Vers 9 gleich zusammen mit Vers 8b aus, weil diese Verse vom jetzigen Passionszusammenhang her bedingt seien und der Geschichte gegenüber Vers 7 angeblich eine zweite Pointe geben.[957]

954 Vgl. Bill. I 840 f.

955 R. Bultmann, Tradition 281 A. 1; E. Lohmeyer 229; das bestreitet W. Foerster, ThW V, 483 A. 102, zu Unrecht, wenngleich seinem Einspruch gegen die Heranziehung von Pes 115a durch Lohmeyer 229 A. 3 in diesem Zusammenhang recht zu geben ist. Doch bleiben die anderen hier genannten Stellen als wirkliche Zeugen bestehen.

956 Vgl. die rabbinischen Belege bei Bill. I 844 f.; das wiederholte Ausbreiten eines Tuches vor Jesus beim Einzug in den Statthalterpalast in Act. Pil. 1,2–4 (Hennecke/Schneemelcher I 335) läßt auch keine Besonderheiten apokalyptischer Art erkennen.

957 So R. Bultmann, Tradition 283; J. Finegan 63 f.; F. Hauck 163; E. Klostermann 141 f.; E. Lohmeyer 291, 296; E. Schweizer 166.

Doch hier schon stellen sich zwei Fragen: Sind Vers 8b und Vers 9 wirklich eine untrennbare Einheit? Und hängt nicht Vers 8b enger mit Vers 7 als mit Vers 9 zusammen?

Während auch J. Jeremias früher[958] Vers 9 insgesamt als späteren hellenistischen Zusatz beurteilt hat, so hat doch genauere Nachprüfung erbracht, daß Vers 9 „nicht einheitlich ist" und nur „der *hopou ean*-Satz... vom Evangelisten selbst in Anlehnung an Mark 13,10 eingefügt sein" wird.[959] In der Tat häufen sich auch nur hier die markinischen Stilmerkmale: Vorzugsworte sind *hopou* (15mal, vgl. 13/5) und *euaggelion* (7mal, vgl. 4/0), wobei absolutes *euaggelion*, wie es bei Markus immer vorliegt, als „unsemitisch" und als „Sprachgebrauch der missionierenden Urkirche" gekennzeichnet werden muß.[960] Vorzugswort ist weiterhin *kēryssein* (12mal, vgl. 9/9), während *holos* wenigstens als Häufigkeitswort angesprochen werden kann (18mal, vgl. 22/16); auch die Konstruktion „*hopou ean* mit Konj. Aor. begegnet im ganzen Neuen Testament nur Mark 6,10; 9,18; 14,9.14. Von den Seitenreferenten wird diese Konstruktion lediglich Matth 26,13 wiederholt, sonst immer vermieden."[961] Zugleich liegt in der Voranstellung des *hopou-ean*-Satzes die von Markus bevorzugte Inversion vor (vgl. V. 14 und 6,10.56).[962] Gleichzeitig wird im Anschluß daran mit *ho epoiēsen* eine zweite solche Voranstellung eines Relativsatzes geboten, jedoch ist dessen Verb für Markus untypisch (47mal, vgl. 84/88) und hier von V. 8a her vorgegeben. Ob auch er erst auf Markus zurückgeht, wird offenbleiben müssen. Jeremias dürfte zuzugestehen sein, daß der ursprüngliche Schlußsatz eschatologisch zu verstehen ist: „Amen, ich sage euch, man wird es (oder: auch das, was sie getan hat) sagen (vor Gott), damit er ihrer gnädig gedenke."[963] Ein direkter Zusammenhang dieses Schlußsatzes mit der Passionsanspielung Vers 8b ist nicht unbedingt gegeben, wohl aber ein Zusammenhang mit Vers 8a. Dem Verhältnis der beiden Versteile zueinander gilt es nachzugehen.

Der Passionsgedanke von Vers 8b wird schon in Vers 7c vorbereitet.[964] Ist damit nur ein früherer Ansatzpunkt für eine spätere Erweiterung im Blick auf die Passion gegeben,[965] oder ist vielmehr beides ein späterer Zusatz zu einer

958 J. Jeremias, Die Salbungsgeschichte Mark 14,3–9, ZNW 35, 1936, 75–82, bes. 76 f. (vgl. jetzt Abba 109).

959 J. Jeremias, Abba 118 f. unter Aufnahme der Analyse von F. Hahn, Mission 101 A. 4.

960 Ebd. 109, 117; vgl. F. Hauck 163; W. Marxsen, Markus 83, 86.

961 Ebd. 119.

962 W. Larfeld 269.

963 J. Jeremias, Abba 120, wobei die Wendung *eis mnēmosynon autēs* als Vermeidung des Gottesnamens gefaßt ist (ebd. A. 25) und das Passiv unpersönlich das Handeln himmlischer Wesen, wohl der Engel, umschreibt (ebd. 116).

964 E. Klostermann 141; E. Schweizer 166.

965 So E. Klostermann, ebd.

älteren Fassung? G. Bertram hat auch Vers 6 f. als sekundär angesehen,[966] doch müßte er dann natürlich auch konsequenterweise die dazu in Beziehung stehenden Verse 4 f. ebenso beurteilen.[967] Der Rest bestünde dann nur noch aus Vers 3, was natürlich keine „selbständige Geschichte" mehr sein kann.[968] Doch ist dabei etwas ganz Richtiges gesehen. Als Einwand indes kann es nur dann gelten, wenn man übersieht, daß die Erzählung in ihrer jetzigen Gestalt neben Vers 9 und Vers 7 + 8b in Vers 8a noch eine dritte Pointe hat, die deutlich den Zusammenhang von Vers 7 zu 8b sprengt. „In Vers 8a scheint eine neue Ausdeutung der Tat der Frau im Sinne von 12,44b zu liegen: Sie hat alles weggeschenkt, was sie hatte."[969] Als neu jedoch erscheint diese Pointe nur, wenn man im fortlaufenden Lesen auf diesen Satz stößt. Sieht man ihn aber von der Urfassung von Vers 9 her, so dürfte er die ursprüngliche Mitte der Urgestalt der Perikope sein. Das ist auch sprachlich wahrscheinlich zu machen: *echein* hat hier im Unterschied zum Kontext die Bedeutung „können, vermögen", was markinisch mit *dynasthai* (vgl. V. 5.8b, Vorzugswort 33mal, vgl. 27/26; vormarkinisch mit *ischyein*) ausgedrückt wird, so „daß *ho eschen* Mark 14,8 wörtliche Übersetzung eines aramäischen *it lah"* sein kann (vgl. Joh 14,30, er *vermag* nichts gegen mich).[970] Weiter ist die asyndetische Verbindung beider Verben im Unterschied zum Hebräischen wie zum Griechischen ein klarer Aramaismus, wie er auch V. 3b und 6b vorliegt.[971] So könnte eine ursprünglich ganz kurze Geschichte zugrunde liegen, die ein Apophthegma ähnlich dem der opfernden Witwe im Tempel 12,41–44 darstellt: Vers 3 berichtet die Handlung der Frau; Vers 5b die Reaktion gegen sie; Vers 6b und 8a das entscheidende Wort Jesu zugunsten dieser Frau und ihrer Handlung und Vers 9a.c die entscheidende eschatologische Begründung.

Für diese Form der Urgestalt sprechen auch die beiden auffallenden *de* der Redaktion in Vers 4 und Vers 6, während das *de* in Vers 9 von der Redaktion zur Tradition zurücklenkt. Zu der Vers 4 mit *de* eingeleiteten Redaktion tritt sogleich die für Markus kennzeichnende conjugatio periphrastica hinzu (vgl. V. 40.49. 54)[971] und ebenso die bei Markus beliebte Wendung *pros heautous* (vgl. 10,26;

966 G. Bertram, Leidensgeschichte 16–18; dagegen E. Klostermann, ebd.

967 R. Bultmann, Tradition 283 A. 3 als Einwand; nach E. Schweizer 166 soll Vers 7b einer sekundären vormarkinischen Redaktion entstammen. Daran ist richtig gesehen, daß dieser Satz den Parallelismus zwischen Vers 7a und 7c unterbricht; doch ist bei Schweizer verkannt, daß, wenn Vers 7b so beurteilt wird, Vers 4 f. zwangsläufig ebenso beurteilt werden muß.

968 R. Bultmann, ebd.

969 So mit Recht E. Schweizer 166.

970 J. Jeremias, Abba 108 f.

971 Ebd. 115 f.

972 W. Larfeld 220–223; daß dahinter aramäischer Einfluß steht (J. Jeremias, Abba 108; vgl. Bl-Debr 353), muß nicht auf älteste Schicht weisen: auch Vers 9b ist das ungriechische *eis* zur Angabe der Hörer (ebd. 116) markinisch.

11,31; 12,7; 16,3)[973] zusätzlich des Häufigkeitswortes *aganaktein* (3mal, vgl. 3/1). In Vers 6a ist nach *de* das Vorzugswort *afienai* (vgl. V. 50; 15,36) zu nennen. Außerdem entsteht durch den ersten Satz der Rede Jesu Vers 6a eine Tautologie zum zweiten Satz Vers 6b, der ursprünglich ist (*kopous parechein* ist markinisches Hapaxlegomenon,[974] und der „idiomatische Gebrauch des Fragepronomens zum Ausdruck der Entrüstung": „quält sie doch nicht!" ist Semitismus[975]), so daß auch die beabsichtigte Verstärkung durch Satzverdoppelung auf markinische Gestaltung des ersten Satzes hinweist (vgl. V. 68).[976] In Vers 6c weist die Figura etymologica *ergon ergasato* (wenngleich das Verb markinisches Hapaxlegomenon ist) auf markinische Stilisierung;[977] dasselbe gilt für Vers 7b bezüglich des *hotan* (s. o. zu 11,19). In Vers 8b ist *prolambanein* zwar Hapaxlegomenon der Evangelien, doch als verbaler Ersatz des Adverbs „zuvor" ein Semitismus, der im markinischen Stil durchaus möglich ist.[978]

Die beiden mit *gar* eingeleiteten typisch markinisch nachgestellten Begründungssätze Vers 5 und 7 sind eng mit dem jeweils voranstehenden verbunden und erscheinen formal wie sachlich als reflektierte novellistische Erweiterungen. Auch stehen sie zueinander in sachlicher Beziehung. Dies alles deutet darauf hin, daß wir hier nicht mehrere Traditionsstufen anzunehmen haben,[979] sondern daß Markus sowohl für die paränetische wie für die passionstheologische Pointierung der Geschichte verantwortlich zu machen ist. Die Verklammerung dieser beiden sekundären Pointen ist für die markinische Passionsdeutung wichtig. Das Armen-Motiv Vers 5 und die Armen-Pointe Vers 7 betonen neben ihrem unmittelbar paränetischen Zweck, daß Jesus auch in seinem Leiden nicht ein „Armer" ist, nicht ein bedauernswertes Opfer menschlicher Intrigen. Die ursprüngliche Pointe aber dürfte der Ganzeinsatz der Person sein, wobei nicht einmal sicher ist, ob der Salbungsdienst wirklich Jesus und nicht vielmehr dem leprösen Simon erwiesen wurde, dessen Erwähnung sonst unverständlich wäre.

---

973 Bauer WB 421, 1408 neben *pros heautous* (s. o. zu 15,31); diese markinische Gewohnheit scheint bestimmt zu sein und über die sonstige Objektangabe mit *pros* bei *aganaktein* zu dominieren, so daß nicht unbedingt mit J. Jeremias, Abba 116 A. 3 ein Aramaismus angenommen werden muß.

974 E. Lohmeyer 292 A. 1.

975 J. Jeremias, Abba 116; die Parallele in Vers 4 dürfte redaktionell von dieser Stelle her bedingt sein.

976 W. Larfeld 268.

977 Ebd. 237; dagegen kann das auffallende *en* nicht unbedingt als Semitismus als Urbestand gelten (gegen J. Jeremias, Abba 108).

978 J. Finegan 74 A. 1 nach Wellhausen; E. Klostermann 143; F. Hauck 163; J. Jeremias, Abba 109, reklamiert es für die Urform.

979 Gegen E. Schweizer 166, obgleich die Häufung von Hapaxlegomena nicht verkannt wird (außer den genannten: *pantote* 2mal V. 7; *pipraskein* V. 5; *eu poiein* V. 7; *apōleia* V. 4; *entafiasmos* V. 8; *mnēmosynon* V. 9).

Durch den Zusatz von Vers 4 f. und Vers 7.8b erst hat die Perikope den von J. Jeremias herausgearbeiteten Skopos erhalten: Die Salbungsgeschichte ist „auf der typisch palästinensischen Unterscheidung von Almosen und Liebeswerk aufgebaut...: dem Vorwurf der *tines*, man hätte den Erlös aus der vergeudeten Salbe zu *Almosen* verwenden sollen (V. 4 f.), setzt Jesus die Feststellung entgegen, daß die ungenannte Frau unbewußt ein *Liebeswerk* getan hat, nämlich das besonders hoch gewertete Liebeswerk der Totenbestattung (V. 6–8)[980] – proleptisch vollzogen an einem, dem das Schicksal bevorsteht, nach der Hinrichtung in das Verbrechergrab geworfen zu werden".[981] Damit ist an die Stelle der Pointe von Vers 8a, des Ganzeinsatzes der Person als des der kommenden Gottesherrschaft entsprechenden Tuns überhaupt (*poiein*), das Guttun (*eu poiein*) in bestimmten Lagen, getreten – eine sachkritisch durchaus zu hinterfragende Verschiebung.

Bei der Feststellung der redaktionellen Züge ist schließlich auch auf den doppelten Gen. abs. im Perikopenanfang Vers 3 zu verweisen. Die asyndetische Verbindung beider bei gleichem und doch ausdrücklich gesetztem Subjekt „ist in griechischer Syntax eine Unmöglichkeit".[982] Die Vermutung jedoch, daß der zweite Gen. abs. hier vorgegeben sei,[983] muß abgewiesen werden, weil gerade *katakeisthai* Vorzugswort ist (4mal, vgl. 0/3 – und zwar immer im Anschluß an Markus).[984] Darum dürften beide Gen. abs. auf Markus selbst zurückzuführen sein, was bei der Vorliebe für Partizipienhäufung nicht verwunderlich ist. Ebenso wird man in der doppelten Ortsangabe die Lokalisierung in Bethanien (4mal, vgl. 2/2) als Angleichung zwecks Eingliederung in den Passionszusammenhang zu beurteilen haben, die hier nahegelegt war, da gerade die Rahmenverse 2 und 10 hier derjenigen Tradition zugehören, die in ihrem ursprünglichen Bestand diesen Ort unmittelbar vorher zweimal nannte (11,1.12); doch ist auch *oikia* als Häufigkeitswort (18mal, vgl. 25/25) nicht über jeden Zweifel an seiner Ursprünglichkeit erhaben.

Damit ist deutlich, daß der markinische Anteil an der Ausgestaltung der Perikope größer zu veranschlagen ist, als man auf den ersten Blick annehmen möchte. Durch die von den Zeitansagen Vers 1 und Vers 12 gegliederte Komposition von Vers 1 f.3-9.10 f. fällt ohnehin die Länge des Mittelstückes auf.

980 Genauer natürlich V. 6c.7.8b! Ohne Vers 8a.

981 J. Jeremias, Abba 116; für ihn ergibt sich daraus eine unerfüllte Weissagung Jesu (ebd. 114 A. 10, 212) als Konsequenz. Doch die „Erwartung eines Verbrecherbegräbnisses" dürfte nur ein literarisches Mittel des Evangelisten zur Vorbereitung des Verbrechertodes sein. Die Differenz zu anderen Erzählungsstücken stört ihn hier sowenig wie dann die Spannung zwischen der Begräbnisgeschichte und der nachfolgenden Frauengeschichte am Grabe.

982 E. Lohmeyer 292; vgl. R. Bultmann, Tradition 364; F. Hauck 163.

983 So K. G. Kuhn 261 f.; E. Schweizer 166.

984 F. Hauck 162.

Markus muß ihm somit ein großes Gewicht zugemessen haben. Lohmeyers Eindruck dürfte nicht übertrieben sein, wenn er das zugespitzt so ausdrückt, daß „nur das mittlere Stück ..., das für den Gang der Geschehnisse bedeutungslos ist", für Markus „wichtig" ist.[985] Der Rahmen dient nur als Kontrast.[986] Jesus selbst ist es, der die unmittelbare Nähe seines Todes als eines Verbrechertodes ansagt. Er erscheint somit als der eigentlich Handelnde gegenüber dem Todesbeschluß Vers 1 f. Weiter macht Markus somit den „Gegensatz von geheimer List und Menschenfurcht auf der einen Seite, von klarem Wissen und Aussprechen des Bevorstehenden auf der anderen Seite" deutlich.[987] Drittens steht die Tat der Liebe an Jesus deutlich vorrangig vor der Tat der Auslieferung. Beide stehen also nicht nur im Kontrast zueinander, sondern auch in einem unaufhebbaren Nacheinander, woraus unverkennbar deutlich wird, welcher Tat eigentlich die Zukunft gehört. Durch die Verbindung mit der Betonung des Geldmotivs in beiden Teilen schließlich wird diese Verbindung so eng, daß sie unüberhörbar wird. Viertens hat Markus so am Anfang der eigentlichen Passion mit dem Liebesdienst dieser Frau eine Entsprechung zur Erwähnung der anderen Liebesdienste der Frauen am Ende 15,40 f.47; 16,1 ff. geschaffen, so daß das redaktionelle Dienen von 15,41 hier illustriert wird.

985 E. Lohmeyer 289.
986 E. Schweizer 167.
987 E. Lohmeyer 289.

## 3. Die Frage nach den Fortsetzungen der Passionstraditionen

Die Nachfrage nach dem ursprünglichen Beginn der Leidensgeschichte im vorigen Teil hat uns zwei wichtige Ergebnisse gebracht. Einmal wurde deutlich, daß mit dem Einsatz einer alten Leidensgeschichte wohl weder erst in 14,1 f. zu rechnen ist noch daß er gar erst als mit der Verhaftung 14,43 einsetzend anzunehmen ist. Vielmehr scheint dieser Beginn schon in Mark 11 zu liegen. Zum anderen ergab sich, daß nicht nur der Zusammenhang eines einzigen Traditionsstranges deutlich wurde, der der apokalyptischen Kreuzigungstradition entspricht, sondern daß in der Einzugsgeschichte wenigstens formale Parallelen auch zur ersten, durch das Praes. hist. gekennzeichneten Kreuzigungstradition deutlich wurden. Wenngleich hier noch kein direkter Traditionszusammenhang aufgezeigt werden konnte, so wird man doch zu fragen haben, ob auch die nun 14,12 folgenden Texte verwandte Traditionsstücke erkennen lassen. Somit haben wir nicht einlinig die Fortsetzung der Passionstradition überhaupt zu untersuchen, sondern mindestens doppelspurig nach dem Vorhandensein zweier Traditionsstränge zu fahnden und daneben dafür offen zu sein, daß neben redaktionellen Erweiterungen des Evangelisten auch noch andere, von den beiden Traditionssträngen unabhängige Traditionsstücke vorliegen können, wie das an 14,3–9 deutlich wurde.

Die Antwort auf die Frage, wo die Fortsetzung von 14,1 f.10 f. vorliegt, ist bisher mit äußerst divergierenden Urteilen gegeben worden. Nach Dibelius soll sie in der Verratsprophezeiung 14,18–21 vorliegen.[988] Das aber erscheint darum unwahrscheinlich, weil zwischen Vers 10 f. und Vers 17–21 insofern ein Widerspruch besteht, als „in Vers 17.21 der Verrat nicht als schon geschehen, Judas noch als Tischgenosse gedacht und sein Weggang nicht erzählt ist".[989] Die Annahme von Finegan, daß die Datierung von 14,1 die ursprüngliche Einleitung zur Mahlzeit Vers 22 f. war,[990] ist mit dem Aufweis der Fehler seiner Analyse von 14,1 f. 10 f. erledigt, da sie zu vorschnell nach der Historie fragt statt nach dem literarischen Charakter der Texte und deren Aussagen und Vorstellungen. Auf alle Fälle ist deutlich, daß wir, wenn wir uns mit unserer Fragestellung nun den folgenden vier Perikopen der Vorbereitung des Passamahls 14,12–16, der Vorhersage der Auslieferung 14,17–21, der Stiftung des Herrenmahls 14,22–25 und der Vorhersage der Jüngerflucht und der Verleugnung des Petrus 14,26-31 zuwenden, auf ein äußerst schwieriges Gelände begeben. Doch ist es auch hier unumgänglich, nach dem Verhältnis von Tradition und Redaktion zu fragen und zu versuchen, den besonderen Charakter der einzelnen Traditionselemente

---

988 M. Dibelius, BuG I 255; ebenso H. W. Bartsch, EvTh 22, 450.
989 R. Bultmann, Tradition 300.
990 J. Finegan 63, 82, 84 f.

näher zu bestimmen und mögliche Zusammenhänge dabei kenntlich zu machen. Ein gewisser Zusammenhang besteht bei dreien dieser Texte darin, daß sie wunderbare Vorhersagen sind (eine Ausnahme bilden die Mahl-Verse 22–25) und insofern weiterhin eine strukturelle Ähnlichkeit nicht nur untereinander, sondern auch mit der Findung des Reittiers 11,1–7 aufweisen. Da sich gerade für diese Tradition bisher weder ein Zusammenhang noch eine Fortsetzung erkennen ließ, so ist dieser Entsprechung mit besonderer Erwartung nachzugehen. Da jedoch die vierte Vorhersagegeschichte 14,26–31 Jüngerflucht und Verleugnung des Petrus voraussetzt, kann sie erst nach der Untersuchung dieser Perikope zur Sprache kommen.

### 3.1. Die Findung des Saals für das Passa (Mark 14,12–16)

Dieser Abschnitt hebt sich ziemlich deutlich von den Zusammenhängen seines gegenwärtigen Kontextes ab. „Viermal ist von den ‚Jüngern' die Rede (in der Passionsgeschichte sonst nur noch 14,32), während diese in Vers 17 wie in Vers 10.20.43 ‚die Zwölf' heißen."[991] Da aber die Nennung der „Zwölf" (absolut) ein Zug der markinischen Redaktion ist (s. o. zu V. 10), so deutet die Bezeichnung *mathētai* Vers 12.13.14.16 auf das Vorliegen von Tradition hin. Das verbindet unsere Geschichte auch eng mit 11,1–7, womit nicht nur die Figur *dyo tōn mathētōn autou* (14,13 = 11,1) übereinstimmt, sondern die ganze zugehörige Wendung, beginnend mit *kai apostellei* und endend mit *kai legei autois˙ hypagete eis tēn* (11,2). Auch der Befehl zur Ausrichtung des Wortes Jesu wird beide Male mit *eipate* (14,14 = 11,3) gegeben, und das Ergebnis der Voraussage Jesu wird beide Male mit *kai heuron* ausgedrückt (11,4 = 14,16). Am Ziel der Aussage steht beide Male ein *kathōs eipen* (11,6 = 14,16), das für die Theologie des Wortes in dieser Schicht besonders charakteristisch ist, als es nicht nur auf ein dynamisches Moment des ergehenden Wirkwortes hinzielt, sondern auf ein Moment der genauen Entsprechung (also nicht nur auf ein pures und formales Dixit, sondern auf ein qualifiziertes und inhaltlich gefülltes pro-ut-Dixit). Über die wörtlichen Übereinstimmungen hinaus ist die strukturelle Gleichheit beider Legenden hinsichtlich der wunderbaren Vorhersage und der bestätigenden Findung evident.[992] Doch wie ist dieses Verwandtschaftsverhältnis zu deuten? Ist das Stück vielleicht eine sekundäre Bildung „nach dem Muster von 11,1 ff. als Einleitung zu Vers 17 ff. oder einer anderen Mahlschilderung"?[993] Doch ist von der Ähnlichkeit nicht ohne weiteres

991 E. Schweizer 169.

992 M. Dibelius, Formgeschichte 118; R. Bultmann, Tradition 283; F. Hauck 165; E. Schweizer 169.

993 So E. Schweizer 169; ähnlich schon R. Bultmann, Tradition 284.

auf die Abhängigkeit zu schließen, weil sowohl nicht zu erweisen ist, wieso gerade 11,1–7 ursprünglicher sein soll und nicht vielmehr umgekehrt dort Abhängigkeit vorliegen könnte, als auch hier das Praes. hist. auf sehr alte Tradition und nicht auf spätere Nachbildung oder gar markinische Redaktion weist. Das Praes. hist. liegt hier Vers 12b.13(bis) und dann auch weiterhin Vers 17 vor,[994] das parataktische *kai* V. 12a.13(bis).16a; in Vers 12b findet sich auch wieder das für den Traditionscharakter bezeichnende und schon mehrfach aufgetauchte finale *hina* (s. o. zu V. 10; 15,20f.), und zu allen drei Merkmalen sind die entsprechenden Abänderungen bei den Seitenreferenten kennzeichnend.[995] Ein Unterschied zu 11,1 ff. besteht darin, daß das Ganze hier Vers 12c von einer einleitenden Frage der Jünger hervorgerufen wird, ein Zug, der dort keine Entsprechung hat.[996] Also kann auch darum diese Geschichte keine reine literarisch sekundäre Dublette zu 11,1–7 sein.

Außerdem lassen sich die hier nicht sehr umfangreichen redaktionellen Bearbeitungszüge des Markus deutlich erkennen und abheben: Die beiden Zeitbestimmungen Vers 12a.b sind klar markinische Bildung (s. o. zu 14,1; zur temporalen Konjunktion *hote* bei Markus s. o. zu 11,1), und zwar nicht nur, weil sie „für jüdischen Sprachgebrauch völlig unmöglich" sind,[997] sondern weil sie sich auch als deutlich aus der nachfolgenden Geschichte erschlossen ausweisen. Die Doppelung als solche spricht natürlich auch wieder für Markus selbst. Neben dem sprachlichen Indiz *hote* (vgl. 15,41) ist auch auf den Sprachgebrauch von *pascha* zu verweisen, das Vers 12b deutlich das Passalamm meint, Vers 16 dagegen das Passamahl.[998] Darum ist auch Vers 12c und 14 für die Tradition die Bedeutung „Passamahl" durchgehend anzunehmen, nicht aber Passalamm.[999]

Die Jüngerfrage Vers 12c scheint durch das Part. *apelthontes* überfüllt. Die Seitenreferenten lassen es typischerweise auch weg. Es ist als Part. conj. für Markus typisch[1000] und läßt sich hier als redaktioneller Zusatz im Anschluß und in Analogie an die redaktionelle Koppelung 11,4 verstehen, wo es offenkundig aus der anderen Tradition eingebracht war. Auch der Anfang von Vers 14 ist redaktionell überarbeitet oder gebildet, da die inversive Voranstellung des markinischen *hopou-ean*-Satzes Kennzeichen des Markusstils ist (s. o. zu V. 9; *eiserchesthai* wiederum als Häufigkeitswort auffallend).

---

994 Daß *legei* bei Markus für die Bestimmung von Traditionsstücken wichtig ist, hat schon L. Wohleb, RQ 36, 1928, 185 ff. gesehen.

995 Vgl. J. Schmid, Matth und Luk 153.

996 E. Lohmeyer 298.

997 R. Bultmann 284.

998 E. Klostermann 145; F. Hauck 165; W. Grundmann 279.

999 Gegen E. Schweizer 169; undeutlich E. Klostermann 144, der V. 12c im Gefälle von 12a Lamm übersetzt, dagegen V. 14 Mahl wie V. 16.

1000 F. Hauck 165 kennzeichnet es als markinische Stilform.

Der Schluß der Jesusrede Vers 15b *kai ekei hetoimasate hēmin* könnte redaktioneller Zusatz sein, weil es sich mit dem voranstehenden *hetoimon* stößt. Es fällt auch aus dem Vorhersagecharakter der ganzen Rede heraus, sofern es eine die Findung überschreitende Anweisung ist. Eventuell kündigt sich hier die wieder bei Matthäus konsequent durchgeführte redaktionelle Uminterpretation an, die die Geschichte aus dem Verhältnis von Vorhersage und Erfüllung in das Verhältnis von Befehl und Gehorsam übersetzt. Sprachlich allerdings lassen sich für diese Vermutung keine Unterstützungen bieten, so daß es auch eine Aufnahme von Vers 12c sein könnte, die auf den Schluß Vers 16c hinlenkt. Dann wäre nicht *hetoimasate* betont, sondern das das *pou* von Vers 12c aufnehmende *ekei*. Matthäus hätte dann diesen Satz in seiner Redaktion nach einer anderen Seite hin entfaltet.

In Vers 16 fällt das Fehlen des Praes. hist. auf. Doch läßt sich dies auch hier wieder durch markinische Überarbeitung erklären: Markus dürfte wie 11,11 f. sein Lieblingswort *exerchesthai*, veranlaßt durch das Simplex der Vorlage, zugesetzt haben, um die von ihm ebenfalls beliebte Folge von Kompositum und Simplex[1001] zur Belebung der Schilderung zu erreichen. Im Zusammenhang damit ist ein zweites *kai* eingefügt worden, eventuell auch das absolute *hoi mathētai*, das ja auffallend ist, da es an den drei voranstehenden Stellen immer mit dem pronominalen Zusatz *autou* stand;[1002] absolutes *mathētai* weist in spätere Zeit, in der das Wort schon Terminus technicus geworden ist und der pronominale Zusatz nicht mehr zu stehen braucht (vgl. vor allem Matthäus, z. B. 26,17, verglichen mit Mark 14,12). So dürfte ohne den Zusatz dieser vier Worte Vers 16 ursprünglich aus drei kurzen parataktischen Sätzen im Praes. hist. formuliert gewesen sein.

Daß die hier vorliegende Geschichte unbedingt „als Fortsetzung eine Erzählung von dem Passamahl Jesu" voraussetzen müsse,[1003] ist eine ungerechtfertigte Prämisse. Die Geschichte ist mit ihrer Korrespondenz von Vorhersage und Findung ebenso in sich geschlossen wie die Legende von der Findung des Reittiers, nach der sie auch in der ursprünglichen Tradition gestanden haben dürfte. Denn beide Texte sind nicht an der Darstellung eines fortlaufenden Zusammenhangs interessiert, sondern an der exemplarischen Deutung einiger Punkte aus einem für sie wichtigen Geschehenszusammenhang. So wie die erste Kreuzigungstradition nur das berichtete, was der Schrift entsprach, so hier parallel dazu nur das, was dem wunderbaren Vorherwissen Jesu entsprach.

1001 W. Larfeld 263.

1002 Daß *autou* hier mit Zeugen des Caesarea-, West- und Reichstextes zu lesen (F. Hauck 165) und die Auslassung in der alexandrinischen Familie Angleichung an Matthäus sei, ist eine ungerechtfertigte Vermutung, da die nachträgliche Angleichung innerhalb des markinischen Textes die naheliegendere Vermutung ist.

1003 So R. Bultmann, Tradition 284; M. Dibelius, Formgeschichte 119.

## 3.2. Die Vorhersage der Auslieferung (Mark 14,17–21)

Dieser Abschnitt hat sowohl in sich als auch in seiner Beziehung zum Kontext seine großen Schwierigkeiten. Wie wir schon sahen, kann er nicht zu dem Traditionsstrang gehören, der Vers 10 die Auslieferung des Judas als vollzogen ausgesagt hat. Hier dagegen wird sie erst vorausgesagt. Dem ist nicht zu widersprechen. Denn „von den zwölf Jüngern wissen doch elf, daß sie nichts gegen Jesus im Schilde führen, daß ihnen jeder Gedanke an Verrat völlig fern liegt. Wie können sie dann alle, einer nach dem andern, fragen: Bin ich es?"[1004] Dagegen kommt die Vermutung, daß die Perikope durch das Stichwort *paradidonai* (V. 18.21) ursprünglich mit Vers 10f. zusammengehörte,[1005] nicht auf. Sie zeigt eine falsche Bewertung der Rolle des Stichworts für die ursprüngliche Tradition. Ihre rein formale Anwendung ohne den Zusammenhang mit sachkritischen Erwägungen führt zu dem hier deutlich auftretenden Fehlurteil. Sundwall dürfte vielmehr gegen seine Ansicht einen Zug der Redaktion, nicht aber der vormarkinischen Tradition aufgewiesen haben. Darum ist zu vermuten, daß sie eher mit den beiden vorgenannten Vorhersagegeschichten 11,1–17 und 14,12–16 zu verbinden ist. Dagegen hat man nun eingewandt, daß hier zweimal von den Zwölfen (V. 17.20) die Rede ist, während in den beiden verwandten voranstehenden Geschichten der Terminus *mathētēs* verwendet werde.[1006] Außerdem könne hier nicht ein Passamahl gemeint sein, weil nach Vers 20 alle aus einer Schüssel essen.[1007] Beide Argumente sind aber abzulehnen: Die Aussage über die Zwölf in Vers 20a ist eine Dublette zu der ursprünglicheren von Vers 18b. An dieser ersten Stelle ist sie sinnvoll formuliert: „einer von euch"; dagegen wird Vers 20a nun gerade zu den Zwölfen gesagt: „einer von den *Zwölfen*"! Das erweist sich als nachträgliche Doppelung und Verstärkung und ist deutlich für den Leser berechnet und zu ihm geredet, wobei es Markus darauf ankam, diesen engen Kreis nochmals zu benennen. Dasselbe gilt von der wiederum absoluten Nennung der Zwölf im einleitenden Vers 17. An beiden Stellen dürfte das für Markus charakteristische absolute *hoi dōdeka* markinische Redaktion sein (s. o. zu V. 10);[1008] sollte Vers 20a mit

1004 E. Haenchen 476.

1005 So J. Sundwall 79; die Rolle des Stichwortes für die Erzählungszusammenhänge, worauf sich diese Arbeit vor allem ausrichtet, dürfte, abgesehen von ihrem Nachweis für die markinische Gestaltung, in ihrer Relevanz für die Frage der Traditionsgeschichte weit überschätzt sein.

1006 E. Schweizer 169.

1007 R. Bultmann, Tradition 284; J. Finegan 66 im Anschluß an die von Bill. I 989 und IV 65 f., 71 f. mitgeteilten rabbinischen Stellen.

1008 Ebenso A. Suhl 51; G. Schille, ZThK 52, 1955, 183–186 und Kollegialmission 117 f.; er zeigt mit Hinweis auf 14,32, daß die Zwölf in der Passionsüberlieferung sekundär sind, hält sie aber für eine vormarkinische Erweiterung.

dem Cantabrigensis und dem Reichstext doch *ek* gelesen werden, so wäre auch diese Tautologie ein Markinismus. Auf redaktionelle Formulierung in dem Vers weist auch das einleitende *de*.

Ebensowenig kann man gegen den Zusammenhang mit Vers 12–16 von der gemeinsamen Schüssel her (V. 20b) argumentieren, wie J. Jeremias gezeigt hat.[1009] Billerbecks eigene Harmonisierung, daß Vers 17–21 erst beim Vorgericht und noch nicht bei der Hauptmahlzeit spiele,[1010] weil *esthiontōn autōn* Vers 22 wiederholt werde, hat Bultmann mit Recht als zu schwach abgewiesen.[1011] Wesentlicher ist das Argument von J. Jeremias, das den genauen historischen Ort der rabbinischen Zeugnisse ins Feld führt: „Sicher belegt ist dieser Brauch aber nur für Babylonien und erst für das 4. und 5. Jahrhundert (b. Pes. 115b), möglich ist, daß ihn bereits eine Bemerkung palästinensischer Gelehrter für das 3. Jahrhundert voraussetzt. Daß der Einzeltisch aber bereits bei der so unter ganz anderen Umständen – zum Teil auf den Dächern – sich vollziehenden Festfeier in dem überfüllten Jerusalem allgemeiner Brauch gewesen sei, ist unbeweisbar und absolut unwahrscheinlich."[1012]

Fallen also die Gründe gegen einen Zusammenhang mit Vers 12 ff. damit weg,[1013] so spricht umgekehrt für den Zusammenhang mit diesem Überlieferungsstück der Rest eines Praes. hist., verbunden mit einem parataktischen *kai* am Anfang von Vers 17. Das ist überhaupt das einzige Traditionselement in diesem Vers, da außer den „Zwölfen" auch die einleitende Zeitangabe im Gen. abs. markinische Gestaltung ist (s. o. zu 11,11.19). Das Praes. hist. ist aber in der Perikope auch sonst vorauszusetzen, da die Prädikate erkennbar von Markus umstilisiert sind: Vers 18 beginnt wieder markinisch im Gen. abs., was ebenso ein Praes. hist. verdrängt haben wird wie der Markinismus *ērxato* Vers 19 (s. o. zu 11,15); in Vers 20 verweist auch das *de* auf eine entsprechende Umformulierung.

In Vers 18 fällt außerdem die Doppelung des Verbs im Gen. abs. auf, was den Verdacht einer redaktionellen Doppelung aufkommen läßt. Das seltenere *anakeisthai* (3mal, vgl. 5/2) dürfte im Praes. hist. ursprünglich sein, *esthiontōn* dagegen markinischer Zusatz (Häufigkeitswort: 11mal, vgl. 11/12). Es hier als

1009 J. Jeremias, Abendmahlsworte 64 f.

1010 Bill. I 989.

1011 R. Bultmann, Tradition 284 A. 4.

1012 J. Jeremias, Abendmahlsworte 65; damit ist auch dem Lösungsversuch von A. Loisy (Mc z. St.) und K. G. Goetz, ZNW 20, 169 ff. der Boden entzogen, die Verse 18 ff. mit Vers 3–7 zu verbinden und in Bethanien zu lokalisieren (dagegen F. Hauck 168; E. Klostermann 145).

1013 W. L. Knox, Sources I 116–124, verbindet ebenfalls zu Unrecht Vers 17 ff. mit Vers 1 f., 10 f. als sog. „Zwölferquelle", die von der Einsicht in den Begriffsgebrauch bei Markus überhaupt zu bestreiten ist. Auch hier wird wieder vorschnell historisierend analysiert.

redaktionell anzunehmen, liegt auch darum nahe, weil es bezeichnenderweise nochmals am Schluß dieses Verses auftaucht. Der Anschluß von *ho esthiōn met' emou* ist hart und syntaktisch nachhinkend und hat darum schon den Vaticanus zur pluralischen Glättung angeregt. Lohmeyer hat sogar eine nachmarkinische Glosse annehmen wollen.[1014] Doch schon Matthäus hat diesen Zusatz weggelassen (26,31),[1015] und Lukas hat ihn umstilisiert (22,21).[1016] Da es sich um eine undeutliche alttestamentliche Anspielung handelt (LXX-Ps 40,10b *ho esthiōn artous mou*), dürfte der Zusatz auf Markus zurückzuführen und ad hoc entstanden sein; Joh 13,18 hat daraus dann ein direktes Zitat gemacht. Auf den redaktionellen Charakter dieses alttestamentlichen Zusatzes weist auch die Tatsache, daß er dem Duktus der Perikope widerspricht: Sagte Jesus Vers 18 nur „einer von euch", so steigert und präzisiert er Vers 20b durch die Aussage, daß es einer von den hier Anwesenden sein wird, einer, „der mit mir in die Schüssel eintaucht". Markus aber beseitigt durch den Zusatz Vers 18c diese Steigerung.[1017] Weiter wird die alttestamentliche Anspielung auch darum als redaktionell anzusehen sein, weil sie die Notwendigkeit und Gottgewolltheit der in Frage stehenden Tat verdoppelt: Wies die ursprüngliche Tradition das Passionsgeschehen als Gottes Willen entsprechend entweder durch einen alttestamentlichen Anklang oder durch das wunderbare Vorherwissen oder Vorhersagen Jesu auf, so nimmt hier Markus die Gelegenheit wahr, beides zu doppeln und zu verbinden. Dies ist ein theologisch überaus bedeutsamer Zusatz: Das wunderbare Vorherwissen Jesu ist begründet in dem Vorhersagen des Alten Testamentes. Um diesen ihm wichtigen theologischen Gedanken zu betonen, gibt er sogar die ursprüngliche dramatische Steigerung der Perikope auf. Darum dürfte Markus diesen Satz hier auch weiterhin dadurch verstärkt haben, daß er die jesuanische Einleitungsformel *amēn legō hymin hoti* hinzusetzte.[1018] Erweist sich also der Schluß von Vers 18 von verschiedenen Seiten her als markinischer Zusatz,[1019] so ist das gleiche für das darauf vorbereitende *kai esthiontōn* von Vers 18a anzunehmen, das als vorbereitender und verstärkender Hinweis auf den von Markus hervorgehobenen Satz Vers 18c und seine theologischen Implikate steht. Liegt hierin aber markinische Redaktion vor,

1014 E. Lohmeyer 301.
1015 Eventuell auch, weil er dem Psalter keine Beweiskraft zuschreibt: A. Suhl 48 A. 112, 51.
1016 J. Schmid, Matth und Luk 153 A. 5: „Weil Lukas die Bezeichnung des Verräters hinter das Passamahl und die Eucharistieeinsetzung stellt, konnte er nicht mehr mit Markus schreiben *ho esthion met'emou*."
1017 E. Lohmeyer 301.
1018 Markus hat sie 13mal im Munde Jesu (hier liegt der 11. Amen-Spruch vor), davon 9mal mit *hoti*; zum Teil wird sie als Anreihungsformel verwendet; vgl. W. Larfeld 22; R. Bultmann, Tradition 349.
1019 Zu demselben Ergebnis kam auch A. Suhl 51.

so ist sie mit Absicht formuliert, und der alttestamentliche Anklang ist nicht nur eine sprichwörtliche Wendung.[1020] Erst recht aber entfällt die Möglichkeit nunmehr, die ganze Szene nur als szenische Ausgestaltung des Weissagungsbeweises anzusehen.[1021]

Die Perikope endet bei Markus mit dem dreiteiligen Logion Vers 21, nach Finegan „ein hinzugefügtes Logion",[1022] nach Bultmann ein „der Gemeindetheologie entstammende(r) Weheruf",[1023] der den legendarischen und späten Charakter der ganzen vorliegenden Bildung deutlich mache. Gehört nun dieses dreiteilige Logion ursprünglich zu dem Abschnitt, oder ist es erst ganz oder teilweise hinzugefügt? Ist es überhaupt einheitlich und als Einheit zu behandeln? Auffallend ist die Dublettenhaftigkeit der zweiten und dritten Zeile. „Der letzte Satz führt das Wehe über jenen Menschen noch einmal aus",[1024] und zwar mit einer in der apokalyptischen wie rabbinischen Literatur gebräuchlichen sprichwörtlichen Wendung.[1025] Sie dürfte darum zum ursprünglichen Bestand der Tradition gehören und das Stück hier abgeschlossen haben. Sie fügt sich auch gut an Vers 20b an. Dagegen dürfte Vers 21a.b eine redaktionelle Bildung sein: Sie nimmt aus der Vorlage die Wendung *anthrōpos ekeinos*[1026] auf und bildet daraus ein Wortspiel mit *hyos tou anthrōpou*. Auch *paradidonai* war durch den Kontext vorgegeben. Die Assoziationen zueinander lagen Markus von den Leidensansagen her nahe (8,33; 9,31; 10,32),[1027] so daß Bultmann von einem „Absenker" der Leidensweissagungen sprechen konnte.[1028] Doch dürfte das Logion kaum ursprünglich isoliert bestanden haben, weil das

1020 Das vermutet E. Schweizer 171 auf Grund von 1 QH 5,23 f.: „Alle, die mein Brot aßen, kehrten mir den Rücken . . ., redeten falsch wider mich."

1021 So R. Bultmann, Tradition 284, 306; H. W. Bartsch, ThZ 20, 90 nach C. K. Feigel 47, 85; K. Weidel 177 ff.; G. Bertram, Leidensgeschichte 32 f.; als Möglichkeit so auch zugestanden von E. Klostermann 145; J. Finegan 66 A. 2; E. Schweizer 171 f.; dagegen aber F. Hauck 168 und A. Suhl 51, dessen Kritik an Bultmanns widersprüchlicher Argumentation (Lukas ohne alttestamentlichen Anklang als älteste Schicht) wohl berechtigt ist, aber berücksichtigen sollte, daß Bultmann diese Sicht im Anschluß an J. Finegan 9 f. aufgegeben hat: Lukas ist von Markus abhängig (Ergänzungsheft 41).

1022 J. Finegan 66.

1023 R. Bultmann, Tradition 285.

1024 E. Lohmeyer 302.

1025 Vgl. Bill. I 989 f.; E. Klostermann 146; E. Lohmeyer 302; darum ist es überflüssig, mit G. Bertram 34 f. und H. W. Surkau 84 f. sowie R. Bultmann, Ergänzungsheft 41 an eine Umformung von Mark 9,42 zu denken.

1026 In Vers 21c ist *ekeinos* zunächst unbetont und entspricht einem aramäischen *haw* (E. Lohmeyer 301 A. 4); V. 21b konkretisiert dies schon, und erst Matthäus und Johannes machen aus der Szene in ihrem Verfolg dieser Linie „eine Kenntlichmachung des Verräters" (E. Klostermann 145; R. Bultmann, Tradition 285).

1027 E. Lohmeyer 301.

1028 R. Bultmann, Tradition 163.

Wehe über den Verräter ganz in den Zusammenhang weist. Auch zeigt die logische Satzgliederung mit den „dem klassischen Griechisch so unentbehrlichen korrelativen Konjunktionen *men – de*" auf bewußte schriftstellerische Gestaltung.[1029] Die Bezeichnung *hypagein* für den Tod Jesu ist bei Markus singulär, doch ist ihre Häufigkeit im vierten Evangelium ein Zeichen dafür, daß sie in bestimmten Gemeindekreisen geläufig war.[1030] Doch der Schwerpunkt dieses Doppelsatzes liegt gar nicht auf dem Wehe über dem Auslieferer – das ist nur die kontextbedingte negative Folie –, sondern auf dem Schluß des ersten Satzes: *kathōs gegraptai peri autou.* Hier wird nicht nur die Schriftgemäßheit des Passionsweges Jesu, sondern des Wissens um seinen Weg betont. Es ist eine der wenigen Stellen, an denen die Schriftgemäßheit allgemein behauptet wird, ohne daß ein Zitat oder eine alttestamentliche Anspielung im Text damit unmittelbar verbunden scheint (vgl. V. 49b).[1031] Daß Markus indes diese Bemerkung an dieser Stelle hier einführt, steht im engsten Zusammenhang mit dem Zusatz der Schriftanspielung in Vers 18c und der damit vollzogenen Umdeutung der Perikope, die hier Vers 21 nun also verstärkt weitergeführt wird. Dabei erweist sich das *kathōs gegraptai* als bewußte Aufnahme des *kathōs eipen* als der theologischen Zielformulierung in den beiden vorangehenden Vorhersageperikopen 11,6; 14,16: Die Jünger finden gemäß der Vorhersage Jesu. Die Vorhersage Jesu und sein Vorherwissen aber geschieht gemäß dem im Alten Testament ausgesagten Willen Gottes. So wird die vorliegende Perikope aus einer legendarischen Vorhersage der Auslieferung in der vormarkinischen Tradition bei Markus durch seine theologische Bearbeitung zu einem Kernstück seiner Passionsdeutung, die über den Einzelzug der Verratsansage weit hinausgreift und den Blick auf die Schriftgemäßheit des ganzen Leidensweges richtet, der damit als ein durch den im Alten Testament ausgesagten Willen Gottes bestimmtes Wissen und Handeln Jesu ausgedrückt wird.

### 3.3. Das Herrenmahl (Mark 14,22–25)

Gleich die ersten Worte der Perikope nach dem parataktischen *kai* stellen ein Problem dar, und dies nicht nur, weil sie das *esthiontōn autōn* von Vers 18 wiederholen, sondern auch im Blick auf die unmittelbare Fortsetzung: „Da das Brotbrechen den Anfang der Mahlzeit darstellt, ist ... sachlich nicht möglich, daß das Essen vorher schon in Gang ist."[1032] Ganz ähnlich ergibt sich aus der jetzigen Folge von Vers 23 f. der Widerspruch, „daß die Jünger vor dem

---

1029 W. Larfeld 20; bei Markus nur noch 12,5; 14,38 – also immer in Jesusworten.
1030 E. Klostermann 146; E. Lohmeyer 302.
1031 Vgl. A. Suhl 44 f., 64 f.
1032 E. Schweizer 172; vgl. J. Finegan 67 f.

Spruch Jesu trinken".[1033] Das gleiche gilt natürlich auch in gewisser Weise rückwirkend zugleich bezüglich der markinischen Fassung schon für das Verhältnis von Brotwort und vorlaufendem Essen, da man den präsentischen Gen. abs. keinesfalls perfektisch übersetzen kann.[1034] Wenngleich Markus damit nicht eine Aussage gegen eine Wandlungslehre beabsichtigt haben kann, so ist dennoch der Hinweis E. Schweizers hilfreich,[1035] daß darin faktisch eine Sperre gegen eine Wandlungsvorstellung liegt, was gerade darum wichtig ist, weil die Vertreter einer sakramentalen Wandlungslehre sich vorzugsweise auf die markinische Fassung der Herrenmahlüberlieferung und sein Kelchwort stützen und berufen. Die dritte aufweisbare Disharmonie besteht hier zwischen den Versen 24 und 25. Ist das doppelte Becherwort an sich schon auffallend, so stehen beide auch inhaltlich gegeneinander: In Vers 25 wird den „Jüngern die Wiedervereinigung bei dem bevorstehenden Messiasmahl im Gottesreich in Aussicht gestellt... – ohne an die Stiftung einer Gedächtnisfeier zu denken",[1036] oder, um es noch krasser zu formulieren: „Logisch genommen, widerspricht der Vers der Wiederholung des Mahles."[1037]

Diese drei Diskrepanzen fordern eine Erklärung, die sich jedoch auch traditionsgeschichtlich leicht geben läßt. Der auffallende Gen. abs. am Anfang von Vers 22 ist klar eine typisch markinische Perikopeneinleitung, die außerdem Vers 18a wiederholend aufnimmt.[1038] Darum ist sie kein sicheres Indiz gegen den Zusammenhang von Vers 18 ff. und Vers 22 ff. in der Tradition, wofür sie aber immer wieder herangezogen wurde.[1039] Weiter ist Vers 23b als die einzige Notiz, die sich hier nicht auf Jesu Reden und Handeln bezieht,[1040] aus dem Zusammenhang seines jetzigen unmittelbaren Kontextes herauszunehmen. Was dann von Vers 22–24 übrigbleibt, sind ein Brot- und ein Kelchwort, deren streng schematisch-paralleler Aufbau nicht nur in der Formulierung der Worte Jesu selbst, sondern auch in deren Einleitung auffällt. Das überschüssige *autois* am Anfang von Vers 24 ist offenbar durch den Einschub von Vers 23b in den Zusammenhang redaktionell erzeugt. Nicht nur hinsichtlich der Parallelisierung von Leib und Blut, sondern auch hinsichtlich der Tendenz auf schematischen Aufbau insgesamt hin (der zum Glück noch nicht ganz rein durchgeführt ist, sofern Vers 22a das Brechen des Brotes und am Schluß Vers 24b mit sechs Worten das Bundesmotiv überschießt), erweist sich diese Fassung im Ganzen gegenüber der von

1033 Ebd. 175; vgl. E. Lohmeyer 303.

1034 Wovor E. Klostermann 147 mit Recht warnt.

1035 E. Schweizer 175.

1036 E. Klostermann 147.

1037 J. Finegan 67 A. 2 im Anschluß an A. Loisy 404 f.

1038 J. Finegan, ebd.; vgl. W. Larfeld 223 f.

1039 So gegen R. Bultmann, Tradition 285; E. Klostermann 147; E. Lohmeyer 302; E. Schweizer 172.

1040 E. Schweizer 173.

Paulus mitgeteilten Überlieferung (1 Kor 11,23 ff.) als jünger.[1041] Wichtig für die ganze Fassung ist der Vers 22b erstmalig in diesen Worten auftauchende Imp. Der Imp. weist auf einen direkten Gebrauch der Formulierung in der Feier hin, während bei Paulus das nicht der Fall ist, ja er angesichts der korinthischen Mißstände an die Verba testamenti als an einen katechetischen Stoff erinnern muß. Von einer „Kultformel" wird man erst bei der markinischen Gestalt sprechen können, während sie in der vorpaulinischen Gestalt ein katechetisch-lehrhaftes Gepräge tragen. Darum dürfte Markus hier die zu seiner Zeit und an seinem Ort gebrauchte nachapostolische Form und Fassung der Herrenworte eingefügt haben. Zum Traditionsstrang, der durch das Praes. hist. ausgezeichnet ist, lassen sich keine Beziehungen nachweisen;[1042] denn hier findet sich kein Passabezug, und die redaktionelle Verknüpfung, die die Einleitung Vers 22a mit Vers 18a herstellt, zeigt deutlich, daß unterschiedliche Traditionen verbunden wurden. Daß die Worte andererseits auch keinen Bezug zur apokalyptischen Passionstradition haben, ist nun zu zeigen.

Der unterbrechende Satz Vers 23b wird gemeinhin als eine aus der liturgischen Handlung herausgewachsene Zufügung angesehen,[1043] die sich gegen Tendenzen richte, den Wein aus Gründen der Askese oder der Sparsamkeit wegzulassen.[1044] Daß es dies in späterer Zeit gegeben hat, ist deutlich.[1045] Doch dagegen, daß es hier so zu deuten sei, spricht eindeutig, daß der Satz der auf Schematisierung der Parallelisierung drängenden Tendenz der Herrenmahlworte entgegensteht und darum unabhängig von diesen liturgischen Formulierungen verstanden und als ursprünglich selbständig angesehen werden muß. Dagegen sollte man sehen, daß die Beschränkung auf die Trinkhandlung wie der Gebrauch von *pinein,* das zudem für Markus untypisch ist (8mal, vgl. 15/17), dieses Stück Vers 23b mit Vers 25 verbindet. Daß nun aber Vers 25 Bestandteil eines alten Mahlberichtes ist, ist unbestritten.[1046] Somit dürfte Vers 23b als Rest einer alten Überlieferung von der letzten Mahlzeit Jesu anzusprechen sein, die das Logion Vers 25 einleitete.

Vers 25 macht einen altertümlichen Eindruck: Hier findet sich zwar wieder die auffallende Häufung von Negationen (s. o. zu 11,14); ob diese allerdings

---

1041 Vgl. zuletzt E. Schweizer 173; F. Hahn, EvTh 27, 340 f. gegen J. Jeremias, Abendmahlsworte 178 f., wobei unbestritten ist, daß man dieses Urteil hinsichtlich von Einzelheiten der beiden Fassungen verschieden variieren muß.

1042 Die Verbindung der Verse 22–25 mit Vers 12–16 als deren Fortsetzung durch W. L. Knox, Sources I 116 ff. ist völlig willkürlich.

1043 J. Finegan 67.

1044 So zuletzt die Verlegenheitsauskunft von E. Schweizer 175.

1045 Vgl. A. Harnack, Brod und Wasser, die eucharistischen Elemente bei Justin, TU 7,2, 1891.

1046 Vgl. R. Bultmann, Tradition 286; F. Hauck 170; J. Finegan 67 f.; E. Klostermann 147; E. Lohmeyer 303 f.; J. Jeremias, Abendmahlsworte 153–157.

als Übersetzerungeschick[1047] anzusprechen ist, ist schwer zu entscheiden, und: Sollte sich diese über Jahrzehnte hin unverändert erhalten haben? So ist doch wohl eher an markinische Verstärkung zu denken[1048] (*ouketi* ist Vorzugswort: 7mal, vgl. 2/4; weiterhin sind *hoti*-rezitativum, vgl. V. 18b, und *hotan*, vgl. 11,19, gut markinisch). Doch *genēma tēs ampelou* „ist stehender Ausdruck für Wein vgl. Num 6,4; Jes 32,12; Hab 3,17";[1049] „griechisch unmöglich" ist die Konstruktion „*pinein ek* mit folgender Angabe des Getränkes" (dieser Sinn ist auch für den ursprünglichen Zusammenhang von Vers 23 vorauszusetzen, wo sich die Präposition parallel findet);[1050] ebenso dürfte *ekeinēs* hier wie Vers 21 ursprünglich unbetont gewesen sein und einem aramäischen Demonstrativum entsprochen haben.[1051] Ob auch *amēn legō hymin hoti* ursprünglich und gar „Kennzeichen der ipsissima vox Jesu" ist,[1052] kann bezweifelt werden. Die Weglassungstendenz bei Matthäus und Lukas läßt sich nicht ohne weiteres auf Markus übertragen und zu einer allgemeinen Überlieferungstendenz erklären, nur um die ipsissima vox Jesu zu erweisen. Das ist als eine zu einlinige und darum ungerechtfertigte Extrapolation abzulehnen. Da Markus die Wendung mit Vorliebe anwendet (s. o. zu Vers 18), kann der Verdacht nicht ausgeschlossen werden, daß sie auch hier als „Aufreihungsformel" zugefügt ist (vgl. 3,28; 10,15; 11,23; 13,30).[1053]

Da die temporale Ausrichtung des ganzen Logions evident ist (*ouketi, heōs, hotan*), so ist auch *en tē basileia tou theou* „nicht eine lokale, sondern eine temporale Angabe: wenn Gott seine Herrschaft aufgerichtet haben wird".[1054] Das hier vorliegende Vorhersage-Logion unterscheidet sich von den Vorhersagen der drei vorgenannten Texte gänzlich, weil nicht ein innergeschichtliches Ereignis vorhergesagt wird, sondern das baldige Kommen der Herrschaft Gottes als des Endes der Geschichte. Dazu wird *heōs* temporal mit folgendem Gen. wie in der gleichen Schicht auch 15,33 verwendet. Sachlich verbindet sich unser Wort somit aufs engste mit der Traditon des Eintritts in Bethanien 11,9 f. und dem apokalyptischen Feigenbaumwort 11,14. Somit dürfte Vers 23b.25 eindeutig der dort anhebenden Passionstradition zuzurechnen sein, deren Faden 14,11 zunächst abriß und deren direkte Fortsetzung auch hier nicht ganz kontinuierlich vorliegt, was aber durch die Einfügungen anderer Materialien erklärlich ist. Wie beim Feigenbaumwort wird auch hier eine chrieartige Bildung

---

1047 So J. Jeremias, Abendmahlsworte 157, 174.

1048 W. Larfeld 263.

1049 E. Klostermann 148; E. Lohmeyer 304; J. Jeremias, Abendmahlsworte 156, 176: Ber. 6,1 u. ö.

1050 J. Jeremias, Abendmahlsworte 157, 175.

1051 Ebd., 176.

1052 Ebd., 157 A. 1, 174, 194 und Abba 148–151.

1053 R. Bultmann, Tradition 349.

1054 J. Jeremias, Abendmahlsworte 176.

vorgelegen haben, die mit kurzer Hinführung ein entscheidendes apokalyptisches Jesuswort bringt. Das Sterben Jesu wird als das Kommen des Reiches verstanden. Das Logion ist zutreffend als Einheit von „Todesankündigung und Vollendungsverheißung" zu bestimmen.[1055] Die so überliefernde Gemeinde dürfte das Herrenmahl nicht als Vorwegnahme, sondern als Vollzug der Vollendungsgewißheit gefeiert haben. Hier dürfte ein Zusammenhang mit den 1 Kor 10 bekämpften Vorstellungen vorliegen. Die Formulierung des Wortes spricht nicht gegen eine Wiederholung, gerade dann nicht, wenn man sich mit dem vollendeten Jesus identifizierte und als Teil seiner selbst verstand. Von daher bekommt auch die Notiz vom Trinken aller Vers 23b einen prägnanten Sinn. Die von Paulus kritisch aufgegriffenen *syn*-Kategorien vom Mitleben und Mitauferstandensein mit Christus dürften hier ihren Ursprungsort haben.

## 3.4. Gethsemane (Mark 14,32–42)

Kaum ein Exeget wird angesichts dieses Textes heute noch den Mut haben, dem Urteil Lohmeyers zuzustimmen, daß die Erzählung „ein geschlossenes Ganzes von einmaliger und bleibender Gültigkeit" darstelle.[1056] Dazu ist der Eindruck von Spannungen und Sprüngen zu stark[1057]: „Merkwürdig ist schon der doppelte Anfang mit der Auswahl der drei Vertrauten, die dann auch zurückgelassen und zum Gebet Jesu nicht mitgenommen werden" (V. 32–34).[1058] Während sich Jesus Vers 32 von der allgemeinen Gruppe der Jünger absondert, so noch einmal Vers 34 von der Gruppe der drei besonders genannten Jünger.[1059] Die beiden Aufforderungen Jesu Vers 32b (Bleibt hier, bis ich gebetet habe) und Vers 34b (Bleibt hier und wacht) stehen in Konkurrenz zueinander. Welches Problem die Doppelung der Jüngergruppen darstellt, erweist sich auch „daran, daß sie nachher bei der Rückkehr Jesu zu ihnen nicht wieder aufgelöst wird, sondern völlig unbeachtet bleibt. Weder Vers 37 (*heuriskei autous katheudontas*) noch Vers 40 (ebenso) noch Vers 41 (*legei autois*) wird erkennbar, zu welcher Gruppe Jesus zurückkehrt, bzw. wieso die beiden Jüngergruppen wieder zusammen sind".[1060] Als weitere Dublette fällt das Gebet Jesu auf, das die erste Fassung Vers 35b in indirekter Rede, die zweite aber Vers 36 in direkter Rede bringt,[1061] wobei die Ausdrucksweise (Stunde bzw. Kelch) unterschiedlich

---

1055 So mit Recht F. Hahn, Motive 337–374, 340.
1056 E. Lohmeyer 313, 319; ihm folgt allerdings W. Grundmann 291.
1057 Vgl. E. Linnemann, Studien 11 f.
1058 E. Schweizer 178.
1059 R. Bultmann, Tradition 288; K. G. Kuhn 263.
1060 K. G. Kuhn, ebd.
1061 Ebd., vgl. R. Bultmann, Tradition 289; E. Schweizer 178.

ist. Als spannungsvolle Dublette erscheinen auch die Reaktionsworte an die Jünger: „Einmal Vers 37–38 der Vorwurf an Petrus, daß er nicht wachte, mit der Mahnung zum Wachen. Zum anderen Vers 41 das Wort Jesu vom Gekommensein der Stunde und ihrem Sinn und Inhalt. Daß so die Szene in zwei Jesusworten gipfelt, die auch inhaltlich verschieden pointiert sind (Vers 38: der *peirasmos* der Jünger, Vers 41: die *hōra* des Menschensohns), stellt formgeschichtlich eine Erweiterung des normalen Aufbaus dar. Denn der normale Aufbau ist die Schilderung einer Szene, die in *einem* Jesuswort als Pointe gipfelt... So sind Vers 37–38 und Vers 41 formgeschichtlich konkurrierende Pointen."[1062]

Angesichts dieser Tatbestände versagt jeder rein von der Frage der Geschichtlichkeit des Vorgangs her unternommene Versuch, eine Urform herauszuheben, wie Lietzmann ihn unternommen hat.[1063] Als Augenzeugenbericht, der auf Petrus zurückgehen soll, gelten ihm die Verse 32–34 und 41 f. in einer „nicht näher bestimmbaren Urform. Jesus geht mit den Jüngern nach Gethsemane, beginnt zu trauern, bittet sie zu wachen, geht abseits zum Gebet, da schlafen sie ein, und er weckt sie mit dem Ruf, daß der Verräter komme."[1064] Mit Recht hat M. Dibelius dagegen eingewendet, daß „dies kaum noch ein Bericht zu nennen" ist, „und man wüßte nicht, warum um des Wortes 14,34 willen erst von der Absonderung der drei Vertrauten erzählt wäre".[1065] Auf der Linie Lietzmanns ist sein Schüler J. Finegan dennoch weitergegangen, was zu einer noch stärkeren Reduktion geführt hat. Ihm bleibt als „echte Überlieferung" nur, „daß Jesus mit den Jüngern nach dem Ort Gethsemane kam und allein betete (V. 32) und daß, als die Jünger schliefen (V. 37), der Verräter und die Menge kam (V. 43)".[1066] Im Gegenzug dazu erklärte M. Dibelius: „Ich vermag... die Szene weder für eine geschichtliche Überlieferung noch für eine ursprünglich isoliert umlaufende Legende zu halten."[1067] Er entnimmt aus Hebr 5,7 die Vermutung, daß man aus dem Motiv des Rettungsschreies, wie er in den Leidenspsalmen 22,21.25; 31,10 f.23 und 69,2–4 vorlag, einen ältesten Bericht formte wie etwa 14,34 f. Markus selbst habe dann „diesen Stoff zu einem Vorgang ausgebildet. Den Anlaß dazu bot ihm ein überliefertes Jesuswort, das zum Wachen in der Endzeit und zum Beten mahnte, also Mark 14,38... Diese Mahnung hat Markus als Warnung von dem natürlichen Schlaf verstan-

---

1062 Ebd. 263 f.

1063 H. Lietzmann, ZNW 30, 1931, 211–215 (= Kleine Schriften II, 264–268).

1064 Ebd. 212 (= 265 f.).

1065 M. Dibelius, Formgeschichte 213 A. 2.

1066 J. Finegan 71, vgl. die vorangehende Analyse 70; dagegen E. Linnemann, Studien 12 f., besonders A. 6.

1067 M. Dibelius, Formgeschichte 213.

den und ihr zulieb die Szene der schlafenden Jünger komponiert."[1068] Unbefriedigend an dieser rein formgeschichtlichen Erklärung ist der Verzicht auf jede literarkritische Analyse,[1069] so daß die vom Text her sich stellenden Fragen nicht wirklich gelöst werden.

Dagegen hat Bultmann sich diesen Fragen präziser gestellt und ist zu folgendem Urteil gekommen: Vers 32 wird der ursprüngliche Anfang der Perikope sein, während Vers 33 als damit konkurrierende spätere spezialisierende Einfügung angesehen werden muß. Von den Gebetsvarianten sei die indirekte Form Vers 35 ursprünglich, die Fassung in direkter Rede Vers 36 dagegen eine nachträgliche Erweiterung. Vers 38 wird als nachträglich eingeschobenes „Wort christlicher Erbauungssprache" gewertet, Vers 41c.42 als markinische Zusätze abgetrennt. Somit verbleibt in seiner Sicht als ursprünglich selbständige Einzelgeschichte Vers 32.35.37.39–41b. „Mit *apechei·élthen hē hōra* Vers 41b als dem eindrucksvollen Höhepunkt muß die Szene ursprünglich geschlossen haben."[1070] Bultmann hat auf diese Weise durchaus einen einigermaßen einleuchtenden Grundtext herausgearbeitet; trotzdem lassen auch ihm gegenüber einige Fragen nicht zur Ruhe kommen und bei seinem Ergebnis stehenbleiben: (1.) Kann Vers 39, der in absoluter Inhaltslosigkeit einen zweiten Gebetsgang schildert, als ursprünglich angesehen werden, oder muß nicht vielmehr gerade er als Zusatz herausgelöst werden? Fällt aber Vers 39, so fällt das ganze von Bultmann rekonstruierte Traditionsgebilde dahin; denn Vers 40 f. kann nicht auf Vers 37 folgen, weil dann lauter verschiedene Worte und Reaktionen Jesu aufeinander folgen. Vers 39 aber hat nicht nur das markinische *palin* (s. o. zu 11,3) und ein Part. conj., sondern nachfolgend gleich nochmals eine Partizipialkonstruktion; *aperchesthai* erweckte sowohl in Vers 10 wie in Vers 12 einen redaktionellen Eindruck und kann als Häufigkeitswort angesehen werden (23mal, vgl. 35/19), was auch *logos* klar ist (24mal, vgl. 33/33). (2.) fällt auf, daß der Sprachgebrauch von *hōra* (für Markus untypisch: 12mal, vgl. 21/17) nicht einheitlich ist; ist in Vers 41b wie in Vers 35 die eschatologische Stunde gemeint (vgl. 15,33 f. und antithetisch von Markus auch redaktionell 13,32), so hat *mian hōran* in Vers 37b den Sinn „nur solch einen kurzen Moment lang".[1071] Somit kann Vers 37 nicht dem gleichen Traditionsstrang wie Vers 35 und Vers 41b zugehören. Entweder ist Vers 37 Redaktion (dagegen spricht aber *ischyein*

---

1068 Ebd. 214; vgl. dort 212–214 die ganze Analyse und dazu auch seinen späteren Aufsatz „Gethsemane", BuG I 258–271.

1069 Vgl. die Kritik von R. Bultmann, Ergänzungsheft 42 f. und ausführlich E. Linnemann, Studien 13 f.; trotzdem geht E. Schweizer 179, ohne sich genau festzulegen, jetzt wieder denselben Weg: allmähliche Erweiterung eines ursprünglichen Kurzberichts. Doch der Gebetskampf Jesu soll historisch sein.

1070 R. Bultmann, Tradition 288 f.; ihm folgt E. Linnemann, Studien 24.

1071 K. G. Kuhn 265.

– Markus würde *dynasthai* sagen), oder es muß einer anderen Tradition zugesprochen werden. Wichtig für die Anfrage an Bultmann ist (3.), daß Vers 37 seine Spitze in dem Wort *grēgorein* im eigentlichen Sinne hat; damit gehört es aber offensichtlich „zusammen mit dem Stichwort *grēgoreite* der zweiten Exposition Vers 34b",[1072] und zwar ganz streng als Lösung der dort gesetzten Aufgabe (formal gesehen, sachlich natürlich als eine negative Lösung). Es ist unwahrscheinlich, dies doppelte *grēgorein*, obgleich Häufigkeitswort (6mal, vgl. 6/1), der Redaktion zuzusprechen, denn beide Worte werden vom Praes. hist. eingeleitet, dem wichtigen Kennzeichen eines Traditionsstranges.[1073] Die Nichtbeachtung dieser Stilfrage ist der (4.) Einwand, den man gegen Bultmanns Analyse erheben muß.

Darum ist die Frage naheliegend, ob nicht auch hier wieder zwei Traditionsfäden zusammengearbeitet sind. Das läßt wieder einen Blick auf den Lösungsweg E. Hirschs werfen, der seinem ersten Erzähler, der sich auf die Augenzeugenschaft des Petrus gründen soll, die Verse 32a.33.34.35b.37aβ.b.39a.41aα.42 zuspricht; auf den Redaktor zweiter Hand entfallen Vers 32b.35a.36.37aα.γ 38.39b.40.41aβ.b.[1074] Trotz mancher bedenkenswerter Beobachtungen kann man der Analyse aus zum Teil schon genannten Einzelgründen nicht folgen, vor allem aber, da ihre historischen Prämissen unter Ablehnung der Formgeschichte wie der Stilkritik nicht zu übernehmen sind. Noch weniger Vertrauen erweckt die Analyse von W. L. Knox, die E. Linnemann gar „ein Schreckensbild exegetischer Willkür" nennt.[1075]

Obgleich die Frage des Praes. hist. auch bei K. G. Kuhn nicht erörtert wird, so gebührt doch seiner bisher leider zu wenig beachteten Analyse in der Festschrift für Walter Bauer[1076] die Anerkennung des Verdienstes, unter Aufnahme der in den bisherigen Analysen ungeklärt gebliebenen Fragen und bei eingehen-

1072 Ebd.

1073 Dagegen ist das Verb im Anschluß Vers 38 in einem anderen und besonderen Sinne gebraucht. Dieses Aufeinander hat seine genaue Entsprechung in Mark 13: Nachdem es dort im Gleichnis Vers 34 im natürlichen Sinne gebraucht war, wird es anschließend redaktionell Vers 35 und 37 als Terminus der eschatologischen Paränese im besonderen Sinne verwendet!

1074 E. Hirsch I 156–158, vgl. die Textrekonstruktion 261 f. und in: Jesus, Wort und Geschichte nach den ersten drei Evangelien, Bremen 1939, 84 f.; zur grundsätzlichen Kritik an seiner Betrachtungsweise vgl. die Rez. von E. Haenchen, ThLZ 67, 1942, 129 ff. und DTh 9, 1942; zur Kritik an unserer Stelle ausführlich E. Linnemann, Studien 14–17.

1075 W. L. Knox, Sources I, 125–130 rechnet zur Jüngerquelle Vers 26.32.36.37b.38.39. 42.37a; zur Zwölferquelle: Luk 22,39.40–45a; Mark 14,40 f.; vgl. dagegen E. Linnemann, Studien 23 f.

1076 K. G. Kuhn 260–285; ihm folgt Th. Leskow 141–159; abgelehnt ist die Analyse ohne ausführliche Begründung von W. Grundmann 290; R. Bultmann, Ergänzungsheft 42 f.; E. Lohse, Leiden 65 f.; eine detaillierte, die Argumentation Kuhns verfolgende Kritik gibt erstmalig E. Linnemann, Studien 17–23, 37 f.

der Durchführung der sprachlichen Untersuchung durch die Herausarbeitung zweier Traditionen und ihre theologische Charakterisierung das Problem entscheidend vorangetrieben zu haben. Auch von ihm wird Vers 42 als redaktionelle Klammer angesehen und Vers 39 insgesamt sowie das *palin* Vers 40 und die Notiz *kai erchetai to triton* Vers 41 ebenfalls der Redaktion zuerkannt, weil der Redaktor mit ihrer Hilfe aus der Kombination von zwei Quellen einen dreigliedrigen Geschehensablauf komponiert hat.[1077]

Die Quelle A wird in Vers 32.35.40f. gesehen.[1078] Sie hat einen „johanneischen Klang", indem sie durch die eschatologischen *hōra*-Aussagen gekennzeichnet ist. Sinn und Ziel dieser Tradition liegen „ausschließlich in der christologischen Aussage von der Stunde des Menschensohns". Getragen sei das Stück „von dem Kontrast der Ahnungslosigkeit der Jünger zu der im Gebet erkannten Gewißheit Jesu, daß die Stunde des Menschensohns da ist und daß sie nach Gottes Plan sich erfüllt in seiner Preisgabe in der Sünder Hände".[1079] Dagegen meint Leskow geltend machen zu müssen, daß *hōra* hier nicht im eschatologischen Sinne gemeint sei, worin wir ihm nach dem bisher Gesagten nicht folgen können; er sieht hier ein biographisches Apophthegma vorliegen, das die Heilsereignisse historisiere und die apokalyptische Gestalt des Menschensohns entmythologisiere.[1080] Er gibt zu bedenken, ob nicht Vers 40b als markinischer Zusatz zu werten sei. Auch E. Linnemann merkt hier mit Recht kritisch das erdrückende Übergewicht von Vers 40f. gegenüber Vers 35 an; wichtiger aber ist ihr der Hinweis, daß man Vers 40b schwerlich die Ahnungslosigkeit der Jünger ausgedrückt finden kann und daß vor allem keine Wendung von der Bitte Jesu zur schließlichen Gewißheit ausdrücklich markiert wird.[1081]

Die Quelle B nimmt Kuhn in den Versen 33f.36–38 an.[1082] Für sie ist die „paränetische Tendenz" charakteristisch, die durch den doppelten Imp. zum Wachen (V. 34b.38a) rahmend hervorgehoben werde. Hier sei das Gebet Jesu nicht das Zentrum im Sinne einer biographischen Schilderung, sondern als „Musterbeispiel dafür, wie man es richtig macht, um die Anfechtung zu bestehen".[1083] Die Anfrage von E. Linnemann[1084] bezweifelt, daß das Gebet Vers 36

1077 Ebd. 265.
1078 Ebd. 266 f.
1079 Ebd. 274, vgl. die ausführliche Sachinterpretation dieser Tradition 272–274.
1080 Th. Leskow, Studien 145–148.
1081 E. Linnemann, Studien 20 f.; zuzustimmen ist ihr in der Abweisung der Überzeugungskraft der Lukasparallele für die Quellenanalyse Kuhns (ebd. 17 f., 37 f.).
1082 K. G. Kuhn 266 f.
1083 Ebd. 284 f., vgl. die ausführliche Sachinterpretation dieser Tradition 274–285; die die theologische Wertung beider Traditionen umkehrende Interpretation, die bei Th. Leskow dazu führt, daß er dieses Apophthegma hier für stärker apokalyptisch geprägt ansieht (a. a. O., 148–151), hat mich nicht überzeugt.
1084 E. Linnemann, Studien 22 f.

nur paränetisch gemeint sei, und verweist darauf, daß auch die Anfrage an Petrus Vers 37b über den Sinn der Mahnung von Vers 38 hinausgehe. Zu beachten ist auch ihr Hinweis, daß Vers 34a sich nicht auf das Ziel von Vers 38 hin einordne, ja den Bezug von Vers 34b zu Vers 38 undeutlich mache und den Gedanken umwende zur Bitte *mit* Jesus, wohin ja auch Matth 26,38 dann die Interpretation unter Aufnahme dieses Zuges eindeutig wendet.

E. Linnemann ihrerseits hat sich der Dekomposition Bultmanns angeschlossen unter Streichung von Vers 37b.39b und der Umstellung von Vers 40c, so daß ihre Urform den Bestand von Vers 32.35.37a.39a.40a.b.41a.40c.41b enthält.[1085] Diese Urfassung „enthält kein Wort vom Zittern und Zagen Jesu, keine Aufforderung an die Jünger zu wachen, keinen Tadel und keine Mahnung. Die Jünger sind in dieser Fassung stumme Statisten."[1086] Es wird mit zwei Bearbeitungen gerechnet, bis Markus den Text „ein drittes Mal bearbeitet" hat.[1087] Der erste Bearbeiter habe „die Beispielhaftigkeit des Betens Jesu ... entdeckt" und das Gebet in direkter Rede zugefügt (V. 36).[1088] (Doch die dabei angenommene Anlehnung an das Unser-Vater macht skeptisch, da Matth 6,10b als redaktionell zu beurteilen ist!) Dazu sei Vers 34a als dunkler Kontrasthintergrund gewählt worden, und da diese wörtliche Rede mit der von Vers 32 beinahe zusammengestoßen wäre, als Stoßschutz die Drei-Jünger-Gruppe aus der Verklärungsgeschichte eingesetzt worden als Vers 33.[1089] Später habe ein zweiter Bearbeiter die Mahnung Vers 38 eingefügt, das er als isoliertes Jesuswort kannte, und dazu vorbereitend Vers 34b.[1090] (Dabei wird aber die Spektralverschiedenheit im Wortfeld von „Wachen" an beiden Stellen nicht beachtet.) Der Evangelist habe schließlich die Frage an Petrus Vers 37b eingefügt, mit Vers 41c die Vorlage zur Leidensweissagung erweitert, mit Vers 42 die Beziehung zum Passionskontext hergestellt und Vers 40c an seinen jetzigen Platz vorgezogen.[1091] Da das alles rein deduktiv vollzogen wird ohne die nötige induktive Rückkopplung – vor allem in sprachlich stilistischer Hinsicht –, so wird man diesen Vorschlag nicht übernehmen können.

Man wird Kuhns Analyse im Grundansatz für richtig halten und im Ansatz übernehmen müssen als überzeugender als die anderen Lösungsversuche und auch der Grundinterpretation seiner beiden Quellen folgen. Was außer an den schon zur Sprache gekommenen Einwänden an dieser Lösung noch nicht restlos befriedigt, sind einige sprachliche Beobachtungen, u. a. die jetzt vorliegende unterschiedliche Verteilung des Praes. hist. auf beide Traditionen, da Kuhn

1085 Ebd. 24–27; vgl. die Textfassung 178.
1086 Ebd. 27.
1087 Ebd. 29; vgl. die Textrekonstruktionen 178 f.
1088 Ebd.
1089 Ebd. 30 f.
1090 Ebd. 31 f.
1091 Ebd. 32.

hierin kein Traditionskriterium gesehen hat. Immerhin ist auffallend, daß das Praes. hist. offenbar für seine Quelle B typisch ist: Es würde sie Vers 33 einleiten (*paralambanei*), würde sie Vers 34 mit *legei* fortführen und steht in Vers 37 sogar dreifach (*erchetai, heuriskei, legei* – wobei die Vorliebe dieser Schicht für die Verwendung des für Markus untypischen *heuriskein* auch schon 11,4; 14,16 auffiel). Diesen fünf Belegen steht in den erzählenden Teilen das Impf. *kai elegen* nur scheinbar entgegen; denn die Wendung ordnet sich insofern ein, als sie als Anreihungsformel auch 4.9.26.30 neben *kai legei autois* 4,13 (vgl. hier entsprechend Vers 34.41 und variierend auch Vers 32.37) in ein und derselben *vor*markinischen Traditionsschicht erscheint.[1092] (Da es sich um eine Anreihungsformel handelt, stellt sich zugleich die Frage, ob der Anschluß an Vers 35 ursprünglich ist und nicht besser die direkte Rede, also der Anschluß von Vers 34b, vorausgesetzt werden muß!) Darüber hinaus taucht nun aber das Praes. hist. auch noch je zweimal in Vers 32 und Vers 41 auf. Daß Vers 32 der Praes.-hist.-Schicht zuzusprechen ist, zeigt sich auch an der Verwendung einer detaillierten aramäischen Ortsangabe „Ölkelter" (vgl. 15,22), die in diesem Kennzeichen auch mit der Verwendung des „Abba" Vers 36 zusammenstimmt. Außerdem war die Vers 32 verwendete Figur *hoi mathētai autou* da, wo sie bisher auftauchte (11,1; 14,12.13.14), Kennzeichen der durch das Praes. hist. gekennzeichneten Schicht. Man kann also offenbar die Doppelung der Jüngergruppen nicht als literarkritisches Indiz heranziehen, wenn man zunächst die vormarkinische Schicht bestimmen will, was ja immer die erste Aufgabe ist, so daß man nie von einer postulierten Urform aus weitergehen kann. Die namentliche Nennung von drei Jesusjüngern spricht also nicht gegen unser Ergebnis, was auch daraus hervorgeht, daß *paralambanein*, das für Markus nicht kennzeichnend ist (6mal, vgl. 16/6), vom Wortsinn her die Anwesenheit einer größeren Gruppe voraussetzt (so auch 4,36; 5,40; 9,2; 10,32 – anders 7,4). Die Rekonstruktion scheint in dieser Form auch darum sinnvoll, weil der doppelten Gruppierung im ersten Teil eine doppelte Antwort im zweiten Teil entspricht, die sowohl Vers 37 wie Vers 41 im Praes. hist. eingeleitet wird. Davon bezieht sich die erste Antwort durch die Nennung des Petrus deutlich auf den engeren Kreis und die zweite auf den weiteren. In Vers 37 ist ohnehin die Objektlosigkeit des ersten Verbs im Unterschied zu den anderen Verben auffallend. In Vers 41 könnte *to triton*, obwohl es für Markus als Wort nicht typisch ist, dennoch ein ursprünglich genanntes Objekt (*tois mathētais autou* – entsprechend V. 32) verdrängt haben, da die Dreigliederung der Perikope hier wie bei der Petrusverleugnung redaktionell sein dürfte. Innerhalb der Aussagen, die die innere Gruppe betrifft, besteht auch eine Korrespondenz zwischen der Aufforderung zum Wachen Vers 34b und der Reaktion auf das Schlafend-Finden

---

1092 J. Jeremias, Gleichnisse 10; W. Marxsen, Aufsätze 16 f.; A. Suhl 73.

mit der betreffenden Anfrage Vers 37. Dagegen läßt sich das für Vers 33b.34a so nicht aufzeigen.

Vers 33b trägt mit *kai ērxato ekthambeisthai kai adēmonein* „einen novellistischen Zug in die Erzählung hinein",[1093] ist durch *archesthai* mit Inf., die Verwendung des Vorzugswortes *ekthambeisthai* (im Neuen Testament nur Markus 4mal) sowie durch die Verwendung eines Doppelausdrucks zur Verlebendigung der Schilderung typisch markinisch geformt. Dagegen begegnet *adēmonein* im Neuen Testament außer Phil 2,26 nur hier (und von Matth 26,37 übernommen) und kann gut Vorbereitung des durch *hōra* bestimmten Gebets Vers 35b sein. Es ist somit als Rest der zweiten Tradition anzusprechen. Die ganze Wendung als solche bereitet sachlich die alttestamentliche Anspielung im Munde Jesu aus LXX-Ps 41,6 (eventuell ergänzt durch *heōs thanatou* aus Jona 4,9)[1094] in Vers 34a vor. Weil diese Anspielung aber als Motivation der Aufforderung zum Hierbleiben und Warten in Vers 34b nicht sinnvoll ist, sondern vielmehr ein viel zu großes Eigengewicht hat, so ist eben nur diese Aufforderung als ursprünglicher Bestandteil der Praes.-hist.-Tradition anzusehen, die voranstehende sachlich selbständige Motivation aber als markinische Erweiterung. Die Erweiterung durch eine alttestamentliche Anspielung mit deren gleichzeitiger Vorbereitung im Text hat denselben Charakter wie die redaktionelle Erweiterung von Vers 18 und ist darum auch hier als markinisch anzusehen.[1095]

Vers 35 ist mit dem indirekten Gebet Fortsetzung der apokalyptisch geprägten Quellenschrift. Der Anfang mit dem Part. conj. erweist sich als markinisch überarbeitet: *piptein* ist für Markus untypisch (8mal, vgl. 19/17) und dürfte ursprünglich sein, doch *proerchesthai* hat Markus am häufigsten (2mal noch 6,33, vgl. 1/2) und ebenso adverbiales *mikron* (2mal, vgl. 2/0), und stilistisch schien auch der adverbiale Zusatz als solcher schon in Vers 41 redaktionell. Kuhn bezeichnenderweise an dieser Stelle unsicher und wollte die Wendung beiden Quellenstücken zurechnen.[1096] Er dürfte aber redaktionell auch insofern erklärlich sein, als der Anschluß an die andere Quellenschicht in Vers 34b einen solchen Übergang erforderlich machte. In dieser zweiten Schicht dürfte gar nicht von einem Weggehen Jesu die Rede gewesen sein.

Die Tradition fährt dann mit parataktischem *kai* und *proseucheto* fort. Fraglich dagegen scheint, ob *hina* den Inhalt oder den Zweck des Betens angibt. Im jetzigen Zusammenhang erscheint es durch *ei dynaton estin* klar eine Inhaltsangabe zu sein, weshalb man ja auch hier immer von einem indirekten Gebet

---

1093 Th. Leskow 149.

1094 J. Finegan 70.

1095 Auch A. Suhl 50 sieht in Vers 34a eine schriftkundige Auslegung des Vers 33b genannten Zagens. Damit ist der Zusammenhang beider Sätze gesehen, ihr Verhältnis zueinander aber traditionsgeschichtlich nicht eindeutig bestimmt.

1096 K. G. Kuhn 266.

spricht. Da aber *dynatos* Vorzugswort ist (5mal, vgl. 3/4) und hier denselben Gedanken wie Vers 36 einbringt, so ist diese Wendung klar als markinischer Zusatz zu bestimmen. Dann aber ist *hina* in der ursprünglichen Fassung wohl final gedacht, und es handelt sich gar nicht um ein indirektes Gebet, weil nur der Zweck (damit), nicht aber der Inhalt (darum, daß) angegeben war, und dieses finale *hina* ist wiederum Indiz für vormarkinischen Sprachgebrauch. In der Gebetsformulierung Vers 36 dürfte der entsprechende Zusatz ebenfalls als Redaktion bewertet werden, zumal außer *dynatos* auch noch verstärkendes *pas* für Markus kennzeichnend ist. Ebenso wird die erklärende Übertragung von Abba ins Griechische nachträglich sein.

In Vers 37 ist die Vorliebe des Markus für Doppelfragen[1097] spürbar am Werke, zumal *katheudein* außerdem Vorzugswort ist (8mal, vgl. 7/2). Ist die Wendung an dieser Stelle als redaktionell zu bestimmen, dann fragt man sich aber, ob sie in der voranstehenden Redeeinleitung wohl ursprünglich ist. Nun wird man weiterhin beachten müssen, daß die hier Vers 37 vorliegende Aufeinanderfolge der drei Verben genauso in Vers 40a wiederholt wird. Dabei sind die ersten beiden nicht nur in den Aor. übertragen, sondern es findet sich auch noch markinisches *palin* und die markinische Verbindung im Part. conj. Das alles weist darauf hin, daß in Vers 40a eine redaktionelle Doppelung vorliegt. Doch dann wird Vers 40b typisch markinisch mit *gar* ein nachgestellter Begründungssatz eingeführt, der nach markinischer Art als Conjugatio periphrastica stilisiert ist (s. o. zu V. 4). Bei den genannten Zusammenhängen dürfte klar auf der Hand liegen, daß die hier erklärend untergebrachte Wendung *autōn hoi ofthalmoi katabaroumenoi*, die singulär ist, ihren ursprünglichen Platz im Akk. in der Redeneinleitung Vers 37 anstelle von *autous katheudontas* hatte. Hat man die engen Beziehungen des Verses 40 zu Vers 37 in den ersten beiden Sätzen erkannt, dann dürfte sich von daher auch das Rätsel von Vers 40c lösen lassen. Die Linnemannsche Transponierung des Satzes zwischen Vers 41a und 41b ist eine nicht einleuchtende Lösung, zumal der Fragecharakter von Vers 41a nicht ausgemacht ist. Der Vorschlag Kuhns,[1098] vom hebräischen *jāda'* und *ānāh* her einen erweiterten Sprachgebrauch anzunehmen („und merkten gar nicht, was sie mit ihm besprachen"), dürfte erst dann bedacht werden, wenn wirklich keine andere Lösung möglich ist. Doch ist zu fragen, ob *apokrinesthai* sich nicht doch ursprünglich auf die einzige deutliche Frage im Text beziehen sollte. Diese aber liegt Vers 37b vor. Sind nun die ersten beiden Teile von Vers 40 von Vers 37 her bestimmt, dann dürfte ebenso Vers 40c die ursprüngliche Fortsetzung von Vers 37 gewesen sein. Vermutlich war sie dann im Praes.

1097 W. Larfeld 262.
1098 K. G. Kuhn 272 f.

hist. stilisiert.[1099] Die von Markus vollzogene Umstellung ist nicht nur kompositionstechnisch bestimmt, sondern durch die Schaffung von Vers 40 hat er auch noch einen eigenen Gedanken zum Ausdruck gebracht: Vers 40c hat seine genaue Entsprechung in der Verklärungsgeschichte 9,6. Beide Stellen sind für das markinische Motiv des Jüngerunverständnisses typisch und werden charakteristischerweise beide Male von Matthäus (17,4 f.; 26,43 f.) weggelassen. Daß es dort redaktionell ist, ist durch den Widerspruch zu dem 9,5 voranstehenden Petruswort („Hier ist gut sein") deutlich, das anzeigt, daß „Petrus sehr wohl weiß, was der Vorgang bedeutet".[1100]

Nach der getroffenen Entscheidung zu Vers 37 und dessen Kontext ist klar, daß Vers 38 nicht mehr mit Vers 37 zusammengeordnet werden kann. Als weiteres Argument war uns schon die Differenz im Bedeutungsunterschied von *grēgorein* gegenüber Vers 34b wie Vers 37 vorher in den Blick gekommen, das Markus hier zur Bildung eines Doppelausdrucks zugesetzt haben dürfte. Vers 38 ist schon mehrfach für redaktionell gehalten worden.[1101] Doch wird man in der Beurteilung zwischen der Aufforderung Vers 38a und er allgemeinen Sentenz Vers 38b zu unterscheiden haben. Für Vers 38a hat man auf den Wechsel der Anrede vom Sing. in den Plur. verwiesen. Natürlich kann hier unter Anlehnung an die redaktionelle Formulierung von 13,35 oder ein Jesuslogion (vgl. Luk 12,23; Matth 25,1 ff.) „die Moral für die Gemeinde" geboten werden. Doch ist *peirasmos* für Markus untypisch, weil nur an dieser Stelle belegt (vgl. 2/6). Ebenso ist der genannten Begründung zu widersprechen, weil Petrus auch Vers 37 als einer der drei (V. 33) pars pro toto angeredet wird (ähnlich dem Verhältnis von 9,2 : 5), so daß von daher die Fortsetzung im Plural als möglich erschiene. Auch die paränetische Motivierung als solche würde nicht dagegen sprechen, da sie schon für die entsprechende Kreuzigungtradition aufweisbar war (s. o. zu 15,21.24). Als evident können nur die oben genannten Gründe gegen eine Zuordnung zu Vers 37 gelten.

Dagegen ist es nun gerade dieser Vers 38 und seine Interpretation durch Kuhn gewesen, der Leskow fragen ließ, ob hier nicht stärker apokalyptisch geprägtes Denken vorliege. Das bedeutet aber nach dem Gang der bisherigen Analyse, daß ernsthaft zu fragen ist, ob nicht gerade Vers 38 dem Traditionsstrang zuzuweisen ist, der Vers 35 und 41 von der eschatologischen *hōra* spricht. Dafür kann man auch auf die strukturelle Gleichheit der beiden Sätze von Vers 38b und Vers 38a verweisen: Auch in Vers 38 gibt der *hina*-Satz nicht

---

1099 Darin dürfte die Lösung des zwischen K. G. Kuhn und Th. Leskow strittigen Problems dieser beiden Sätze liegen: während Kuhn 272 sie für traditionell hielt, wollte Leskow 148 in ihnen eine „novellistische Abschweifung" des Evangelisten sehen.

1100 K. G. Kuhn 273.

1101 R. Bultmann, Tradition 288; H. Lietzmann II, 265; J. Finegan 70; E. Klostermann 149; E. Linnemann, Studien 29.

den Inhalt, sondern den Zweck des Betens an;[1102] und inhaltlich meint *peirasmos* „die Anfechtung des Gläubigen durch den Satan. Der Gedanke, der dahinter steht, ist der des Kampfes der beiden Mächte in der Welt und um die Welt, Gottes und des Teufels."[1103] Das reiche Material, das Kuhn aus Qumran für den Vorstellungshintergrund auswertet, hat wohl Analogien erbracht, aber keinen Beleg für den Begriff *peirasmos* in 1QS.[1104] Sachlich kann man gut den Anfang der Mahnreden des aeth. Hen. vergleichen: 92,2 „Euer Geist betrübe sich nicht wegen der (bösen) Zeiten, denn der große Heilige hat für alle Dinge Tage bestimmt. (3) Der Gerechte wird aus dem (Todes-)Schlaf auferstehen, auferstehen und auf dem Pfade der Gerechtigkeit wandern, und sein ganzer Weg und Wandel (wird) in ewiger Güte und Gnade (sein) . . . (94,5) Haltet fest meine Worte in den Gedanken eures Herzens, und laßt sie nicht aus euren Herzen getilgt werden. Denn ich weiß, daß die Sünder die Menschen verführen werden, die Weisheit zu verschlechtern; keine Stätte wird für sie gefunden werden, und *Versuchungen* aller Art werden nicht aufhören."[1105] Der Zusammenhang wird besonders deutlich in der Johannesapokalypse; der Gemeinde von Philadelphia wird verheißen: „Ich werde dich bewahren aus der *Stunde der Versuchung (ek tēs hōras tou peirasmou)*, die kommen wird für alle Welt" (3,10, vgl. 14,7 *hē hōra tēs kriseōs autou* und die entsprechenden Wendungen 6,17; 11,18; 14,15; 18,10; 19,7).[1106] Formal wie sachlich kann dieser Vers 38a der apokalyptischen Passionsschicht zugerechnet werden.

Anders verhält es sich wohl mit Vers 38b. Dieser Zusatz ist wieder durch die bei Markus seltenen, aber stärker in den literarischen Zusammenhang weisenden griechischen Entsprechungskonjunktionen *men – de* gekennzeichnet, die schon Vers 21 auf redaktionelle Gestaltung wiesen. Doch wenn Markus diesen Lehrsatz als Begründung hinzugefügt hätte, würde man eher den Anschluß mit *gar* erwarten. Auch ist der apokalyptische Horizont des voranstehenden Satzes in dessen ursprünglichem Kontext nicht gesehen, wenn man urteilt: „Dieser Zusatz fällt ganz aus der Situation heraus und macht aus der Ermahnung eine Belehrung."[1107] Lehrmäßige Begründungen sind auch sonst bei Mahnungen nichts Außergewöhnliches. Noch weniger wird man sich auf die angeblich „paulini-

---

1102 K. G. Kuhn 285 A. 41.

1103 Ebd. 283 und ZThK 49, 1952, 201 ff., 216 ff.; ihm folgt H. Seesemann ThW VI, 26 f., 31, 36; vgl. E. Lohmeyer, Vaterunser 137 ff.

1104 H. Seesemann, ebd. 27,8 f.

1105 Kautzsch II 301.

1106 Vgl. W. Bousset, Offb 177, 228, 384; E. Lohmeyer, Offb 35, 121; Die Bestreitung des eschatologischen Verständnisses von *hora* bei E. Linnemann, Studien 27 A. 40 ist darum abzuweisen.

1107 So E. Hirsch I 158.

sierende Sprache" von Vers 38b berufen dürfen.[1108] Kuhn hat ausführlich deutlich gemacht, daß die Anthropologie dieses Satzes stärker von Qumran (vgl. 1QS 11,9 f.12 „Gemeinschaft des Fleisches", „Sünde des Fleisches" – allerdings ohne direkte Parallele für die terminologische Antithese)[1109] als von Paulus her bestimmt ist. Paulinisch formuliert müßte der Satz heißen: Das Fleisch (bzw. die in meinem Fleisch wohnende Sünde) ist zu *stark*![1110] Doch ist Kuhns Entgegnung zu eng geführt, wenn er meint, man dürfe den Satz nur dann der Tradition absprechen, „wenn hier tatsächlich eine Abhängigkeit von paulinischer Terminologie vorläge".[1111] Die Gründe können, wie wir sahen, durchaus vielfältiger sein. Den Ausschlag in der Frage dürfte geben, daß innerhalb der Perikope der Satz Vers 38b sachlich auf die gleiche Reflexion zurückweist, die die Gedanken von Vers 33b.34a bestimmen. Wären diese Stücke restlos redaktionell, dann wäre auch Vers 38b so zu bestimmen. Da aber in Vers 33b der Grundansatz wiederum in der apokalyptisch bestimmten Traditionsschicht gegeben schien, so wird man auch Vers 38b mit Vers 38a zusammen dieser Überlieferung zuzusprechen haben.

Damit können wir uns dem Abschluß der Perikope zuwenden. Vers 41a ist schon als Bestand der Praes.-hist.-Schicht erkannt. Dabei ist *to triton* markinischer Zusatz, der nach dem doppelten *palin* (V. 39.40) einfach notwendig wurde. Er dürfte ein ursprüngliches *pros tous mathētas autou* verdrängt haben; doch auch ohne diese Annahme muß gesehen werden, daß der Satz in sachlicher Entsprechung zu Vers 32a steht. Während sich Vers 37 an den engeren, Vers 33 f. abgesonderten Kreis wandte, so Vers 41a an den Vers 32 zurückgelassenen Gesamtkreis der Jünger. Zu der hierauf ursprünglich folgenden direkten Rede gehört auf jeden Fall das schwerverständliche *apechei* (für Markus ohnehin untypisch: 2mal, vgl. 5/4): „Genug (des Schlafens!)",[1112] das jetzt den Zusammenhang sprengt[1113] und das man daher für unübersetzbar oder für eine Glosse hielt.[1114] Doch muß diese Aufforderung eine Fortsetzung gehabt haben. Sie liegt,

1108 E. Klostermann 149 nach anderen; dagegen schon J. Wellhausen 128; E. Lohmeyer 317.

1109 K. G. Kuhn 12, 279–282; sachlich gehört auch Joh 6,63 in diese Linie (ebd. A. 31); zustimmend auch E. Linnemann, Studien 31 A. 50.

1110 Ebd. 276 A. 30 im Anschluß an einen Hinweis von A. Fridrichsen.

1111 Ebd. 275.

1112 J. Finegan 70; E. Schweizer 181; Th. Leskow 145 A. 23.

1113 E. Haenchen 494.

1114 So E. Lohmeyer 318; K. G. Kuhn 267 A. 16; zum Übersetzungsproblem Bauer WB 168 und G. H. Boobyer, *Apechei in Marc 14,21*, NTS 2, 1955, 44–48; zu den Deutungsversuchen E. Haenchen 191 A. 9; die Deutung auf Judas „er hat (sein Lohngeld) empfangen" (de Zwaan, vgl. A. Deißmann 90) ist schon darum gar nicht möglich, weil Vers 11a als markinische Redaktion zu beurteilen ist.

wie schon Wellhausen[1115] richtig vermutet hat, in der nächsten Aufforderung des Textes, nämlich Vers 42, vor. Das hat man nur darum verkannt, weil man in Vers 42 eine redaktionelle historisierende Parallelbildung des Evangelisten nach dem Material von Vers 41 sah.[1116] Doch während das bei der Übereinstimmung des Semitismus *idou* zur Einleitung eines Begründungs- oder Erklärungssatzes noch angeht, bei der Sinnverschiedenheit von *paradidonai* schon schwerer wird, fällt bei *ēggiken* als angeblicher Nachbildung von *ēlthen* ins Gewicht, daß es sich um ein für Markus untypisches Wort (3mal, vgl. 7/18) handelt; bei *egeirein* schließlich ist die Herstellung einer Entsprechung zu Vers 41 geradezu gewaltsam, während umgekehrt gesehen werden muß, daß bei dem deutlichen Entsprechungsverhältnis, in dem die Vorlage aufgebaut war, hierin das genaue Pendant zum Imp. *kathisate* Vers 32b vorliegt. Der Grund für die Verkennung dieser Tatbestände liegt auch in der Prämisse, daß die Traditionen der Leidensgeschichte isoliert gewesen seien und der alte Leidensbericht erst mit Vers 43 eingesetzt habe.[1117] Hinderlich ist auch das Axiom, daß historisierende Tendenzen immer erst später und redaktionell seien. Einer Antithese von Kerygma und Geschichte widerspricht schon das historische Interesse der alten Praes.-hist.-Schicht, das bereits 15,21b sichtbar wurde. Da sich also die Einwände gegen den ursprünglichen Charakter von Vers 42 als unbegründet erweisen und die Gründe für eine Zugehörigkeit zur Praes.-hist.-Schicht sprechen, so dürfte hier der klare Abschluß dieser Schicht in unserer Perikope vorliegen.

Dagegen ist Vers 41c offenkundig das Ende der apokalyptischen Traditionsschicht in unserem Text: *paradidonai* meint hier nicht wie Vers 42 einfach den Verräter, sondern „das Dahingegebenwerden des Menschensohns in der Sünder Hände nach Gottes Ratschluß".[1118] Was *hōra* schließlich bedeutet, wird durch den explizierenden *idou*-Satz präzise bestimmt, der „so der Zielpunkt, auf den hin der ganze Bericht aufgebaut ist", ist.[1119] Auch das absolut gebrauchte *hamartoloi* meint nicht bloß die römischen Soldaten als Heiden, sondern ist grundsätzlicher und dualistischer gebraucht (vgl. 8,38); es sind die anderen schlechthin, „seine Widersacher, deren Tat eben durch diese Bezeichnung als Sünde erklärt wird."[1120] Die Parallele 8,38 deutet darauf hin, daß in dieser Traditionsschicht auch die Menschensohnbezeichnung als ursprünglich angesehen werden muß. Weil das apokalyptische Verständnis der Passion als Endgeschehen hier mit dem Menschensohntitel zusammen steht, so dürfte hierin die Wurzel für

1115 J. Wellhausen 128.

1116 K. G. Kuhn 262.

1117 R. Bultmann, Tradition 301 f.; K. G. Kuhn 261.

1118 K. G. Kuhn 262; J. Schmid 277.

1119 Ebd. 273.

1120 J. Schmid 277 gegen G. Baumbach, Das Böse 19, der es auf der Linie mit Mark 2,15–17 sehen wollte.

die Übertragung der Menschensohnbezeichnungen auf die Leidensaussagen liegen.

In der Redeneinleitung Vers 41b dürfte wie bisher, so auch hier, die Verwendung des Vorzugswortes *katheudein* redaktionell sein, zumal damit ein Doppelausdruck gebildet wird. Auch der adverbielle Zusatz *to loipon* (das Adj. 3mal, vgl. 4/6) erklärt sich am besten aus der markinischen Komposition. Ob der Satz als Frage, resignierte Aussage oder als ironischer Befehl gefaßt wird, kommt sachlich auf dasselbe für die markinische Endfassung hinaus.[1121] Falls *anapauein* (2mal, vgl. 2/1) schon Bestandteil der apokalyptischen Traditionsschicht war, so ist es gut als Frage von Vers 38 her denkbar.

Somit dürfen wir hier mit einer Komposition rechnen, die die beiden Traditionen eines Stoffes verarbeitete, und diese beiden Traditionen im Zusammenhang mit den auch sonst in der Passionsgeschichte des Markus erkennbaren Überlieferungsschichten sehen. Der Praes.-hist.-Schicht ist zuzusprechen: Vers 32.33a. 34a α.b.36.37a.40b.37b.40c.41a + *apechei*.42. Die apokalyptische Tradition zeichnet sich ab: Vers 26b(s.u.).33bβ.35bc.38.41bβ.c. Markinische Redaktion liegt vor in Vers 33b.34a.35a.b.36a.37a.b.38a (immer teilweise).39.40a (ganz).41a.b (teilweise).

### 3.5. Die Festnahme Jesu (Mark 14,43–52)

Die Literarkritik hat sich mit dieser spannungsvollen Perikope nicht gerade häufig beschäftigt. Außer den bekannten Analysen von Finegan und Hirsch hat sich inzwischen E. Linnemann der Frage zugewendet und sieht hier drei ursprünglich selbständige Traditionsstücke vorliegen (Vers 43.48.49b ein biographisches Apophthegma; Vers 44–46 eine Erzählung von der Verhaftung Jesu durch den Verrat des Judas; Vers 47.50–52 Fragment einer Verhaftungserzählung mit bewaffnetem Widerstand und Jüngerflucht).[1122] Da sie das ungenügende Beachten der Sprachgestalt der Perikope zwar an der bisherigen Analyseforschung kritisiert,[1123] selbst aber auch nur sehr unzureichend zur Geltung bringt, so hat sie mich nicht zur Abänderung meiner schon vorher erarbeiteten Überzeugung bewegen können.

Der Anfang von Vers 43 ist „schriftstellerische Überleitung" des Markus[1124]: *euthys* ist Vorzugswort (V. 45 wiederholt; s. o. zu 11,2 f.), und der Gen. abs. dient öfter der Erweiterung (s. o. zu 11,11 f.; 14,17 f.22); *eti* ist zwar untypisch (5mal, vgl. 8/16), doch liegt die ganze Wendung wörtlich gleich als Übergangsbildung auch 5,35 vor. Dagegen dürfte das Praes. hist. *paraginetai* die dadurch

1121 E. Lohmeyer 318; Bauer WB 949; K. G. Kuhn 267.
1122 E. Linnemann, Studien 41–69, vgl. die Texte 179–181.
1123 Ebd. 44 f.
1124 J. Finegan 71; E. Schweizer 182; E. Linnemann, Studien 46.

charakterisierte Quellenschicht fortsetzen. Die Apposition *heis tōn dōdeka* ist nicht eine Neuvorstellung des Judas und damit ein Beleg für den erst hier erfolgenden Einsatz eines alten Passionsberichtes,[1125] sondern wie 14,10.(17).20 typisch markinischer Zusatz[1126], was sich nicht nur aus dem absoluten Gebrauch von *hoi dōdeka*,[1127] sondern auch aus dem Gebrauch von *heis* (statt *tis*) mit Gen. ergibt (vgl. V. 47).[1128] Die Meinung, daß hier erst gesagt werde, wer der Auslieferer sei,[1129] kann für Markus nicht gelten, da sie Vers 10 f. übersieht. Sie gilt wohl aber für die Praes.-hist.-Schicht, die bisher nur die Ankündigung ohne Namensnennung Vers 17–21 enthielt. Die Erwähnung der Menge und ihrer notdürftigen Bewaffnung (*xylon* bei Markus nur hier und in der Wiederholung Vers 48)[1130] dürfte ursprünglich dazugehören, da sie notwendig ist und das doppelte *meta* einen Eindruck einfachen Stils macht. Ob dagegen die dreigeteilte Angabe der Sanhedristen vollständig ursprünglich ist, muß nicht nur in Frage gestellt werden, weil die Weitschweifigkeit dem kurzen Stil der Quellenschicht widerspricht, sondern auch, weil sie für markinische Passionsaussagen typisch ist (8,31; 11,27; 14,53; 15,1).[1131] Da sich 14,1 und 15,31 die Doppelung von „Oberpriestern und Schriftgelehrten" als redaktionell erwies, so dürfte diese typische Gegnerschaft[1132] auch hier zugesetzt sein (*archiereis* von V. 47 her), und wir hätten nur die „Ältesten" als die ursprüngliche Gegnerbezeichnung der Praes.-hist.-Schicht anzunehmen (vgl. 7,3.5). Die Mitgliedschaft beim Synhedrium als oberster jüdischer Rechtsbehörde in Jerusalem ist damit hinreichend gekennzeichnet.[1133] Eine Kürzung muß hier auf alle Fälle auch darum vorgenommen werden, da die Fortsetzung der Praes.-hist.-Tradition in Vers 45 mit *kai legei* vorliegt und dies nicht allzuweit von dessen Subjekt, Judas, entfernt gestanden haben wird.

In Vers 44 weist das einleitende *de* auf redaktionelle Verknüpfung oder redaktionelle Bildung hin (s. o. zu 15,23.36 f.39 f.). Meist nimmt man das letztere an: „Vers 44 ist eine schriftstellerische Erklärung, die selbstverständlich aus Vers 45 herauswächst",[1134] eine „verdeutlichende ... Erklärung ... nach

---

1125 So R. Bultmann, Tradition 300; W. Grundmann 295; E. Haenchen 498; E. Schweizer 182.

1126 So J. Finegan 71; E. Hirsch I 146; S. Schulz, Stunde 131.

1127 So zustimmend zu J. Jeremias jetzt auch E. Linnemann, Studien 48 A. 20.

1128 R. Pesch 84 f.

1129 W. Grundmann 295; E. Haenchen 498 A. 1.

1130 E. Klostermann 152.

1131 E. Hirsch I 160 hält die Schriftgelehrten für einen Zusatz.

1132 J. Schreiber 182.

1133 G. Bornkamm, ThW VI, 659 f.

1134 J. Finegan 71.

Art von 2,15".[1135] Hauptgrund dafür ist die Deutung des Kusses als Zeichen,[1136] die sekundär zu sein scheint, da der Kuß Vers 45 Bestandteil der üblichen Begrüßung ist. Doch wenn der Vers markinisch sein sollte, so würde man seine Nachordnung und die Einleitung mit *gar* erwarten; außerdem fallen als neutestamentliches Hapaxlegomenon *syssēmon* (= Signal)[1137] und als synoptisches Hapaxlegomenon *asfalōs* auf. Weiterhin steht die Aufforderung Vers 44c, ihn sicher abzuführen, in einer gewissen Spannung zur Erwähnung des Kusses hier Vers 44b; denn „*asfalōs* drückt... das natürliche Interesse eines Verräters, daß der Verratene nicht wieder loskommt", aus[1138] und ist sinnvoller aus der Distanz als im Hinblick auf das unmittelbare Beteiligtsein in Kußnähe ausgesprochen. Da die apokalyptische Quellenschicht nach 14,10f.41 nicht mit einer unmittelbaren Anwesenheit des Judas bei dem Überwältigungsakt rechnet, so wäre es möglich, daß Vers 44a.c dieser Tradition zuzurechnen ist. Danach hat Judas nur ein „Signal" gegeben.[1139] Er kommt nicht mit den Häschern wie in der Praes.-hist.-Tradition, sondern ist wohl ganz abwesend (falls er nicht in der bei Jesus anwesenden Jüngergruppe gedacht ist). Mit Sicherheit ist also nur Vers 44b als redaktionelle Verknüpfung und Deutung des *syssēmon* durch den Evangelisten anzusehen. Dafür gibt es auch stilistische Indizien, insofern die inversive Voranstellung eines Relativsatzes für den Markus-Stil kennzeichnend ist;[1140] wenngleich *filein* markinisches Hapaxlegomenon ist, so ist doch seine redaktionelle Verwendung aus dem Kontext von Vers 45 her zu erklären (auch V. 68.70 verwendet Markus redaktionell ein Simplex statt des Vers 30 vorgegebenen Kompositums).

Der Anfang von Vers 45 *elthōn euthys proselthōn autō* ist deutlich „ein geflickter Text, so wie er entsteht, wenn man von einer Einschaltung in einen vorliegenden Text zurück will", wie man richtig beobachtet und etwas drastisch ausgedrückt hat.[1141] Diese kompositionstechnische Beobachtung wird stilistisch als richtig erwiesen: neben markinischem *euthys* (s. o. V. 43) ist die Aufeinanderfolge von zwei Part. conj. und das gleichzeitige Nebeneinander von Sim-

---

1135 E. Hirsch I 146; vgl. zu 2,15 ebd. 11 f.

1136 E. Klostermann 151.

1137 Bauer WB 1573 sogar Fremdwort im Rabbinischen; K. H. Rengstorf, ThW VII, 268 – doch deuten beide von Markus und Matthäus her es als „genau verabredetes Zeichen" des Kusses.

1138 E. Klostermann 152.

1139 Die Ansicht von E. Lohmeyer 321, daß die Perikope vom Standpunkt der Häscher her erzählt sei (der W. Grundmann 295 ganz und E. Schweizer 183 teilweise folgt), unterstreicht dieses Moment, doch scheitert der Erklärungsversuch an dem *autous* von Vers 44a und wird von E. Linnemann, Studien 42 f. mit Recht zurückgewiesen.

1140 W. Larfeld 269, vgl. vor allem Mark 3,35.

1141 E. Hirsch I 146; ähnlich E. Schweizer 182.

plex und Kompositum für Markus kennzeichnend.[1142] Markus lenkt also deutlich zum Praes. hist. *legei* zurück. Da in dieser Einleitung aber auch *proserchesthai* für Markus nicht charakteristisch ist (5mal, vgl. 52/10), so dürfte der Partizipialsatz durch eine Umformung der Tradition entstanden sein, die hier gelautet haben wird: *kai proslerchetai) autō (kai) legei*. Ebenso ist für das *katefilēsen* im Zuge der Umgestaltung dieses Verses ein ursprüngliches Präs. vorauszusetzen. Das Wort ist bei Markus Hapaxlegomenon (vgl. 1/3). Die beiden Komposita des Verses geben eine Steigerung an.[1143] Daß das Kußmotiv insgesamt und damit die Verse 44 f. als Ganzes aus „Prov 27,6 (*filēmata echthrou)* vgl. 2 Sam 20,9 erfunden worden" seien,[1144] ist unwahrscheinlich,[1145] da die Praes.-hist.-Überlieferung vorzugsweise mit alttestamentlichen Anspielungen und Reminiszenzen schildert, wie am Kreuzigungsbericht deutlich wurde.

In Vers 46 weist wiederum das einleitende *de* darauf hin, daß hier eine redaktionelle Naht vorliegt. Darum ist dieser Vers der apokalyptischen Tradition zuzurechnen, mit der sie auch stichwortartig verbunden ist: *tas cheiras* weist auf Vers 41 zurück, und *kratein* schließt unmittelbar an Vers 44c an.[1146] Obgleich *kratein* Vorzugswort ist (s. o. V. 1), dürfte es Markus hier vorgegeben sein. Auch *epiballein* ist Häufigkeitswort (4mal, vgl. 2/5), doch hier steht es in einer bei Markus nur hier vorliegenden zusammengesetzten Wendung, die für die Septuaginta typisch ist.[1147]

Der Vers 47 gibt uns erhebliche Probleme auf. Wohin gehört er traditionsgeschichtlich? Ist er als eine novellistische Erweiterung[1148] oder „eingelegte Legende"[1149] anzusprechen? Die Urteile stehen sich hart entgegen, sogar bei gleichgelagerter Begründung. Während Hirsch sein Urteil so begründet: „Die innere Unwahrscheinlichkeit der Episode liegt darin, daß sie keinerlei Folgen hat",[1150] argumentiert Schweizer umgekehrt: „Wahrscheinlich ist dieser Zwischenfall historisch; jedenfalls wird er ohne jede theologische Abzweckung berichtet."[1151] Wir werden uns den Vers genauer ansehen müssen. Was Hirsch über die Folgenlosigkeit im jetzigen Zusammenhang sagt, stimmt für den markinischen Text

---

1142 W. Larfeld 264, 263.

1143 F. Hauck 175; E. Schweizer 183.

1144 So J. Finegan 71; vorsichtiger R. Bultmann, Tradition 289, 304, 306.

1145 Dagegen mit Recht F. Hauck 174; E. Klostermann 151 f. verweist weiter auf Gen 33,4.

1146 E. Linnemann, Studien 47–50 sieht den Zusammenhang von Vers 44 und 46 und auch die Verbindung, die zu Vers 1 f., 10 f. besteht, will dies jedoch recht gewaltsam direkt aneinander anschließen. Außerdem verkennt sie die Besonderheit von Vers 45.

1147 E. Klostermann 152; sie findet sich typischerweise mehrfach bei Lukas.

1148 J. Finegan 71.

1149 E. Hirsch I 159.

1150 Ebd.

1151 E. Schweizer 183.

natürlich. „Daß nun nicht ein Kampf entbrennt, sondern Jesus das Wort nimmt, und *danach* die Jünger fliehen, fällt auf."[1152] Auch wer der ungenannte Dreinschlagende ist, wissen wir nicht; immerhin fällt auf, daß auch Vers 51 ein *tis* eine Rolle spielt. Sollte beides nicht zusammenhängen?[1153] Zunächst einmal deutet das *de* auch hier wie in den Versen 44 und 46 auf redaktionellen Umschlag und Wechsel von der vorher verwendeten Tradition zu einer anderen. Die Näherbestimmung des Dreinschlagenden als *tōn parhestēkotōn* ist nachweislich markinisch, da dieses klare Vorzugswort (6mal, vgl. 1/3) auch 15,35.39 redaktionell war. Hier muß also vorher etwas anderes gestanden haben. Warum sollte das nicht das *kai neaniskos tis* von Vers 51 gewesen sein, zumal dort seine Ergreifung sehr künstlich mit dem Versuch der Begleitung Jesu motiviert wird, was sowohl dem Tempus nach (Impf.),[1154] das in Spannung zum Praes. hist. *kratousin* steht, als auch dem Vokabelgebrauch nach (das Kompositum noch 5,37, vgl. 0/1) als markinisch anzusprechen ist.

Die dort Vers 51 weiter folgende Beschreibung seiner Bekleidung kann, zumindest was die Tautologie *epi gymnou* anbetrifft, redaktionell aus Vers 52 erschlossen und vorweggenommen sein, so also eine redaktionelle Vorwegnahme vorliegen, wie sie bei Markus schon mehrfach (zuletzt V. 44b) sichtbar wurde. Dagegen finden sich *neaniskos* (der junge Mann im wehrfähigen Alter zwischen 24 und 40 Jahren)[1155] wie *periballein* bei Markus nur je zweimal, und zwar beide Male nicht nur zusammenhängend, was an sich schon auffallend ist, sondern auch in derselben Traditionsschicht (16,5)! Daß es sich um dieselbe Gestalt handeln sollte, ist zunächst schwer denkbar, da dort in der Grabesgeschichte ein zurückweisender bestimmter Artikel fehlt und die Attribute die Gestalt als Engel ausweisen. Daß er hier bei der Gefangennahme als Engel gedacht ist, ist völlig unwahrscheinlich. Doch wie steht es dort, wenn man die redaktionellen Züge genauer bestimmt? Wir werden die Frage hier vorerst noch offenhalten müssen.

Der nackt oder leicht bekleidet fliehende junge Mann ist durch das Praes. hist. in Vers 51 deutlich der so bestimmten Traditionsschicht zuzurechnen und kann nicht einfach als novellistische Erfindung angesprochen werden.[1156] Hier

---

1152 E. Klostermann 153.

1153 Vgl. H. Lietzmann II 267; J. Finegan 71; der Zusammenhang ist ebenfalls M. Goguel, Leben Jesu 339 f. aufgefallen, der daraus als erster die Folgerung einer Identität gezogen hat. Ihm folgt mit Recht E. Linnemann, Studien 45.

1154 E. Klostermann 153.

1155 Bauer WB 1057; E. Linnemann, Studien 51 A. 31 mit Verweis auf Jes 40,30.

1156 So G. Bertram 91 A. 4; J. Finegan 71; dagegen mit Recht R. Bultmann, Tradition 290; M. Dibelius, Formgeschichte 183; E. Schweizer 182 f.; E. Klostermann 153; H. Lietzmann II 267. Daß der junge Mann mit dem Verfasser des Evangeliums identifiziert werden kann (so zuletzt Th. Zahn, Einleitung II 216 A. 2; G. Wohlenberg 360; W. Grundmann 297), scheitert schon daran, daß hier nicht der Evangelist, sondern einer seiner

ist das Augenzeugenmotiv wichtig, das in derselben Schicht auch 15,21 die Söhne des Simon von Kyrene nannte. Auf alle Fälle ist Vers 51 f. in seinem Grundbestand derselben Schicht zuzurechnen wie Vers 47. Nun ist in Vers 47 das Praes. hist. nicht belegt; es kann aber mit Gewißheit vermutet werden, da *de* ja anzeigte, daß Markus beim Übergang von Vers 46 zu Vers 47 wieder die Traditionsschicht wechselt. Auch ist die jetzt Vers 47 vorliegende Partizipium-conjunctum-Folge wiederum ein Zeichen markinischer Überarbeitung, das öfter begegnete (s. o. zu 11,3) und mit dem Markus schließlich auch in Vers 52 eingegriffen hat. Darauf deuten auch das einleitende *de,* das Häufigkeitswort *kataleipein* (4mal, vgl. 4/4) und die dadurch entstehende Doppelung des Ausdrucks. Doch während hier eine Erweiterung zu sehen ist, liegt Vers 47 nur eine Umstilisierung vor. Eine zusätzliche Verbindung innerhalb der Praes.-hist.-Schicht kann man noch in dem Stichwort *machaira* sehen, das Markus nur in dieser Perikope verwendet und das Vers 47 mit Vers 43b verbindet. Auch wenn es erst von unserem Verse her dort eingedrungen sei, um einen markinischen Doppelausdruck zu bilden, der dann Vers 48 wiederholt wird, so wäre der Zusammenhang doch trotzdem deutlich.

Somit können wir in dieser Perikope die Praes.-hist.-Schicht weiter verfolgen. Sie liegt überarbeitet in den Versen 43.45.51a.b.47.51c.52 vor. Sie arbeitet mit dem Zeugenmotiv und stellt antithetisch in paränetischem Interesse den ausliefernden Judas und den treu zu Jesus stehenden jungen Mann einander gegenüber. Außerdem arbeitet sie wieder mit der Schriftanspielung: Die Anspielung von Vers 52 auf Amos 2,16 („Auch wer unter den Helden ein starkes Herz hat, flieht nackt an jenem Tage")[1157] sollte man nicht bestreiten, da so weitläufige Anspielungen für diese Quellenschicht charakteristisch sind. Durch die gleichzeitige Verbindung mit dem Zeugenmotiv ist die Annahme einer Entstehung der Szene aus dem Alten Testament heraus ausgeschlossen. Vielmehr ist auch hier wie sonst die alttestamentliche Reminiszenz als Selektionsprinzip bestimmend. Für den historischen Ort dieses Traditionsstranges wäre es natürlich von größter Wichtigkeit, zu wissen, wer hier gemeint ist. Doch scheint alles Rätselraten vergeblich zu sein.[1158] Wenn man nach Indizien fragt, weist der Stichwortzusammenhang von „Nachfolgen" in Vers 52.54, die in der Quelle direkt zusammengestanden zu haben scheinen und die markinische Einfügung des Kompositums in Vers 52 veranlaßt haben (markinische Zusammenstellung von

---

Tradenten spricht, wie schon E. Meyer, Ursprung I 151 A. 2 richtig bemerkt hat (vgl. auch E. Linnemann, Studien 52 A. 35).

1157 E. Klostermann 152 f.; E. Lohmeyer 323 + Ergänzungsheft; E. Haenchen 502 f. A. 12; E. Linnemann, Studien 52; dagegen R. Bultmann, Tradition 290; M. Dibelius, Formgeschichte 183 A. 1; H. Lietzmann II 267; gegen R. Bultmanns Argument wendet E. Linnemann mit Recht ein, daß man auch Matthäus ein Übersehen von alttestamentlichen Anspielungen zutrauen kann.

1158 E. Lohmeyer 323 f.

Simplex und Kompositum!), am ehesten auf Petrus. Die Frage ist, ob sich dies durch die verwandte *neaniskos*-Perikope 16,1–8 erklären ließe.

Selbst dann aber, wenn man der hier vorgeschlagenen Verschränkung von Vers 47 und 51 f. nicht zustimmen möchte, muß man ihre Zusammengehörigkeit in der Aufeinanderfolge sehen. Daß zwischen Vers 50 und 51 f. eine gewisse Dublettenspannung besteht, hat Bultmann erkannt. Wenn er formuliert: „Wie Vers 50 scheint Vers 51 f. das Rudiment alter Tradition zu sein",[1159] so ist hier richtig empfunden, daß zwar beide Stücke vorgegeben sind, ohne zusammenzugehören. Vers 50 ist dann Bestandteil der anderen Tradition, die allerdings hier wieder von Markus in den Partizipialstil gebracht und tautologisch gedoppelt sein dürfte; auch daß *afienai* Vorzugswort ist (s. o. zu 15,36), weist auf markinische Erweiterung. Somit ist Vers 50b als unmittelbare Fortsetzung von Vers 46 anzusprechen. Von daher dürfte sich auch die öfter schwierig empfundene unkonkrete Fassung der *pantes* am ehesten erklären lassen; denn eine präzise Jüngerbezeichnung lag in der apokalyptischen Passionsschicht bisher noch nirgendwo vor. Das dürfte für das Selbstverständnis dieser Tradenten bezeichnend sein. Weiter ist ja in der Tat die jetzige Stellung von Vers 50 im Text beinahe grotesk, jedenfalls unwahrscheinlich: Jesus wird festgenommen; einer schlägt dann zu, ohne daß dies Folgen hat. Außerdem redet Jesus nicht daraufhin zu ihm, sondern zu seinen Verhaftern, was zudem auch erst aus dem Redeinhalt erschlossen werden kann, und erst dann fliehen die Jünger. Darum: „Vers 50 gehört besser vor Vers 48 f., da die Jünger kaum noch so lange warten."[1160] Nach unserer Analyse läßt sich das noch präzisieren: Der Vers gehört ursprünglich auch noch vor Vers 47.

Die Verse 48–49 erweisen sich aber nicht nur in der Abfolge der Perikope als störend, sondern auch in ihrer Adressierung als unpräzise: „Der Vorwurf Vers 47 f. paßt schlecht gegenüber den Häschern",[1161] wie schon Lukas gemerkt hat, der ihm deshalb 22,52 „ein anderes Auditorium" gibt[1162] und die Auftraggeber der Aktion selbst angeredet sein läßt. Er glättet das Ganze so stark, daß er den Akt der Gefangennahme wirklich erst Vers 54 zum Abschluß erfolgen läßt. Drittens erheben sich auch inhaltliche Bedenken: „Der Vorwurf . . . macht mehr den Eindruck nachträglicher theologischer Reflexion."[1163] Er klingt „nach

1159 R. Bultmann, Tradition 290; E. Haenchen 502; die notdürftige Verbindung bei E. Linnemann, Studien 51 im Anschluß an K. G. Eckart, daß wie in rabbinischen Texten „an die allgemeine Aussage V. 50 ein spezielles Exempel angehängt worden" sei, kann nur die Arbeitsweise des Evangelisten erklären.

1160 E. Schweizer 182.

1161 E. Klostermann 152; E. Schweizer 183; E. Linnemann, Studien 41 f.; das bestreitet E. Lohmeyer 323 A. 1 zu Unrecht.

1162 R. Bultmann, Tradition 289.

1163 E. Klostermann 152; vgl. J. Finegan 71; E. Haenchen 502.

Gemeindeapologetik und -dogmatik"[1164]: Jesus ist unschuldig. „Er ist doch kein Räuber, sondern hat sich täglich in der Öffentlichkeit den Gegnern gestellt."[1165] Die sprachlichen Beobachtungen an diesen beiden Versen deuten darauf hin, daß man hier nicht allgemein mit anonymer „Gemeindeapologetik" zu rechnen braucht, sondern daß Markus selbst die beiden Verse gebildet und zugesetzt hat. Die Redeeinleitung Vers 48a mit dem Part. conj. *apokritheis* ohne voranstehende Frage (= er nahm das Wort) ist als markinisch anzusprechen (s. o. zu 11,14).[1166] Der erste Satz der Rede Vers 48b ist mit dem Material von Vers 43b gebildet[1167] unter Aufnahme des Vorzugswortes *exerchesthai*, das Markus schon wiederholt redaktionell gebrauchte (s. o. zu 11,11 f.; vgl. 14,16.26); *lēstēs* ist aus den folgenden Ereignissen (15,27) vorgezogen: „Jesus wird hernach als *lēstēs* gekreuzigt. So legt Er die Anklage gegen Ihn Seinen Feinden in den Mund."[1168] Auch die Konstruktion des Nebensatzes mit dem finalen Inf. ist literarisch besser als das sonst in den Markusquellen begegnende finale *hina* (s. o. zu 14,10 f.; 15,20 f.) und somit als markinische Formulierung anzusprechen. Daß dagegen hier mit *syllambanein* auch ein markinisches Hapaxlegomenon vorliegt (auch Matthäus hat es nur hier im Anschluß an Markus; dagegen wird es von Lukas 7 + 4 bevorzugt gebraucht), ist kein Gegenbeweis. Es verdankt seine Verwendung hier entweder dem Bedürfnis literarischer Abwechslung, da Vers 49a *kratein* folgt, oder aber darüber hinaus der Absicht einer gehobeneren Sprache (vgl. den lukanischen Gebrauch), wobei außerdem die in den Traditionen nur als „Ergreifung" bzw. „Bemächtigung" bezeichnete Handlung stärker den Charakter einer offiziellen „Gefangennahme" bekommt.[1169] Diese Tendenz in der Betonung des offiziellen Charakters, den Lukas dann durch die Anwesenheit der jüdischen Autoritäten selbst auf den Höhepunkt führt, dürfte also in der markinischen Redaktion ansetzen und auch für die einleitende Erweiterung der Auftraggeber auf drei Gruppen verantwortlich zu machen sein.

Vers 49a ist sicher markinische Bildung, da dieser Satz die Einschaltung von 11,20–13,37 in den Passionszusammenhang durch den Evangelisten voraussetzt und darauf zurückblickt.[1170] Auch sprachlich läßt sich das zeigen: *didaskein* ist nicht nur markinisches Vorzugswort (s. o. zu 11,17), sondern die Wendung

---

1164 R. Bultmann, Tradition 289.

1165 E. Klostermann 153; F. Hauck 175.

1166 W. Larfeld 228.

1167 Dieser Zusammenhang ist von E. Linnemann, Studien 45–47 gesehen; doch ist die Postulierung eines biographischen Apophthegmas aus Vers 43.48.49b eine reine Konstruktion. Typischerweise fließt ihr unwillkürlich zu Vers 48a das Praes. hist. in den deutschen Ausdruck (doch ohne Begründung!); und der Schriftverweis wird dann nur im Sinne eines allgemeinen *dei* erklärt.

1168 E. Lohmeyer 323 A. 2.

1169 Vgl. Bauer WB 1538.

1170 J. Finegan 71; E. Linnemann, Studien 46 f.

*didaskein en tō hierō* spielt wörtlich auf 12,35 an,[1171] wo sie ebenfalls redaktionell steht, desgleichen *kratein* auf den redaktionellen Schlußsatz 12,12 (vgl. 14,1 zur Bedeutung dieses ebenfalls markinischen Vorzugswortes); schließlich liegt mit *ēmēn didaskōn* wiederum eine markinische Conjugatio periphrastica (s. o. zu 15,40; vgl. 14,40) vor.

Vers 49b setzt nicht nur mit dem Vorzugswort *alla* (43mal, vgl. 37/35) ein, sondern ist auch eine der für Markus charakteristischen Ellipsen (*all' hina*),[1172] die von Matth 26,56 typischerweise zu einem vollen Satz ergänzt wird. Was soll diese allgemeine Behauptung der Schriftgemäßheit an dieser Stelle? Nach einigen Exegeten soll hier an eine bestimmte Schriftstelle gedacht sein, wofür die einen Jes 53,7[1173] vorschlagen, andere Jes 53,12.[1174] Doch abgesehen davon, daß noch andere Konkretisierungsvorschläge gemacht werden, ist damit noch nicht „der eigenartige Plural" *grafai* erklärt.[1175] M. Dibelius versucht darum eine andere Erklärung, die viel Zustimmung gefunden hat. Er meint, hier lebe „eine alte Übung fort. Es ist wahrscheinlich, daß der Schriftbeweis zunächst nur Postulat war, ein im Osterglauben wurzelndes Postulat."[1176] Aber auch das scheint unwahrscheinlich, da sich in der Praes.-hist.-Schicht ein solches Postulat nicht fand, sondern vielmehr die Schilderung in alttestamentlichen Farben charakteristischer war. Nun aber begegnete ein solcher allgemeiner Verweis schon Vers 21. Dort war er ebenfalls Aussageform des Evangelisten und bezog sich auf die von ihm selbst eingebrachte alttestamentliche Anspielung Vers 18c zurück. Darum liegt es auch hier nahe, einen erinnernden Rückverweis anzunehmen. Dafür ist in der Tat auch der Anhaltspunkt gegeben: Markus selbst hat in Vers 27 die Voraussage des Verrats durch das einzige direkte Schriftzitat seiner Leidensgeschichte bereichert.[1177] Dieses Zitat sprach sowohl von dem Schicksal des Hirten als auch dem der Schafe. Durch den allgemeinen Schriftverweis wird also der Leser hier sehr konkret an die Stelle Vers 27 erinnert, und der Exeget sollte sich daran erinnern lassen, daß die Evangelisten nicht Perikopen, sondern ganze Bücher zum Vorlesen geschrieben haben. Der Plural *grafai* dürfte wohl geprägte Formulierung aus der Gemeindepraxis sein (1 Kor 15,3 f.), hier sich aber darüber hinaus aus der doppelten Aussage der gemeinten

---

1171 E. Schweizer 182.

1172 W. Larfeld 269 (vgl. Mark 3,30; 9,11.23.28).

1173 E. Klostermann 153.

1174 J. Finegan 71; E. Lohmeyer 323 erwogen; E. Hirsch I 159; Chr. Maurer 8; W. Grundmann 297.

1175 A. Suhl 43.

1176 M. Dibelius, Formgeschichte 185; vgl. H. W. Bartsch, ThZ 20, 100: „Wo sich kein Zitat finden läßt, wie für die Gefangennahme, wird nur festgestellt, daß dies geschah, damit die Schriften erfüllt würden." Ähnlich E. Lohmeyer 323; E. Linnemann, Studien 47; doch ist dies zu denken nicht nur eine Verlegenheitsauskunft, sondern eine Zumutung.

1177 A. Suhl 62 f.

Schriftstelle erklären, die sowohl Jesus einerseits als auch die Jünger andererseits betrifft. Mit dieser Deutung erklärt sich sowohl die markinische Bildung von Vers 48 f. wie der im Ablauf der Ereignisse hier ungereimte Platz von Vers 50: Wegen der Erfüllung von Vers 27 wird die Fluchtnotiz Vers 50 hierher gesetzt[1178] und die Gefangennahme Vers 48.49a nochmals ausdrücklich gedoppelt genannt. Beides umrahmt in voller Absicht den zwar allgemein formulierten, aber dennoch so konkret bezogenen Schriftverweis Vers 49b: Was die Schrift und Jesus vorhersagten, hat sich erfüllt. Jesu Vorhersagen werden auch hier als schriftbestimmt gekennzeichnet. Inhaltlich bedeutet es hier: Nicht Judas oder seine Drahtzieher sind die eigentlich Handelnden, sondern Gott und Jesus handeln in alledem in Erfüllung des klaren Gotteswillens. Als markinische Redaktion anzusehen sind demnach Teile von Vers 43.44b.45a.47a.50a.51.52 sowie Vers 48–49 insgesamt, während die Verse 44a.c.46.50 der apokalyptisch gefärbten Quellenschicht entstammen dürften.

### 3.6. Die Verleugnung des Petrus (Mark 14,54.66–72)

Daß die jetzige Zerreißung der Petrusperikope durch die markinische Verklammerung mit der Synhedriumsperikope entstanden ist, ist unbestreitbar.[1179] Markus hat beide Ereignisse synchronisiert, um das Bekenntnis Jesu mit dem Versagen des Petrus zu kontrastieren. Wenn man aber daraus sofort die ursprüngliche Selbständigkeit der Petrusperikope gegenüber der Passionstradition folgert,[1180] so wird der zweite Schritt vor dem ersten getan. Wenn schließlich gar die so hypothetisch vereinzelte Verleugnungsgeschichte in einem „kirchengeschichtlichen Ableitungsversuch" als legendärer literarischer Niederschlag eines dreimaligen Positionswechsels im späteren Leben des Petrus (Zwölferkreis, Apostelgruppe, Säulenkollegium, Einzelgänger) angesehen werden kann,[1181] so ist eine erneute Analyse des markinischen Textes im höchsten Grade gefordert.[1182] Ehe man den zweiten Schritt mit der Frage nach der vorliterarischen

1178 So mit Recht von E. Schweizer 182 vermutet.
1179 H. Lietzmann II 254; R. Bultmann, Tradition 301; M. Dibelius, Formgeschichte 215 f.; E. Klostermann 153, 157; E. Lohmeyer 324; E. Lohse, Leiden 72; E. Schweizer 185.
1180 M. Dibelius, Formgeschichte 217.
1181 So die These von G. Klein, Die Verleugnung des Petrus, ZThK 58, 1961, 258–328; jetzt mit Nachtrag in: Aufsätze 49–98, vgl. vor allem 86, 88 f. zur Hauptthese.
1182 Vgl. den Widerspruch gegen G. Klein – allerdings bei gleicher Position im Grundansatz – von E. Linnemann, Die Verleugnung des Petrus, ZThK 63, 1966, 1–32; jetzt mit Nachtrag in: Studien zur Passionsgeschichte 70–108; hier wird gegen Kleins kirchengeschichtliche Deutung die These gesetzt, daß die Petrusverleugnung „die literarische Konkretisierung des allgemeinen Jüngerversagens sei" (106). Diese These zwängt der Traditionsgeschichte dasselbe Denkschema auf (vom Allgemeinen zum Konkreten), wie sie es schon der Textfolge von Vers 50–52 zu Unrecht aufprägte.

Entstehung und Überlieferung der Perikope tut, hat man den ersten Schritt erst einmal zu versuchen und so deutlich wie möglich bei Markus Tradition und Redaktion zu scheiden. Erst dann, wenn die Literarkritik hier zu annehmbaren redaktionsgeschichtlichen Resultaten gelangt ist, kann literarkritisch und formgeschichtlich sinnvoll weitergefragt werden. Diese Prioritäten werden aber leider gegenwärtig in der Endphase der Formgeschichte alten Stils vor allem markinischen Texten gegenüber nicht beachtet, wie die Arbeiten von Klein und Linnemann zu unserer Perikope wiederum gezeigt haben. Stilkritische Argumente, wie sie bei der Erfassung der matthäischen wie lukanischen Redaktion selbstverständlich herangezogen werden, kommen bei markinischen Texten in der Regel zu kurz.

Nach dem markinischen Text ist Vers 54.66–72 als „Erfüllung des zweiten Teils der Weissagung Vers 27–21" zu erkennen. Darum wird der Text auch im vormarkinischen „Stadium der Überlieferung unmittelbar auf Vers 43–52", den ersten Teil der Erfüllung, „gefolgt sein".[1183] Weiter aber ist die Vermutung nicht von der Hand zu weisen, daß in einer alten Leidensgeschichte „schwerlich ... die Petrusepisode einen so breiten Raum eingenommen" haben sollte.[1184] Diese Breite entsteht durch die dreifache Verleugnung, die zweifellos „ein literarisches Kunstprodukt" ist.[1185] Die erste Erkundigung der Magd im Hof unter vier Augen Vers 66, dann der Hinweis der Magd an die Umstehenden im Vorhof Vers 69 und schließlich die direkte Anfrage der Umstehenden an Petrus selbst Vers 70 läßt an der kunstvollen literarischen Gestaltung nicht zweifeln. Da wir aber Markus selbst für die Dreigliederung der Verspottung des Gekreuzigten wie für die Dreigliederung der Gethsemaneperikope verantwortlich machen mußten, so kann der Verdacht nicht ausgeschlossen werden, daß nicht irgendwer, sondern konkret Markus selbst für den Dreitakt auch hier am ehesten in Frage kommt. Daß der Grundstock nur von einem Akt des Petrus erzählte, ist schon wiederholt vermutet worden,[1186] doch ist eine Analyse dazu

---

Die wissenschaftstheoretische Diskussion der Exegese sollte die wissenschaftgeschichtlichen Tatbestände aufarbeiten, die vor allem R. Slenczka 62 ff. dargetan hat. Nach dem Empirismus der vor-formgeschichtlichen Epoche und dem Apriorismus der Formgeschichte ist heutige Aufgabe der exegetischen Methodendiskussion, die strenge Wechselbeziehung von Dedukion und Induktion zur Geltung zu bringen, um aus den vorliegenden Stagnationen herauszufinden. Dabei dürfte z. B. zu lernen sein von N. Hartmann, Einführung in die Philosophie, 1960[5], 99–107.

1183 R. Bultmann, Tradition 290, 301.

1184 Ebd. 301.

1185 G. Klein 70 nach J. Finegan 69 f., 73.

1186 So E. Klostermann 157; M. Dibelius, Formgeschichte 218; M. Goguel, Leben Jesu 332 f.; G. Schille, ZThK 52, 194; vgl. dazu den kritischen Überblick bei G. Klein 70–74.

kaum versucht, geschweige denn überzeugend geführt worden.[1187] Immerhin hat
Ch. Masson wenigstens versucht, hier die Quellenfrage zu klären[1188] und in
Vers 66–68 (allerdings mit fragwürdiger Verwendung des dem Urtext abzu-
sprechenden ersten Hahnenschreis Vers 68)[1189] einen einfachen Urbericht und
in Vers 69–72 eine zwar überarbeitete, weiter entwickelte zweigliedrige Fassung
vermutet. Die berechtigte Kritik, die seine Arbeitsweise wie sein Ergebnis gefunden haben,[1190] kann uns nicht von einem neuen Versuch der Analyse ab-
halten, da wir uns nicht das Urteil zu eigen machen können, daß diese Verse
„zu literarkritischen Untersuchungen .. keinen Anlaß" geben.[1191] Den Makel
der Aussichtslosigkeit, mit dem sowohl G. Klein wie E. Linnemann eine solche
Untersuchung jüngst belegt haben,[1192] macht allerdings die Schwierigkeit deutlich, mit der wir hier zu kämpfen haben, wenn wir uns darauf einlassen. Andererseits zwingt uns der bisherige Gang der Arbeit doch zu einer solchen Analyse, wobei alle Möglichkeiten des Ergebnisses offen sind. Bei diesen Unternehmen kommt es sehr stark auf die sprachliche und stilistische Analyse an.
Mußte G. Klein wirklich bezüglich unserer Perikope feststellen: „Die spärlichen
philologischen Argumente, die . . . zugunsten einfacherer Verleugnungstradition
geltend gemacht werden, tragen die Beweislast nicht"?[1193]

Bietet der Text wirklich nur spärliche Gründe für philologische Argumente,
oder ist es die Exegese, die zu wenig mit den aus dem Text erhobenen Kriterien
arbeitet? In unserem Text fällt eine Mehrzahl von markinischen Stilmerkmalen

---

1187 W. L. Knox, Sources I, 131 ff., sieht in V. 66–68 seine Jüngerquelle und V. 54.
70b–72 seine Zwölferquelle vorliegen – ohne überzeugende Begründung.

1188 Ch. Masson, Le reniement de Pierre, RHPhR 37, 1957, 24–35.

1189 Ebd. 26; dagegen mit Recht G. Klein 73 A. 160; ausführlich auch E. Hirsch I
161 f.; E. Klostermann 157; E. Schweizer 189 f.; E. Lohmeyer 331 A. 1.

1190 G. Klein 72 f.

1191 So E. Hirsch I 161.

1192 G. Klein 71–74; E. Linnemann, Studien 77 f.

1193 G. Klein 72; doch damit ist der Finger auf einen wunden Punkt gegenwärtiger
Synoptikerexegese überhaupt gelegt. Nachdem bereits der Markuskommentar von F. Hauck
1931 darin einen verheißungsvollen Anfang gemacht hatte, den griechischen Text mit
Kennzeichnungen der markinischen Stileigentümlichkeiten zu versehen, haben wir bis heute
leider keine Synopse im deutschen Sprachbereich, die diese Arbeit in vergleichbarer Weise
fortgeführt hat, wiewohl dies unumgänglich und auch – wie Haucks Verfahrensweise zeigt –
durchaus ohne allzugroße Überladung des Textbildes möglich wäre. Als System würde
sich eine polychrome Textwiedergabe und eine Signierung empfehlen, die ähnlich wie der
textkritische Apparat durch einen Anhang praktikabel gemacht werden könnte. Auch hier
verlangt man für den Normalfall heute nicht die Nachprüfung in allen Handschriften.
Darum kann man nicht prinzipiell dagegen einwenden, daß damit Vorentscheidungen getroffen würden, die nicht zu verantworten sind. Ohne eine solche Arbeitshilfe behindert
sich die exegetische Arbeit an den Evangelien unnötigerweise und trägt zu ihrer eigenen
Unterbewertung bei.

ins Auge. Gleichzeitig aber entdeckt man auch in den Versen 66 f. zwei Verben im Praes. hist., die Bestandteil einer vormarkinischen Tradition sein müssen. Hier also ist einzusetzen. Beide Verse beginnen außerdem mit parataktischem *kai*. „Die Wiederholung Vers 66 *ontos tou Petrou katō en tē aulē* wurde nötig durch die Einschiebung von Vers 55–65."[1194] Der Gen. abs. ist Zeichen markinischer Verknüpfung (s. o. zu 11,11 f.); *katō* ist durch das Voranstehende bedingt (bei Markus nur noch 15,38 eventuell ebenfalls als tautologischer Zusatz redaktionell; bei Matth 27,51 von Markus übernommen und nur noch 4,6 von Q; vgl. Luk 4,9 als einzige Lukasstelle) und *aulē* durch Vers 54 (bei Mark 15,16 ein drittes Mal; bei Matthäus außer den beiden Parallelen hier nur noch redaktionell von unserer Stelle her in 26,3; bei Lukas außer hier in Parallele 22,55 nur noch 11,21). Weiter ist auch *mia* + Gen. redaktionelle Erweiterung (s. o. zu V. 20.43.47). Als Quellenbestandteil bleibt in Vers 66: *kai erchetai paidiskē tou archiereōs.*

Ähnlich liegen die Dinge in Vers 67. Zwischen dem parataktischen *kai* und dem Praes. hist. stehen zwei Part. conj., wobei noch das Obj. des Sehens durch ein 3. Part. ausgedrückt wird. Eine solche Partizipienhäufung ist klar markinisch (s. o. zu 15,34b–36). Darüber hinaus ist zu den Vokabeln zu sagen: *idein* erwies sich auch 15,32.36.39 als redaktionell, *emblebein* ist Vorzugswort (4mal, vgl. 2/2), *thermainesthai* steht hier im Gefolge von Vers 54 und findet sich bei den Synoptikern überhaupt nur an diesen beiden Stellen. Also ist auch hier der erste Versteil redaktionell erweitert. In der wörtlichen Rede könnte der Beiname *Nazarēnos* markinischer Zusatz sein (s. u. zu 16,6).

Von hier aus ist der Blick zurück auf Vers 54 zu lenken, da Vers 66b nicht die Einleitung der Perikope gewesen sein kann! Doch kann sie hier nur überarbeitet vorliegen, da Vers 54 wohl mit einem parataktischen *kai* einsetzt, aber kein Praes. hist. vorkommt. Immerhin hat Vers 54b.c zwei präsentische Partizipien. Da diese Verse 54b mit der Conjugatio periphrastica eingeführt werden, dürfte der erste Satz markinisch sein (s. o. zu 15,40; 14,40.49); denn dadurch entsteht ein Doppelsatz. Der erste Vers 54b fällt auch unter den Verdacht, die Erweiterung des Personenkreises über die Magd hinaus möglicherweise vorzubereiten. Der zweite Satz Vers 54c dürfte mit präsentischem Verbum finitum ursprünglicher Quellenbestandteil sein.[1195] Auch die Bezeichnung *fōs* für Feuer (vgl. 1 Makk 12,29; Xen. Hell. VI 2,29; Cyroup. VII 5,27)[1196] ist singulär und in diesem Satze vom Bildgehalt her im Hinblick auf die ausgesagte Wärm-Funktion ungewöhnlich, während das Vers 67.69 davon abgeleitete „Sehen" sich

1194 J. Finegan 73; E. Schweizer 185.

1195 Gegen J. Finegan 73, der nicht nur in der Wiederholung Vers 67, sondern auch hier eine novellistische Erweiterung sieht. Dann aber ist unerklärlich, woher Markus diesen Zug haben sollte.

1196 Bauer WB 1724; E. Lohmeyer 325 A. 4.

leichter als nachträgliche Ableitung erklären läßt. Ist somit Vers 54c als ursprünglich anzusehen, so läßt sich der redaktionelle Charakter von Vers 54b auch noch von daher erklären, daß das Wort *hypēretēs* bei Markus nur noch an der korrespondierenden Nahtstelle Vers 65 vorkommt und gut von daher übernommen sein kann. Das Kompos. *synkathēsthai* findet sich in den Evangelien nur hier und im Neuen Testament sonst nur noch Apg 26,30, doch kann gerade die gebildetere Verwendung des Kompos. auf literarische Gestaltung des Evangelisten weisen. Auch sachlich kann das Sitzen bei den Dienern, wobei Markus vermutlich die Leute von Vers 43 im Auge hat,[1197] gut ein Zusatz sein, der den anfänglichen Mut des Petrus im Hinblick auf sein nachfolgendes Versagen besonders kontrastreich gestaltet. Weil dies der klare markinische Sinn dieses Satzes ist, darum kann auch die unverkennbar markinische Zusatzwendung *apo makrothen* (s. o. zu 11,13; 15,40) hier nicht abwertend gemeint sein, wie schon 15,40 deutlich wurde.[1198] Ist so die überlieferte Form bestimmt, dann dürfte auch das erste Verb *akoluthein* ursprünglich im Praes. angenommen werden, und die Transponierung in den Aor. ist eine klare Folge der Erweiterung durch Vers 54b. Daß ein *akoluthei autō* als traditionell anzusehen ist, legte auch schon die vorwegnehmende Erweiterung in Vers 51a nahe. Vom markinischen Text her stellt sich ebenso die Frage, wem Petrus eigentlich nachfolgt. Das Bezugswort steht im heutigen Text in Vers 53a recht weit entfernt. Schon alte Handschriften haben das Problem empfunden und für *autō* teilweise den Plur. überliefert, ohne daß er ursprünglich sein kann.[1199] Im markinischen Sinne ist natürlich infolge des geprägten Sinnes von „Nachfolge" Jesus damit gemeint (ausdrücklich erst Joh 18,15). Doch auch im ursprünglichen Text dürfte nicht die Meinung gewesen sein, daß Petrus „dem Zuge, der Jesus zu Kaiphas führt",[1200] oder gar dem ungenannten jungen Mann (Joh 18,15 ist er mitfolgend als anderer Jünger) folgt, sondern die markinische Vorwegnahme der Wendung nach Vers 51a deutet schon für den ältesten Text auf Jesusnachfolge. Zu fragen wäre schließlich noch, ob in diesem Vers nicht die Doppelung *heōs esō eis tēn aulēn* eine markinische verstärkende Tautologie sein kann, zumal die Alliteration auch auf schriftstellerische Gestaltung weist und eine verstärkende Wendung die Zufügung von Versteil b vorbereiten könnte: *esō* hat Markus nur noch 15,16, wo es ebenfalls markinisch sein kann (Matth 26,58 nur hier aus Markus übernommen, Lukas nie); man könnte auch bedenken, daß das Vers 68 sachlich korrespondierende *exō* Vorzugswort ist. Da *heōs* und *eis* nicht unmittelbar aufeinander gefolgt sein

---

1197 F. Hauck 177; E. Klostermann 154.
1198 Gegen E. Schweizer 185, der meint, daß das Nachfolgen damit als ungenügend gekennzeichnet würde.
1199 E. Klostermann 153.
1200 J. Schmid 280.

können (mindestens wäre wie Apg 26,11 ein *kai* dazwischen zu erwarten)[1201] und *eis* durchschnittlich gebraucht wird (167mal, vgl. 216/223), aber *heōs* seltener (15mal, vgl. 48/28), so könnte ein *heōs* mit Gen. vielleicht ursprünglich sein, doch läßt sich darin keine Sicherheit gewinnen.

Welche Antwort hat Petrus nun der Vers 67 fragenden Frau erteilt? Die Redeeinführung in Vers 68 beginnt mit *de*, was auf Redaktion deutet. Das Verbum *arneisthai* (bei Markus nur hier und in der Wiederholung V. 70 und wohl vom Kompositum Vers 30 her eingebracht; vgl. 4/4) paßt nicht zu dem nachfolgenden Satz direkter Rede, der eine „Beteuerungsformel" darstellt.[1202] „Den Rabbinen galt *'jnj jwd' mh 'th sh* als Schwur."[1203] Im Traktat „Schwüre" (Schebuoth) 8,3.6 heißt es: „(Wenn einer sagt:) Wo ist mein Ochse? und der andere sagt: Ich weiß nicht, was du redest..."[1204] Genauso ist hier auch nicht von einem gestörten Erinnerungsvermögen des Petrus die Rede, sondern von der Beteuerung, mit der Sache nichts zu tun zu haben. Also ist nicht dieser Satz eine „unmögliche Auskunft",[1205] sondern vielmehr seine Einleitung eine der Schwurformel nicht ganz adäquate Formulierung. Hingegen würde gut als Einleitung zu unserem Petrussatz die Einleitung der abschließenden Petrusantwort Vers 71a passen, die die Rede als *omnyein* (nur noch Mark 6,23; vgl. 13/1) kennzeichnet. Dies dürfte um so mehr anzunehmen sein, als hier nachfolgend gerade kein Schwursatz steht, sondern die direkte Aussage: „Ich kenne diesen Menschen nicht, von dem ihr sprecht." Die Einleitung von Vers 71a dürfte also die ursprüngliche Einleitung zu Vers 68b gewesen sein, und zwar in einer einfachen Form, da tautologische Doppelungen für Markus typisch sind und eine direkte Selbstverfluchung (*anathematizein* obwohl synoptisches Hapaxlegomenon) eigentlich nicht vorliegt. Auch die Einleitung des Satzes mit *archesthai* + Inf. ist markinisch (s. o. V. 33) und berechtigt zur Annahme eines ursprünglichen Praes. hist. *kai omnyei*. Auch das *hoti*-rezitativum ist markinisch (s. o. zu 11,17; vgl. V. 69.72). Der abschließende Petrussatz Vers 71b erweist sich klar als von Markus in Analogie gerade zu dem Schwursatz Vers 68b gebildet, wie die Übereinstimmung in dem einleitenden *ouk oida* zeigt. Diese Wendung dürfte sogar die ursprünglichere Form sein, da die Doppelwendung, die Vers 68b gebraucht, Markinismus ist und auch von der Schwurformel abweicht und den Gedanken auf die Verstehensfrage umlenkt (obgleich *epistasthai* synoptisches Hapaxlegomenon ist). Außer der Tautologie ist auch die Häufung der Negationen bei Markus beliebt, was im Zusammenhang mit den anderen Kennzeichen stärker

1201 Bauer WB 663.
1202 E. Schweizer 192.
1203 E. Klostermann 157.
1204 Bill. I 51.
1205 So G. Klein 70 unter Nichtbeachtung des zeitgeschichtlichen Hintergrundes dieser Wendung; dagegen mit Recht E. Linnemann, Studien 96.

wiegt als die griechisch unkorrekte Verwendung von doppeltem *oute* bei synonymen Verben[1206] (4mal, vgl. 6/8). Ist die Kurzfassung von Vers 68b mit der Variation der Negation von Vers 71b her ein alter Schwursatz, so erweist sich Vers 71b demgegenüber ohne speziellen Inhalt, sondern nur formal gesteigert und einfach aus dem Zusammenhang heraus gebildet. Die Zerreißung der Tradition an dieser Stelle läßt sich von der Komposition des Evangelisten her erklären: Markus will den stärksten einleitenden Ausdruck für den Höhe- und Schlußpunkt aufsparen, mit dem er dann hier eine direkte Absage (*ton anthrōpon touton hon legete*) als Steigerung verbindet.[1207] Daß Markus darauf hinzielt, erklärt nun auch die vorherige doppelte Verwendung des Ausdrucks *arneisthai* in Vers 68 und 70; er ist durch das Kompositum in der Ankündigung Vers 30 provoziert (vgl. zur redaktionellen Aufnahme eines traditionellen Kompositums durch das Simplex auch Vers 44 f.). Markus hat die Ankündigung dort so verstanden, daß er hier einen dreimaligen Verleugnungsakt bildete. Da diese Dreimaligkeit offenbar nicht Überlieferungsbestandteil ist, so muß dort wohl etwas anderes mit der Dreizahl gemeint gewesen sein. Die ursprüngliche Reaktion des Petrus dürfte dann in der Vorlage so formuliert gewesen sein: *kai omny(ei)· ouk oida sy ti legeis.*

Vers 68c ist als redaktionelle Verlagerung der Szene anzusehen: *exerchesthai* (s. o. zu 11,11 f.; 14,16.26.48) wie *exō* (s. o. zu 11,4.19) sind für Markus typisch, ebenso die Verbindung beider in der Wiederholung der Präposition nach dem Kompositum (s. o. zu 11,11.19, vgl. 8,23); *proaulion* ist wohl neutestamentliches Hapaxlegomenon, doch ist dies von *aulē* Vers 54 und der allgemeinen Kenntnis der Hausanlage jederzeit zufügbar. Markus stellt sich vor, daß Petrus sich „in den dunklen Torgang zurück(zieht)".[1208] Deutlich ist auch Vers 69 eine redaktionelle Bildung, die einfach die erste Szene Vers 66 f. unter Zufügung von Zeugen, die diese genuin markinisch mit *parhistanein* (vgl. 14,47; 15,35.39) bezeichnet, wiederholt; charakteristisch sind weiter für Markus das Part. conj. und *idousa* überhaupt (s. o. V. 67), die Wendung *archomai* mit Inf. (wie V. 71), *palin* (s. o. 11,3; 14,39 f.), *legein* ist Häufigkeitswort, *hoti*-rezitativum, pleonastisches *ek* (s. o. 11,20). Ebenso ist Vers 70 zu beurteilen. Vers 70a bringt mit der Aufnahme von *ho, de* und *arnein* aus Vers 68 und dem Zusatz des markinischen *palin* eine zweite Verleugnung, der kein Wort direkter Rede folgt und die also nur eine blasse Doppelung darstellt. Die Transposition der Verbform aus dem Aor. in das Impf. soll ausdrücken, daß die Handlung, die so beschrieben ist, andauert. Vers 70b leitet die dritte Verleugnungsszene ein, wobei *palin* und *parhistanai* wie Vers 69 klar markinisch sind, ebenso temporales *meta* mit Akk.

1206 Gegen E. Lohmeyer 332 A. 4, der dies für älter hält.
1207 E. Klostermann 157; E. Lohmeyer 333; E. Schweizer 192.
1208 E. Lohmeyer 332.

(vgl. 14,1.28) und das Impf. von *legein*;[1209] *Petros* ist Häufigkeitswort (19mal, vgl. 23/18). Der Angriff in der direkten Rede Vers 70c ist wieder eine variierende Weiterbildung von Vers 67b und 69b: die Wendung *ex autōn* (mit pleonastischem *ek*) wird einfach aufgegriffen und durch Versetzung in die 2. Pers. gesteigert. Der Steigerung dient ebenfalls die Verstärkung mit *alēthōs* (2mal, vgl. 3/3), das auch 15,39 redaktionell sein dürfte, sowie der typisch markinisch mit *gar* nachgestellte Erläuterungssatz (s. o. V. 40). Daß *Galilaios* Hapaxlegomenon ist (vgl. 1/5), spricht nicht dagegen, da Galilaia Häufigkeitswort ist (12mal, vgl. 16/13).

Vers 72a dürfte dann dagegen wieder im wesentlichen der Quelle zuzusprechen sein. Hier wird die Erfüllung der Vorhersagen Jesu als Höhe- und Schlußpunkt berichtet. Dabei ist *euthys* natürlich markinischer Zusatz (s. o. zu 11,2 f.; 14,43.45 – eventuell auch *ek*), der vermutlich auch die Umformung des hier ursprünglich anzunehmenden Praes. hist. in den Aor. verursacht hat. Dieses Wort kann jedoch nicht zum Anlaß genommen werden, um den ganzen Vers einfach Markus zuzusprechen.[1210] Vers 72b verweist ausdrücklich auf die Erfüllung der Vorhersage von Vers 30. Was Vers 72a faktisch tut, wird hier nachträglich reflektierend theoretisch ausgesagt. Das entspricht der Art des Evangelisten auch im Hinblick auf die alttestamentlichen Anspielungen, wie in den voranstehenden Perikopen deutlich wurde. Auch sprachlich gibt es dafür Anhaltspunkte: *anamimnēskein* findet sich innerhalb der Synoptiker nur noch 11,21 redaktionell und *rhēma* bei Markus nur noch in dem redaktionellen Vers 9,32 (vgl. 5/19). Das Zitat wird wieder mit *hoti*-rezitativum wiederholt (vgl. V. 69.71), was den Verdacht redaktioneller Zufügung erheblich verstärkt, weil diese Wiederholung nicht nötig wäre, da die Erfüllung der Vorhersage auch so deutlich ist. Sicher aber wiederholt Markus hier darum, weil er die Ankündigung direkt auf die drei von ihm geschaffenen Akte bezogen wissen will, was offenbar nicht die ursprüngliche Absicht der Ankündigung in Vers 30 war. Ebenso weist die abschließende Part.-conj.-Verbindung auf markinischen Stil; *klaiein,* das sich bei Markus nur noch 5,38 f. ebenfalls in Doppelausdrücken findet (vgl. 2/11), macht auch dort den Eindruck, tautologischer Zusatz des Evangelisten zu sein. Die Häufigkeit des Ausdrucks dieser Gemütsbewegung bei Lukas läßt gut denken, daß diese Entwicklungslinie bei Markus einsetzt.

Das schwierige *epiballein,* das Markus in verschiedenen Bedeutungen viermal hat (vgl. 2/5) und das die beiden Seitenreferenten hier wegen seiner Schwierigkeit nicht übernehmen,[1211] wurde schon von alten Handschriften im volkstümlichen Sinne als „anfangen" verstanden und durch *archesthai* ersetzt.

1209 F. Hauck 179.
1210 Gegen E. Schweizer 189.
1211 J. Schmid, Matth und Luk 160 A. 4.

So verstehen es auch die meisten neueren Ausleger (vgl. 1 Esra 9,20 LXX).[1212] Dagegen hält Haenchen im Anschluß an Schlatter und die Zürcher Bibel die Übersetzung „und er verhüllte sich" für richtig,[1213] doch dürfte dann *to himation* oder ein ähnlicher Zusatz kaum fehlen.[1214] Nun haben schon B. Weiß und H. J. Holtzmann hier nach den von Wettstein zur Stelle gebotenen griechischen Parallelen die Bedeutung „daran denken" vertreten (*epiballein tēn dianoian* bzw. *ton noun* Polyb. 1,80.1; Diod. S. 20,43.6 bzw. absolut mit dem Dat. Plut., Mor. 499E; Marc., Ant. 10,30).[1215] Dem hat W. Bauer im Anschluß an Wellhausen widersprochen mit der Begründung, daß sich die Übersetzung „und er dachte daran" mit der ausdrücklichen Erinnerung an die Vorhersage in Vers 72b als Dublette stoße.[1216] Wenn nun aber unabhängig von dieser Frage schon Vers 72b als markinische Bildung erkannt ist, so ist *epiballein* hier gerade in diesem Sinne ursprünglich nicht nur möglich, sondern wahrscheinlich, und Markus hat auf Grund dieser Aussage Vers 72b gebildet. Der ursprüngliche Schluß der Quelle dürfte also gelautet haben: *kai ho Petros epiballei*. Das entspricht in seiner Knappheit auch der Gestaltung des analogen Berichtes des Eintreffens der Vorhersage in Vers 16.

Als ursprünglicher Bestand hat sich damit eine einaktige Abschwurgeschichte des Petrus herausgestellt, die der Praes.-hist.-Schicht zugehört und die Verse 54a.c.66b.67b.71a.68b.72a.(b.c) in der aufgewiesenen Fassung umfaßt. Alles andere darf als markinische Weiterbildung angesehen werden. Daß Petrus abschließend weint, steht im Zusammenhang mit der markinischen Auffassung der Perikope, die sich wesentlich um Petrus dreht und durch die Verzahnung mit dem Verhör Jesu und dem dort laut werdenden Bekenntnis paränetisch motiviert ist, so daß die Erwähnung der Reue des Petrus sinnvoll und notwendig erscheint. Der Sinn der ursprünglichen Perikope lag rein im Aufweis der Erfüllung der Vorhersage Jesu. Aus einer Vorhersageerzählung ist somit eine Personallegende geworden. Von diesem Ergebnis her ist es nun notwendig, sich der Vorhersage selbst zuzuwenden.

### 3.7. Die Vorhersage des Jüngerversagens (Mark 14,26–31)

Daß die hier vorliegende Vorhersagegeschichte sachlich eng mit den drei voranstehenden (11,1–7; 14,12–16.17–21) zusammengehört, ergibt nicht nur die formale Ähnlichkeit aller vier Perikopen, sondern auch die kompositorische Ent-

---

1212 Bauer WB 574; Bl-Debr 308; F. Hauck 180; E. Klostermann 157; E. Lohmeyer 332; J. Schniewind 191; W. Grundmann 304; E. Schweizer 185.

1213 E. Haenchen 507.

1214 Dies wendet Bauer WB 573 f. dagegen ein.

1215 B. Weiß 248; H. J. Holtzmann 178.

1216 Bauer WB 574 nach J. Wellhausen z. St.

sprechung: Auf zwei positive Vorhersagen Jesu und deren Erfüllung folgen dann zwei negative. Wie die positiven untereinander sich bis ins einzelne hinein entsprachen, so sind auch die beiden negativen nach dem gleichen Schema gebaut: Ansage Jesu, Reaktion der Jünger, verstärkte Ansage Jesu.[1217] Diese Zusammengehörigkeit im vormarkinischen Zusammenhang wird durch die Verwendung des Praes. hist. auch in unserem Text (V. 27.30) bestätigt.

Die Einleitung Vers 26 ist markinisch geformt, wie das Part. conj. zeigt. Doch muß man sich hüten, darum sofort den ganzen Vers als „eine schriftstellerische Überleitung" Markus zuzusprechen;[1218] schon gar nicht ist es begründet, das Ganze als „von Markus geschaffene Szene" anzusehen.[1219] Zunächst einmal ist die zweite Hälfte des Verses überhaupt herauszunehmen, da die Erwähnung des Ölbergs deutlich der apokalyptischen Passionstradition zuzusprechen ist (11,1), so daß hier die alte Einleitung zur Gebetsszene Jesu vor der Verhaftung in ihrer apokalyptischen Ausformung (V. 33b.35b.38.41) vorliegen dürfte. Ob dabei das markinisch erscheinende Kompositum *exerchesthai* ursprünglich ist, kann nicht sicher gesagt werden. Möglich ist auch das Simplex, doch in jedem Falle ist der Aor. ursprünglich und hat auf jeden Fall eine Angleichung des ersten Verbs bedingt. So bleiben als möglicher Bestandteil der anderen Tradition nur die ersten beiden Worte übrig. Sie können im Praes. hist. sachlich gut die Fortsetzung der gerade durch Passavorbereitung charakterisierten Tradition Vers 12 ff. sein,[1220] da mit dem markinischen Hapaxlegomenon *hymnein* (auch Matth 26,30 nur im Gefolge des Markus; Lukas nie) gut der zweite Teil des Passa-Hallel (Ps 114–118 bzw. nach Hillel Ps 115–118) gemeint sein kann, für das sogar in der rabbinischen Tradition das Fremdwort „himnon" verwendet wurde.[1221] Nun wurde auch noch nach Schluß des Hallels erst der vierte und abschließende Becher getrunken,[1222] so daß auch von hier aus die weitere Fortsetzung in Vers 26b nicht wahrscheinlich ursprünglich ist. Die Versagensansage, die Markus so erst auf dem Wege lokalisiert, war also in der

1217 E. Linnemann, Studien 63 f., 106 f., das wird noch deutlicher, wenn man gegen Linnemann das Schriftzitat dabei ausklammert (vgl. zur Auseinandersetzung mit ihr G. Klein 97 f.).

1218 So aber J. Finegan 69 und E. Linnemann, Studien 87.

1219 So aber S. Schulz, Stunde 130.

1220 Das hat R. Bultmann, Tradition 287 richtig vermutet, aber vom Axiom der ursprünglichen Selbständigkeit der Perikope (wenigstens nach rückwärts) verworfen. Doch sollte hier zu denken geben, daß sie schon nach vorwärts sachlich niemals selbständig gewesen sein kann, sowenig wie die Verratsansage; denn was für einen Sinn hat die Überlieferung der Vorhersage ohne den Bericht des Ergebnisses?

1221 Bill. I 845–848; IV, 69 f., 72 f., 75 f.; vgl. E. Klostermann 149; E. Lohmeyer 311; J. Jeremias, Abendmahlsworte 246 f.; der Einwand E. Linnemanns, Studien 86 dagegen überzeugt nicht, da die Argumentation sich nicht nur auf den Begriff bezieht.

1222 Bill. IV, 76.

Quelle kein Weg-Gespräch, sondern eine Vorhersage noch beim Passamahl.[1223] Dadurch wird sie noch stärker an die Verratsansage Vers 17 ff. herangerückt, womit sie ohnehin zusammengehörte. Profaniert Jesus das Passa durch die Verrats- wie Versagensansage in diesem Rahmen? Antijüdische Züge waren dieser Traditionsschicht, wie schon 15,21 zeigte (Simon kommt am Feiertag vom Felde), durchaus eigen. Nun war nicht nur jedes profane Erzählen und Singen beim Passa untersagt und auch sonst vielerlei verboten, was Aufregung machen konnte und zum Verschlucken oder Verletzen kultischer Einzelheiten anregen mochte.[1224] Von daher wäre es gut denkbar, daß solche aufregenden Wechselszenen wie die vorliegenden beiden mit Absicht vom Passaabend erzählt worden wären. Dann aber wäre auch schon in der ältesten Tradition das Passa nicht konstitutiv für das Herrenmahl gewesen, sondern hätte einen anderen, primär polemischen Sinn gehabt. Gerade eine solche Profanierung des Passa könnte der Anlaß dafür gewesen sein, Jesus nachösterlich als das eschatologische Passalamm zu verstehen (1 Kor 5,6–8). Die Formulierung der Tradition im Praes. hist. dürfte zu Anfang dieses Abschnitts gelautet haben: *kai hymnousin kai legei autois ho Iēsous*.

Das den Jüngern dann (eventuell markinisch mit *hoti*-rezitativum erweiterte) angesagte *skandalizesthai* (8mal, vgl. 14/2) bedeutet: „sich an etwas stoßen, mit etwas innerlich nicht einverstanden sein und es darum auch äußerlich heftig ablehnen."[1225] Dieser Satz ist ursprünglich nicht im Zusammenhang der Tradition eine spezielle Vorhersage der Jüngerflucht, zumal diese Notiz der anderen Traditionsschicht zuzusprechen war, sondern eine Voraussage des allgemeinen Zu-Fall-Kommens der Jünger, das alle drei folgenden Perikopen einschließt: Gethsemane, das Verhalten bei der Gefangennahme und das Abschwören des Petrus.

Die spezielle Beziehung auf die Jüngerflucht ist mit der Formulierung von Vers 27a noch nicht gegeben.[1226] Sie kommt erst durch Vers 27b hinzu. Dieser Versteil erweist sich als markinische Zutat, da er nicht nur einziges ausdrückliches Zitat in der markinischen Passionsgeschichte aus dem Alten Testament ist,[1227] während sich die Praes.-hist.-Schicht sonst nur mit Erzählung im alttestamentlichen Anklang bewegte, sondern vor allem dadurch, daß da, wo Petrus Vers 29 „direkt auf Jesu Rede antwortet", er „sich nur auf das *skanda-*

1223 Der Erwägung E. Schweizers 177, daß der Lobgesang nach dem Bild der christlichen Herrenmahlfeier gestaltet sei (dem E. Linnemann, Studien 86 f. jetzt folgt), ist darum nicht nachzugehen.

1224 Bill. IV, 68, 73, 637 f.

1225 E. Haenchen 488; vgl. G. Stählin, ThW VII, 338 ff., 349.

1226 Das wird auch von E. Linnemann, Studien 84 gesehen, aber zu der falschen Konsequenz geführt, eine ursprünglich totale Unabhängigkeit von V. 27–31 und 43–52 zu behaupten.

1227 A. Suhl 62.

*listhēsasthe* bezieht, ohne das doch eigentlich viel entscheidendere, Jesu Wort erst begründende Zitat zu berücksichtigen".[1228] Mit diesem markinischen Zusatz wird wieder genau wie in der vorangehenden Ansage Vers 17 ff. das Vorherwissen Jesu in das Vorherwissen der Schrift zurückgenommen und von daher begründet.[1229]

Auch Vers 28 dürfte markinischer Zusatz sein. Allerdings kann man sich bei dieser Entscheidung nicht auf das Fehlen dieses Satzes im Fajumfragment[1230] berufen, weil dort ja das voranstehende Schriftzitat überliefert ist und andererseits Matth 26,33 f. beweist, daß er schon beides gelesen hat.[1231] Von Gewicht dagegen ist die Einsicht, daß der Vers einerseits „eine den Zusammenhang zwischen Vers 27 und 29 unterbrechende Einschaltung" ist und andererseits auf den ebenfalls markinischen Satz 16,7 vorbereiten soll.[1232] Hinzu kommt die Beobachtung zur Funktion des Abschnitts: Während er in der Vorlage auf einen begrenzten Teil der Ereignisse, nämlich bis zum Abschwören des Petrus, vorblickt, so stellt Markus ihn hier in den „größeren Zusammenhang" seines Evangeliums überhaupt hinein,[1233] und nachdem er durch das Zitat schon Vers 27 den Blick auf das Todesschicksal Jesu erweitert hatte, so jetzt auf seine Auferweckung. Und im Hinblick auf die Jünger bedeutet das: Das Abfallen der Jünger ist nicht nur darum kein definitives Ende der Wirksamkeit Jesu an ihnen, weil es die „Schrift" schon vorhergesagt hat, sondern weil sie selbst in Galiläa „die grundlegenden Erscheinungen des Auferstandenen erleben sollen".[1234] Vers 28 interpretiert somit wesentlich den voranstehenden Zusatz Vers 27b und besagt: „In Galiläa wird Jesus die zerstreute Herde sammeln."[1235] An markinischen Stileigentümlichkeiten sind zu nennen: das Vorzugswort *alla*, temporales *meta* mit Akk. (s. o. zu 14,1; vgl. besonders 1,14, wo es auch mit dem Inf. steht), die Häufigkeitsworte *Galilaia* und *proagein* (5mal, vgl. 6/1). Da gerade dieses letzte Wort in sachlicher Korrespondenz zu *akolouthein* steht (11,9), ist mit der Ansage indirekt die Aufforderung zur Nachfolge gegeben. Das entspricht einem markinischen Zug, der auch sonst den Gedanken der Nachfolge redaktionell verstärkt (s. o. zu V. 52). Sprachlich deutet auch das einleitende *de* in Vers 29

---

1228 Ebd. 63; vgl. dort auch weiteres zum Zitat aus Sach 13,7, das hier gegen seinen ursprünglichen Sinn Verwendung findet.

1229 Die Bestreitung der Argumentation Suhls von E. Linnemann 87–89 ist nicht überzeugend.

1230 E. Klostermann, Apokrypha II, 23; Hennecke/Schneemelcher I, 74.

1231 E. Schweizer 176 nach J. Finegan 60, 69; das Fehlen erklärt sich daraus, daß dort keine „zusammenhängende Darstellung" vorliegt, denn nur in einer solchen ist dieser Satz sinnvoll (M. Dibelius, Formgeschichte 182 A. 1; W. Marxsen, Markus 48 A. 3).

1232 E. Klostermann 148 f.; W. Marxsen, Markus 47 f., 56 f.

1233 R. Bultmann, Tradition 287.

1234 E. Klostermann 149.

1235 W. Marxsen, Markus 57.

darauf hin, daß Markus von der Redaktion zur Tradition zurücklenkt (s. o. zu 15,25.37); es dürfte hier ein ursprüngliches *kai* ersetzen. Andererseits dürfte Markus nach der Weitgespanntheit der gemachten Zusätze hier im Impf. fortfahren, das wohl ein ursprüngliches Präs. ersetzt. Sachlich ist dieser Satz Vers 29 jedenfalls im Hinblick auf Vers 30 unentbehrlich; der jedoch fährt im Praes. hist. fort. Unter den Verdacht markinischer Erweiterung könnten nur das verstärkende *pantes* (ebenso dann in V. 27) und *alla* fallen. Die Grundaussage bliebe auch dann noch Bestandteil der Tradition.

Die Einschränkung, die Petrus für seine Person bezüglich der Vorhersage Jesu machen wollte, wird von Jesus Vers 30 zurückgewiesen: Dreimal wird er ihn *aparnēsē,* und zwar noch heute. Die Stärke der einführenden *amēn*-Wendung, die man bei grundlegenden Worten Jesu verstehen kann, ist im Hinblick auf das folgende Wort empfunden worden;[1236] es steht hier wie Vers 18 mit dem markinischen *hoti*-rezitativum und unter dem Verdacht, redaktionelle Erweiterung zu sein. Die dreifache, sich steigernde Zeitangabe wirkt tautologisch überladen. Doch dürfte *sēmeron* nicht nur als markinisches Hapaxlegomenon (vgl. 8/11), sondern auch weil es die jüdische Zählung des Tages vom Abend an voraussetzt (was für Markus nicht gelten kann, s. o. zu 14,1), ursprünglich sein. So wird man am ehesten noch *tautē tē nykti* für zugefügt ansehen können, obgleich es als Vokabel nicht auffällt (4mal, vgl. 9/7), doch liegt hierin noch die Doppelung zur nachfolgenden Zeitangabe, und es besteht der Verdacht, daß dies „Erklärung des *sēmeron* für nicht jüdisch rechnende Leser sein soll",[1237] was ein markinischer Zug wäre. Die Seitenreferenten halbieren den Doppelausdruck wie öfter.[1238] Der zweite Hahnenschrei ist die übliche Zeitbestimmung, so daß mit einem ersten überhaupt nicht gerechnet ist.[1239]

Das wichtigste Wort des Satzes ist das Verb. Da *aparneisthai* (4mal, vgl. 4/3), falls es ursprünglich ist und nicht ein anderes Verb verdrängt hat, das *skandalizesthai* von Vers 27 und 29 aufnimmt, dürfte es sachlich nicht von ihm unterschieden sein. Es meint das Sich-Lossagen. Das bedeutet aber, daß es ebenso wie sein Bezugswort in einem nicht allzu engen Sinne gefaßt und wohl nicht auf ein nur verbal sich äußerndes Verhalten eingeengt werden darf.[1240] Diese Einengung hat Markus allerdings mit der Schaffung der dreiteiligen Verleugnungsszene vollzogen, und dieses verengende Verständnis ist leider bis heute oft nachteilig wirksam. Daß die Dreizahl erst von Markus redaktionell zugefügt sein sollte, ist unwahrscheinlich (*tris* nur an diesen beiden Stellen; vgl.

1236 E. Lohmeyer 313.
1237 E. Klostermann 149.
1238 J. Schmid, Matth und Luk 66 ff., 154 A. 3.
1239 E. Klostermann 149, 157.
1240 Das Kompositum hat im Neuen Testament keine intensivere Bedeutung als das Simplex; vgl. H. Schlier, ThW I, 471,13 ff.; E. Lohmeyer 313.

ebenso Matthäus und Lukas), weil sie hier auch als abschließende Steigerung unentbehrlich ist. Sie muß demnach hier vorgelegen und Markus zu der dreifachen Gestaltung der Verleugnungsszene veranlaßt haben. Dann aber ist mit dem dreifachen *arneisthai* des Petrus ursprünglich etwas anderes gemeint. Da die Perikope auch in ihrer ursprünglichen Fassung von Vers 27 her auf die folgenden drei Perikopen der Quellenschrift vorweist, so besteht die dreifache Verleugnung des Petrus ursprünglich in seinem Versagen in Gethsemane, bei der Festnahme Jesu (eventuell konkret im Schwertstreich) und schließlich in seiner einfachen Distanzierung von Jesus im oder beim Wohnsitz des Hohenpriesters. Ein Einspruch gegen die Ursprünglichkeit der Ansage an Petrus und die Schilderung seines Endpunktes in Vers 72 von den rabbinischen Angaben über das Verbot der Hühnerzucht in Jerusalem her[1241] läßt sich wohl nicht halten, da „Hühnerzucht in Jerusalem (zwar) untersagt, aber wohl doch üblich war".[1242]

Da unsere Perikope in ihrer ursprünglichen Absicht ebenso wie ihr vorangehender Doppelgänger Vers 17–21 wesentlich Vorhersage Jesu ist, so dürfte sie wie diese auch mit dem Wort Jesu Vers 30 abgeschlossen haben.[1243] Eine Erwiderung des Petrus wie der anderen, wie sie Vers 31 vorliegt, ist wohl als redaktioneller Zuwachs anzusprechen, der diese Perikope ebenso wie Vers 66–72 in Richtung der Personallegende weiterentwickelt. Beide Sätze werden auch redaktionell mit *de* eingeleitet. Für den ersten Satz lassen sich sonst kaum philologische Indizien anführen: *ekperissōs* ist neutestamentliches Hapaxlegomenon, *lalein* wird durchschnittlich verwendet (21mal, vgl. 26/31), ebenso *dei* (6mal, vgl. 8/18), *synapothanein* ist in den Evangelien Hapaxlegomenon. Doch zeigt die grammatische Gestaltung, verglichen mit der möglichen Vorlage Vers 29, deutliche Zeichen gehobeneren literarischen Ausdrucks. Deutlicher ist es beim zweiten Satz, wo außer *de* auch noch verstärkendes *pantes* (was gleichzeitig den Verdacht gegen die Verwendung in V. 27 und 29 verstärkt) und das Impf. *elegon* (s. o. zu V. 70) zu nennen sind, so daß nur *hōsautōs* (nur noch Mark 12,21; vgl. 4/3) offenbleibt.[1244] Doch am grundsätzlichen Ergebnis ändert die Bestimmung von Vers 31 nichts Wesentliches.

Als Bestandteil der Praes.-hist.-Tradition dürfen hier also die Verse 26a.27a. 29.30 angesprochen werden. Das darin vorliegende Stück ist ein ausgesprochenes

1241 So seit W. Brandt, Die evangelische Geschichte, 1893, 32–35 wiederholt; zuletzt E. Haenchen 488 f.; E. Schweizer 189.

1242 Bill. I, 992 f.; G. Dalman, Orte und Wege, 199 A. 9; J. Jeremias, Jerusalem I, 53 f.; J. Finegan 73; R. Bultmann, Tradition 290 A. 2; E. Klostermann 143; E. Lohmeyer 313 A. 3; W. Grundmann 289.

1243 E. Linnemann, Studien 84, 89; der Einspruch von G. Klein 97 beruht auf seiner Annahme einer älteren Sonderüberlieferung in Luk 22,33 f., die E. Linnemann, Studien 93–101 überzeugend zurückgewiesen hat.

1244 Diesen Versteil hält auch A. Suhl 63 aus formalen Erwägungen für redaktionell.

Bindeglied. Einerseits ist es die letzte von vier Vorhersagen Jesu, andererseits ist es Einleitung zu den drei in der Quelle folgenden Perikopen. Die markinische Redaktion hat durch den Zusatz vor allem von Vers 27b.28.31 insgesamt den ursprünglich konkreten Sinn der Perikope durch Ausweitung einerseits und Spezialisierung andererseits stark aufgefächert.[1245]

## 3.8. Jesu Verhör vor dem Synhedrium (Mark 14,53.55–65; 15,1)

Weil der vorliegende Text den „erste(n)" Höhepunkt der Leidensgeschichte bei Markus bildet",[1246] ist die Gefahr besonders groß, vorschnell die historische Frage nach dem dahinterstehenden Geschehen zu stellen und zu urteilen, daß hier darum eine Legende vorliege, weil christliche Augenzeugen und Gewährsmänner für den Vorgang nicht vorhanden sein können.[1247] Ebensowenig kann in diesem Zusammenhang die rechtsgeschichtliche Erörterung am Beginn der Untersuchung stehen. Weder die Frage, ob die Juden das Recht hatten, Todesurteile zu verhängen und zu vollstrecken,[1248] kann entscheidend sein, weil Jesus eindeutig nach der typisch römischen Weise der Kreuzigung getötet wurde, noch die Frage, ob die rabbinischen Rechtsbestimmungen der Mischna, zu denen die Darstellung von Mark 14,55–65 offenkundig im Widerspruch steht,[1249] schon damals vor dem Jahre 70 in Geltung gewesen sind und nicht vielmehr ein „sadduzäischer Strafkodex", wie J. Blinzler nachweist.[1250] Denn man wird dem Text nur gerecht, wenn man besonders hier auf die begründete Warnung und methodische Wegweisung der Formgeschichtler hört: „Man darf hier nicht die geschichtliche Frage voranstellen, ob die Verhandlung überhaupt stattgefunden habe."[1251] Antithetisch zugespitzt, heißt das: „Nicht, was ist als geschichtlich

1245 Die Analyse von G. Klein 59–61 muß also modifiziert werden.

1246 M. Dibelius, Formgeschichte 193.

1247 So H. Lietzmann II, 254–257; J. Finegan 72; selbst E. Schweizer 185–187 erörtert hier unmittelbar die historische Frage und stellt die Textanalyse nach.

1248 Bestritten von H. Lietzmann II, 257–261; dagegen F. Büchsel, ZNW 30, 202–210; Replik H. Lietzmanns ZNW 31, 78–84 (= II 269–276); zur Weiterführung der Diskussion in der ZNW vgl. R. Bultmann, Ergänzungsheft 43 f.; zur Fragestellung zuletzt G. Haufe, ZdZ 22, 1968, 94 f., ausführlich: J. Blinzler, Der Prozeß Jesu 174–183; 229–244.

1249 Bill. I, 1020–1024 nennt es „arge Rechtsbeugung": 1. Verhandlung bei Nacht statt bei Tage (gegen Sanh 4,1); 2. die Entlastungszeugen haben voranzustehen (ebd.); 3. Schuldurteil erst in der zweiten Sitzung am folgenden Tage (ebd.); 4. Verbot der Gerichtsverhandlung an Feiertagen und Rüsttagen (ebd.); 5. Gotteslästerung liegt nicht vor (Sanh 7,5: nur Aussprechen des Jahwe-Namens); 6. ordentlicher Gerichtsort ist der Tempel, nicht das Haus des Hohenpriesters; vgl. Bill. I, 997–1001.

1250 J. Blinzler, Prozeß, 216–229 und ders., Synhedrium 54–64; ihm folgt E. Lohse, Prozeß 24–39 und Leiden 80–83 und ThW VII, 866 f.; vgl. G. Haufe, ZdZ 22, 95 f.

1251 M. Dibelius, Formgeschichte 193.

denkbar? sondern: Was ist als christliche Gemeindetradition verständlich? Und dieser Frage ist die Frage nach dem geschichtlich Möglichen je nach dem einzelnen Fall ein- oder nachzuordnen."[1252]

Von diesem Ansatz her stimmen Bultmann wie Dibelius nun aber doch mit dem Ergebnis Lietzmanns, daß hier eine späte Legende vorliege, überein und kritisieren an ihm nur die Art der Begründung dieser These. Nach beiden Forschern ist die Notiz 15,1 die ursprüngliche Angabe, aus der durch sekundäre Erweiterungen die Szene 14,55-65 geschaffen sei.[1253] Weiterführend ist dann die Erklärung, daß die materiale Füllung dieser Szene vor allem aus dem Pilatusverhör 15,2-5 her erwachsen sei.[1254] Daß beide Verhöre in ihrer jetzigen Form weitgehende Dubletten sind, ist offenkundig; man meinte daher, daß 15,2-4 die ursprüngliche Fassung sei und 14,55-65 eine sekundäre Erweiterung und Übertragung von Pilatus auf das Synhedrium. Während die genannten Forscher in unserer Perikope eine vormarkinische Gemeindebildung sekundärer Art sehen, so ist P. Winter noch einen Schritt darüber hinausgegangen und hat unseren Text für eine ad hoc geschaffene markinische Bildung selbst erklärt[1255]: Mark 15,1 sei der ursprüngliche, weil recht gute Anschluß an 14,53a.[1256] Das Synhedriumsverhör sei vor allem darum ein Fremdkörper, weil der Verurteilungsgrund von 14,48b und 15,2.26 dieselbe einheitliche Anschuldigung der politischen Messianität sei. Dagegen würden die hier genannten Anklagepunkte der Tempelbedrohung (14,58) und Gotteslästerung (14,62-64a) aus dem größeren Zusammenhang herausfallen und dann weiter keine Rolle spielen.[1257] Dagegen aber hat H. W. Bartsch mit Recht eingewandt, daß die Stellen 11,15-19 und 15.29.38 zeigen, daß der Tempel im Zusammenhang der Passionsgeschichte durchaus schon vor Markus eine Rolle spielte und daß auch eine generelle Beteiligung der jüdischen Behörde an der Tötung Jesu nicht bestritten werden kann.[1258] Also

1252 R. Bultmann, Tradition 291; E. Linnemann, Studien 109.

1253 Ebd.; M. Dibelius, Formgeschichte 183 und BuG I, 255; ebenso zuletzt G. Haufe, ZdZ 22, 98.

1254 J. Finegan 72 f.; E. Klostermann 155; nach E. Wendling 177–181; neuerdings aufgenommen und weitergeführt von G. Braumann, ZNW 52, 1961, 273–278; zur Kritik an ihm vgl. E. Linnemann, Studien 134 f.

1255 P. Winter, Gebilde des Evangelisten 260–263; ihm folgt S. Schulz, Stunde 131 f.

1256 Ebd. 262.

1257 Ebd. 261 f.; weiter wird von ihm auf die Unmöglichkeit verwiesen, den Vorgang zwischen zwei Hahnenschreien unterzubringen (262), und mit der apologetischen Tendenz des Markus erklärt, den Verdacht, Jesus sei ein Vorgänger der Initiatoren des jüdischen Aufstandes gewesen, zu entkräften (263).

1258 H. W. Bartsch, NovTest 7, 1965, 215 f. vor allem gegen diese Haupttendenz des umfassenden Werkes von P. Winter, On the Trial of Jesus; zugleich beleuchtet Bartsch einige Tendenzen in E. Stauffers Rezension ThLZ 88, 1963, 97–102 kritisch, die nicht unwidersprochen bleiben konnten.

kann man weder 14,58 speziell noch das Synhedriumsverhör als Ganzes als markinische Bildung ansprechen.

Das ist schon von M. Dibelius gesehen worden, der das auch sonst (Mark 13,2; Joh 2,19; Apg 6,14) anklingende Tempelwort als ein ursprünglich isoliert umlaufendes Jesuswort ansah,[1259] das dann hier zu einer ganzen literarischen Szene stilisiert worden sei.[1260] Im Widerspruch dazu hat allerdings R. Bultmann behauptet, daß gerade Vers 57–59 als „eine Spezialisierung von Vers 56" und darum als sekundär angesehen werden muß.[1261] Damit aber ist das Herzstück der konstruktivistischen Formanalyse von Dibelius hier in Frage gestellt. Dieser Überblick zeigt, wie weit wir in der Beurteilung des Textes von einem befriedigenden Ergebnis entfernt sind. Da nun aber auch schon gerade Bultmann und Dibelius auf die Uneinheitlichkeit und die Unstimmigkeiten in diesem Abschnitt hingewiesen haben,[1262] so ist es sinnvoll, nach einer Lösung der Frage des Textes von daher zu suchen. Entschlossen ist dieser Weg inzwischen von E. Linnemann gegangen worden, die mit der Herausarbeitung von zwei verschiedenen Versionen zu einem dem hier vorgelegten und unabhängig von ihr entstandenen Ergebnis sehr nahestehenden Lösungsvorschlag gelangt ist. Ihre Hauptarbeit dient der Herausarbeitung der Tradition A vom Schweigen Jesu, der sie Vers 55.57f.61b.60b.61a zuspricht.[1263]

Die Differenzierung von Traditions- und Redaktionsbestandteilen darf auch hier von dem Tatbestand ausgehen, daß uns in Vers 53b.61b.63a das Praes. hist. begegnet. Zwischen diesen Versen muß also ein Zusammenhang vermutet werden. Zwischen den beiden mit *legei* eingeführten Worten des Hohenpriesters Vers 61b und 63a ist aber eine Äußerung Jesu nötig. Diese liegt Vers 62a vor, wird allerdings mit dem Aor. *eipen* eingeleitet. Das dürfte wieder markinische Umformung sein, die als Folge des von Markus hier ebenfalls eingeführten *de* und der damit entstandenen markinischen Gesamtwendung zu erklären ist. Die Frage des Hohenpriesters Vers 63b: „Was bedürfen wir noch der Zeugen?"

1259 Diese Prämisse widerlegt E. Linnemann, Studien 116–127.

1260 M. Dibelius, Formgeschichte 183 und BuG I 255; ihm folgen E. Schweizer 187–189 und G. Haufe, ZdZ 22, 97f.

1261 R. Bultmann, Tradition 291 nach E. Wendling 173; beiden folgt E. Klostermann 154.

1262 Ebd.; M. Dibelius, Formgeschichte 192f.; vgl. auch E. Klostermann 153ff.; E. Lohmeyer 327f.; E. Haenchen 509ff.; E. Schweizer 187f.; E. Linnemann, Studien 109f.

1263 Ebd. 109–135, vor allem 128f., 181; ähnlich ist die Autorin zur nachträglichen Entdeckung der Ähnlichkeit ihres Ergebnisses mit dem Hirschs gekommen (129f.); E. Hirsch I 163 zählt zu Markus I Vers 55.57–60.61a.65, zu Markus II Vers 55.56.61b–65; wenig überzeugend ist auch hier wieder W. L. Knox, Sources I 131–134, der seiner Jüngerquelle Vers 53.55–64.66–68 und zur Zwölferquelle (Luk 22,54a?); Mark 14,65.54; (Luk 22,59?); Mark 14,70b–72a (Luk 22,61a?); Mark 14,72b; 15,1 zählt. Jedoch ist an allen Analysen eine eingehende philologische Begründung zu vermissen.

steht in deutlicher Korrespondenz zu der Vergeblichkeit der Zeugenaussagen von Vers 55 f. Dabei erzählt die Begründung Vers 56 in der für diese Traditionsschicht typischen Weise, nämlich in Anlehnung an die Psalmensprache (LXX-Ps 26,12; 108,2 ff.), von den falschen Zeugen. Jesu Leiden wird „wie das des Frommen im Psalter beschrieben".[1264] Weiterhin ist die analog zu Vers 55 genannte Tötungsabsicht und der damit gegebene Tötungsbeschluß in Vers 64b als Antwort auf die in Vers 64a fortlaufende Rede des Hohenpriesters sinnvoll und für den Zusammenhang hier im engeren Sinne wie auch hinsichtlich des Anfangs erhellend. Ebenso erweist sich Vers 61b als sinnvoller Anschluß an Vers 56: Das Versagen der Zeugen ruft die direkte Anfrage des Hohenpriesters an Jesus hervor. Somit dürfte hier ein zusammenhängendes Traditionsstück mit Vers 53b.55.56.61b.62a.63.64 vorliegen,[1265] das zur Praes.-hist.-Schicht gehört und dort wohl ursprünglich an die Petrusverleugnung Vers 72 anschloß.

Dieses Stück ist markinisch überarbeitet. In Vers 53b dürfte die Dreiergruppe ebenso wie Vers 43 um die Oberpriester und Schriftgelehrten erweitert worden sein (s. o.), der alten Überlieferung dürften also nur die Ältesten zuzurechnen sein. Ebenso erscheinen die ersten drei Worte von Vers 55 als Zusatz; Markus führt wieder die *archiereis* (Häufigkeitswort 22mal, vgl. 25/15) ein, die sowohl neben dem *synhedrion* als auch neben dem dann Vers 61 und 63 agierenden *archiereus* auffallen. Dieser Zusatz zusammen mit dem einleitenden *de* dürften wieder auch das Verlassen des Praes. hist. verursacht haben. In Vers 56 kann das begründende *gar* von Markus eingeführt sein, der damit aus diesem Satz einen seiner nachgestellten Begründungssätze machte. Dabei dürfte das parataktische *kai* ausgefallen und das Praes. hist. umstilisiert worden sein. In Vers 61b ist *palin* Vorzugswort, das andeutet, daß Vers 60 zugefügt und diese Erweiterung nötig wurde; Vorzugswort ist ebenso *eperōtan* (25mal, vgl. 8/17); die ursprüngliche Redeeinleitung bestand offenbar aus dem Satz: *kai ho archiereus legei autō.*

In der Hohenpriesterfrage Vers 61b muß die Doppelung der christologischen Bezeichnungen sekundär sein. Darauf deuten schon die gelegentlichen Textreduktionen in den alten Handschriften an dieser Stelle, und noch vorher läßt die von Lukas vollzogene Auseinanderlegung wenigstens indirekt ein Argument dafür gewinnen, daß die Doppelung hier markinisch ist. Zunächst einmal ist das bei Markus einmalige *eulogētos*, dessen Verwendung als umschreibende Gottesbezeichnung noch einzigartiger ist,[1266] als ursprünglich anzusehen. Daraus

1264 A. Suhl 60 nach E. Klostermann 155.

1265 Etwas zu undifferenziert, aber in die richtige Richtung weisend, bestimmte F. Hahn, Hoheitstitel 177 A. 3, 181 A. 4 den Bestand des alten Traditionsstückes auf V. 55 f.60–64; ähnlich und schon differenzierter die Version B von E. Linnemann, Studien 129, 181 mit V. 55 f.60a.61c.62–64.

1266 Vgl. Bill. I, 1006, II 51; W. Bousset-H. Greßmann, Religio 313 A. 3; W. Schenk, Segen 116.

ist aber nicht sofort zu schließen, daß *ho christos* eine erklärende Erweiterung des Evangelisten darstelle.[1267] Denn der Zusatz kann sich ursprünglich auch auf *ho christos* bezogen haben, was vom alttestamentlichen Sprachgebrauch her sogar das Naheliegendere ist (vgl. Luk 9,20 und II Regn 23,1; meist jedoch *kyriou* als Übersetzung von Jahwe Luk 2,26; Ps Sal 17,32; 18,5.7; so in der Septuaginta wohl 12mal, dazu je 6mal mit dem Personalpronomen der ersten und zweiten Person und 10mal in der dritten Person). Das Nebeneinander der beiden Titel hier ist auch darum schon immer aufgefallen, weil Gottessohn als jüdische Messiasbezeichnung nicht belegt ist.[1268] 4QFlor 11 f. hat die Entsprechung von Vater und Sohn im Anschluß an 2 Sam 7,11 f.14a, braucht sie aber nicht titular. Allzuschnellen Schlüssen steht auch der Tatbestand entgegen, daß die Gottesbezeichnung „Vater" beim ausdrücklichen *Gottes*sohntitel in den ältesten Schichten Neuen Testaments fehlt.[1269] Dies alles spricht für die Ursprünglichkeit von *ho christos* gegen *ho hyos*. Dagegen ist eingewendet worden, daß die Juden ihre Messiasprätendenten nicht verfolgt haben: „Barkochba, der 135 n. Chr. das Martyrium erlitt, nachdem er die ganze jüdische Gemeinde in schwere Verfolgung hineingeführt hatte, wurde öffentlich als Messias erklärt und gepriesen und blieb trotz der Katastrophe hoch geachtet."[1270] Jedoch kann dieser Einwand nicht überzeugen, denn es bleibt hier der Unterschied, daß „dieser Revolutionsheld in geradezu idealer Weise dem politisch-kämpferischen Messiasbild der landläufigen jüdischen Erwartung (entsprach), während Jesus als der vollendete Widerspruch zu diesem Bild erscheinen mußte ... Ein Mensch, der in solcher Lage sich als Messias, als Inhaber der höchsten von Gott einem Menschen zu übertragenden Würde, ausgab, der mußte in ihren Augen ein Frevler sein, der die großen Verheißungen Gottes an sein Bundesvolk bewußt zu verhöhnen wagte."[1271] Bedenkt man hinzu, daß für Markus nicht der Christos- (7mal, vgl. 17/12), sondern der Gottessohntitel die entscheidende Prädikation ist,[1272] dann ist hier klar *ho hyos* als erklärender Zusatz des Markus anzusehen.[1273]

1267 So H. Conzelmann, Theologie 149.

1268 P. Vielhauer, Aufsätze 188 ff., 203 f.; im einzelnen jetzt E. Lohse, ThW VII, 361–363; W. G. Kümmel, Theologie 63, 66.

1269 F. Hahn, Hoheitstitel 281 A. 1; dies spricht gegen seine Argumentation 284 A. 3 und 285 A. 7.

1270 So zuletzt E. Schweizer 188; S. Schulz, Stunde 134.

1271 J. Blinzler 154 f.

1272 Dies dürfte P. Vielhauer, Aufsätze 201–203 endgültig dargetan haben, auch wenn man die entscheidenden Stellen nicht so wie er vom Inthronisationsschema her verstehen kann.

1273 Ebd. 202, 204; vgl. schon W. Bousset, Kyrios 55; damit entfällt aber die Stelle als Beweis für das von F. Hahn, Hoheitstitel 181, 288 f. aufgestellte Postulat einer eschatologischen Urform des Gottessohnverständnisses ebenso wie bei umgekehrter literarkritischer Entscheidung (dagegen mit Recht P. Vielhauer, Aufsätze 188 f.).

Die erweiternde Fortsetzung der Antwort Jesu in Vers 62b stellt ebenso ein besonders wichtiges wie verwickeltes Problem dar. In der Verbindung zweier sehr verschiedener alttestamentlicher Stellen (LXX-Ps 109,1 mit Dan 7,14) in einer sowohl formal als auch sachlich nicht ganz nahtlosen Weise dürfte ein nachträglicher Zusatz zu Vers 62a zu sehen sein. Der Wechsel von der ersten in die 3. Pers. ist dafür ein erstes (s. o. zu V. 21), allerdings noch kein ausreichendes Indiz; er kommt aus „dem Zwang des Zitierens".[1274] Doch ist weiter Markus zuzutrauen, daß, wenn er das Hendiadioin der Titel in Vers 61b geschaffen hat, durchaus zur Komplettierung als dritten Titel den Menschensohn in diesem Zusammenhang eingeführt hat. Auch die beiden Partizipien könnten ein Zeichen markinischer Gestaltung sein; sie sind von der Septuaginta her nicht vorgegeben (vergleichbar ist nur Dan 7,13 Theod. *erchomenos meta*), hier aber nach einem Verbum der Wahrnehmung nötig,[1275] doch stellt zugleich die Doppelung in Abhängigkeit von der einen Wahrnehmung vor ein neues Problem: Sie sind vor allem sachlich eine spannungsvolle Kombination. „Das Sitzen zur Rechten und das Kommen auf den Wolken ist nur schlecht als *ein* Akt zu denken."[1276] Darum wird Lohmeyer recht behalten, wenn er feststellt: „Die beiden Partizipien sind also wohl mehr dazu bestimmt, die göttlichen Funktionen dieses Menschensohnes anzugeben, als konkrete himmlische Geschehnisse zu bezeichnen, da es schwer möglich ist, das ‚Sitzen' zur Seite Gottes und das Kommen auf Wolken sich gleichsam uno intuitu vorzustellen."[1277] Vielleicht waren beide Akte auch in einer geprägten Bekenntnisformulierung Markus aus seiner Gemeinde vorgegeben, so daß sich die spannungsvolle Einheit hier als Übernahme eines Testimoniums erklärt. Daß es jedoch eine einfache Urform gab, die nur von der Erhöhung sprach,[1278] ist zu bestreiten, da die reine Verbindung des Menschensohnes mit der Erhöhungsaussage erst in der sekundären Kürzung der Lukasredaktion (22,69) an unserer Stelle vorliegt.[1279] Weiter ist zu bedenken, daß die hier vorliegende umfassende Funktionsbestimmung im Fortgang der Perikope „gar nicht berücksichtigt" wird,[1280] ja noch mehr: sie stört den Fluß der Perikope, denn Vers 62b gibt der Antwort Jesu ein stärkeres Gewicht, als es in der Abfolge des Textes zu erwarten wäre. Es kommt auch ein Triumph Jesu hinein, der so ursprünglich nicht beabsichtigt war, denn hier wird ja auf das

---

1274 E. Lohmeyer 329.

1275 Bl-Debr 416 (s. o. zu V. 40).

1276 A. Suhl 54; das ist vor allem gegen F. Hahn, Hoheitstitel 128, 181 ff. zu bemerken: das erste Partizip heißt nicht „sich setzend" oder „inthronisiert werdend", sondern „sitzend, thronend" (vgl. P. Vielhauer, Aufsätze 172 f., 189, 204 f.).

1277 E. Lohmeyer 329.

1278 So E. Schweizer, ZNW 60, 1959, 195.

1279 So mit Recht H. E. Tödt, Menschensohn 96; P. Vielhauer, Aufsätze 116 f.; A. Suhl 55.

1280 A. Suhl 56.

Zu-Tode-Bringen Jesu gezielt. Wäre das Wort hier traditionell, dann könnte der Text nicht so weiterlaufen, wie er ursprünglich weiterlief. Darum ist A. Suhl zuzustimmen, der hier den Evangelisten am Werke sieht.[1281]

Schließlich läßt sich, und das ist für mich entscheidend, auch noch deutlich ein besonderes markinisches Interesse für diesen Zusatz an dieser Stelle erkennen: Die beiden hier verbundenen alttestamentlichen Stellen waren bisher von Markus schon je einmal genannt worden, und zwar 12,36 und 13,26. Vor allem aber ist der Ort dieser beiden Nennungen beachtlich. Wie wir sahen, beginnen die beiden ursprünglichen Leidenstraditionen schon 11,1 ff., um dann 11,20–13,37 unterbrochen und erst 14,1 weitergeführt zu werden. Vor allem ist es die apokalyptische Passionsdarstellung, die zwischen 11,18 und 14,1 direkt zerrissen wird. Und gerade innerhalb dieser markinischen Einschaltung stehen nun die beiden Schriftanspielungen, auf die hier Bezug genommen wird. Darum ist damit eine kritische Interpretation der apokalyptischen Passionsauffassung gegeben. Bartsch hat mit Recht erkannt, daß in dieser „Einfügung die ausführlichste und ... ertragreichste Interpretation der Leidensgeschichte" zu sehen ist. „Die Stellung der synoptischen Apokalypse unmittelbar vor dem Todesbeschluß, dem Anfang der Leidensgeschichte, wie er innerhalb des Evangeliums gesetzt ist, bedeutet die theologische Folgerung, daß das Leiden, Sterben und Auferstehen Jesu angesichts des Fortgangs der Geschichte zur konkreten Erwartung des Kommens Christi ruft."[1282] Was hier an der Komposition des Ganzen richtig erhoben ist, bestätigt sich also im einzelnen durch das Vorkommen von Ps 110,1 in 12,36 und Dan 7,14 in 13,26 und der kombinierten Aufnahme und Erinnerung beider Aussagen in 14,62b.[1283]

Auch das de, mit dem Vers 63a einsetzt, verweist darauf, daß Markus von einem Zusatz zur Tradition zurückkehrt. Das Zerreißen des Gewandes durch den Hohenpriester braucht aber darum nicht eine nachträgliche novellistische Verstärkung und Ausschmückung der Szene zu sein. Zwar ist außer dem de auch die Stilisierung im Part. conj. markinisch, und der Aor. steht in Spannung zu dem nachfolgenden Praes. hist. Doch da diarrhēssein bei Markus Hapaxlegomenon ist (auch Matthäus hat es nur hier im Gefolge des Markus; Lukas zweimal in anderen Zusammenhängen), so ist eher anzunehmen, daß Markus

1281 Ebd. 55 f. mit Recht gegen F. Hahn, Hoheitstitel 128, 177 A. 3, 181 ff.; Hahns Meinung, daß sich innerhalb von V. 61 f. keine literarkritische Operation durchführen lasse (290 A. 2), ist zu bestreiten. Auch W. G. Kümmel, Theologie 64, kann keine Zustimmung finden, wenn er die Authentizität der ausgeführten Antwort Jesu schon darin gegeben sieht, daß er den (allerdings schwachen) Einwand zurückweist, daß kombinierte Bibelzitate im Munde Jesu undenkbar seien. Daß es gewichtigere und stärkere Gründe gibt, sollte niemandem verborgen sein.

1282 H. W. Bartsch, ThZ 20, 101 f.

1283 Dann aber entfällt unser Vers als Beleg für die ursprüngliche apokalyptische Deutung der Passion, wofür H. W. Bartsch ebd. 94 die Stelle noch heranzieht.

hier nur umstilisiert hat und der Satz ursprünglich lautete: *(kai) ho archiereus diarrhe(ssei) tous chitonas autou (kai) legei.* Der Brauch als solcher ist alttestamentlich, wie zeitgenössisch belegt (2 Kön 18,37; Sanh 7,5b; Jos., Bell. II 15,4).[1284]

Die oft verhandelte Frage, ob die alte Tradition wirklich Jesus der Gotteslästerung bezichtigt hat (s. o. A. 1249), wie dies Vers 64a geschieht, kann als erledigt gelten, wenn die verengte Definition der Blasphemie der Mischna (Sanh 7,5: „Der Lästerer ist erst schuldig, wenn er den Gottesnamen deutlich ausspricht") erst nach der Zerstörung des Tempels aufkam und das vorher herrschende sadduzäische Strafrecht anders gefaßt war, worauf auch neutestamentliche Tatbestände klar hinweisen (vgl. Mark 2,7; Apg 6,11 ff.; 7,51 ff.; Joh 10,30 ff.).[1285] Doch auch wenn man dem nicht zu folgen geneigt ist, weil nicht nur der Hohepriester in seiner Anrede, sondern auch die markinische Erweiterung Vers 62b den Gottesnamen vermeidet, ohne durch die alttestamentliche Anspielung genötigt zu sein, so wird man darin nicht ein Problem sehen können, sondern eine Aussageabsicht des Erzählers: Es ist damit ausdrücklich und voll beabsichtigt klargestellt, daß Jesus zu Unrecht beschuldigt und zu Tode gebracht worden ist! Der Erzähler schildert ja nicht nur, sondern er gibt zugleich sein eigenes Urteil ab, wie es auch schon Vers 56 für den ersten Erzähler im Gebrauch von *pseudomartyroun* zum Ausdruck kam (vom Redaktor verstärkt V. 57).[1286]

Die Reaktion des Synhedriums auf die Frage des Hohenpriesters Vers 64b ist wiederum deutlich markinisch überarbeitet. Statt des zu erwartenden Praes. hist. steht der Aor. *katekrinan,* und der Satz ist wiederum mit dem Redaktionsindikator *de* eingeleitet; außerdem findet sich verstärkendes *pantes,* das genauso auf Markus selbst weist. Aber auch sachlich steht die Schilderung der Reaktion in Spannung zu der Frage *ti hymin fainetai,* die nur nach dem fragt, was sichtbar in Erscheinung getreten ist,[1287] nicht aber nach einer Verurteilung, wie sie in dem Kompositum *katakrinein* zweifelsfrei vorliegt.[1288] Dann aber muß die ursprüngliche Antwort nicht eine direkte Verurteilung, sondern nur eine Meinungsbildung gebracht haben, daß man gewillt war, Jesus zu Tode zu bringen, und dies eben nicht auf die jüdische Art der Steinigung, die ja eigentlich auf Gotteslästerung stand, sondern so, daß man Jesus als einen politisch Verdächtigen Pilatus in die Hände spielte. Daß *katakrinein* hier markinische Formulierung ist, beweist schließlich auch, daß er das Verb nur noch ein zweites Mal, und zwar gerade in der redaktionellen Bildung der dritten Leidensansage und

1284 Vgl. Bill I 1007 f.; E. Klostermann 156; J. Blinzler 160 f.

1285 J. Blinzler 152–156, 188–197.

1286 E. Lohmeyer 327 f.

1287 Bauer WB 1085.

1288 Ebd. 815; F. Büchsel, ThW III 953; das Problem hat E. Klostermann 156 klar empfunden.

außerdem für denselben Tatbestand, verwendet 10,33: *kai katakrinousin auton thanatou* (vgl. das Verb 4/2).[1289] Markus hat also eine regelrechte Verurteilung Jesu durch das Synhedrium behauptet, aber hat sie wohl auch erst geschaffen. Sind die drei voranstehenden Worte schon als seine Zutat erkannt, dann kann er auch die Vorsilbe *kat'* hinzugefügt haben. Ursprünglich dürfte also das Verbum finitum von Vers 64b nicht nur im Praes. hist., sondern ebenso im Simplex gestanden haben; dieses kann zwar auch ein regelrechtes Urteil bezeichnen, daneben aber auch die Meinung, und zwar gerade mit nachfolgendem A.c.I. heißt *krinein* „sich etwas vornehmen, sich dafür entscheiden", ohne daß damit juristische Implikate gesetzt sein müßten (1 Kor 7,37; 2 Kor 2,1; Röm 14,13; Apg 21,25).[1290] Das würde der Frage vom voranstehenden Versteil am klarsten entsprechen: Sie nehmen sich vor (*krinousin*), ihn zu Tode zu bringen, ihn dem Tod verfallen sein zu lassen. Dann aber gilt nur noch für den markinischen Text, daß „wir Markus 14,64 ein regelrechtes Urteil" haben, „also ist das Vorhergehende ein Prozeß",[1291] nicht aber für die alte Passionstradition.

Aus der Erörterung herausgeblieben sind bisher die Verse 53a und 57–61a. Wie sind sie zu beurteilen? Da Markus in Vers 62b einen Zusatz brachte, der für seine Kritik an der apokalyptisch-gnostischen Passionsauffassung typisch war, so ist zu vermuten, daß auch hier nicht der ganze Rest markinische Bearbeitung ist, sondern dieser Traditionsstrang auch in unserer Perikope vorliegt. Ihr Zentrum dürfte das Tempelwort Vers 58 sein, das ja in der Tat in Übereinstimmung mit einem wichtigen Motiv dieser Tradition steht, das sich von 11,15 ff. über unsere Stelle bis zu 15,29.38 hin durchhält.[1292] Und mit vollem Recht hat Bultmann darauf verwiesen, daß „die beiden Anklagen Vers 58 und 61 Dubletten" hier im unmittelbaren Kontext sind.[1293] Zu Vers 58 gehört auf alle Fälle die Einleitung von Vers 57. Dagegen stehen auch Vers 56 und 59 im Dublettenverhältnis.

Während nun nach Bultmann Vers 57–59 eine sekundäre „Spezialisierung von Vers 56" sind,[1294] urteilt Haenchen umgekehrt, daß die allgemeinere Fassung Vers 56, weil „schon abgeblaßt", der konkreteren Fassung Vers 57–59 gegenüber sekundär sei.[1295] Dieser Gegensatz im Urteil zeigt sehr deutlich, daß eine rein formgeschichtliche Fragestellung, die von Literarkritik absehen wollte, nicht weiterführt. Zu einem weiterführenden Schritt bringt uns hier aber die Be-

1289 E. Klostermann, ebd.

1290 Bauer WB 892 f.

1291 H. Lietzmann II 275.

1292 H. W. Bartsch, ThZ 20, 92, 94.

1293 R. Bultmann, Tradition 291.

1294 Ebd.; daran richtet E. Linnemann, Studien 111, die kritische Frage: „Was konnten sich die Tradenten von der Einfügung von V. 57–59 versprechen?"

1295 E. Haenchen 509; dagegen ist mit E. Linnemann, Studien 112, zu fragen, wie dieses Verblassen zu denken wäre.

obachtung der weiteren inneren Spannung von Vers 58 f.: „Wenn ‚einige‘ darin übereinstimmen, dieses Wort sei von Jesus gesprochen worden, weshalb heißt dann ihr Urteil ‚falsch‘ ...? ... Die Anklage ist höchstens noch nicht präzis und klar genug, aber sie ist deswegen nicht falsch."[1296]

Das alles führt zu dem Schluß, daß die Tradition im wesentlichen in den Versen 57 f. zu finden ist. Markus dürfte es gewesen sein, der Vers 57 in Anlehnung an den Text des voranstehenden Verses 56 mit dem Kompositum *pseudomartyroun* angleichend gestaltet hat.[1297] Das wird dadurch bestätigt, daß der Bezug auf diese Aussage in Vers 60 von *katamartyroun* ohne solche moralische Wertung formuliert. In Vers 57 dürfte dasselbe Wort oder das Simplex ursprünglich sein. Daß der Anfang von Vers 57 markinisch überarbeitet ist, zeigt wieder das Part. conj., das noch dazu typisch markinisch mit dem pleonastischen *anastantes* gebildet ist (vgl. 1,35; 2,14; 7,24; 10,1; 14,60).[1298] Vers 57 wird ursprünglich die Form gehabt haben: *kai emartyroun kat' autou*.

Auch die Einleitung von Vers 58 ist markinisch überarbeitet. Das *hoti*-rezitativum ist nicht nur an sich, sondern vor allem in Verbindung mit dem Part. von *legein* redaktionell.[1299] Dies liegt hier nun gleich doppelt vor. Auch der Gen. abs., der im zweiten Fall damit verbunden ist, geht sicher auf Markus zurück und dürfte ein *auto(n) lege(i)n* in der Vorlage voraussetzen. Daß das dann folgende Jesuswort Vers 58b ursprünglich nur die Kurzfassung des ersten negativen Satzes hatte,[1300] kann man im Hinblick auf 15,38 und die Vorstellung vom eschatologischen Wendepunkt des Todes, wie er in dieser Tradition vorliegt, vermuten. Da die Stelle 15,29 auf die hier gebotene weitere Fassung anspielt, kann der Zusatz von daher nicht sicher beurteilt werden. Doch da Markus in 13,2 die Kurzfassung modifiziert vorweggenommen und auf die Tempelzerstörung seiner Zeit angewendet hat, ist ein klares Zeugnis für die Vermutung Bartschs gegeben. Diese Uminterpretation machte eine wiederholende Verwendung in einem anderen Sinne nicht mehr möglich. Außerdem kritisiert Markus die Kreuzeseschatologie dieser Vorlage mit Betonung der leiblichen Auferweckung und ist darum für den Zusatz hier verantwortlich zu machen. Dann erklärt sich aber auch gut die betonte Wiederholung in der erweiterten Fassung in 15,29.

Vers 59 erweist sich auf alle Fälle als „eine matte und sinnlose Wiederaufnahme des Motivs von Vers 56",[1301] die sich der Redaktion aber zwangsläufig als notwendige Folge aus der einleitenden Umprägung des entsprechenden Wortes Vers 57 als *Falsch*-Zeugnis ergab. Dafür ist auch auf das öfter redaktionelle

1296 E. Lohmeyer 327; vgl. E. Linnemann, Studien 109.

1297 So schon von E. Klostermann 155 richtig vermutet.

1298 W. Larfeld 255, 233; Lukas liebt es noch mehr und hat es 19 /+ 23mal pleonastisch.

1299 R. Pesch 110.

1300 H. W. Bartsch, ThZ 20, 99 f. A. 22.

1301 R. Bultmann, Tradition 291; M. Dibelius, Formgeschichte 192.

*houtōs* zu verweisen (s. o. zu 15,39).[1302] Weiter wird das vom Fortgang der Geschichte her bestätigt: „Die Frage des Hohenpriesters Vers 60 ist nach Vers 59, wo die Erfolglosigkeit des Zeugenverhörs festgestellt ist, unmotiviert."[1303] In der Redeeinleitung von Vers 60 ist das Part. conj. mit dem pleonastischen *anastas* (s. o. V. 57) ebenso markinische Stilisierung, wie *eperōtan* (s. o. V. 61) markinisches Vorzugswort ist; es wird vom Part. *legōn* gefolgt wie 9,11 und 12,18. Darum ist hier für die Tradition eine einfache Redeeinleitung vorauszusetzen: *kai ho archiereus e(ipe)n*. Die Wendung *eis meson* dürfte vom redaktionellen Verb abhängig sein, ohne daß sich das wortstatistisch sichern ließe (5mal, vgl. 7/14). Die beiden folgenden Fragesätze, die Vers 60b den Redeinhalt bieten, stehen in Spannung zueinander, wie schon die Überlieferungsvarianten der Handschriften an dieser Stelle zeigen. Der Vaticanus und einige andere verbinden beide Hauptsätze enger, indem sie statt *ti* ein *hoti* bieten; der Freerianus versteht dann *ho ti* als Relativsatz. Doch sind dies Besserungen; es handelt sich ursprünglich um zwei Fragen.[1304] Der erste Fragesatz ist eine ungeschickte Vorwegnahme des zweiten Satzes von Vers 61a. Er setzt ein erstes Schweigen voraus, das hier gar nicht erwähnt ist. Außerdem ist nicht nur *ouden* markinisches Stilmerkmal[1305] (26mal, vgl. 19/33), sondern es steht auch in der für Markus charakteristischen mehrfachen Negation (s. o. zu V. 25), und schließlich ist auch wiederum die Häufung von Fragen ebenso für Markus typisch. Darum ist der erste Fragesatz hier als markinische Zufügung anzusehen, während der zweite wohl den ursprünglichen Redeinhalt der Tradition bietet.

Die Reaktion Jesu darauf in dem Doppelsatz von Vers 61a zeigt eine Überfülle von redaktionellen Zügen: Außer dem eben schon erwähnten *ouden* und der doppelten Negation weist der Gebrauch von *de* auf die Gestaltung des Evangelisten hin; auch *siōpan* ist markinisches Vorzugswort (5mal, vgl. 2 von Markus übernommen / 2 unabhängig von Markus).[1306] Schließlich ist die Tautologie der beiden Sätze eine „für Markus charakteristische Doppelwendung" (vgl. V. 50,68.71).[1307] Darum ist als Bezeichnung der Reaktion Jesu für die Vorlage nur der Satz anzunehmen: *kai ouk apekrinato*. Der Rest ist markinische Erweiterung. Damit aber entfällt auch endgültig die ohnehin schwach begründete, weil ohne Wortgleichheit arbeitende Vermutung, daß das Schweigen Jesu eine Anspielung auf Jes 53,7 darstelle bzw. daraus erschlossen sei.[1308] Diese Vermutung ist nur durch die maßlose Überbewertung von Jes 53 für das Urchristen-

---

1302 R. Pesch 149 zu 13,29.
1303 R. Bultmann, Tradition 291; vgl. E. Linnemann, Studien 110.
1304 E. Klostermann 155; E. Lohmeyer 328 A. 1.
1305 F. Hauck 176.
1306 Ebd.
1307 E. Klostermann 155; W. Larfeld 268.
1308 So H. Lietzmann II 255; E. Klostermann 155; J. Schniewind 191; W. Grundmann 300; E. Haenchen 514; E. Schweizer 191; dagegen mit Recht auch A. Suhl 59 f.

tum hier wie andernorts oft auch eingelesen worden. Die hier vorliegende Tradition aber arbeitet nicht mit Schriftanspielungen.

Mit der Reaktion Jesu ist aber noch kein Abschluß, sondern erst ein Zwischenzustand erreicht. Der Abschluß muß von einer Handlung derer sprechen, die hier gegen Jesus handeln, nicht aber von einer weiteren Äußerung Jesu. Darum ist es auch von hier aus ausgeschlossen, daß etwa Vers 62b noch der apokalyptischen Tradition zuzurechnen ist (s. o). Daß das Schweigen Jesu Schluß- und Zielpunkt der Perikope sein soll,[1309] ist völlig unbegründet, zumal als die ältere Formulierung sich nur das Nicht-Antworten ergab, was noch blasser ist als das von Markus verstärkend eingeführte „Schweigen". Als Abschluß dieses zweiten Überlieferungsstranges kommt also nur noch Vers 65 bzw. 15,1 in Frage. Bei all der verwickelten Problematik, vor die uns Vers 65 stellt,[1310] ist so viel deutlich, daß mit der Aufforderung zum *profēteuein* hier ein fester Anhaltspunkt gegeben ist: „Die Szene ... knüpft an Vers 58 an, wonach Jesus geweissagt hat, er werde den Tempel zerstören. Dieses Den-Propheten-Spielen will man ihm jetzt mit Schlägen austreiben."[1311] Das absolute *profēteuson* meint: „Prophezei noch mehr über den Tempel!"[1312] Hat man sich erst von dem Zwang befreit, diese Aufforderung von der matthäischen und lukanischen interpretierenden Erweiterung her zu deuten,[1313] dann ist der Zusammenhang mit Vers 58 der einzige sinnvoll im Text gegebene. Damit entfällt sowohl die Hypothese Bultmanns, daß diese Szene ursprünglich der Verhaftungsperikope zugehörte,[1314] wie die Behauptung J. Finegans,[1315] daß hier eine sekundäre Dublette zu der Verspottungsszene vor Pilatus 15,16–20 vorliege (übereinstimmend ist nur *emptyein* mit 15,19), als auch die verbreitete Annahme, daß die Szene auf Jes 50,6 zurückgehe.[1316]

Daß diese Schriftableitung undurchführbar ist, zeigt am besten die gequälte Art ihrer Beweisführung, in der z. B. Lohmeyer das Prophezeien von dem Satz „Der Herr hat mir das *Ohr* (!) geöffnet" und das Verhüllen des Gesichts schließlich gar von der Wendung „Mein Antlitz habe ich *nicht* (!) verborgen" ab-

1309 So das Postulat von E. Linnemann, Studien 127.

1310 Vgl. das ausführliche Referat bei J. Blinzler 162–166.

1311 J. Schmid, Matth und Luk 158 im Anschluß an J. Wellhausen z. St.

1312 E. Klostermann 157.

1313 So mit Recht M. Dibelius, Formgeschichte 193 A. 1 gegen H. Lietzmann II 257 A. 1.

1314 R. Bultmann, Tradition 293; übernommen von A. Suhl 59; dagegen wiederum schon M. Dibelius, Formgeschichte 193 A. 1.

1315 J. Finegan 73.

1316 E. Weidel 230 ff.; M. Dibelius, Formgeschichte 193 A. 1 und BuG I 277; E. Lohmeyer 330; W. Grundmann 300; H. Braun, Radikalismus II 106 A. 1; E. Haenchen 515. Eine Kombination der beiden letztgenannten Ableitungen vertreten A. Loisy z. St., J. Blinzler 163, 165; E. Schweizer 189, indem sie eine Sekundärbildung oder Doppelüberlieferung nach der anderen Verspottung unter dem Einfluß des „Schriftbeweises" annehmen.

leitet.[1317] Hier kann man nur A. Suhl in der entschiedenen Zurückweisung solcher Ableitungsversuche folgen.[1318] Ein Anklang läßt sich zur Not nur für das erste Glied in *empysmata* dort und das letzte Glied *rhapismata* nachweisen. Diese Anspielung könnte ja auch erst vom Evangelisten eingebracht sein, wobei er durch seine Vorlage andererseits gebunden war.

Darum muß man zunächst untersuchen, wo hier außer dem Traditionskern möglicherweise markinische Überarbeitung vorliegt. Daß sie hier vorliegt, ist deutlich: Der Anfang mit *archesthai* + Inf. erweist sich als klar markinisch und ebenso die Schlußwendung *rhapismasin* (synoptisches Hapaxlegomenon) *auton elaben*, die einen Latinismus darstellt (verberibus eum acceperunt; Cic. Tusc. II 14,34) und insofern ein markinisches Stilmerkmal bildet;[1319] weiterhin ist *emtyein* markinisches Vorzugswort (3mal noch 15,19; 10,34, vgl. 2/1 – und zwar sämtlich in Abhängigkeit von Markus!). Somit könnte von Markus, der den Anfang und den Schluß hier dergestalt erweiterte, eine sekundäre Anspielung auf Jes 50,6 in Anlehnung an 15,19 gegeben worden sein. Noch wichtiger ist allerdings, daß er die beiden Vorgänge in der Passion damit sachlich verklammert und verbindet und außerdem eine Parallelität des Aufbaus schafft: Auf das juristische Unrecht an Jesus folgt beide Male auch noch die erniedrigende Verachtung. Diese Parallelität der Komposition wird dadurch noch deutlicher, daß beide Male eine weitere Einzelperson als Gegenbild eingesetzt wird: war es im ersten Durchgang Petrus, so wird es im zweiten Barrabas sein.

Die zweite Handlung am Anfang, das Verhüllen des Gesichts, dürfte ein novellistischer Zusatz sein, obwohl *perikalyptein* markinisches Hapaxlegomenon und *prosōpon* untypisch (3mal, vgl. 10/13) ist, doch weist die attributive Stellung des possessiven Gen. auf besseren griechischen Stil, als die semitisierende Nachstellung es ergäbe.[1320] Der Zusatz scheint durch das zusammen vorgegebene Schlagen und die Aufforderung zum Weissagen hervorgerufen zu sein und zeigt an, daß Markus dies beides durch die zugesetzte Vorschaltung schon in die Richtung hin umdeutet, in der dann seine beiden Seitenreferenten noch weitergegangen sind mit der direkten Frage: Wer ist es, der dich schlug? Nur von der schon durch Markus eingeleiteten Umdeutung her erklärt sich die so auffallend gleiche Weiterentwicklung bei beiden Seitenreferenten, die der Textkritik schon immer schwere Fragen aufgegeben hat.[1321] Als ursprünglicher Bestand der Tradition ist unter Ausschluß der markinischen Infinitive etwa der folgende Wortlaut anzunehmen: *kai (e)kollafi(sa)n auton kai e(ipa)n autō· pro-*

---

1317 E. Lohmeyer 330; ebenso M. Dibelius, Formgeschichte 193 A. 1.

1318 A. Suhl 58 f.

1319 F. Hauck 176, 179; W. Larfeld 240; Bl-Debr 5,3b; 198,3; Bauer WB 919; E. Klostermann 157.

1320 Bl-Debr 284,1.

1321 Vgl. J. Schmid, Matth und Luk 158.

*fēteuson*. Damit aber wird die ganze Diskussion hinfällig, ob die Handlungen dieses Verses dem Brauch hellenistischer Sklavenverspottung oder dem Spiel entstammen.[1322]

Auffallend an dem Vers ist schließlich, daß die Täter der ersten auf vier gesteigerten Akte bei Markus nicht genannt sind, während im fünften Schlußakt nachhinkend die *hypēretai* plötzlich als schändend Handelnde auftreten. Die Spannung ist so deutlich, daß sowohl Matthäus als auch Lukas sie beseitigt haben. Dieses Subjekt ist jetzt, nachdem seine Handlung als redaktionell erkannt ist, isoliert. Daß es ebenfalls redaktionell sein sollte, ist wegen seines nachhinkenden Charakters und weil es mit *kai* eingeführt wird, wohl nicht anzunehmen. Dann aber muß den Dienern ursprünglich eine andere Handlung zugeordnet gewesen sein, die nur jetzt durch die Erweiterung der Schändungsakte wie durch den anschließenden Einschub der Petrusgeschichte abgetrennt ist. Als solcher Akt kommt am ehesten das in der direkten und ursprünglichen Fortsetzung 15,1 genannte „Binden" in Frage, dessen Subjekt jetzt ohnehin in schwer vorstellbarer Weise die Oberpriester, Ältesten, Schriftgelehrte und das ganze Synhedrium sind! Andererseits ist die Abtrennung der Fesselung Jesu vom ursprünglichen Ort durch die Einschaltung der Petrusgeschichte verständlich. Weil Markus also das Fesseln und Abführen nicht trennen wollte und konnte, darum schrieb er den Dienern neu die „Backenstreiche" zu.

Damit sind wir unvermutet schon zu 15,1 vorgestoßen, der angeblich älteren Tradition von der Synhedriumsverhandlung.[1323] Doch um alte Tradition handelt es sich bei diesem Vers, vor allem in seiner ersten Hälfte, kaum: *euthys* ist markinischer Pleonasmus, und auch *prōi* ist nicht nur markinisches Vorzugswort, sondern charakteristischer Bestandteil der markinischen Passionswochengliederung (vgl. 11,20; 16,2). Die vierfache Gruppenbezeichnung ist ebenfalls eine markinische Tautologie, und die Doppelung der beiden Partizipia conjuncta, die dann von zwei weiteren finiten Verben gefolgt werden, weist auf markinische Komposition gerade im ersten Teil dieses Verses. Der durch die Petrusgeschichte unterbrochene Faden wird hier einfach wieder aufgenommen, und auf Grund des Part. Aor. wird von Markus nur der Abschluß der nächtlichen und nicht eine neue Sitzung gemeint sein,[1324] unabhängig davon, ob man übersetzt: „nachdem sie den Rat gehalten" oder „den Beschluß ausgefertigt hat-

---

1322 Für die erste Möglichkeit G. Rudberg, ZNW 24, 307–309, für die zweite W. C. van Unnik, ZNW 39, 310 f., vgl. dazu M. Dibelius, Formgeschichte 193 A. 1; R. Bultmann, Tradition 293 A. 1; E. Klostermann 157; J. Blinzler 165.

1323 Nach E. Klostermann 158 sogar „der wirkliche Bericht über ein Eingreifen des Synhedriums".

1324 E. Schweizer 186 f., 193.

ten".[1325] Das zweite ist indes wahrscheinlicher, da gerade Markus Vers 64 erst zu einer regelrechten Verurteilung gemacht hatte. So lag es ihm nahe, diesen wichtigen Zug hier erinnernd aufzunehmen. Lohmeyer dürfte darin recht behalten, daß es hinsichtlich der Frage des „Prozesses" Jesu „kaum erlaubt (ist), 15,1 als das Rudiment einer älteren Überlieferung aufzufassen".[1326] Dagegen dürften in 15,1b in Zusammenhang mit dem Subj. aus 14,65c insofern Bestandteile von Tradition liegen, als deren Abschluß uns hier deutlich wird: *kai hoi hypēretai (e)dēsan ton Iēsoun (kai) apēnegkan* ... – doch wohl zu Pilatus. Denkbar ist, daß das vierte Verb dieses Satzes die entsprechende Überleitung der Praes.-hist.-Tradition war, die jetzt in Angleichung an die Umgebung im Aor. formuliert ist.

Noch nicht zur Sprache gekommen ist bisher der Satz 14,53a. Dieser Satz ist analog zu dem Traditionsbestand von 15,1b geformt. Und da er gut an 14,50 anschließt, dürfte er die Einleitung zu Vers 57 gebildet haben.

Dann aber können wir zusammenfassend feststellen, daß auch in der Perikope von der Synhedriums-Verhandlung die beiden bisher aufgewiesenen Traditionsstränge fortlaufen: Zur Praes.-hist.-Tradition gehören Vers 53b.55.56. 61b.62a.63.64; 15,1bβ. Dem apokalyptisch-gnostischen Traditionsstrang ist zuzuzählen Vers 53a.57.58.60.61a.65b; 15,1b α. Markinische Überarbeitung ist im nicht genannten Rest sowie in den meisten der genannten Traditionsverse ebenfalls zu sehen.

### 3.9. Jesus vor Pilatus (Mark 15,2–15)

Die beiden Teile der Perikope, das Pilatusverhör 15,2–5 und die Barabbasepisode 15,6–15, „stehen unverbunden nebeneinander. Sie lassen sich auch gar nicht verbinden; denn 15,1 *paredōkan Pilatō* und 15,8 *anabas ho ochlos erxato aiteisthai* spielen kaum an demselben Ort. Der Ortswechsel ist nicht erwähnt, sondern nur durch die Notiz 15,6f. verdeckt; er konnte auch gar nicht erwähnt werden, da weder vorher noch nachher (bis zu 15,16) ein Ort angegeben wird, mithin die ganze Szene jeder Situationsangabe ermangelt."[1327] Darum ist das Rätselraten um den vermutlichen historischen Ort des Pilatusverhörs müßig. Wir wissen nicht, ob es sich um den Herodespalast handelte (so nach Mark 15,16 zu vermuten) oder um die Burg Antonia an der Nordwestecke des Tempelplatzes (so wohl nach Matth 27,27 zu denken und weil dort auch das Unter-

---

1325 E. Klostermann 158; Bauer WB 1540 für das zweite, da dahinter ein Latinismus stehen dürfte, was zusätzlich für markinische Bildung spricht!

1326 E. Lohmeyer 334.

1327 M. Dibelius, BuG I 281; vgl. J. Finegan 74.

suchungsgefängnis war).[1328] Doch man kann diese Frage überhaupt nicht stellen, wenn nach Dibelius „die Pilatusszene in all ihrer Kargheit... durch den Rückschluß aus der überlieferten *aitia* am Kreuz genommen zu sein" scheint.[1329] Wir müssen uns also offenbar den beiden Teilen gesondert zuwenden und den möglichen vormarkinischen Bestand zu gewinnen und zu bestimmen versuchen.

Für Vers 2–5 ist nicht nur die von Dibelius genannte „Kargheit" charakteristisch, die ihn zu dem Schluß führte, daß hier „der Verfasser nur Erschlossenes wiedergibt",[1330] sondern vor allem auch wiederum die Uneinheitlichkeit, die uns hindert, ihm vorschnell ganz und gar recht zu geben: Vers 2 konkurriert deutlich mit Vers 3–5;[1331] „Vers 2 wäre... logischerweise erst nach Vers 5 zu erwarten."[1332] Weiter stehen diese beiden Stücke auch insofern zueinander in Spannung, als Jesus in Vers 2 antwortet, dann aber Vers 4f. die Antwort verweigert. Die Königsfrage und Jesu Antwort Vers 2 kommen zu früh und unmotiviert. „Pilatus beginnt, ohne daß eine Veranlassung dazu erwähnt ist, mit der Königsfrage; dann erst folgt die Anklage durch die Juden; aber die Anklagepunkte bleiben völlig im Dunkeln."[1333] Das hat Lukas deutlich empfunden und darum 23,2–4 umgestellt[1334] und damit wiederum sekundär eine historisierende Lösung geschaffen. Die modernen Exegeten dagegen sehen sich vor eine Alternativentscheidung gestellt. Während Bultmann Vers 2 als sekundäre Erweiterung ansieht,[1335] hält Finegan gerade Vers 2 für ursprünglich[1336] und die Verse 3–5 für eine sekundäre Steigerung, die sich an 14,60f. mit Anspielung auf Jes 53,7 anschließe. Dort ist allerdings die Abfolge sinnvoller: „erst Schweigen und dann Bekenntnis",[1337] so daß auch hier anscheinend nichts Bestimmtes ausgemacht werden kann, wenn man allein nach dem denkbar Möglichen fragt.

Da Vers 2 ein Praes. hist. vorliegt, wird man Bultmanns Entscheidung gegen den Traditionscharakter dieses Verses bestreiten müssen. Da wir bisher immer auf eine Doppelheit von vormarkinischen Passionsquellen stießen, wird man sich durch eine Alternativstellung der Frage nicht von vornherein einengen lassen dürfen, vielmehr auch hier mit Dubletten der Tradition zu rechnen haben. Inwiefern das möglich ist, muß sprachlich nachgeprüft werden. Vers 3 ist gut

1328 Vgl. Bill. I 1035 f.; E. Lohmeyer 334f.; E. Schweizer 193; J. Blinzler 256–259.

1329 M. Dibelius, BuG I 256, vgl. 281 f.; S. Schulz, Stunde 135 hält sie für markinische Bildung.

1130 Ebd. 256 A. 4.

1331 R. Bultmann, Tradition 293; J. Finegan 74; E. Klostermann 158.

1332 E. Schweizer 183.

1333 M. Dibelius, BuG I 281.

1334 E. Klostermann 159; M. Goguel, Leben Jesu 349.

1335 R. Bultmann, Tradition 293; ebenso A. Loisy z. St.; unter dasselbe Verdikt fällt dann auch der titulus Vers 26!

1336 J. Finegan 74; ebenso M. Goguel, Leben Jesu 353; E. Schweizer 193.

1337 E. Klostermann 159.

als Fortsetzung von Vers 1bα denkbar. Daß Markus Vers 2 dazwischengesetzt hat, ist überzeugend erklärbar: „Offenbar soll ... von allem Anfang an der entscheidende Titel ausgesprochen und damit bezeugt werden, worum sich alles dreht."[1338] Darum hat Markus auch diese Einleitung durch die Art seiner Stilisierung hervorgehoben: *eperōtan* Vers 2a ist Vorzugswort (s. o. zu 14,60f.) und dürfte ein einfaches *legei* verdrängt haben; Vers 2b fügt Markus das Part. conj. *apokritheis* als Entsprechung dazu ein und markiert die Gegenüberstellung mit *de*.

In Vers 3 ist *polys* nicht nur Vorzugswort, sondern gerade adverbiales *polla* zur Steigerung der Ausdrucksform, ein rein markinisches Stilmittel, das die anderen Evangelien nicht kennen.[1339] Der Zusatz erklärt sich aus der markinischen Komposition gut. Diese novellistische Erweiterung war im Zusammenhang nötig, um die durch den neuen Kompositionszusammenhang gegebene Inhaltslosigkeit des Satzes zu überbrücken. Eventuell ist auch die Benennung des Subjekts *hoi archiereis* auf ihn zurückzuführen (vgl. 14,53.55; 15,1) – doch könnten sie, da sie hier allein erscheinen, als Gegenüber zu den Dienern von 14,65 + 15,1 ursprünglich sein.

Die Verse 4 und 5a dürften in ihrer jetzigen Form und am jetzigen Ort ganz und gar auf Markus zurückgehen: Beide Sätze werden mit *de* eingeführt; *palin* und *eperōtan* sind in Vers 4 ebenso markinisch wie die doppelte Verneinung, die sich in beiden Versen findet (s. o. zu 14,60f.), wobei *ouketi* auch noch Vorzugswort und das zweifache *ouden* Häufigkeitswort ist; noch stärker ist der Imp. *ide* für Markus bezeichnend, der stärker ist als *idou* (s. o. zu V. 35); *posa* ist auf das redaktionelle *polla* von Vers 3 bezogen und erweist sich somit ebenfalls als redaktionell, zudem ist es Häufigkeitswort (6mal, vgl. 8/6). Was einen daran hindern könnte, die Verse 4 und 5a ganz und gar auf Markus zurückzuführen, ist die Tatsache, daß in der jetzigen Formung ebenso wie 14,60f. das Nicht-Antworten in der Frage Vers 4 eine Vorwegnahme der Handlung Jesu Vers 5 ist. Ein Schweigen Jesu könnte hier wie in der gleichen Tradition vor dem Synhedrium ursprünglich sein, müßte dann aber nicht am Anfang, sondern am Schluß seinen Platz haben. Doch ist nach den sprachlichen Indizien eine markinische Analogiebildung gemäß seiner Erweiterung in 14,60f. das wahrscheinlichste. Ganz ausgeschlossen werden kann aber die Vermutung, daß dahinter ein umstilisierter Rest der Praes.-hist.-Tradition als Fortsetzung von Vers 2 vorliege, da Jesus dort bejahend antwortete.

Vers 5b ist mit dem Häufigkeitswort *hōste* (13mal, vgl. 15/5) eng an den redaktionellen Vers 5a mit nachfolgendem A.c.I. angeschlossen und erweist sich so als Übergangsbildung. Sachlich aber paßt die Verwunderung des Pilatus schlecht zu der direkt vorangehenden Aufforderung an Jesus zu antworten und

1338 E. Schweizer 193.
1339 W. Larfeld 265; F. Hauck 180, 182.

dessen Schweigen. Das dürfte eine schärfere Reaktion des Prokurators erfordern. Besser würde das Wundern vor diesen beiden Akten stehen. Als Folge der Anklage Vers 3a in seiner ursprünglich steigerungslosen Form dagegen wäre die Verwunderung gut denkbar. Weil andererseits *thaumazein* für Markus nicht charakteristisch ist (4mal, vgl. 7/12), so wird man in der Tat hier als ursprüngliche Fortsetzung von Vers 3 ein *(kai) (e)thauma(s)en ho Pilato(s)* annehmen dürfen. Dieses Verwundern des Pilatus dürfte aber kaum als Abschluß stehen, sondern drängt auf eine Weiterführung, die Ausdruck in einem von ihm gesprochenen Wort findet. Es ist damit zu rechnen, daß diese Fortsetzung zwischen Vers 6 und 15 sich irgendwo niedergeschlagen hat.

Damit müssen wir uns der Barabbas-Episode zuwenden, die in „ihrer novellistischen Erzählungsart (der Kontrast zwischen Jesus und einem bekannten Anführer)"[1340] wohl ursprünglich ein unabhängiges und selbständiges Überlieferungsstück darstellt.[1341] Ein Praes. hist. ist in diesen Versen nicht nachzuweisen. „Möglich und wahrscheinlich ist ein Einzelfall von Begnadigung, der als Gegensatz zur Verurteilung Jesu erzählt wurde und diese noch schwerer erscheinen ... läßt."[1342] Nachdem die Geschichte von den Christen als Kontrasttext aufgegriffen worden war, lag der Schritt zu einer literarisch unmittelbaren Verschmelzung nicht fern, sondern war wohl die zwangsläufige Folge wiederholter Erzählung im Kontrastzusammenhang. Daß es sich ursprünglich um ein Einzelbeispiel handelt, wird auch daraus deutlich, daß sich die Vers 6 behauptete Sitte des Privilegium paschale weder im römischen noch im jüdischen Rechtsbereich nachweisen läßt, wie der Jurist J. Merkel nach wie vor überzeugend gezeigt hat.[1343] Vor allem aber deutet wohl auch der bestimmte Artikel bei *stasis* in Vers 7 (nicht nur: bei einem, sondern: bei *dem* Aufstand[1344] – Markus dürfte, wie auch zu Kap. 13 immer stärker vermutet wird, nach der Zerstörung Jerusalems schreiben) darauf, daß man an einen ganz bestimmten und bekannten Vorfall erinnerte. Das bestätigt auch die früheste Überlieferungsgeschichte: „Mark 15,7 scheint Name und Verbrechen des Barabbas als bekannt vorauszusetzen; Matth 27,16; Luk 23,19 stehen dem Namen fremd gegenüber."[1345] Diese als sehr gewagt erscheinende Annahme verliert etwas von ihrer Befremd-

1340 E. Klostermann 159.

1341 M. Goguel, Leben Jesu 350–353; ders., A propos le procès de Jésus 289–301, 296.

1342 E. Schweizer 194 nach W. Brandt, Die evangelische Geschichte, 1893, 94 ff., dem auch R. Bultmann, Tradition 293 A. 3; M. Goguel, Leben Jesu 352 f. folgen.

1343 J. Merkel, Die Begnadigung am Passafest, ZNW 6, 1905, 293–316; Pap. Flor. 61,59 ff. (Ägypten um 85 n. Chr.) bietet ein solches Einzelbeispiel (A. Deißmann 229 f.); doch ist die Argumentation für die Historizität des Zusammenhangs mit der Verurteilung Jesu, die J. Blinzler 301 ff. darauf aufbaut (vgl. 317 ff. zu jüdischen Texten), nicht durchschlagend überzeugend.

1344 M. Goguel, Leben Jesu 350; E. Klostermann 159 f.

1345 M. Dibelius, BuG I 285 A. 20.

lichkeit, wenn man sich erinnert, daß Markus ja auch Kap. 13 mit der Bezugnahme auf die Zerstörung Jerusalems in den Kontext gerade der Passion eingefügt hat. Die Einfügung unserer Episode in den Passionszusammenhang durch Markus dient deutlich der Entlastung der Römer und der Belastung der Juden: Während Markus vom Synhedrium redaktionell ein eindeutiges *katakrinein* 14,64 aussagte, wird von Pilatus keine ausdrückliche Verurteilung mehr ausgesagt, ja sie kann nicht ausgesagt werden, weil sie schon vom Synhedrium vollzogen gedacht ist. Wenn die Perikope dennoch meist als „Verurteilung" bezeichnet und überschrieben wird,[1346] so geschieht das nicht ganz exakt; E. Haenchen dagegen überschreibt das Ganze mit Recht nur als „Verhandlung".[1347] Daß schließlich die hier gegebene Darstellung dem wirklichen Charakter und Verhalten des Pilatus entgegensteht, das durch brutale Grausamkeit gekennzeichnet war (vgl. Luk 13,1; Philo leg. 301,590), muß in diesem Zusammenhang ebenfalls beachtet werden.[1348] Natürlich kann auch nicht ein Vorkommnis im Verlauf des jüdischen Krieges in Frage kommen.

Darum muß nach Umfang, Bestand und Charakter der vormarkinischen Barabbasgeschichte gefragt werden. Nach Bultmann ist die Barabbasgeschichte „nicht ganz genau abzugrenzen".[1349] Immerhin macht er einen Ansatz dazu, indem er Vers 15b herausnimmt. Ebenso urteilen auch Finegan und Goguel,[1350] die hier allerdings die ursprüngliche Fortsetzung von Vers 2 sehen. Doch da Vers 2 zur Praes.-hist.-Tradition gehört und diese die Kreuzigungsabsicht erst Vers 20b mit *hina staurōsōsin* bringt, also dort eine Dublette zum *hina staurōthē* in Vers 15b vorliegt,[1351] so dürfte hier Vers 15b – zumal klar aoristisch formuliert wird – das vorläufig letzte Stück der apokalyptischen Traditionsschicht sein, auf das dann wohl unmittelbar mit Vers 25 die Kreuzigungsapokalypse selbst folgte.

Weiter deutet auf markinische Bearbeitung der „dreifache Rhythmus" in dem „dreifachen Versuch des Pilatus, das Todesurteil zu vermeiden".[1352] Das kann man nach den Ergebnissen bei den Verspottungen, Gethsemane und Petrusverleugnung nicht mehr bestreiten. Beim Vergleich der drei dafür entscheidenden Verse 9.12.14 fällt hier eine weitere Spannung auf: „Das Angebot einer Freilassung Vers 9, bevor überhaupt ein Urteil gefällt, ja die Frage nach seiner Schuld Vers 14 gestellt ist, schlägt römischer Rechtspraxis ins Gesicht."[1353] Und

---

1346 Huck/Lietzmann 198; R. Bultmann, Tradition 293; F. Hauck 182; W. Grundmann 305; E. Schweizer 193; S. Schulz, Stunde 135.

1347 E. Haenchen 517; vgl. E. Klostermann 158; J. Finegan 74.

1348 Bill. I 1025 f.; E. Klostermann 158; E. Lohse, Leiden 92 f.; J. Blinzler 260 ff.

1349 R. Bultmann, Tradition 293.

1350 J. Finegan 74; M. Goguel, Leben Jesu 353.

1351 J. Finegan 75 A. 1 im Anschluß an E. Wendling 182.

1352 J. Finegan 74; W. L. Knox, Sources I 140 f.; E. Lohmeyer 339.

1353 E. Schweizer 194.

selbst wenn man hier nicht einen regelrechten juristischen Vorgang im Hintergrund sieht, ist diese Abfolge merkwürdig. Das gilt weiterhin auch von Vers 12 in sich: „Auf die erfolgt zu denkende Meinungsäußerung hätte Pilatus noch ausdrücklich den Volkswillen um das Schicksal Jesu befragt."[1354] Dies deutet darauf hin, daß die Angeredeten in Vers 12 nicht ursprünglich „das Volk" sind. Bedenkt man von alledem her, welche der vorliegenden Verse überhaupt einen Bezug zu Barabbas haben, so kommt man auf die Verse 6–11.15a,[1355] während gerade die Verse 12–14 herausfallen. Diesen Versen wird darum besondere Aufmerksamkeit zu schenken sein.

Der erste Satz der Frage zu Vers 12 macht zudem den Eindruck einer Anfangsfrage. Da wir nun sahen, daß Vers 5b als Traditionsbestandteil eine Fortsetzung in wörtlicher Rede mit einem Ausdruck der Verwunderung, wenn schon nicht fordert, so doch als möglich erscheinen ließ, so wäre diese Fortsetzung am besten in der hier vorliegenden ersten Frage von Vers 12 zu sehen: „Was soll ich denn tun?"[1356] Der sprachliche Charakter des Satzes bestätigt das: *oun* (5mal, vgl. 57/31) ist für Markus ebensowenig charakteristisch wie *poioun* (47mal, vgl. 84/88). Der anschließende Relativsatz dagegen ist markinische Zufügung, da der Hinweis auf den „König der Juden" eindeutig die ganze Komposition bestimmt und darum so häufig wie möglich genannt wird (Vers 2.9.12. 18.25.32). Außerdem steht dieser angeschlossene Relativsatz in sachlicher Spannung zur nachfolgenden Frage nach der Schuld in Vers 14. Der Titel als Hinrichtungsgrund kann also höchstens erst danach, nicht aber davor genannt sein. Auch die Redeeinleitung ist mit *de, palin* und dem Part. conj. *apokritheis* als Redebeginn ohne vorhergehende Frage (s. o. zu 14,48) markinisch überarbeitet.

Die anschließende Redeeinleitung Vers 13 ist ebenfalls mit *de* und *palin* markinisch gestaltet. Auch ob *krazein* ursprünglich ist, kann gefragt werden. Die Angeredeten werden einfach geantwortet haben *e(ip)an*. Doch nachdem Markus durch seine Komposition das „Volk" zu den Fordernden gemacht hat, so hat er das noch durch *krazein* verstärkt. Bei diesem Häufigkeitswort (10mal, vgl. 12/3) fällt im Vergleich mit Matthäus, der dem Wort nach Möglichkeit einen positiven Sinn gibt (s. o. zu Matth 27,50), auf, daß Markus es dagegen vorzugsweise (6mal) sensu malo verwendet. Da es auch hier in diesem Sinne steht, so ist mit markinischer Formulierung zu rechnen. Auf die Frage, was Pilatus mit Jesus anfangen soll, erhält er die Antwort: Kreuzige ihn. Darauf folgt Vers 14a die Rückfrage nach der Begründung; *de* dürfte dabei wieder redaktionell sein, ebenso das Impf. *elegen*. Diese Begründung dürfte dann mit der politischen Verdächtigungswendung *basileus tōn Iudaiōn*, wie sie nach

---

1354 E. Klostermann 160.

1355 Diese Verse rechnet W. L. Knox, Sources I 141, seiner Jüngerquelle zu, während er hier seine Zwölferquelle bei Lukas finden will.

1356 Bauer WB 1175.

Vers 12b vorgezogen sein kann, gegeben worden sein und wurde jetzt durch die redaktionell wiederholte Kreuzigungsforderung verdrängt; außer *de* ist hier auch *perissōs* markinische Formulierung (auch 10,26 redaktionell, vgl. 1/0). Darauf dürfte ursprünglich direkt die Entscheidung des Pilatus gefolgt sein, die Vers 15b knapp und klar ausdrückt. Darin ist finales *hina* wiederum Kennzeichen vormarkinischer Formung (s. o. zu V. 20f., vgl. 14,10,12). Dagegen dürfte das Part. conj. *fragellōsas* (= flagellare) von Markus eingetragen sein, zumal es auch als seltener Latinismus Kennzeichen der Evangelistensprache ist.[1357] Sachlich ist es eine Vorwegnahme von Vers 16–20a und auch von daher redaktionell erklärbar.

Somit liegt hier in Vers 3a.5b.12a.13.14a.15b das Pilatusverhör nach der apokalyptischen Traditionsschicht vor, während für die Praes.-hist.-Schicht nur Vers 2 nachgewiesen werden konnte. Daß es sich bei dem Vers nur um das Rudiment eines größeren Traditionsstückes handelt, kann nur mit größter Zurückhaltung vermutet werden. Wahrscheinlich ist es nicht, da keine Gründe dafür beigebracht werden können. Größere Auslassungen waren bei der bisherigen Analyse dieser Schicht bisher nicht anzunehmen gewesen. Dafür, daß die novellistische Barabbasgeschichte der auch sonst mit ähnlichen erbaulichen Einzelheiten ausgestatteten Schicht zuzusprechen sei, liegen keine Anhaltspunkte vor. Daß sie zur apokalyptischen Tradition gehörte, ist durch die erkennbare nachträgliche Verflechtung mit ihr ausgeschlossen. Diese ursprünglich ganz selbständige Geschichte liegt in Vers 7.8 (parataktisches *kai* als vormarkinisches Indiz). 11 (finales *hina* als vormarkinisches Indiz, vgl. V. 15b – doch ohne das in den Zusammenhang eingliedernde *mallon*). V. 15a vor. Durch Vers 6.9.10 (nachgestellter markinischer Begründungssatz). *krazein* Vers 13 f. und durch Vers 15a ist sie redaktionell in die Pilatusverhandlung eingeflochten worden.[1358] Wie schon die frühe Textüberlieferung zeigt, besteht zwischen den Versen 10 und 11 durch den Zusammenstoß zweier gleicher Subjekte eine Spannung, die zur Literarkritik auffordert (*hoi archiereis* ist in Vers 10 eine ungeschickte redaktionelle Vorwegnahme). An redaktionellen Zügen ist dabei weiterhin auf *de* (V. 6.7.9), *heis* für *tis* (V. 6), Conj. periphrastica (V. 7), Part. conj. und *archesthai* + Inf. (V. 8) und für Vers 15a außer auf ein Part. conj. auf den Latinismus *to hikanon poiein* (= satisfacere) zu verweisen.[1359]

1357 W. Larfeld 26; F. Hauck 184; E. Klostermann 160 f.

1358 E. Lohmeyer 337 f.; S. Schulz, Stunde 135, halten nur V. 10 für markinisch.

1359 W. Larfeld 240; F. Hauck 182, 184; E. Klostermann 160; E. Lohmeyer 338 A. 1; Bl-Debr 5, 3b.

## 3.10. Die Verspottung des Judenkönigs (Mark 15,16-20a)

Nach Bultmanns Ansicht „ist die Verspottungsszene Vers 16-20a eine sekundäre Ausführung des Motivs von Vers 15b (*fragellosas*)".[1360] Das aber ist aus drei Gründen unwahrscheinlich: Beide Handlungen stimmen sachlich nicht überein.[1361] Vielmehr ist von der Ausführung „der Geißelung... nicht weiter die Rede. Statt dessen wird erzählt, wie die Soldaten noch eine Quälerei eigener Erfindung einschieben."[1362] Außerdem schien das *fragelloun* im nachgeordneten Partizip in Vers 15b ein markinischer Zusatz zu sein, so daß man die Bultmannsche Vermutung umkehren kann und den Zusatz dort durch diese Szene hier hervorgerufen ansehen muß. Denn schließlich zeigt das Vers 16b.17 dreifach vorliegende Praes. hist. deutlich, daß wir es mit einem Bestandteil der so gekennzeichneten Traditionsschicht zu tun haben. Auf das Fehlen dieser Szene bei Lukas kann man sich bei der literarkritischen Beurteilung nicht berufen, da die Wendungen *apēgagon auton* (23,26 = Mark 15,16) und *enepaixan autō* (23,26 = Mark 15,20) sowie ein weiteres Rudiment der Verspottung in der redaktionellen Herodesszene Luk 23,11 beweisen, daß er die markinische Perikope kannte, sie jedoch aus römerfreundlicher Tendenz auf die Juden übertragen hat.[1363]

Spuren markinischer Bearbeitung finden sich zunächst schon Vers 16a, wo redaktionelles *de* eventuell von der apokalyptischen auf die Praes.-hist.-Schicht umschaltet. Die Erklärung *ho estin praitōrion* ist grammatisch hart und ungeschickt angeschlossen, doch kann man sie nicht als nachträglich aus Matthäus eingedrungen ansehen,[1364] weil gerade ein lateinischer Ausdruck, wie er hier (wenn auch als Hapaxlegomenon, vgl. 1/0) vorliegt, ein Kennzeichen des markinischen Stils ist[1365] und andererseits die Übersetzungs- und Erklärungsformel *ho estin* markinisches Alleingut ist.[1366] Dadurch ist die Wendung deutlich als markinische Zutat erwiesen.[1367]

Doch auch die Verbindung der vorangehenden Worte ist nicht glatt. Die Wendung *apēgagon auton* macht einen selbständigen Eindruck, und *esō tēs aulēs* erinnert zudem zu stark an 14,54, wo *esō* sich ebenfalls als stark redaktionsverdächtig erwies. Da es bei Markus nur an diesen beiden Stellen erscheint und das Entsprechungswort für das typisch markinische *exō* ist, so ist es sehr wahrscheinlich als Notiz des Evangelisten anzusehen. Der Gebrauch von *aulē*

1360 R. Bultmann, Tradition 293; ebenso J. Finegan 74 f.; E. Klostermann 161.
1361 E. Lohmeyer 340 A. 1.
1362 E. Klostermann 161.
1363 E. Schweizer 196 f.; E. Haenchen 521.
1364 So F. Hauck 185; E. Klostermann 162 nach Blaß.
1365 W. Larfeld 26 f.
1366 F. Hauck 184.
1367 So auch E. Lohmeyer 340.

bestätigt das, da es auch nur noch zweimal in der Verleugnungsszene vorkommt und 14,66 sicher redaktionell ist. Sollte Markus es zugesetzt und sich dann auch noch zu einer nachfolgenden erläuternden Bemerkung veranlaßt gesehen haben? So könnte man fragend einwenden. Dabei wäre aber übersehen, daß Markus Synhedrium und Pilatus in zwei dreifachen Kränzen parallel zueinander gestaltet hat: Verhandlung mit Verspottung und einer erbaulichen Gegenperson. Diese Entsprechung deutlich herauszuheben ist die Absicht aller Stilisierungsparallelen in beiden Komplexen. Dagegen muß *apēgagon auton* selbständig gewesen sein, kann aber nicht zu der durch das Praes. hist. geprägten Schicht gehört haben. Da das Wort an den beiden bisherigen Stellen seiner Verwendung 14,44.53 der anderen Passionsschicht zuzusprechen war, darum dürfte der Satz auch hier an seiner letzten markinischen Stelle dorthin gehören und der Satz als Verbindungsglied zwischen 15,15b und 25 anzusprechen sein. Will man dieser Entscheidung nicht zustimmen, dann wird man ihn der redaktionellen Parallelisierung einordnen müssen. Immerhin sollte man sehen, daß Matth 27,31 und Luk 23,26 diesen Verbindungssatz charakteristischerweise in sekundärer Historisierung in diese ursprünglich mögliche Funktion wieder eingesetzt haben. Zum Praes.-hist.-Prädikat Vers 16b dürfte aus Vers 16a nur das Subjekt *hoi stratiōtai* gehören (Hapaxlegomenon, vgl. 3/2).

In Vers 17 könnte das nachgeordnete aor. Part. *plexantes* (Hapaxlegomenon; Matth und Joh nur hier von Mark übernommen; Luk nie) markinische tautologische Erweiterung sein. Ab Vers 18 folgt kein Praes. hist. mehr, und zugleich wird der Ablauf verwirrend: Die Huldigung steht doppelt Vers 18.19b mit der Mißhandlung dazwischen Vers 19a, was Matthäus empfunden und geglättet hat: erst die Huldigung, dann die Mißhandlung 27,29 f.[1368] Bei beiden Spotthandlungen sind markinische Formulierungen zu beobachten: Vers 18a steht *archesthai* + Inf. (vgl. 11,15; 14,33.68; 15,8); es erklärt sich hier als markinischer Zusatz sinnvoll, weil Vers 18 Anfang der Spotthuldigung ist und diese sich dann Vers 19b fortsetzt. In Vers 19b steht ein markinisches Part. conj., das zugleich einen Latinismus einleitet (*tithentes ta gonata* = genua ponentes),[1369] der als solcher auch für die markinische Verfasserschaft dieser Wendung spricht.[1370] Außerdem entsteht durch die Zufügung der Wendung zusammen mit dem nachfolgenden Verb einer der für Markus charakteristischen tautologischen Doppelausdrücke.[1371] Da andererseits sowohl *aspazesthai* (2mal, vgl. 2/2) wie *proskynein* (2mal, vgl. 13/2) für Markus nicht kennzeichnend ist, so dürften beide Verben ursprünglich und im Praes. hist. formuliert gewesen sein und auch zusammengestanden haben, da sie ein Reden und ein dem Reden zugeordnetes

1368 E. Klostermann 162.
1369 Bl-Debr 5,3b; E. Klostermann 162.
1370 W. Larfeld 240.
1371 Ebd. 268.

Handeln bezeichnen. Da die Anrede Vers 18b mit der ersten Handlung in Vers 27 zusammenhängt, besteht wohl kein Grund, sie als redaktionell anzusehen. Auch Vers 19a, der danach seinen Platz gehabt haben dürfte und im Praes. hist. stilisiert war, dürfte hier ursprünglich sein und dann mehr als Spott denn als Mißhandlung gemeint sein.[1372]

Vers 20a ist mit dem Häufigkeitswort *hote* (vgl. V. 41) markinisch eingeleitet, und auch *empaizein* ist an den beiden weiteren Stellen, an denen es bei Markus steht (10,34; 15,31), redaktionell, so daß wir auch hier im ersten Satz von Vers 20, der das Bisherige rückblickend zusammenfaßt, einen markinischen Zusatz zu sehen haben, der redaktionell auf den Spott am Kreuz vorweist und so beide Szenen sachlich verklammert. Für eine Anspielung auf die Verspottung des Gerechten in den Psalmen[1373] fehlt jeder direkte Beleg. Das hier verwendete Verb kommt dort so nicht vor. Das folgende Satzglied ist dann aber im Praes. hist. als ursprünglich anzunehmen. Alle Umformungen in diesen drei Versen gehen auf markinische Erweiterungen in der jeweiligen Einleitung zurück. Von den letzten beiden Verben ist *ekduein* markinisches Hapaxlegomenon (vgl. 2/1), doch *endyein* hat Markus häufiger (3mal, vgl. 3/4). Da außerdem eine Doppelung von verschiedenen Komposita gleichen Stammes vorliegt,[1374] so ist das sehr redaktionsverdächtig. Sieht man schließlich, daß die bisherigen markinischen Zusätze mehrfach der redaktionell verstärkenden Bezugnahme auf das Folgende dienten, so ist offenkundig, daß hiermit die Kleiderverlosung von Vers 24b vorbereitet wird. Dann aber dürfte Markus es gewesen sein, der hier formuliert hat.

Danach haben wir es in unserer Perikope im wesentlichen mit einem klar erkennbaren Quellenstück der Praes.-hist.-Tradition zu tun, das Vers 16b–20a umfaßte und in jedem Vers einige markinische Erweiterungen enthält. In einem kunstvollen Aufbau, bei dem Doppelglieder erkennbar werden, wird die Verspottung Jesu durch die Soldaten, wohl analog den üblichen Soldatenbräuchen,[1375] erzählt. Nur ein Satz in Vers 16a dürfte der anderen Traditionsschicht zuzusprechen sein.


1372 F. Hauck 185.
1373 Eine solche will E. Lohmeyer 340 f. hier sehen.
1374 W. Larfeld 263.
1375 Vgl. das Material und seine Diskussion bei E. Klostermann 161; R. Bultmann, Tradition 294 A. 1; E. Lohmeyer 341; J. Blinzler 321–336.

## 4. Die Frage nach den Abschlüssen der Passionstraditionen

Wir haben im Schlußteil des Markus-Evangeliums in den Kapiteln 11 und 14–15 zwei verschiedene Erzählungs- und Darstellungsfäden erkennen können, die vom Einzug in Jerusalem bis zur Kreuzigung liefen. Die letzte Frage, die sich uns stellt, lautet: Waren diese Traditionsstränge reine Passionsgeschichten? Endeten sie mit der Kreuzigung bzw. mit dem Tode Jesu oder nicht? Da bei Markus noch zwei Perikopen folgen, so haben wir diese noch in unsere Fragestellung einzubeziehen.

Daß die beiden Stücke vom Begräbnis Jesu 15,42–47 und vom leeren Grab 16,1–8 nicht zusammenstimmen, sondern in Spannung zueinander stehen,[1376] ist trotz der Verknüpfungen, die Markus zwischen beiden durch die Erwähnung der Frauen in 15,47 einerseits und die Reflexion über den Stein 16,3 andererseits vorgenommen hat, noch spürbar. Nach 15,42 ff. wird Jesus nicht nur vorläufig, sondern regelrecht und vollständig bestattet.[1377] Nach 16,1 ff. aber sollen die Frauen mit der Absicht ihrer nachträglichen Salbung eine nur provisorische Bestattung erst pietätvoll zu Ende bringen.[1378] Dieser Hauptdifferenz korrespondiert eine stilistische Beobachtung: Während 15,42–47 vom Praes. hist. völlig frei ist, taucht dieses 16,2.4.6 wieder auf. Damit ist deutlich, daß der formal durch das Praes. hist. charakterisierte Traditionsstrang keine reine Passionsdarstellung gewesen ist, sondern Ostern mit einbezieht. Die Frage, ob er auch noch eine weitere Fortsetzung in einem oder mehreren Erscheinungsberichten des Auferstandenen gehabt hat, ist naturgemäß nicht mehr zu beantworten, da mit dem Ende des Markus-Evangeliums in 16,8 unsere Rückfrage eindeutige Grenzen gesetzt sind.[1379]

Andererseits ist deutlich, daß die ohnehin zu 16,1 ff. in Spannung stehende Begräbnisgeschichte auch darum diesem Überlieferungsstrang wohl kaum zugehört haben dürfte, weil er in 14,12 ff. das Passafest als schon im Gange befindliches annimmt und wegen des Festtagscharakters dieses 15. Nisan die Möglichkeit eines Einkaufs von Leinwand 14,46 kaum möglich ist, selbst wenn der Käufer es profanierend gewollt hätte.[1380] Billerbecks Annahme einer Fehlübersetzung aus dem Aramäischen (statt: kaufen nur: „nehmen") ist abzuweisen.[1381]

---

1376 E. Lohmeyer 348.

1377 J. Finegan 79; R. Bultmann, Tradition 296.

1378 E. Klostermann 170; E. Lohmeyer 353; gegen Bill. I 1050.

1379 Der Versuch von E. Linnemann, Markusschluß 255–257, in Vers 15–20 den ursprünglichen Abschluß des Evangeliums zu finden, ist mit Recht von K. Aland, Markusschluß 3–13, hinsichtlich der textkritischen Prämissen einer scharfen Kritik unterzogen worden, die dem Versuch nicht folgen lassen.

1380 J. Finegan 79; E. Schweizer 209.

1381 Bill. II 832 f.

Jeremias hält den Kauf nach Schab 23,4 für möglich,[1382] doch ist neben dem Kauf auch die Vielzahl der hier vorausgesetzten Wege, die Abnahme vom Kreuz und das Bewegen eines mehrere Zentner schweren Rollsteins vor dem Grab zu beachten.[1383] Daß die Anweisungen von Schab 23 hier nicht alles erklären können, zeigt die makabre Haggada, die Haenchen z. St. notiert: „Ein Mann, der am Freitag im Sterben lag, sagte zu seinen Angehörigen: Ich weiß schon, warum ihr mir die Augen zudrückt und die Nase zuhaltet; ihr wollt den Sabbath nicht verletzen. Ich will es aber auch nicht, und darum fahrt nur fort."[1384]

Daß die Begräbnisgeschichte Bestandteil der gnostisch-apokalyptischen Passionstradition gewesen sein kann und im Anschluß an die Kreuzigungsapokalypse ihren Platz gehabt haben könnte, ist schwer denkbar. Sie weist keine entsprechenden Deutezüge auf. Das Begräbnis erscheint nicht etwa als ein Protest gegen die Vorstellung der Totenauferweckung an Jesus. Die novellistischen Züge der Erzählung sind diesem Traditionsstrang fremd, und die Endereignisse haben mit der Kreuzigung und dem Tode Jesu in dieser Darstellung einen definitiven Abschluß gefunden. So dürfte es sich hier wohl wiederum um eine ursprüngliche Einzelüberlieferung handeln. Mit dieser Feststellung könnten wir schließen. Da wir aber nicht nur am Aufweis der vormarkinischen Tradition, sondern auch an einer Bestimmung des Umfangs und Charakters der markinischen Redaktion interessiert sind, so sollen beide Perikopen jetzt noch analysiert werden.

## 4.1. Das Begräbnis Jesu (Mark 15,42–47)

Schon die Perikopeneinleitung Vers 42 mit ihren sachlichen und syntaktischen Spannungen stellt vor die Frage der Unterscheidung von Tradition und Redaktion. Sachlich schließen sich die Zeitangaben gegenseitig aus. „Wenn es ... schon *Freitag* Abend wäre, so hätte der Sabbat ja schon angefangen."[1385] Syntaktisch ist das kausale *epei* auf alle Fälle sehr hart, denn daß es Abend war, weil es Freitag war, ist ein wenig sinnvoller Begründungszusammenhang.[1386] Die kerygmatisch-symbolische Deutung, die für die Redaktion die Gleichung Sab-

---

1382 J. Jeremias, Abendmahlsworte 71 f.

1383 E. Klostermann 169; E. Lohmeyer 350 f.

1384 E. Haenchen 540; leider konnte mir E. Haenchen auf meine Anfrage hin in seiner Antwort vom 17. 7. 69 den Quellenbeleg nicht präzisieren.

1385 J. Finegan 79, vgl. 78; die Auffassung vom „Spätnachmittag" (so F. Hauck 190 f.; E. Lohmeyer 349 f.; W. Grundmann 318) ist eine gekünstelte Harmonisierung (dagegen mit Recht J. Schreiber 88 A. 3).

1386 J. Wellhausen 133 f. „Was das im Neuen Testament immer kausale *epei* hier begründen soll, verstehe ich nicht."

bat = Nacht annimmt,[1387] wird dem Wortlaut nicht gerecht. Außerdem zeigt Vers 44, daß gerade Markus die ursprünglich apokalyptischen Zeitangaben von Vers 33 f. ihres Symbolwertes entkleidet und historisiert hat.

Nach dem einleitenden Partizipialsatz dürften beide Wendungen im Sinne des Redaktors darum eher in historisierender Verknüpfung parataktisch zu verstehen sein: „Weil es erstens schon spät und weil es zweitens schon der Sabbat-Vortag war." In der Regel entscheidet man sich gegen die Ursprünglichkeit der zweiten Zeitbestimmung.[1388] Doch dürfte dem begründet zu widersprechen sein; denn während *epei* ebenso markinisches Hapaxlegomenon ist (vgl. 3/1)[1389] wie *paraskeuē*, so ist andererseits gerade die erste Wendung für Markus typisch. Das gilt sowohl für den Wortgebrauch von *ēdē* (s. o. zu 11,11 in sachlich gleicher Verbindung und in einer sehr nahestehenden Perikopeneinleitung) als auch für *opsia* als Vokabel wie für den dabei vorliegenden Gen. abs. (s. o. zu 14,17). Es handelt sich also bei der ersten Zeitbestimmung um eine für Markus charakteristische Bildung, die im Zusammenhang seiner Passions-Wochenchronologie wichtig ist. Dann aber war die zweite Zeitangabe vorgegeben und muß in ihrer Funktion für die ursprüngliche Aussage der Perikope wichtig sein. Sie ist nicht primär an der Herstellung einer übergreifenden Chronologie interessiert, sondern begründet die Handlungsweise des Joseph aus Arimathäa: Die Bestattung soll noch vor Eintritt des Sabbats bewerkstelligt werden.[1390] Die Vorgegebenheit von *paraskeuē* ergibt sich auch von daher, daß Markus diesen Term. technicus für Freitag (Joseph., Ant. 16,163 [6,2]; Did. 8,1)[1391] den nichtjüdischen Lesern seiner Darstellung dann auch noch zu erläutern sich genötigt sieht (vgl. zu „Vorsabbat" Jdt 8,6; LXX-Ps 91 tit Sinaiticus; 92 tit Vaticanus und Sinaiticus).[1392] Dabei ist *ho estin* wiederum die genuin markinische Deuteformel (vgl. V. 16.22.34).

In Vers 43 wird der sonst nirgendwo noch genannte Handelnde vorgestellt. Auch der hier genannte Herkunftsort ist sonst nicht bezeugt.[1393] Ebenso ist seine erste Kennzeichnung *euschēmōn bouleutēs* mit zwei völlig singulären Begriffen gegeben; *bouleutēs* muß ihn nicht als Mitglied des Synhedriums ausweisen (so hat Luk 23,51 die Angabe gedeutet), sondern kann ihn auch als Mitglied „irgendeiner lokalen Gerichtsbehörde" ausweisen.[1394] Der folgende Relativsatz gibt eine zweite Näherbestimmung durch die Reich-Gottes-Erwartung, die zu-

1387 So J. Schreiber 87 f.
1388 So J. Finegan 78; E. Klostermann 169; U. Wilckens, Auferstehung 56 f. nach Wellhausen, Merx, Wendling.
1389 J. Finegan 78 A. 3.
1390 E. Schweizer 209.
1391 Vgl. E. Klostermann 169; J. Finegan 78 A. 4; E. Lohmeyer 349 A. 1; Bill. II 829.
1392 E. Klostermann ebd.; E. Lohmeyer ebd., A. 2.
1393 Evtl. Ramathajim bei Lydda 1 Regn 1,1, vgl. E. Klostermann, ebd.
1394 E. Schweizer 209 f. gegen E. Klostermann 169; E. Lohmeyer 350.

gleich wiederum seine Handlungsweise motivieren soll;[1385] *prosdechesthai* ist zwar Hapaxlegomenon (vgl. o/5; sachlich Luk 2,35), doch könnte die Conjugatio periphrastica auf markinische Formulierung hindeuten; doch ist dies als einziges Kennzeichen zu wenig, und außerdem diente auch schon die einleitende Zeitbestimmung zur Kennzeichnung seiner Handlungsweise, so daß das auch hier dem ursprünglichen Charakter des Stückes entspricht. Zu beachten ist weiter, daß die Perikope in Vers 46 einen formal sehr ähnlichen erklärenden Relativsatz hat, der dem Evangelisten allem Anschein nach vorgegeben war. Als markinische Gestaltung könnte eher das doppelte Part. conj. *(elthōn, tolmēsas)* angesehen werden; *tolman* hat Markus zweimal (Matth und Luk nur im Gefolge von Mark 12,34), und nach der redaktionellen Stilisierung dieser anderen Stelle kann das Wort dort wie hier als redaktionell angesprochen werden. Aus der von Markus bevorzugten Aufeinanderfolge von Simplex und Kompositum kann auch das einleitende Partizip dem Evangelisten zugesprochen werden, zumal Markus dieses Häufigkeitswort gern redaktionell verwendet (s. o. zu 11,15a; 15,36).

Die Verse 44 f. sind schon lange als redaktionell erkannt,[1396] doch darf man sich dabei nicht direkt auf die Auslassung dieser Verse bei Matthäus und Lukas berufen, weil beide Seitenreferenten damit sekundär die von Markus geschaffene Verbindung von Todes- und Begräbnisperikope auflösen.[1397] Diese Verbindung indes ist für die markinische Komposition insofern wichtig, als er hier nach dem Synhedriumsverhör und dem Pilatuskreis einen dritten Kreis mit dreifacher Gestaltung – Schicksal Jesu, zugeordnete Verspottung und ausführliche Darstellung einer Einzelgestalt – bringt. Nur die Abfolge ist nicht parallel, doch war Markus hier durch Ablauf und Material gebunden und konnte Joseph von Arimathäa nicht wie Petrus und Barabbas einfach einkomponieren. Doch macht er den Zusammenhang durch Herstellung von Wortbeziehungen so deutlich wie möglich. Indiz für redaktionellen Zusatz ist Vers 44 schon das einleitende *de*, und wichtigstes Argument für eine Naht ist der harte Subjektwechsel von Vers 45 zu 46.[1398] Weiter fallen in diesen Sätzen Häufungen von markinischen Vokabeln und Stilmerkmalen auf: *ēdē* (s. o. V. 42), *tethneken* zusammen mit *apothneskein* (Häufigkeitswort 10mal, vgl. 6/12) – dabei ergibt sich durch die Variation von Perfekt und Aorist zugleich noch die markinische Doppelung von Simplex und Kompositum (s. o. V. 42), *proskaleisthai* (Vorzugswort 9mal, vgl. 6/4 – davon 7mal wie hier im Part. conj. von einem Verb

1395 J. Finegan 79 f.

1396 E. Klostermann 169; R. Bultmann, Tradition 296; U. Wilckens, Auferstehung 45; J. Finegan 80 ohne V. 45b.

1397 J. Schreiber 27.

1398 F. Hauck 191; darum ist V. 45b gegen J. Finegan noch zur redaktionellen Erweiterung zu rechnen.

des Redens gefolgt), ebenso *kentyrion* (s. o. V. 39; wiederholt V. 45), was zugleich Latinismus ist, und *eperōtan* (s. o. zu 14,60). Auch Vers 45 beginnt wie Vers 44 im Part. conj.; das Verb *ginoskein* (12mal, vgl. 20/28) als solches ist allerdings nicht typisch, und die Verbindung mit *apo,* die dem Wort die Bedeutung „erfahren" gibt, ist im Neuen Testament singulär.[1399] Demgegenüber steht weiter *palai* als markinisches und *dōreisthai* als evangelisches Hapaxlegomenon; *ptōma* gebraucht noch Mark 6,29 (vgl. 2 – davon 1mal im Anschluß an Mark/o), wodurch der Tod Jesu mit dem Tod des Täufers in Beziehung gesetzt wird. Die Eingangswendung vom Wundern des Pilatus ist Reminiszenz an 15,5. Somit erweist sich der Komplex Vers 44 f. als durch und durch markinisch bestimmt. Er verbindet die Begräbnisperikope eng mit der Kreuzigung und darüber hinaus mit der ganzen Passion und sogar dem Täufertod und deutet dabei noch die Zeitangaben der Kreuzigungsperikope auf einen besonders schnellen Tod Jesu hin historisierend um. Darum auch ist dieser Zusatz nicht als apologetische Erweiterung gegen einen möglichen Scheintod-Verdacht zu deuten.[1400]

Auch Vers 46 dürfte markinisch überarbeitet und erweitert sein. Er beginnt mit einem doppelten Part. conj., wobei sich auch vom Wortgebrauch her der Verdacht einer Erweiterung steigert: *agorazein* ist Häufigkeitswort (5mal, vgl. 7/5), *kathairein* hat Markus 2mal (vgl. 0/3), wobei die zweite Stelle Vers 36 redaktionell und ebenfalls von einem auf Jesus bezogenen *auton* gefolgt war. Somit stellt Markus hiermit eine weitere Beziehung zur Kreuzigungsperikope her: Jesus wird nicht durch Elia, wie die Wundererwartung es wollte, herabgenommen, sondern durch Joseph aus Arimathäa. Hinzu kommt, daß auch *sidōn* offenbar von Markus geschätzt wird (4mal, vgl. 1/1, jeweils von Markus abhängig); auch 14,52 war es redaktionell nach der Tradition von Vers 51 zugefügt, und so dürfte es auch hier im ersten Versteil redaktionell gedoppelt sein, denn die finiten Verben des zweiten Versteils sind im Gegensatz dazu ein neutestamentliches (*eneilein*) und ein evangelisches (*katatithenai*) Hapaxlegomenon. Demnach haben wir auch Vers 46a ohne das einleitende *kai* als markinische Erweiterung anzusehen, Vers 46b dagegen als Bestandteil der Tradition, obwohl auch *mnēma* Vorzugswort ist (4mal, vgl. 0/3 – sämtlich von Markus übernommen). Der das Grab erklärende Relativsatz wird ebenfalls Markus schon vorgelegen haben, denn *latomein* (vgl. 1 hier übernommen/o) und *petra* (vgl. 5/3) sind markinische Hapaxlegomena. Die Vermutung, daß der Schlußsatz mit dem Grabstein Vers 46d im Hinblick auf die Ostergeschichte formuliert sei, hat Bultmann mit Recht abgewiesen und das für einen schildernden Zug erklärt,

---

1399 Bauer WB 319.
1400 So J. Finegan 80; H. F. von Campenhausen, Leeres Grab 33 f.; E. Schweizer 210; dagegen mit Recht J. Schreiber 47 A. 102.

der der Perikope entspricht.[1401] Dagegen dürfte die 16,3 f. nachfolgende Anknüpfung an diesen Zug in der Ostergeschichte eine redaktionelle Verknüpfung sein. Sachlich also bereitet Markus, was seinen Text betrifft, das hier vor, auch indem er die Erwähnung der Frauen nun direkt anschließt. Sprachlich ist *proskyliein* Hapaxlegomenon (vgl. 1/0) und *lithos* untypisch (8mal, vgl. 11/14); dagegen ist *thyra* Vorzugswort (6mal, vgl. 4/4) und könnte zugesetzt sein; *mnēmeion* ist Häufigkeitswort (6mal, vgl. 7/7). Möglicherweise schloß dann die Perikope mit der absoluten Wendung: „Und er rollte einen Stein heran." Doch kann das nicht mit letzter Sicherheit gesagt werden.

Vers 47 ist deutlich mit *de* redaktionell angeschlossen. Von den nach Vers 40 hier nur partiell genannten Frauen (Salome fehlt) wird wie dort ein *theōrein* (Vorzugswort s. o.) ausgesagt, was ihre Zeugenfunktion unterstreicht und alle drei Perikopen auch durch diesen Verbgebrauch (vgl. 16,4) eng zusammenfügt; *pou* hat Markus nur noch 14,12.14 (vgl. 4/7), so daß aus dem seltenen Gebrauch keine Schlüsse gegen den redaktionellen Charakter des Verses gezogen werden können, im Gegenteil: das Wort steht hier nicht wie an den beiden anderen Stellen als Interrogativum, sondern als Relativum anstelle des markinischen Vorzugswortes *hopou* (s. o. zu 14,9), mit dem es darum zusammenzusehen ist und durch das es auch 16,6 aufgenommen wird. So liegen auch hier markinischer Sprachgebrauch und redaktionelle Kontextverknüpfung vor. Ähnlich ist es mit *tithenai* zur Bezeichnung der Beisetzung: Es zieht wieder die Verbindungslinie zum Tod des Täufers hin aus, wo es 6,29 ebenfalls als letztes Wort steht. Hier nimmt außerdem in markinischer Weise das Simplex das Kompositum des vorangehenden Verses auf. So dürfte Vers 47 klar als markinische Bildung anzusprechen sein,[1402] nicht aber als eine zweite Grabesüberlieferung.[1403]

Somit dürfte klar sein, daß Markus hier eine selbständige Erzählung, die keiner der beiden durchlaufenden Passionstraditionen zugehörte, aufgenommen hat, deren Bestand mit Vers 42aß.43.46b.c angegeben werden muß. Markus hat sie seiner Komposition einverleibt und damit – wie in den voranstehenden Komplexen Petrus und Barabbas so auch hier – eine konkrete Gestalt mit einer besonderen Tat dem Schicksal Jesu konfrontiert. Er hat die Geschichte zu einem ausgesprochenen Übergangsglied mit Brückenfunktion gemacht, indem er die Verbindung zur vorhergehenden wie zur nachfolgenden Perikope hergestellt und erzählerisch erweitert hat. Außerdem deutete er wieder an, daß der Tod des Täufers von ihm offenkundig im Hinblick auf den Tod Jesu erzählt worden ist.

1401 R. Bultmann, Tradition 296.
1402 Ebd.; vgl. J. Schreiber 27.
1403 Gegen J. Finegan 80; E. Lohmeyer 351 f.; W. Grundmann 317 f.

## 4.2. Der junge Mann am Grabe (Mark 16,1-8)

Ausgangspunkt für die Analyse dieses Textes ist das dreifache Praes. hist. (V. 2 *erchontai*, V. 4 *theōrusin*, V. 6 *legei*), das sich durchgängig als Indiz eines fortlaufenden Traditionsstranges erwiesen hatte. Damit ist für die von U. Wilckens „entgegen vielen anderslautenden Meinungen" wiederholt vertretene Vermutung, daß die Perikope „zu einer frühen Traditionsschicht der Passionsgeschichte gehört", ein wesentliches Kennzeichen beigebracht; also ist wirklich die Passionsgeschichte „ihr ursprünglicher Überlieferungsort".[1404] Doch wird man Bestand und Charakter dieses Traditionsstückes hier noch genauer bestimmen müssen. Dazu sind außer den oft beschriebenen sachlichen Spannungen wiederum eine Fülle von markinischen Stilmerkmalen hilfreich.

Die einleitende Zeitbestimmung Vers 1 ist im Gen. abs. stilisiert und deshalb als markinisch anzusehen, wenngleich *diaginesthai* in den Evangelien Hapaxlegomenon ist; doch ist dabei zu bedenken, daß das Simplex in den redaktionellen Zeitangaben der Perikopeneinleitungen zur Kennzeichnung der markinischen Passionswochenchronologie wiederholt verwendet wurde (11,19; 14,17; 15,33.42); trägt man weiter dem markinischen Wechsel von Simplex und Kompositum Rechnung, so verwundert es nicht mehr, daß Markus hier abschließend und krönend ein Kompositum verwendet. Der Text der Vorlage dürfte mit der Erwähnung der drei Frauen eingesetzt haben, deren Namensnennung gegenüber 15,40.47 hier primär sein dürfte und die ursprüngliche Eigenständigkeit dieser Nennung gegenüber den beiden voranstehenden Stellen und deren Zusammenhängen kennzeichnet.[1405] Begann der Text aber mit der Namensnennung ohne diese Zeitangabe, so wird eine Schwierigkeit des jetzigen Textes beseitigt, denn nach dem markinischen Wortlaut müßte man an einen „Einkauf vor Sonnenaufgang denken ..., was schwer vorstellbar ist".[1406]

Doch ist darüber hinaus zu fragen, ob die vormarkinische Textform überhaupt etwas von einem Einkauf der Aromata aussagte. Man erwartet hier als erstes Prädikat eine Praes.-hist.-Form, statt dessen findet man den Aor. *ēgorasan*. Da es sich bei der Vokabel um ein Häufigkeitswort des Evangelisten handelt, das auch 14,46 redaktionell erschien, so ist der Verdacht einer markinischen Erweiterung an diesem Punkte nicht auszuschließen. Daß aber die ganze Aussage von Vers 1b redaktionell sein sollte, ist unwahrscheinlich, weil der Nebensatz durch ein finales *hina* bestimmt wird, das wiederholt Kennzeichen vormarkinischer Tradition war (vgl. 15,11.15b.20f.).[1407] Innerhalb dieses Final-

---

1404 U. Wilckens, Überlieferungsgeschichte 1967[5], 41–63, 59; ders., Leeres **Grab** 30–41; ders., Auferstehung 54–64.

1405 E. Klostermann 170.

1406 E. Schweizer 211.

1407 Vgl. Bl-Debr 369,1; Bauer WB 744 f.

satzes aber ist nun auffallend, daß er außer dem zu erwartenden Konj. Aor. *aleipsōsin* auch noch das Part. conj. *elthousai* enthält, das auch hier als solches redaktionell sein muß. Es erschwert auch die Übersetzung des so überfüllten Nebensatzes und die Verbindung zwischen Haupt- und Nebensatz. Weil nun das Verbum des Hauptsatzes nicht ursprünglich zu sein schien und außerdem das Part. des Nebensatzes an seinem jetzigen Platz sekundär sein dürfte, so liegt die Vermutung nahe, daß in diesem Part. des Nebensatzes das ursprüngliche Prädikat des Hauptsatzes vorliegt. Markus wollte es wohl nicht unterdrücken und hat es darum hierher versetzt. Der ursprüngliche Wortlaut könnte angenommen werden mit: *kai Maria ktl. erchontai hina aleifosin auton.* Der Kauf der Aromata ist demnach als eine aus der Salbungsabsicht erschlossene redaktionelle Erweiterung novellistischen Charakters anzusehen. Dieser komplizierten Dekomposition könnte man nur dann entgehen, wenn man Vers 1b insgesamt als redaktionell ansprechen wollte. Doch das wäre nicht einmal die leichtere Lösung. So wollte Lohmeyer die Salbungsabsicht als künstliche redaktionelle Verknüpfung ansehen.[1408] Doch scheitert dieser Glättungsversuch außer am sprachlichen Befund gerade daran, daß der Redaktor 14,12 ff. die Salbung als schon vollzogen ansieht. U. Wilckens argumentiert für dieselbe Lösung mit der „Spannung zum Bestattungsbericht"; doch spricht gerade diese Spannung für die Ursprünglichkeit des Zuges, da beide Geschichten nicht aus derselben Traditionsschicht stammen.[1409] Und vor allem spricht das finale *hina* dagegen. Gegen die Analyse wird man nicht einwenden können, daß dann ein *erchontai* in zwei aufeinanderfolgenden Sätzen stünde. Die Analyse von Vers 2 wird eine diese Komplikation vereinfachende Lösung nahelegen.

Vers 2 zeichnet sich durch drei Zeitangaben aus, deren erste von vornherein als markinisch bestimmt werden kann, weil *prōi* Vorzugswort (s. o. zu 11,20; 15,1) und *lian* Häufigkeitswort ist (4mal, vgl. 4/1); auch 1,35 steht beides zusammen in einer redaktionellen Einleitung. Im Zusammenhang mit dieser ersten Zeitangabe steht die dritte, wenngleich die alten Abschreiber ebenso wie die neueren Exegeten zwischen beiden Aussagen oft eine Spannung empfunden haben: Wenn die Sonne schon aufgegangen war, könne es nicht mehr „sehr früh" gewesen sein. Schon Matth 28,1 und Luk 24,1 ändern hier ab, und Joh 20,1 redigiert dahingehend, daß es noch dunkel war. Doch dürfte das eher eine Spitzfindigkeit sein. Unser Zeitempfinden mag von dem des Markus unterschieden sein. Vielleicht war er nicht so ein Frühaufsteher wie die Exegeten, die ihm hier einen Widerspruch ankreiden. Er will mit beiden Zeitangaben die Morgenfrühe betonen.[1410] Ist die erste Zeitangabe aber redaktionell, so auch

---

1408  E. Lohmeyer 353.
1409  U. Wilckens, Auferstehung 46.
1410  E. Klostermann 171.

die darauf bezogene tautologische dritte. Ihre Stilisierung im Gen. abs. legt es ohnehin nahe, sie als redaktionell zu bestimmen (vgl. V. 1).

Die dazwischenliegende zweite Zeitangabe steht im temporalen Dat.[1411] Da sie hebraisierend die Kardinalzahl im Ordinalsinn (*mia = prōtē*) gebraucht, ist sie wohl als ursprünglich anzusehen.[1412] Das folgende Praes. hist. ist ohnehin Bestandteil der Tradition. Fraglich ist nur, ob das Objekt auch ursprünglich das Grab ist, weil *mnēma* markinisches Vorzugswort ist und außerdem von 15,46 zur Verknüpfung beider Perikopen übernommen sein könnte (s. o.). Aber, wird man einwenden, wohin sollten die Frauen sonst mit der Salbungsabsicht gegangen sein, wenn nicht zu einer Begräbnisstätte? Doch daß sie zu dem einen und bestimmten Grabe gehen (vgl. den Artikel!), ist bestimmt aus 15,46 übernommen, denn es steht im Widerspruch zum „Suchen" der Frauen Vers 6, das ursprünglich ist.[1413] Darum sei *epi to mnēma* in der Tat als Zusatz anzusehen, der ein ursprünglich anderes Objekt verdrängt hat, falls nicht der *hina*-Satz von Vers 1 die ursprüngliche Fortsetzung war, so daß Markus hier nur umgestellt hat. Dies dürfte die nächstliegende Lösung der in beiden Fällen angesichts der redaktionellen Zusätze sich stellenden Fragen sein, da ja auch die Zeitangaben in beiden Versen erstaunlich konvergieren. Als ursprüngliche Perikopeneinleitung ist dann wahrscheinlich zu machen: *kai tē mia tōn sabbatōn erchontai hē Maria ktl., hina aleifosin auton.* Deutlich ist jedenfalls, daß aus 16,1 f. eine nur vorläufige und nicht ordnungsgemäße Bestattung erschlossen werden muß und 16,1 ff. ursprünglich nicht mit 15,42 ff. zusammen überliefert gewesen sein kann.[1414] Spuren einer anderen Überlieferung liegen jedoch nicht in Apg 13,29 vor,[1415] denn wenn hier „anscheinend den Juden Kreuzabnahme und Bestattung Jesu zugeschrieben" werden, so liegt das nur an der äußerst verkürzenden Darstellungsart des Lukas.[1416] In dieser lukanischen Rede liegt keine Möglichkeit für eine weitere Erklärung und die traditionsgeschichtliche Erhellung unserer Stelle.

Ist die Nennung des ersten Wochentages aber ebenso wie die Motivierung des Weges der Frauen durch die Salbungsabsicht Bestandteil der zugrunde liegenden Tradition, so ergibt sich ein neues Problem: Die „Salbung eines Toten, der schon einen Tag und zwei Nächte im Grabe lag, erscheint bei dem orientalischen Klima fast sinnlos".[1417] Daß die Salbung keine Einbalsamierung ist

1411 Vgl. Bl-Debr 200,1.

1412 Ebd. 247,1, vgl. F. Hauck 193; E. Klostermann 171; E. Lohmeyer 353 A. 2; E. Schweizer 215.

1413 So von E. Lohmeyer 354 mit Recht empfunden.

1414 E. Klostermann 170.

1415 Wie E. Lohmeyer 352 annahm, dem W. Grundmann 321 folgt.

1416 So mit Recht E. Haenchen Apg 358; ebenso H. Conzelmann Apg. 76.

1417 E. Lohmeyer 353; ebenso R. Bultmann, Tradition 308 A. 2; W. Grundmann 321; E. Schweizer 211.

(diese war bei den Juden nicht üblich), ist mit Billerbeck[1418] gegen den immer wieder sich findenden identifizierenden Sprachgebrauch[1419] zu betonen. Der Duft der Áromata sollte den Verwesungsgeruch überwinden. Dazu war nur ein Ausgießen nötig, das sich Petrus-Evangelium 12,54 vor dem Grabe vorstellt. Die Notiz scheint dann nicht mehr sinnlos, wenn man annimmt, daß der Erzähler gerade die von den Erklärern wiederholt gestellte Frage absichtlich hervorrufen wollte. Er baut sie in seine Erzählung ein. Darum kann diese Frage nicht als Einwand gewertet werden, was sie nur ist, wenn man zuerst historisch statt literarisch fragt. Die Notiz ist dann als Denkanstoß gemeint: Was die Frauen tun wollen, ist von vornherein sinnlos. Es ist allerdings sinnlos aus einem völlig anderen Grunde, wie man gleich erfahren wird. Immerhin kann trotzdem schon die erste Sinnlosigkeit als ein vorbereitender Hinweis auf die zweite und eigentliche Sinnlosigkeit der Salbung gemeint und verstanden worden sein.

Weiterhin ist dem historischen Fragen von vornherein nicht erklärbar, warum die Frauen erst am ersten Tage der Woche kommen, da nach jüdischem Recht die Salbung eines Toten am Sabbat erlaubt war.[1420] Die Geschichte setzt vielmehr voraus, daß der erste Wochentag der Tag der ersten Auferstehungserscheinungen war, und unterstreicht damit die Bedeutung dieses Tages als Auferstehungstag. Das deutet darauf hin, daß die Geschichte nicht zu den Basistexten für das Osterereignis gehört. Sie setzt die Auferstehungserscheinungen voraus.[1421]

Zu Vers 3 ist wiederholt bemerkt worden, daß es höchst merkwürdig ist, daß die Frauen erst auf dem Wege zum Grabe Erwägungen darüber anstellen, daß ihrer Absicht der Grabverschluß entgegensteht. Doch wird hier rein literarisch weiterhin die Unmöglichkeit ihrer Absicht hervorgehoben. Es handelt sich um eine Steigerungsabsicht des Erzählers. Doch ist dieser Erzähler hier erst Markus gewesen, denn der Inhalt von Vers 3 setzt die Begräbnisgeschichte aus 15,42 ff. voraus. Auch sprachlich erweist sich der Vers als markinisch durch die Verwendung des Impf. *elegon*, die Wendung *pros heautas* (s. o. zu 14,4), *thyra* und *mnēmeion* (s. o. zu 15,46); daneben sind *lithos* und *apokyliein* als Anknüpfung und Aufnahme von 15,46 verständlich.

Aus den gleichen sachlichen Gründen ist auch der zugehörige Vers 4 dann als redaktionell zu beurteilen.[1422] Er beginnt typischerweise mit einem Part. conj.,

1418 Bill. II 53; E. Klostermann 170; J. Blinzler 399 f.; 405–410.

1419 Bei R. Bultmann, Tradition 308; W. Grundmann 317.

1420 Bill. II 52 f.; F. Hauck 193.

1421 Vgl. J. Delorme, Résurrection et tombeau de Jesu, in: P. de Surgy, La résurrection du Christ et l'exégèse moderne, 1969, 105–151 (Rez. G. Delling, ThLZ 95, 1970, 501 f.).

1422 U. Wilckens, Auferstehung 46, der aber wiederum zu direkt mit dem Fehlen dieses Zuges von Vers 3 f. bei Matthäus und Lukas begründet.

dessen Vokabel außerdem noch markinisches Häufigkeitswort ist (6mal, vgl. 3/7); er variiert das Vers 3 gebrauchte Kompositum *apokyliein* hier zu *anakyliein*, was auf die markinische Vorliebe für verschiedene Komposita des gleichen Stammes weist.[1423] Außerdem verwendet er so wortspielerisch weiter zwei Komposita mit gleichem Präfix. Auch die mit *gar* nachgetragene Begründung und Erklärung ist für Markus charakteristisch (vgl. V. 8). Er will rein literarisch deutlich machen, wie sehr man sich über den weggerollten Stein als Leser wundern muß.[1424] Vormarkinisch dürfte in diesem Vers nur das einleitende *kai* und das nachfolgende *theōrousin* als Praes. hist. sein, wenngleich das Verb auch Vorzugswort ist. Doch dürfte es hier gerade vorgegeben sein in fester Verbindung mit den Frauen, woraus verständlich wird, daß es von dieser Stelle aus mitsamt den Frauen in 15,40.47 redaktionell eingebracht ist. Das aber bedeutet, daß dieses Sehen ursprünglich ein anderes Objekt gehabt haben muß als das, was es im jetzigen markinischen Zusammenhang hat. Das Objekt liegt in der Tat Vers 5b vor, und Markus lenkt zu ihm auffallenderweise mit einem sachgleichen *eidon* zurück.

Somit ist auch Vers 5a als markinischer Zusatz zu verstehen. Als solcher erweist er sich formal stilistisch durch das Part. conj., die Wiederholung der Präposition nach dem Kompositum, was gerade dieses Kompositum oft redaktionell verwenden läßt (vgl. 9,28; 11,11), und das Häufigkeitswort *mnēmeion*, das zudem von Vers 3 her vorgegeben ist. Der Satz ist also deutlich redaktionelle Zurückführung zum Traditionsfaden, der Vers 5b fortläuft.

Also bringt Vers 5b wirklich das ursprüngliche Objekt des Sehens von Vers 4: ein junger Mann. Das Wort ist für Markus nicht charakteristisch und findet sich nur noch 14,51, typischerweise in derselben Traditionsschicht! Das von ihm ausgesagte „Sitzen" ist auffallend, da es vor der Nennung seiner Bekleidung steht. Sollte das auffallender gewesen sein? Da vorher ursprünglich das Grab nicht erwähnt war, so ist mit diesem Verb deutlich redaktionell auf das Grab angespielt; außerdem handelt es sich um ein Häufigkeitswort, das auch sonst redaktionell erscheint (11mal, vgl. 19/13),[1425] und der Überfülle der Beschreibung würde etwas abgenommen. Dagegen dürfte die rechte Seite, durch den Plur. von *dexios* ausgedrückt, ursprünglich sein, da das Wort für Markus nicht kennzeichnend ist (6mal, vgl. 12/6) und vor allem die einzige markinische Stelle, an der das Wort abgesehen von seiner christologischen Verwendung vorkommt (15,27), derselben vormarkinischen Traditionsschicht zugehört. Das gleiche Urteil dürfte auch bezüglich der zweiten partizipialen Näherbestimmung zu fällen sein: *periballein* wird von Markus nur noch 14,51 nachgerade in derselben Traditionsschicht und außerdem mit der einzigen weiteren Er-

1423 W. Larfeld 263.
1424 E. Klostermann 171, der sich mit Recht gegen alle anderen Erklärungen abgrenzt.
1425 R. Pesch 96.

wähnung eines *neaniskos* zusammen verwendet. Sollte das eine reine Zufälligkeit sein? Kann eine Identifizierung mit Sicherheit ausgeschlossen werden? Auf das Fehlen des Artikels vor dem Nomen kann man sich nicht gut berufen, da die voranstehenden Worte redaktionell zugesetzt sind. Bei der Gelegenheit kann es leicht weggefallen sein. Dies um so eher, als Markus ihn als einen Engel schildert.

Man kann zur Klärung dieser Frage von der Wirkung ausgehen, die der junge Mann ausübt: sie wird am Schluß des Verses mit dem markinischen Alleinwort *ekthambeisthai* (s. o. zu 14,33) beschrieben, was eindeutig redaktionell ist. Hat Markus damit die Szene, die ursprünglich rein sachlich die Begegnung erzählte, nur dramatisiert und psychologisiert, oder ist nicht vielmehr mit diesem Zusatz mehr beabsichtigt: Er dient zur Umstilisierung eines jungen Mannes in einen Engel. Es läßt sich ja auch durch die traditionsgeschichtliche Erhellung der verschiedenen Schichten alt- wie neutestamentlicher Überlieferung immer wieder erkennen, wie älteste und den Ereignissen nahe Schichten immer wirklichkeitsnah und „vernünftig" erzählen. Je weiter die Überlieferung sich vom Haftpunkt entfernt, um so märchenhafter und mythologischer wird die Art der Darstellung.

Handelt es sich hier ursprünglich um einen Mann im wehrfähigen Alter, dann wird man sich auch die Beschreibung seiner Kleidung von daher genauer ansehen müssen: *stolē* verwendet Markus nur noch 12,38 von der Bekleidung der Schriftgelehrten. Es kann vorgegeben sein (vgl. o/2); *leukos* hat Markus nur noch an einer charakteristisch nahen Stelle, nämlich bei der Schilderung der durch die Verklärung veränderten Bekleidung Jesu 9,3 (vgl. 3/1). Bei dem engen Verhältnis, das zwischen Verklärung und Auferweckung Jesu nach Mark 9,9–13 besteht, und nach dem, was wir an redaktioneller Tendenz bisher in unserer Perikope erkannten, kann nichts den Verdacht ausschließen, daß erst Markus hier durch vorgegebenes *stolē* zur Zufügung von *leukos* in Anlehnung an 9,3 anregen ließ und nun den jungen Mann „mit den Farben spätjüdischer Vorstellungen" (vgl. 2 Makk 3,26.33; Joseph., Ant. V 8,2; Apk 6,11; 7,9.13) als Engel zeichnete. Als solcher muß er jetzt zweifellos verstanden werden.[1426] Ist dieser Verdacht begründet, so wird man weiter fragen, ob denn überhaupt die Nennung der Bekleidung eines Menschen, wenn sie ohne Besonderheiten gezeichnet ist, einen Sinn haben kann. Das ist nur möglich, wenn er vorher als nackt erschien. Darum liegt nichts näher als der Schluß, die enge Verwandtschaft unseres Verses zu 14,51 f. dahin auszuziehen, daß beide Gestalten identisch gedacht werden müssen: Der dort nackt Fliehende erscheint jetzt bekleidet.

---

1426 E. Klostermann 171; E. Lohmeyer 354; E. Schweizer 215 f.; – zum Obj. Akk. beim Pass. vgl. Bl-Debr 159,1.

Das Wort des jungen Mannes Vers 6 ist der Zielpunkt der ganzen Szene. Das am Anfang zugesetzte *de* markiert den Satz als Nahtstelle, denn das Folgende kann wegen des Praes. hist. nicht redaktionell sein. Insofern erweist sich auch von da aus nochmals das „Erschrecken" am Ausgang von Vers 5 als redaktionell. Infolgedessen ist aber auch der erste Satz des (jetzt) „Engels" markinischer Zusatz. Er bereichert den ursprünglichen Aussagesatz durch einen erbaulichen Trost-Imperativ ad hominem mit Verwendung des markinischen Sonderwortes. Auch durch diese Wiederholung wird der sekundäre engelhafte Zug des jungen Mannes verstärkt. Ursprünglich haben die Worte nur ausgesagt, was geschehen ist. Gegen diese Entscheidung, die auch zu fällen wäre, wenn nur sprachliche Indizien dafür sprächen, kann man nicht einwenden, daß es „zum Stil einer solchen Epiphanie" gehöre, daß über die Schrecken fällt, denen eine solche Epiphanie zuteil wird.[1427] Der „Stil einer solchen Epiphanie" ist eben der ursprünglichen Erzählung fremd gewesen, selbst wenn der junge Mann schon von allem Anfang an als Engel gedacht gewesen wäre. Dieser Stil hat erst nachträglich seine Wirkung auf die Gestaltung der Erzählung ausgeübt.

Ursprünglich also bestand das Wort dieses Mannes nur aus dem asyndetisch angeschlossenen Satz an die Frauen Vers 6b. „Diese Verkündigung ist der Kern der Geschichte."[1428] Nur das Faktum der Auferweckung wird den Frauen bekanntgemacht, nicht der Zeitpunkt oder irgend etwas anderes.[1429] Dabei wird der Jesusname in doppelter Weise näher bestimmt: *Nazarēnos* findet sich am häufigsten bei Markus (4mal, vgl. 0/2, unabhängig von Markus), und zwar immer als Beiname für Jesus.[1430] Diese Heimatbezeichnung[1431] muß dann als redaktionell angesehen werden, wenn sie sich auch sonst nicht als Bestandteil der Praes.-hist.-Schicht ausweisen läßt. 14,67 steht sie im Zusammenhang dieser Tradition ebenso wie 10,47; dagegen ist 1,24 die Entscheidung nicht sicher zu fällen. Immerhin kann man bei dem Gewicht von drei Stellen im Praes.-hist.-Zusammenhang sagen, daß es sich offenbar um einen für diese Traditionsschicht typischen Ausdruck handelt. Auch der zweite näher bestimmende Ausdruck dürfte ursprünglich sein; *stauroun* ist wohl Häufigkeitswort (8mal, vgl. 10/6), doch findet es sich nur unmittelbar in der Passionsdarstellung (15,13.14.15.20.24.25.27), und nur 15,14 könnte nachträgliche Erweiterung zum Zwecke der Steigerung sein. Erst Matthäus hat den Begriffsgebrauch in die zurückliegenden Teile des Evangeliums übertragen.

Von größter Wichtigkeit für den Bestand und die Aussageweise der Perikope

---

1427 E. Lohmeyer, ebd. mit Verweis auf 6,49 f.; Apk 1,17.
1428 U. Wilckens, Auferstehung 47.
1429 E. Klostermann 171.
1430 Bauer WB 1053; E. Lohmeyer 354.
1431 Vgl. H. H. Schaeder, ThW IV 879 ff.; F. Hahn, Hoheitstitel 237 f.

ist weiterhin die Aussage *zēteite*: Der Weg der Frauen ist bestimmt durch „die *Suche* nach dem Verstorbenen".[1432] Das Verbum, das für Markus nicht bezeichnend ist (10mal, vgl. 14/25), ist im abgeschwächten Sinne von „besuchen" nicht belegt (auch 3,32 und Apg 9,11 nicht).[1433] Damit ist sowohl ein weiterer Differenzpunkt gegenüber der Begräbnisgeschichte aufgewiesen als auch eine unübersehbare Spannung zum Kontext, nach dem den Frauen das Fehlen des Leichnams schon aufgefallen sein müßte.[1434] Dieses Faktum aber hat die weitreichendste Konsequenz hinsichtlich der Bestimmung der Tradition hier überhaupt: Die ursprüngliche Perikope kannte weder das leere Grab, noch berief sie sich darauf. Erst Markus hat sie durch die Koppelung mit der Begräbnisgeschichte und die Ausgestaltung dieser Perikope zu einer Epiphaniegeschichte, zu einer Geschichte des leeren Grabes gemacht. Das geschah außer durch den Zusatz von Vers 5a insbesondere durch die Zufügung des abschließenden Satzes Vers 6c, der sich durch den Sprachgebrauch von *ide* (s. o. zu 15,4.35) und *hopou* (s. o. zu 14,9) sowie durch die deutliche Aufnahme der Beisetzungsnotiz von 15,47 (*pou tithesthai*) als markinische Bildung ausweist (*topos* 10mal, vgl. 10/19, spricht nicht dagegen; es legte sich sachlich nahe). Das ist in dem vorangehenden Satz mit *hōde* (10mal, vgl. 17/16) so präzis nicht gesagt, darum dürfte dieser Satz noch der Tradition zuzurechnen sein; *hōde* schien auch 14,32.34 der Praes.-hist.-Schicht zuzugehören. Jetzt natürlich versteht man auch den ersten Satz im Sinne des zweiten, doch das heißt: im Sinne des Redaktors, der auch auf Grund dieses Gefüges als eines Doppelsatzes hier am Werke gesehen werden kann. Erst Markus hat also das leere Grab zu einem Beweismittel für die Auferweckung Jesu gemacht. „Siehe die Stätte, dahin sie ihn legten. Weil also das Grab leer ist, darum ist der Schluß einzig möglich und gesichert: Er ist auferstanden."[1435] In der ursprünglichen Überlieferung dieser Perikope aber hat das leere Grab noch keine Rolle gespielt. Markus muß als sein Erfinder angesprochen werden. Darum läßt sich nicht weiterhin W. Nauck mit dem Satz zustimmend zitieren: „Der Bericht vom leeren Grab gehört zur ältesten urgemeindlichen Überlieferung."[1436]

Die Rede des Engels wird Vers 7 fortgesetzt, indem eine neue „zweite Botschaft eingeführt" wird.[1437] Dabei wird mit *alla* „die bisherige Richtung der

1432 E. Lohmeyer 354.

1433 Ebd. A. 3, vgl. Bauer WB 669 f.; H. Greeven, ThW II 894–896, geht auf diese Frage nicht ein.

1434 Ebd.

1435 Ebd. 355.

1436 W. Nauck, Die Bedeutung des leeren Grabes für den Glauben an den Auferstandenen, ZNW 47, 1956, 243–267, 264, vgl. H. F. von Campenhausen, Leeres Grab, passim.

1437 E. Lohmeyer 355.

Rede abgebrochen und zu etwas Neuem übergegangen".[1438] Dieser Vers hängt eng mit 14,28 zusammen und bezieht sich ja auch ausdrücklich auf ihn. Daß er im Zusammenhang als eine sekundäre Fortsetzung der (Engel-)Rede von Vers 6 erscheint, ist wiederholt betont worden.[1439] Als Grund wird dabei meist der Widerspruch zwischen Vers 7 und 8 angegeben[1440]: Das Schweigen der Frauen wird zum Ungehorsam gegen den ausdrücklichen Befehl des Engels. Doch wenn man diesen beseitigen will, so müßte man eher Vers 8 als Vers 7 als nachträglich ansehen. Hinter der allgemein getroffenen Entscheidung steht aber wohl die Vorentscheidung, daß es „schwerlich ... in der Absicht des Markusschlusses" liege, „den Eindruck des Ungehorsams hervorzurufen".[1441] Das aber scheint gerade dem Markus-Evangelium gegenüber unangemessen, weil dieses Buch durch das Motiv des Messiasgeheimnisses und des Jüngerunverständnisses gekennzeichnet ist. In 9,9 ist „die Grenze des Geheimnisses in einem zeitlichen Sinne bestimmt"[1442]: Nach Ostern wird das Geheimnis geöffnet. Bei der Verbundenheit von Messiasgeheimnis und Jüngerunverständnis ist es nicht verwunderlich, daß Markus das Motiv des Jüngerversagens nun bis an den äußersten Schluß seines Buches 16,8 durchführt und auch die Reaktion der Frauen am leeren Grabe dahin einbezieht. Das Buch führt genau bis dahin, wo der verborgene „Anfang des Evangeliums" (1,1) in der irdischen Geschichte Jesu dargestellt werden mußte. „Die Geschichte des Mißverstehens und der gebrochenen Gemeinschaft der Jünger endet, wenn ihnen der Auferstandene begegnet."[1443] Eben darum kann man aber den Widerspruch zwischen Vers 7 und 8 nicht als eine durch die Exegese zu lösende Verlegenheit ansehen, sondern als einen von Markus beabsichtigten und erklärbaren Widerspruch.[1444] Sind beide Verse aber im Sinne des Markus im Zusammenhang zu erklären, so kann man die traditionsgeschichtliche Frage dieser Verse nicht durch Anknüpfung an diesen Widerspruch lösen. Ob beide Verse zusammen oder einzeln, ganz oder teilweise der Tradition oder Redaktion zugerechnet werden müssen, kann darum nur aus anderen inneren Indizien sprachlicher Formung und aus dem Gang der Analyse der bisherigen sechs Verse gefunden werden. Sie aber deuten darauf hin, daß beide Verse wohl als markinischer Zusatz bestimmt werden müssen.

1438 E. Klostermann 171.
1439 Seit J. Wellhausen 136; vgl. zuletzt U. Wilckens, Auferstehung 51 und Leeres Grab 41 A. 32 gegen H. F. von Campenhausen, Leeres Grab 37 A. 147, der das bestreitet.
1440 Vgl. F. Hauck 193; E. Klostermann 172; R. Bultmann, Tradition 308 f.; J. Finegan 107 f.; W. Marxsen, Markus 48–51; E. Lohmeyer 356; W. Grundmann 321; E. Schweizer 212.
1441 So W. Marxsen, Markus 48.
1442 J. Roloff 73–93, 90.
1443 Ebd. 93.
1444 Ebenso jetzt auch U. Wilckens, Auferstehung 52 f.

In Vers 7 ist *alla* Vorzugswort (vgl. 14,28.49), *hypagein* Häufigkeitswort (15mal, vgl. 19/5); *hoti*-rezitativum Stilmerkmal (da nicht *autous*, sondern *hymas* steht, ist dieses *hoti* klar rezitativ gemeint),[1445] die Häufigkeitsworte *proagein* und *Galilaia* nehmen wörtlich 14,28 auf (s. o.). Dagegen war die Wendung *hoi mathetai autou* für die Praes.-hist.-Schicht charakteristisch (s. o. 14,12 f.32). Natürlich kann man hier redaktionelle Wiederholung annehmen. Wahrscheinlicher aber ist der knappe Imp. mit *eipate* ursprüngliche Fortsetzung von Vers 6b. Noch auffallender ist natürlich die Sondererwähnung des Petrus.[1446] Das erklärt sich noch nicht dadurch, daß der Name Häufigkeitswort ist. Auf seine Funktion als erster und grundlegender Osterzeuge kann mit dieser Sondernennung nicht angespielt sein, denn die hier behauptete Sonderaufforderung steht geradezu im sachlichen Widerspruch zu dieser wirklichen Funktion. Der Hinweis auf die Sonderfunktion, die Petrus in Gethsemane und bei der hier angespielten Vorhersage 14,26–31 hatte, könnte die Sondererwähnung noch am ehesten rechtfertigen. Dann wäre seine Nennung für traditionell zu halten. Nicht ganz ausgeschlossen aber scheint mir auch die Möglichkeit, daß die Erwähnung des Petrus hier redaktionell und sein Auftauchen primär Ersatz für seine Auslassung in anderem Zusammenhang ist: Lag schon 14,51 f. nahe, in dem ungenannten jungen Mann Petrus selbst zu sehen, so ist auch hier für die Tradition am sinnvollsten die Annahme, daß der Überbringer der ersten Nachricht von der Auferweckung der erste Zeuge einer Auferstehungserscheinung war. Da Markus aus ihm aber einen Engel machte, so mußte natürlich jeder Hinweis auf Petrus in diesem Sinne getilgt werden. Von hier aus dürfte sich auch die Undeutlichkeit der Gestalt im jetzigen Zusammenhang von 14,51 f. besser erklären als von irgendwelchen Erwägungen über Nacktheitsscham. Weil er hier zum Engel wurde, darum wurde er auch dort seiner Konkretheit beraubt.

Der vorletzte Satz dieses Verses „Dort werdet ihr ihn sehen" ist gegenüber 14,28 ein Überschuß, doch ist er durch *ekei* (für Markus nicht besonders typisch: 11mal, vgl. 28/16) fest an die voranstehende Ortsangabe gebunden und fällt darum unter dasselbe traditionsgeschichtliche Urteil. Anders muß möglicherweise das abschließende *kathos eipen hymin* beurteilt werden, da diese Wendung für die beiden ersten Vorhersagegeschichten der Praes.-hist.-Passionstradition charakteristisch und zentral zugleich war (s. o. zu 11,6; 14,16). Wenn er traditionell und nicht nur eine redaktionelle Reminiszenz sein sollte, dann müßte er wohl im Anschluß an Vers 6b seinen ursprünglichen Platz gehabt und sich auf die Ansage der Auferweckung überhaupt bezogen haben. Dann aber müßte nachgewiesen werden, auf welche Auferweckungsansage er sich in der Traditionsschicht konkret bezogen haben soll, da 14.28 als redaktionell dafür ausfällt. Eine Entscheidung müßte von der Beurteilung der ersten Leidens- und

---

1445 W. Larfeld 626; E. Klostermann 171.
1446 E. Klostermann, ebd.

Auferstehungsansage ausgehen, da dort im Kontext 8,29.33 ein Praes. hist. vorkommt. Doch kann hier nur auf die Möglichkeit hingewiesen werden. Immerhin hat Matthäus mit seiner Umstellung die Möglichkeit dieses Verständnisses angedeutet.

Vers 8 beginnt mit einem markinischen Part. conj., dessen Verb zudem ein Häufigkeitswort ist, das Markus wiederholt redaktionell verwendete (11,11; 14,16.26.48.68). Außerdem setzt das Wort sachlich das *eiserchesthai* von Vers 5 voraus,[1447] das sich schon als redaktionell erwies, so daß sich die Dekomposition gegenseitig bestätigt. In der Aufeinanderbeziehung beider Komposita gleichen Stammes liegt ein weiteres markinisches Stilmerkmal vor (vgl. V. 3 f.). In dem Zusammenhang ist auch *mnēmeion* zu nennen, das ebenfalls in diese Korrespondenz hineingehört und nicht nur Häufigkeitswort ist (s. o. zu V. 3), sondern auch für die Gesamtgeschichte als markinischer Zug aufgewiesen wurde. Auch hier ist nicht davon auszugehen, daß Vers 8a das selbstverständliche Ende einer Epiphaniegeschichte sei.[1448] Denn erst als der junge Mann zum Engel erklärt wurde, ist mit Zügen einer Epiphanie in der Schilderung der Gestaltung zu rechnen. Vormarkinisch könnte höchstens die reine Notiz *kai efygon* gewesen sein, da das Wort für Markus nicht typisch (5mal, vgl. 7/3) ist und auch 14,50.52 Bestandteil der Vorlagen war. Wenn man dies annehmen dürfte, dann wäre auch die markinische Erweiterung als ein Weiterwachsen von Vorgegebenem am ehesten verständlich. Das Verb dürfte dann im Praes. hist. gestanden haben.

Vers 8b ist seiner Form nach als nachgetragener Begründungssatz mit *gar* sicher redaktionell und unterliegt so demselben Urteil wie Vers 4b. Doch fällt *tromos* als evangelisches Hapaxlegomenon auf, mit dem Markus hier den Doppelausdruck *ekstasis* (2mal, vgl. 0/1) tautologisch verbunden hat (das Wort scheint auch 5,42 redaktionell zu sein). Andererseits aber ist die Ausdrucksweise des Satzes wohl so gut griechisch,[1449] daß nicht mit Tradition zu rechnen ist.

Der weiterführende Satz Vers 8c, der als zweite Reaktion der Frauen ihr Schweigen beschreibt, ist durch die doppelte Negation als markinisch gekennzeichnet (s. o. zu 11,2.14; 14,25.60f.; 15,4f.); dabei wird beide Male das Vorzugswort *oudeis* (26mal, vgl. 19/33) im Mask. und Neutr. verwendet; auch *legein* ist Häufigkeitswort (202mal, vgl. 289/217). Damit aber entfällt endgültig die beliebte Erklärung, daß gerade dieser Satz erweisen soll, warum die Geschichte vom leeren Grab erst so relativ spät bekannt geworden sei.[1450] Dieser

1447 J. Finegan 107 A. 4.

1448 Gegen U. Wilckens, Auferstehung 54 f.

1449 Bauer WB 656 *echein* für „erfassen".

1450 So R. Bultmann, Tradition 308; M. Dibelius, Formgeschichte 190 nach J. Wellhausen z. St.; E. Meyer, Ursprünge I 18; W. Bousset, Kyrios Christos 7 A. 1; 65; vgl. J. Finegan 107; W. Marxsen, Markus 48 f.

apologetischen Erklärung ist dann vollständig der Boden entzogen, wenn man der hier vorgelegten Analyse folgt, deren überraschendstes Ergebnis darin besteht, daß die ursprüngliche Perikope gar nicht von einem leeren Grab handelte. Doch auch abgesehen davon spricht die markinische Art der Gestaltung dieses Satzes dagegen, hier einen Bestandteil der Tradition zu sehen.

Der abschließende Begründungssatz Vers 8d ist als nachgestellter Begründungssatz mit *gar* mit seinem Bezugssatz Vers 8c traditionsgeschichtlich gleich zu beurteilen[1451] und ebenso wie seine Formparallelen in den Versen 4c und 8b als redaktionell zu bestimmen. Ein inhaltlich gleicher redaktioneller Begründungssatz findet sich zudem in 9,6, so daß sich das Urteil bestätigt.[1452] Diese letzte Parallele ist darüber hinaus für das oben angesprochene Gesamtverständnis der markinischen Aussageintention der Perikope wichtig: Indem sich der Vorgang von 9,6 wiederholt, ist deutlich, daß diese Schlußperikope für den Evangelisten noch diesseits der 9,9 bezeichneten Schwelle steht. Ein Ende des Jüngerunverständnisses liegt jenseits von 16,8. Gemäß dem schriftstellerischen Programm des Markus (1,1) schließt darum das Buch mit Recht an dieser Stelle ab.

Als Ergebnis dieser letzten Einzeluntersuchung ist festzuhalten, daß man nicht mehr der geläufigen Ansicht folgen kann, daß Mark 16,1–6.8 eine vormarkinische Perikope vorliege, die Markus nur durch Vers 7 erweitert habe. Die markinische Redaktion ist wesentlich umfangreicher und umfaßt Teile oder Ganzheiten jedes Verses. Dagegen liegt in Vers 2a.1aß.bß.4aß.5b.6aα.b.7aß.8aß ein Bestandteil der Praes.-hist.-Schicht vor, so daß man bestreiten muß, daß diese Traditionsschicht eine reine Passionsgeschichte gewesen ist.[1453] Von größter Wichtigkeit ist die Einsicht, daß das Traditionsstück nicht das leere Grab im Mittelpunkt hat, sondern daß das erst durch Markus eingebracht worden ist. Ob hier auch der ursprüngliche Abschluß der Traditionsschicht vorliegt, ist nicht mit letzter Sicherheit zu sagen. Würde die Vorlage mit Vers 6b geschlossen haben, dann wäre ein Verzicht auf Erscheinungsgeschichten des Auferstandenen denkbar. Doch die Weiterführung läßt annehmen, daß ein größerer Umfang nicht ausgeschlossen ist. Klar ist aber auch in einem solchen Falle, daß die markinische Verkürzung dann nicht e silentio als dogmatische Korrektur an solchen Berichten gewertet werden kann, sondern sich aus der deutlich literarisch begrenzten Themenstellung dieses Buches ergibt. Man wird in jedem Falle dem Urteil von U. Wilckens zustimmen müssen, daß die Perikope in ihrer Urgestalt „der älteste österliche Schluß der Passionsgeschichte" ist.[1454]

1451 So auch U. Wilckens, Bedeutung 59.

1452 J. Finegan 107 A. 3.

1453 Gegen W. Marxsen, Markus 48, der dieses Urteil zu Unrecht allein von dem Widerspruch zu 15,42 ff. her begründet.

1454 U. Wilckens, Bedeutung 59.

Indem die markinische Gestaltung in den Versen 7 und 8 deutlich vom Motiv des Jüngerunverständnisses gezeichnet war, entfällt eine grundlegende Stütze für die Meinung, daß Vers 7 die Parusie für die Zeit des Markus in Galiläa verheiße.[1455] Dieser These ist weiter auch die Voraussetzung zu bestreiten, daß die „jüngste Schicht" als solche selbstverständlich eo ipso „die Situation des Evangelisten" spiegele.[1456] Einer modischen Überbewertung der Situation ist hier wie an anderen Punkten zu widerstehen. Nicht die Situation, sondern die Auffassung und das Verständnis des Verfassers wird primär deutlich. Daß Vers 7 auf die Erscheinungen des Auferstandenen auch in seiner endgültigen Fassung hinweist, kann nicht bestritten werden.[1457] Ebensowenig aber kann man der zuletzt von L. Schenke vorgetragenen Funktionsbestimmung der Urschicht folgen, der in dem Vers 2.5 f.8a umfassen sollenden Traditionsstück eine kultätiologische Legende zur Grabbegehung sehen wollte.[1458]

Die erst markinische Verbindung mit der Begräbnisgeschichte bahnt die Entwicklung an, auch die Erscheinungsüberlieferung mit der Grabesgeschichte zu verbinden, die in der nachfolgenden Weiterüberlieferung immer enger wird, ohne je organisch zu glücken.[1459] Man muß jedoch deutlich erkennen, daß Markus aus der Auferweckung Jesu *ek nekrōn* eine Auferweckung Jesu *ek tafou* gemacht hat. Ist erst Markus der Schöpfer der Vorstellung vom leeren Grab Jesu, so wird man wohl seine Intention in der Wahrung der ursprünglichen Aussage von der Auferweckung Jesu als einer wirklichen Auferweckung *ek nekrōn* anerkennen müssen, zugleich aber erkennen, daß das von ihm verwendete Aussagemittel von der Auferweckung *ek tafou* nicht zu den heute verbindlichen und verantwortbaren theologischen Grundaussagen von der Auferweckung Jesu von den Toten gehören kann.

1455 So E. Lohmeyer 556; W. Marxsen, Markus 54; W. Grundmann 321.

1456 W. Marxsen, ebd.

1457 So auch E. Schweizer 212 mit Recht.

1458 L. Schenke, Leeres Grab; vgl. dagegen die Rez. von G. Delling, ThLZ 95, 1970, 26.

1459 Das arbeitete U. Wilckens, Leeres Grab 30 ff., im Anschluß an L. Brun, Die Auferstehung Christi in der urchristlichen Überlieferung, Oslo-Gießen 1925, überzeugend heraus.

# 5. Zusammenfassung

Der Gang der Untersuchung hat ergeben, daß wir damit zu rechnen haben, daß Markus in seiner Passionsdarstellung zwei vorgegebene, durchlaufende Traditionsstränge benutzt hat, eine offenbar sehr alte, durch das Praes. hist. gekennzeichnete Schicht und eine andere, offenbar ebenfalls alte, möglicherweise aber jünger zu datierende apokalyptisch gestaltete Traditionsschicht. Somit hat sich der Ansatzpunkt der Analyse, der durch die Gethsemaneanalyse von K. G. Kuhn und durch die Dekomposition der markinischen Kreuzigungsperikope durch J. Schreiber gegeben war und auf den auch die von E. Linnemann herausgestellte Doppelüberlieferung der Darstellung vom Synhedriumsverhör hinwies, vollauf bestätigt. Wesentlich befestigt werden konnte auch die Hypothese von H. W. Bartsch, daß eine alte Passionsüberlieferung mit apokalyptischen Aussageformen und Denkmitteln arbeitete.

Die Praes.-hist.-Schicht umfaßte nach Bestand und Aufbau folgende Stücke:
1. Die vierfache Vorhersage Jesu:
   Die positive Vorhersage von der Findung des Reittiers (11,1-7)
   Die positive Vorhersage von der Findung des Saales (14,12-16)
   Die negative Vorhersage des Auslieferers (14,17-21)
   Die negative Vorhersage des dreifachen Versagens (14,26-30)
2. Das dreifache Versagen der Jünger:
   Das Versagen beim Gebet in Gethsemane (14,32-42)
   Das Versagen bei der Auslieferung Jesu (14,43-52)
   Das Abschwören des Petrus (14,54.66-72)
3. Die vier Stationen des Kreuzweges Jesu:
   Das Verhör vor dem Synhedrium (14,53.55 f.61-64)
   Die Übergabe an Pilatus (15,1 f.)
   Die Verspottung Jesu (15,16-20a)
   Die Kreuzigung Jesu (15,20b-24.27.29)
4. Die Kunde des jungen Mannes an die Frauen von der Auferweckung Jesu (16,1-8)

Die Gestalt der apokalyptischen Passionstradition ist wie folgt zu bestimmen:
1. Die apokalyptische Huldigung beim Eintritt in Bethanien (11,8-11)
2. Das apokalyptische Feigenbaumwort (11,12-14)
3. Die apokalyptische Kultunterbindung im Tempel (11,15 f.)
4. Die Bemächtigungsabsicht und ihre Realisierungsmöglichkeit (11,18; 14,2.10 f.)
5. Die apokalyptische Mahlverheißung (14,23b.25)
6. Die Vorbereitung auf die apokalyptische Stunde (14,26.33.35.38.41)
7. Die Ergreifung Jesu (14,44.46.50)

8. Die Tempelbeschuldigung (14,53.57 f.60 f.65)
9. Die Ermöglichung der Kreuzigung durch Pilatus (15,1.3.5.12-15)
10. Die Kreuzigungsapokalypse (15,16.25 f.29 f.33 f.37-39)

An unabhängigen Einzelüberlieferungen dürfte Markus vier Stücke verwendet haben:

Eine Salbungsgeschichte (14,3-9)
Eine Abendmahlsüberlieferung (14,22-24)
Eine Barabbaserzählung (15,7 f.11.15)
Eine Überlieferung vom Begräbnis Jesu (15,43.46 f.)

Die markinische Gestaltung zeichnet sich dadurch aus, daß sie in ihrer Tendenz der Praes.-hist.-Tradition nicht nur in der Gestalt, sondern auch in der Intention folgt. Die Schriftanspielungen werden vermehrt und präzisiert. Es wird ein Zusammenhang zwischen dem Vorherwissen Jesu und den Vorhersagen des Alten Testamentes hergestellt. Die historische Tendenz der alten Quellenschicht wird aufgenommen und weitergeführt. Dabei ist die Verschachtelung ebenso ein Mittel der Historisierung wie die Auflösung der apokalyptisch geprägten Aussagen. Markus macht deutlich, daß die Passion nicht das Ende Jesu, sondern durch seine Auferweckung der Fortgang des Evangeliums ist. Darum bestimmt ihn auch im Endteil seines Buches seine Konzeption von der Darstellung des irdischen Jesus als „Anfang des Evangeliums" (1,1). Gegenstand der Kritik ist vor allem die Vorstellung der apokalyptischen Quellenschicht vom Tode Jesu als dem Ereignis der apokalyptischen Weltenwende. Insofern will diese Untersuchung über eine präzisere Erfassung der sprachlichen wie inhaltlichen Bestände der markinischen Redaktion hinaus einen Beitrag liefern, der mit einer Präzisierung von Tendenzen der vormarkinischen Traditionsgeschichte zugleich der Erhellung der Frühgeschichte der christlichen Gemeinden dienen kann. Die Fragen der urchristlichen Apokalyptik werden bedenken müssen, daß nicht nur Paulus, sondern auch seine Gegner offenbar von der Apokalyptik her geprägt waren. Die Tendenzen der apokalyptischen Passionstradition lassen sich gut als Hintergrund für die antipaulinischen Häretiker verstehen. Diese verabsolutieren nicht die Auferweckung, sondern das Kreuz. Apokalyptik und Gnosis dürften dann auch von hier aus nicht mehr als Gegensatz, sondern vielmehr im engsten Zusammenhang gesehen werden. Weiter könnte der Frage nach dem historischen Jesus hier eine präzisere Basis geboten werden.

Hinsichtlich der Frage nach dem Verständnis des Todes Jesu ergab sich, daß die Formel von einer „Heilsbedeutung des Todes Jesu" nur heuristisch als Befragungsaspekt für das vorliegende Material aufgenommen werden kann. Durch die traditionsgeschichtliche Sonderung und Präzisierung der verschiedenen Schichten zeigt sich, daß auf diese formale Frage ganz unterschiedliche Antworten gegeben werden müssen. Die Antworten sind so beschaffen, daß eine einfache Ja-Nein-Alternative nicht mehr möglich und schon gar nicht ausreichend genannt werden kann. Für die alte Praes.-hist.-Schicht wird man die Frage, ob dem Tode Jesu eine besondere Heilsbedeutung zuerkannt wurde, wohl verneinen müssen. Dafür waren keine mikro- oder makrotextlichen Anhaltspunkte zu erheben.

Ganz anders sieht dieses Ergebnis bei der apokalyptisch geprägten Passionsschicht aus. Hier läuft wirklich alles auf eine extrem exklusiv gefaßte Heilsbedeutung des Todes Jesu hinaus. Der Tod Jesu ist als das Ende des jüdischen Tempels und damit nicht nur als der Anbruch, sondern als der Einbruch der neuen eschatologischen Welt gesehen. Die dahinter stehenden Gemeindekreise feiern das eschatologische Messiasmahl als „Mahl der Seligen" in dem Bewußtsein vollen Anteils an der gegenwärtigen Gottesherrschaft. Von der Auferweckung Jesu von den Toten ist dabei völlig und beabsichtigt abgesehen. Man wird diese Position, die der des korinthischen Enthusiasmus so ähnlich ist, daß man einen Zusammenhang zwischen ihren Vertretern annehmen kann, nicht darum übernehmen wollen, weil sie die Frage nach einer Heilsbedeutung des Todes Jesu formal positiv beantwortet. Die markinische Rezeption dieser Tradition erschien permanent als ihre radikal in Frage stellende Kritik.

Das Vollendungsbewußtsein dieser apokalyptisch-gnostischen Kreise dürfte sich auch in der Polemik von Mark 13 als deren eigentlichen Zielpunkt spiegeln: Dort werden Leute als Gegner vorausgesetzt, die als Falschchristusse von sich eine völlige Identität mit Christus („Ich bin") aussagen und diese auf der Basis einer total realisierten Eschatologie vertreten. Die Aussagen, die Mark 13 hinsichtlich der eschatologischen Wertung der Tempelzerstörung macht, sind in Beziehung mit dem durchlaufenden Tempelbezug der apokalyptischen Passionstradition zu verstehen. Die Trägerkreise dieser Überlieferungsschicht dürften in der Zerstörung des Jerusalemer Tempels einen letzten und unwiderlegbaren Beweis für ihre realisierte Eschatologie gesehen und dadurch einen starken Auftrieb erfahren haben. Ihnen entgegenzutreten dürfte die Hauptabsicht und der Anlaß für die Abfassung des Markus-Evangeliums gewesen sein. Darum wird die apokalyptische Rede unmittelbar vor die letzten Stadien der Passion plaziert und die Gemeinde damit von der realisierten Eschatologie weg und zur Naherwartung hin gerufen. Gegen das Vollendungsbewußtsein der Träger des apokalyptisch-gnostischen Kreuzesverständnisses wird von Markus auch der Rückblick auf die Tempelzerstörung zu einem Aktivposten für eine aktuelle und existentielle Naherwartung umgewertet. Im Zusammenhang damit wird das in diesen bekämpften Kreisen herrschende präsentische Menschensohnverständnis ebenfalls kritisch aufgenommen, indem zwischen der Vergangenheit des leidenden Menschensohnes und der Zukunft des Menschensohnes als Weltenrichters von Markus streng differenziert wird. Die Identität beider liegt nur in der Identität der Person, die durch die Auferweckung Jesu von den Toten gesetzt ist, sie liegt aber eben nicht in einer Identität von Passion und Hereinbruch des Eschaton.

In derselben Stärke, wie Markus die Passion Jesu von der Eschatologie und der damit behaupteten Heilsbedeutung des Todes Jesu abrückt, verbindet er den Tod Jesu mit den Überlieferungen über das Wirken Jesu. Programmatisch geschieht das in dem zentralen Satz des ganzen Buches, Mark 10,45, der Jesu ganzes Wirken als Dienst beschreibt und darin – wohl redaktionell – seinen Tod einbezieht. Da dieses Jesuswort im engsten Zusammenhang mit der dritten Leidens- und Auferweckungsansage als krönender Abschluß steht, so sind auch schon diese drei Ansagen insgesamt darauf hinorientiert. Der Bedeutungsgehalt des Satzes wird also durch seinen kompositorischen Ort nicht nur bestätigt, sondern potenziert. Derselbe Zusammenhang der Passion mit dem Wirken Jesu wird weiter auch dadurch kenntlich gemacht, daß einerseits der zweite Komplex der Streitgespräche in Kap. 11–12 in gleicher Weise wie die eschatologische Rede Kap. 13 in den Zusammenhang der Jerusalemer Passion hineingestellt wird und daß andererseits gerade der verwandte erste Komplex der Streitgespräche in Kap. 2–3 schon voller betonter Hinweise auf die Passion gestaltet ist (2,6 f.16.20; 3,5 f.; dies ist darum auffallend redaktionell, da gerade die Pharisäer in der Passion noch nicht auftauchen).

Der zentrale Charakter der Stelle Mark 10,45 ergibt sich durch ihren Ort jedoch nicht nur aus dem im Rückblick und Rückbezug fest gestalteten Zusammenhang von Wirken und Leiden Jesu, sondern auch noch einmal besonders durch die Schlüsselposition im Vorblick auf die Passionswoche. Daß Markus die Jerusalemer Ereignisse des Endes Jesu durch die Komposition einer festen Wochenchronologie (11,11 f.19 f.; 14,1.12.17; 15,1.42; 16,6 f.) eng aneinander gebunden hat, ist nicht nur durch den Unterschied zu seinen Vorlagen unverkennbar redaktionell, sondern auch dadurch für Markus spezifisch, daß ihm seine beiden synoptischen Seitenreferenten hierin nicht in gleicher Präzision folgen. Dabei kommt der Stelle Mark 10,45 ein ausgezeichneter Platz direkt an der Schwelle des ersten Tages dieser Woche zu. Die Singularität der Stelle darf also nicht dazu verführen, ihren für Markus entscheidenden Charakter zu verkennen. Den hat sie klar durch die doppelte nach rückwärts wie vorwärts gewandte Schlüsselposition. Der theologische Akzent wird hier wesentlich durch die Komposition gesetzt. Das deutet gleichzeitig darauf hin, daß dieses Verständnis des Todes Jesu erst vom Redaktor Markus in die Passionsüberlieferung eingebracht ist. Es fehlt ja vor allem auch in der Kreuzigungsüberlieferung selbst. Dort wird es erst direkt durch den vierten Evangelisten eingebracht. Für Markus und sein Verständnis ist weiter kennzeichnend, daß er außerdem mit dem Kelchwort Mark 14,24 die Aussage von 10,45 im Zentrum der Passion nochmals, und zwar wiederum redaktionell, aufnimmt. Jesu Tod wird damit bei Markus wie bei Paulus als Selbsthingabe zugunsten des Heils der Welt verstanden, und zwar durch die doppelte Eigenaussage sogar als eine bewußte Selbsthingabe aufgefaßt.

Dabei ist der Zusammenhang mit der Auferweckung Jesu von den Toten durch die enge wochenchronologische Verklammerung der Osterperikope mit der Kreuzigung beibehalten. Daß Markus schon mit 16,8 abbricht, ist keinesfalls als Desinteresse an der Auferweckung Jesu zu bewerten. Der Schluß gerade an dieser Stelle dürfte daraus zu erklären sein, daß er sein Jesusbuch nur als „Anfang des Evangeliums" (1,1) versteht und seine Darstellungsabsicht so als eine begrenzte kennzeichnet: Wenn das Evangelium als solches die Auferweckung Jesu von den Toten aussagt, so bestand das Anliegen des Markus nur darin, offenbar aus gegebenem Anlaß daran festzuhalten, daß dabei wirklich der Mensch Jesus gemeint ist und dieser Mensch wiederum mit seinem wirklichen Tod im Zusammenhang seines Lebens und nicht im Zusammenhang einer apokalyptischen Spekulationskonzeption.

# Literatur

Verfasser, von denen Markuskommentare oder nur ein Werk benutzt wurden, sind in den Anmerkungen nur mit ihrem Namen angeführt; Abkürzungen orientieren sich an den Abkürzungsverzeichnissen in RGG[3] und ThW.

Aalen, S., Die Begriffe Licht und Finsternis im Alten Testament, im Spätjudentum und Rabbinismus, Oslo 1951

Aland, K., Synopsis Quattuor Evangeliorum, Stuttgart 1965[3]

– Der wiedergefundene Markusschluß? Eine methodische Bemerkung zur textkritischen Arbeit, ZThK 67, 1970, 3–13

Bardtke, H., Die Handschriftenfunde am Toten Meer I, II, Berlin 1953, 1958

Barret, C. K., Die Umwelt des Neuen Testaments, WUNT 4, Tübingen 1959

Bartsch, H. W., Entmythologisierende Auslegung. Gesammelte Aufsätze ThF 26, Hamburg 1962

– Die „Verfluchung" des Feigenbaums, ZNW 53, 1962, 256–260

– Historische Erwägungen zur Leidensgeschichte, EvTh 22, 1962, 449–459

– Wachet aber zu jeder Zeit. Entwurf einer Auslegung des Lukasevangeliums, Hamburg 1963

– Die Bedeutung des Sterbens Jesu nach den Synoptikern, ThZ 20, 1964, 87–102

– Die Argumentation des Paulus in 1. Kor. 15,3-11, ZNW 55, 1964, 261–274

– Wer verurteilte Jesus zum Tode? NovTest 7, 1964/65, 210–217

– Jesus, Prophet und Messias aus Galiläa, Frankfurt 1970

– Ende und Anfang, StdG 22, 1970, 201–204

Bauer, W., Das Johannesevangelium, HNT 6, Tübingen 1925[2]

– Griechisch-Deutsches Wörterbuch zu den Schriften des Neuen Testaments, Berlin 1963[5]

Baumbach, G., Das Verständnis des Bösen in den synoptischen Evangelien, ThA 19, Berlin 1963

– Judas, Jünger und Verräter Jesu, ZdZ 17, 1963, 91 ff.

Bertram, G., Die Leidensgeschichte und der Christuskult, FRLANT 32, Göttingen 1922

Betz, H. D., Das Verständnis der Apokalyptik in der Theologie der Pannenberggruppe, ZThK 65, 1968, 257–270

Billerbeck, P. (und L. Strack), Kommentar zum Neuen Testament aus Talmud und Midrasch, München 1965[4]

Black, M., An Aramaic Approach to the Gospels and Acts, Oxford 1954[2]

Blass, F. und A. Debrunner, Grammatik des neutestamentlichen Griechisch, Göttingen 1959[10]

Blinzler, J., Der Prozeß Jesu, Regensburg 1969[4]

– Das Synhedrium von Jerusalem und die Strafprozeßordnung der Mischna, ZNW 52, 1961, 54–64

Bornkamm, G., Jesus von Nazareth, Stuttgart 1956
- Art.: Evangelien, RGG[3] II, 749–766, Tübingen 1958
- mit G. Barth und H. J. Held, Überlieferung und Auslegung im Matthäus-
  evangelium, WMANT 1, Neukirchen 1965[4]
Bousset, W., Die Offenbarung Johannis, KEK 16, Göttingen 1906
- Kyrios Christos, Göttingen 1967[6]
- und H. Greßmann, Die Religion des Judentums, HNT 21, Tübingen 1966[4]
Braun, H., Spätjüdischer und frühchristlicher Radikalismus I, II, BHTh 24,
  Tübingen 1957
- Qumran und das Neue Testament I, II, Tübingen 1966
- Jesus, Stuttgart 1969
Brun, L., Die Auferstehung Jesu in der urchristlichen Überlieferung, Oslo/
  Gießen 1925
Bultmann, R., Die Geschichte der synoptischen Tradition, Berlin 1964[4], Göt-
  tingen 1967[7]
- Das Evangelium des Johannes, KEK II,2, Göttingen 1968[19]
- Theologie des Neuen Testaments, Tübingen 1968[6]
Bussmann, W., Synoptische Studien I, Halle 1925
v. Campenhausen, H., Der Ablauf der Osterereignisse und das leere Grab,
  Heidelberg 1958[2]
Chwolson, D., Das letzte Passamahl Christi und der Tag seines Todes, Leipzig
  1908[2]
Clemen, C., Religionsgeschichtliche Erklärung des Neuen Testaments, Gießen
  1924[2]
Conzelmann, H., Art.: Jesus Christus, RGG[3] III, 619–653, Tübingen 1959
- Die Mitte der Zeit, BHTh 17, Tübingen 1960[3]
- Die Apostelgeschichte, HNT 7, Tübingen 1963
- Grundriß der Theologie des Neuen Testaments, München 1967
- Historie und Theologie in den synoptischen Passionsberichten. In: F. Viering
  (Hrsg.), Zur Bedeutung des Todes Jesu, Berlin 1968 (Nachdruck), 35–54
- Art.: skotos, ThW VII, 424–446
Dahl, N. A., Die Passionsgeschichte bei Matthäus, NTS 2, 1955, 17–32
Dalman, G., Jesus-Jeschua, Leipzig 1922
- Orte und Wege Jesu, Gütersloh 1924[2]
- Die Worte Jesu I, Gütersloh 1930[2]
Deißmann, A., Licht vom Osten, Tübingen 1923[4]
Delling, G., Der Kreuzestod Jesu in der urchristlichen Verkündigung, Berlin
  1971
Dibelius, M., Die Formgeschichte des Evangeliums, Tübingen 1966[5], Nachdruck
  Berlin 1967
-- Botschaft und Geschichte I, Tübingen 1953 (abgekürzt: BuG)
v. Dobschütz, E., Zur Erzählkunst des Markus, ZNW 27, 1928, 193 ff.

Dupont, J., Gnosis, Paris 1949

Eissfeldt, O., Einleitung in das Alte Testament, Tübingen 1956[2]

Feigel, G. K., Der Einfluß des Weissagungsbeweises und anderer Motive auf die Leidensgeschichte, Tübingen 1910

Feine, P. / J. Behm / W. G. Kümmel, Einleitung in das Neue Testament, Berlin 1965[13] (Abkürzung: W. G. Kümmel, Einleitung)

Fiedler, P., Die Formel „und siehe" im Neuen Testament, STANT 20, München 1969

Finegan, J., Die Überlieferung der Leidens- und Auferstehungsgeschichte Jesu, BZNW 15, Berlin 1934

Fischer, K. M., Redaktionsgeschichtliche Bemerkungen zur Passionsgeschichte des Matthäus, ThV II, Berlin 1970, 109–128

Flender, H., Heil und Geschichte in der Theologie des Lukas, BEvTh 41, München 1968[2]

Flesseman-van Leer, E., Die Interpretation der Passionsgeschichte vom Alten Testament aus. In: F. Viering (Hrsg.), Zur Bedeutung des Todes Jesu, Berlin 1968 (Nachdruck), 81–99

Goguel, M., Das Leben Jesu, Zürich 1934

– A propos le procès de Jésus, ZNW 31, 1932, 289–301

Goppelt, L., Christentum und Judentum im ersten und zweiten Jahrhundert, Gütersloh 1954

Grass, H., Ostergeschehen und Osterberichte, Berlin 1964[2] (Nachdruck)

Grässer, E., Das Problem der Parusieverzögerung in den synoptischen Evangelien und in der Apostelgeschichte, BZNW 22, Berlin 1960[2]

Greeven, H., Gebet und Eschatologie im Neuen Testament, Gütersloh 1931

Grundmann, W., Das Evangelium nach Markus, ThHK 2, Berlin 1959[2]

– Das Evangelium nach Lukas, ThHK 3, Berlin 1961[2]

– Das Evangelium nach Matthäus, ThHK 1, Berlin 1968

– Zeugnis und Gestalt des Johannesevangeliums, AVThR 19, Berlin 1961

Haenchen, E., Die Apostelgeschichte, KEK 3, Göttingen 1956[10]

– Der Weg Jesu. Eine Erklärung des Markus-Evangeliums und der kanonischen Parallelen, Berlin 1968[2]

– Historie und Geschichte in den johanneischen Passionsberichten. In: F. Viering (Hrsg.), Zur Bedeutung des Todes Jesu, Berlin 1968 (Nachdruck), 55–79

Hahn, F., Christologische Hoheitstitel, FRLANT 83, Göttingen 1963

– Das Verständnis der Mission im Neuen Testament, WMANT 13, Neukirchen 1965[2]

– Die alttestamentlichen Motive in der urchristlichen Abendmahlsüberlieferung, EvTh 27, 1967, 337–374

Hatch, E. und H. A. Redpath, A Concordance to the Septuagint, Graz 1954[2]

Hauck, F., Das Evangelium des Markus, ThHK 1, Leipzig 1931

– Das Evangelium des Lukas, ThHK 3, Leipzig 1934

Haufe, G., Der Prozeß Jesu im Lichte der gegenwärtigen Forschung, ZdZ 22, 1968, 93 ff.

Hengel, M., Maria Magdalena und die Frauen als Zeugen. In: Abraham unser Vater (Festschrift O. Michel), Leiden 1963, 243–256

Hennecke, E. / W. Schneemelcher, Die neutestamentlichen Apokryphen I, II, Berlin 1966[3]

Hirsch, E., Frühgeschichte des Evangeliums I, II, Tübingen 1951[2]

Holtz, T., Untersuchungen über die alttestamentlichen Zitate bei Lukas, TU 104, Berlin 1968

Holtzmann, H. J., Die Synoptiker, HC 1, Tübingen 1901[3]

Huck, A. / H. Lietzmann, Synopse der drei ersten Evangelien, Tübingen 1950[10]

Hummel, R., Die Auseinandersetzung zwischen Kirche und Judentum im Matthäusevangelium, BEvTh 33, München 1966[2]

Jeremias, J., Golgotha und der heilige Fels, Angelos 2, 1926, 74–128
– Jerusalem zur Zeit Jesu, Berlin 1958[2]
– Der Opfertod Jesu Christi, Calwer Hefte 62, Stuttgart 1963
– Die Abendmahlsworte Jesu, Berlin 1963[3]
– Die Gleichnisse Jesu, Berlin 1966[7]
– Abba, Göttingen 1966

Käsemann, Exegetische Versuche und Besinnungen I, II, Göttingen 1960, 1965[2]
– Die Gegenwart des Gekreuzigten. In: F. Lorenz (Hrsg.), Christus unter uns, Stuttgart/Berlin 1967, 5–18; verkürzter Abdruck in ZdZ 22, 1968, 7–15
– Die Heilsbedeutung des Todes Jesu nach Paulus. In: F. Viering (Hrsg.), Zur Bedeutung des Todes Jesu, Berlin 1968 (Nachdruck), 9–33

Käser, W., Exegetische und theologische Erwägungen zur Seligpreisung der Kinderlosen Luk. 23,29b, ZNW 54, 1963, 240 ff.

Kautzsch, E., Die Apokryphen und Pseudepigraphen des Alten Testaments, Tübingen 1921[2]

Klappert, B., Diskussion um Kreuz und Auferstehung, Wuppertal 1967[2]

Klein, G., Die zwölf Apostel, FRLANT 77, Göttingen 1961
– Rekonstruktion und Interpretation, BEvTh 50, München 1969

Klostermann, E., Das Markusevangelium, HNT 3, Tübingen 1963[3]
– Das Matthäusevangelium, HNT 4, Tübingen 1938[3]
– Das Lukasevangelium, HNT 5, Tübingen 1929[2]

Knox, W. L., The Sources of the Synoptic Gospels I, II, Cambridge 1953, 1957

Kramer, W., Christos, Kyrios, Gottessohn, AThANT 44, Zürich 1963, Nachdruck Berlin 1970

Kuhn, H. W., Das Reittier Jesu in der Einzugsgeschichte des Markusevangeliums, ZNW 50, 1959, 82–91

Kuhn, K. G., Jesus in Gethsemane, EvTh 12, 1952/53, 260–285

Kümmel, W. G., Heilsgeschehen und Geschichte. Gesammelte Aufsätze, Marburg 1965

- Die Theologie des Neuen Testaments, Göttingen 1969

Larfeld, W., Die neutestamentlichen Evangelien, Gütersloh 1925

Leipoldt, J. und W. Grundmann (Hrsg.), Umwelt des Urchristentums I-III, Berlin 1965–1967

Leskow, Th., Jesus in Gethsemane, EvTh 26, 1966, 141–159

Lietzmann, H., Kleine Schriften II, TU 68, Berlin 1958

Linnemann, E., Der (wiedergefundene) Markusschluß, ZThK 66, 1969, 255–287

- Studien zur Passionsgeschichte, FRLANT 102, Göttingen 1970

Lohmeyer, E., Das Vaterunser, Göttingen 1962[5]

- Das Evangelium des Markus, KEK 1,2, Göttingen 1967[17]

- Das Evangelium des Matthäus, Göttingen 1967[4]

Lohse, E., Der Prozeß Jesu Christi. In: Ecclesia und Respublica (Festschrift K. D. Schmidt), 1962, 24–39

- Märtyrer und Gottesknecht, FRLANT 64, Göttingen 1963[2]

- Die Geschichte des Leidens und Sterbens Jesu Christi, Gütersloh 1964

- Die alttestamentlichen Bezüge im neutestamentlichen Zeugnis vom Tode Jesu Christi. In: F. Viering (Hrsg.), Zur Bedeutung des Todes Jesu, Berlin 1968 (Nachdruck), 101–117

Lüthi, K., Judas Iskarioth in der Geschichte der Auslegung von der Reformation bis zur Gegenwart, Zürich 1955

- Das Problem des Judas Iskarioth – neu untersucht, EvTh 16, 1956, 98–114

Luz, U., Das Geheimnismotiv und die markinische Christologie, ZNW 56, 1965, 9–30

Marxsen, W., Der Evangelist Markus, FRLANT 67, Göttingen 1959[2]

- Anfangsprobleme der Christologie, Gütersloh 1960

- Einleitung in das Neue Testament, Gütersloh 1964[3]

- Der Exeget als Theologe, Gütersloh 1968

- Die Auferstehung Jesu von Nazareth, Gütersloh 1968

Maurer, C., Knecht Gottes und Sohn Gottes im Passionsbericht des Markusevangeliums, ZThK 50, 1953, 1 ff.

Metzger, B. M., Der Text des Neuen Testaments, Stuttgart 1966

Morgenthaler, R., Statistik des neutestamentlichen Wortschatzes, Zürich 1958

Moulton, J. H., Einleitung in die Sprache des Neuen Testaments, Heidelberg 1911

Moulton, W. F. und A. S. Geden, A Concordance to the Greek Testament, Edinburgh 1970[4]

Nestle, E. / K. Aland (Hrsg.), Novum Testamentum Graece, Stuttgart 1963[25]

Neugebauer, F., Die Entstehung des Johannesevangeliums. Altes und Neues zur Frage seines historischen Ursprungs, AVThR 43, Berlin 1968

Pannenberg, W., Grundzüge der Christologie, Gütersloh 1964

Pesch, R., Naherwartungen, Düsseldorf 1968

Radermacher, L., Neutestamentliche Grammatik, Tübingen 1925[2]

Rehkopf, F., Die lukanische Sonderquelle, WUNT 5, Tübingen 1959

Reitzenstein, R., Das iranische Erlösungsmysterium, Bonn 1921

Rengstorf, K. H., Das Evangelium nach Lukas, NTD 3, Göttingen 1955[7]

– Die Auferstehung Jesu, Berlin 1955[3]

Rese, M., Alttestamentliche Motive in der Christologie des Lukas, StNT 1, Gütersloh 1969

Riesenfeld, H., The Resurrection in Ezechiel 37 and the Dura-Europos Paintings. UUA, Uppsala 1948

– Tradition und Redaktion im Markusevangelium. In: Neutestamentliche Studien für R. Bultmann, Berlin 1954, 157 ff.

Richter, G., Die Deutung des Kreuzestodes Jesu in der Leidensgeschichte des Johannesevangeliums, BuL 9, 1968, 21–36

Robinson, J. M., Das Geschichtsverständnis des Markusevangeliums, AThANT 30, Zürich 1956

– Logoi Sofōn. Zur Gattung der Spruchquelle Q. In: E. Dinkler (Hrsg.), Zeit und Geschichte, Dankesgabe an R. Bultmann, Tübingen 1964, 77–96

– Kerygma und historischer Jesus, Zürich 1967[2]

– Kerygma und Geschichte im Neuen Testament, ZThK 62, 1965, 294–337

Roloff, J., Das Markusevangelium als Geschichtsdarstellung, EvTh 29, 1969, 73–92

Ruckstuhl, E., Die literarische Einheit des Johannesevangeliums, Freiburg 1951

Sasse, H., Art.: ge, ThW I, 677–80

Schelkle, K. H., Die Passion Jesu in der Verkündigung des Neuen Testaments, Heidelberg 1949

– Die Leidensgeschichte Jesu, LThK[2] VI, 923 ff.

Schenk, W., Der Segen im Neuen Testament, ThA 25, Berlin 1967

– Die Einheit von Wortverkündigung und Herrenmahl in den urchristlichen Gemeindeversammlungen, ThV II, 65–92, Berlin 1970

Schenke, L., Auferstehungsverkündigung und leeres Grab, StBSt 33, Stuttgart 1968

Schille, G., Das Leiden des Herrn, ZThK 52, 1955, 161–205

– Die urchristliche Kollegialmission, AThANT 48, Zürich 1967

Schlatter, A., Der Evangelist Matthäus, Stuttgart 1929

– Das Evangelium des Lukas, Stuttgart 1960[2]

– Der Evangelist Johannes, Stuttgart 1948

Schlier, H., Religionsgeschichtliche Untersuchungen zu den Ignatiusbriefen, BZNW 8, Gießen 1929

– Jesus und Pilatus nach dem Johannesevangelium. In: Ders., Aufsätze zur biblischen Theologie, Leipzig 1968, 262–280

Schmauch, W., Auslegungsprobleme der Leidensgeschichte. In: Ders., Zu achten aufs Wort. Ausgewählte Arbeiten, Berlin 1967, 56–64

Schmid, J., Matthäus und Lukas. Eine Untersuchung des Verhältnisses ihrer Evangelien, BSt 23/2-4, Freiburg 1930

– Das Evangelium nach Markus, RNT 2, Leipzig 1966⁵ (Nachdruck)

Schmithals, W., Das kirchliche Apostelamt, FRLANT 81, Göttingen 1961

Schmoller, A., Handkonkordanz zum griechischen Neuen Testament, Stuttgart 1951⁹

Schnackenburg, R., Das Johannesevangelium I, Leipzig 1967 (Nachdruck)

Schniewind, J., Das Evangelium nach Markus, NTD 1, Göttingen 1963¹⁰

– Das Evangelium nach Matthäus, NTD 2, Göttingen 1963¹⁰

Schrage, W., Das Verständnis des Todes Jesu im Neuen Testament. In: F. Viering (Hrsg.), Das Kreuz Jesu Christi als Grund des Heils, Gütersloh 1967, 49–89

Schreiber, J., Die Christologie des Markusevangeliums, ZThK 58, 1961, 154–183

– Theologie des Vertrauens. Eine redaktionsgeschichtliche Untersuchung des Markusevangeliums, Hamburg 1967

– Die Markuspassion, Hamburg 1969

Schürmann, H., Der Paschamahlbericht Luk. 22, (7-14). 15–18, NTA 19/5, Münster 1968²

– Jesu letzter Wille Joh. 19,26-27a. In: Sapienter Ordinare (Festschrift E. Kleineidam), Leipzig 1969, 105–123

Schürer, E., Geschichte des jüdischen Volkes im Zeitalter Jesu Christi I, Leipzig 1920⁵

Schulz, S., Die Stunde der Botschaft. Einführung in die Theologie der vier Evangelisten, Hamburg 1967, Berlin 1969 (Nachdruck)

– Gottes Vorsehung bei Lukas, ZNW 54, 1963, 104 ff.

Schweizer, E., Neotestamentica, Zürich 1963

– Ego eimi, FRLANT 56, Göttingen 1965²

– Zur Frage des Messiasgeheimnisses bei Markus, ZNW 56, 1965, 1–8

– Art.: hyos, ThW VIII, 367 ff.

– Das Evangelium nach Markus, NTD 1, Göttingen 1968²

Slenczka, R., Geschichtlichkeit und Personsein Jesu Christi, FSÖTh 18, Göttingen 1967

Stauffer, E., Heimholung Jesu in das jüdische Volk, ThLZ 88, 1963, 97–103

Strecker, G., Der Weg der Gerechtigkeit. Untersuchung zur Theologie des Matthäus, FRLANT 82, Göttingen 1966²

– Zur Messiasgeheimnistheorie im Markusevangelium, StEv 3, TU 87, Berlin 1964, 87–104

– Das Geschichtsverständnis des Matthäusevangeliums, EvTh 26, 1966, 57–74

– Die Leidens- und Auferstehungsvoraussagen im Markusevangelium, ZThK 64, 1967, 16–39

Strobel, A., Kerygma und Apokalyptik, Göttingen 1967

Stuhlmacher, P., Gerechtigkeit Gottes bei Paulus, FRLANT 87, Göttingen 1966²

Sundwall, J., Die Zusammensetzung des Markusevangeliums, Abo 1934

Suhl, A., Die Funktion der alttestamentlichen Zitate und Anspielungen im Markusevangelium, Gütersloh 1965

Surkau, H. W., Martyrien in jüdischer und frühchristlicher Sicht, FRLANT 53, Göttingen 1938

Taylor, V., The Gospel according to St. Marc, London 1959[4]

Theologisches Wörterbuch zum Neuen Testament, hrsg. von G. Kittel / G. Friedrich, Stuttgart 1932 ff.

Tödt, H. E., Der Menschensohn in der synoptischen Überlieferung, Gütersloh 1963[3]

Trilling, W., Christusverkündigung in den synoptischen Evangelien, Leipzig 1968

– Fragen zur Geschichtlichkeit Jesu, Leipzig 1969[3]

Vielhauer, Ph., Aufsätze zum Neuen Testament, ThB 31, München 1965

Viering, F. (Hrsg.), Die Bedeutung der Auferstehungsbotschaft für den Glauben an Jesus Christus, Gütersloh 1968[7], Nachdruck der 2. Aufl. Berlin 1967

– (Hrsg.), Zur Bedeutung des Todes Jesu, Gütersloh 1967, Nachdruck Berlin 1968

– (Hrsg.), Das Kreuz Jesu Christi als Grund des Heils, Gütersloh 1967, Nachdruck Berlin 1969

– (Hrsg.), Zum Verständnis des Todes Jesu. Stellungnahme des Theologischen Ausschusses und Beschluß der Synode der Evangelischen Kirche der Union, Gütersloh 1968, ZdZ 22, 1968, 161–167

– Der Kreuzestod Jesu. Interpretation eines theologischen Gutachtens, Gütersloh 1969

Vögtle, A., Das christologische und ekklesiologische Anliegen von Matth. 28,18 bis 20, StEv IV, Berlin 1964, 266–294

Walker, R., Die Heilsgeschichte im ersten Evangelium, FRLANT 91, Göttingen 1967

Weidel, K., Studien über den Einfluß des Weissagungsbeweises auf die evangelische Geschichte, ThStK 83 (1910) 83 ff.; 85 (1912), 167 ff.

Weise, M., Passionswoche und Epiphaniewoche im Johannesevangelium, KuD 12, 1966, 48–62

Weiß, B., Das Matthäusevangelium, KEK I,1, Göttingen 1898[9]

– Die Evangelien des Markus und Lukas, KEK I,2, Göttingen 1901[9]

– und J. Weiß, Die Evangelien des Markus und Lukas, KEK I,2, Göttingen 1892[8]

Weiß, J. und W. Bousset, Die drei älteren Evangelien, SNT I, Göttingen 1929[4]

Wellhausen, J., Das Evangelium Marci, Berlin 1909[2]

– Einleitung in die drei ersten Evangelien, Berlin 1911[2]

Wendling, E., Die Entstehung des Markusevangeliums, Tübingen 1908

Wettstein, J., Novum Testamentum Graece, Amsterdam 1751/52, Nachdruck Graz 1962

Wilckens, U., Die Missionsreden der Apostelgeschichte, WMANT 5, Neu-
kirchen 1961
– Die Perikope vom leeren Grabe Jesu in der nachmarkinischen Traditions-
geschichte. In: Festschrift für F. Smend, Berlin 1963, 30–42
– Die Überlieferungsgeschichte der Auferstehung Jesu. In: F. Viering (Hrsg.),
Die Bedeutung der Auferstehungsbotschaft, Gütersloh 1968[7], 41–63
– Auferstehung, ThTh 4, Stuttgart 1970
Winter, P., On the Trial of Jesus, StJ 1, Berlin 1961
– Mark. 14,53b.55-64. Ein Gebilde des Evangelisten, ZNW 53, 1962, 260–263
Wohlenberg, G., Das Evangelium des Markus, KNT 2, Leipzig 1910
Wrede, W., Das Messiasgeheimnis in den Evangelien. Zugleich ein Beitrag zum
Verständnis des Markusevangeliums, Göttingen 1901, 1969[4]
Zahn, Th., Das Evangelium des Matthäus, KNT 1, Leipzig 1922[4]
– Das Evangelium des Lukas, KNT 3, Leipzig 1920[3.4]
– Das Evangelium des Johannes, KNT 4, Leipzig 1921[5.6]
– Einleitung in das Neue Testament, Leipzig 1906/07[3]

Im gleichen Verlag erschien:

# GNOSIS UND NEUES TESTAMENT

Studien aus Religionswissenschaft und Theologie

Herausgegeben von Karl-Wolfgang Tröger

436 Seiten. Leinen

Die nach Plan und Absicht entstandene, thematisch einheitliche Sammlung enthält folgende Beiträge:

*I Gnosis: Berliner Arbeitskreis für koptisch-gnostische Schriften,* Die
Bedeutung der Texte von Nag Hammadi – *P. Pokorný,* Der soziale
Hintergrund der Gnosis – *W. Beltz,* Samaritanertum und Gnosis –
*K.-W. Tröger,* Die hermetische Gnosis – *K. Rudolph,* Zum gegenwärtigen Stand der mandäischen Religionsgeschichte – *P. Nagel,* Die
apokryphen Apostelakten des 2. und 3. Jh. in der manichäischen Literatur – *R. Haardt,* Zur Methodologie der Gnosisforschung

*II Gnosis und Neues Testament: H.-M. Schenke,* Die neutestamentliche Christologie und der gnostische Erlöser – *W. Schenk,* Die gnostisierende Deutung des Todes Jesu und ihre kritische Interpretation
durch den Evangelisten Markus – *K.-M. Fischer,* Der johanneische
Christus und der gnostische Erlöser – *E. Haenchen,* Simon Magus in
der Apg. – *E. Fascher,* Die Korintherbriefe und die Gnosis – *G.
Baumbach,* Die von Paulus im Phil. bekämpften Irrlehrer – *H.-F.
Weiß,* Gnostische Motive und antignostische Polemik im Kol. und
Eph. – *G. Haufe,* Gnostische Irrlehre und ihre Abwehr in den Pasto-
ralbriefen – *K. Weiß,* Die „Gnosis" im Hintergrund und im Spiegel
der Johannesbriefe

*III Gnosis – Neues Testament – Verkündigung: W. Schmithals,* Die
gnostischen Elemente im NT als hermeneutisches Problem – *W. Ull-
mann,* Die Gottesvorstellung der Gnosis als Herausforderung an
Theologie und Verkündigung – *Ch. Hinz,* „Bewahrung und Verkeh-
rung der Freiheit in Christo." Versuch einer Transformation von
1. Kor. 10,23–11,1

Bestellungen richten Sie bitte an Ihre Buchhandlung